D0177230

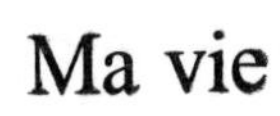

Ma vie

Jane Fonda

Ma vie

Traduit de l'anglais (Etats-Unis)
par Marie-Hélène Dumas

Editions de Noyelles

Titre original
My Life so Far

Editions de Noyelles,
123, boulevard de Grenelle, Paris
www.franceloisirs.com
Une édition du Club France Loisirs, Paris
réalisée avec l'autorisation des Editions Plon

ISBN édition originale : 0-375-50710-8, Random House, New York
ISBN : 2-7441-8797-6

PRÉFACE

Si nous ne connaissons pas notre propre histoire,
nous sommes condamnés à la vivre
comme si elle était notre destin particulier.

Hannah ARENDT.

Le passé renforce le présent,
et les pas hésitants qui conduisent à ce présent
tracent le chemin de l'avenir.

Mary Catherine BATESON.

Je suis née un 21 décembre, le jour le plus court. J'ai toujours vu l'année comme un cercle, avec son dernier mois situé tout en bas, là où se trouve le six des horloges. Puis le cycle reprend. Et j'ai l'impression à cette date de remonter dans le sens contraire des aiguilles d'une montre, pour un tour entier, et de me retrouver au point de départ à chaque anniversaire. Lorsque j'ai eu cinquante-neuf ans, en 1996, j'ai compris que, si je vivais jusqu'à quatre-vingt-dix ans environ, le rideau se levait alors sur ce qui serait mon troisième acte.

J'ai travaillé dans le cinéma et le théâtre pendant plus de quarante ans, et il y a une chose que je sais à propos du troisième acte. N'avez-vous jamais assisté à une pièce dont l'intrigue vous semblait confuse, jusqu'à ce que tout finisse par s'éclairer ? Ah, ah, vous êtes-vous dit. C'est à cela que servait telle ou telle scène du début. Ou à l'inverse, les choses semblent évidentes, puis tout s'effondre. Dans un cas comme dans l'autre, c'est le troisième acte qui est décisif, car il assemble des éléments apparemment incohérents en un tout cohérent.

Mais dans la vie, contrairement à ce qui se passe quand on joue sur une scène ou sur un plateau de cinéma, il n'y a pas de répétitions, ni de prises successives. Pas de seconde chance, alors mieux vaut y arriver du premier coup.

Pour réussir son troisième acte, il faut avoir compris ce qui s'est passé avant. Savoir où l'on a été pour savoir où aller. Certains diront que j'ai besoin de tout contrôler, seulement je ne veux pas, comme Christophe Colomb, partir vers une destination qui n'est pas celle que je croyais, y arriver en la prenant pour une autre et revenir sans que personne m'ait détrompée. Voilà pourquoi, j'ai pensé, quand j'ai eu cinquante-neuf ans, qu'il me fallait sérieusement réfléchir.

Dans *Bird by Bird*, Anne Lamott écrit : « Si vous voulez faire rire Dieu, racontez-lui vos projets. » C'est assez vrai. Mais lorsque j'évoque l'idée de travailler à mon troisième acte, je ne parle pas de projets. Je veux m'astreindre à comprendre ce que le passé m'a enseigné, avoir le courage d'intérioriser les leçons qu'il m'a données, de les faire miennes et m'engager à agir de façon qu'elles deviennent partie intégrante de mon avenir. C'est difficile.

LA DISCIPLINE LIBÈRE. Cette citation de la danseuse et chorégraphe Martha Graham était encadrée et accrochée au mur d'un studio de danse. Cela ressemblait à un oxymore – la discipline n'est-elle pas le contraire de la liberté ? Non, car elle ne signifie ni l'étroitesse d'esprit, ni la rigidité ni le châtiment. Elle implique au contraire une attitude d'engagement et de maîtrise qui permet de lâcher prise : un lien si profond que la séparation devient possible, si puissant qu'il autorise la douceur. La libération exige volonté, réflexion, courage et discipline – oui, discipline.

C'est grâce à une règle de vie stricte et épuisante que le grand danseur classique Rudolph Noureev a pu échapper par instants à la loi de la pesanteur et bondir dans les airs. C'est grâce à un entraînement intensif que l'exceptionnel lanceur des Atlanta Braves, Greg Maddux, pouvait rester aussi détendu, mentalement et physiquement, alors qu'il se trouvait sur le monticule pour la neuvième et dernière manche d'un championnat mondial de base-ball.

M'astreindre à une discipline et me libérer, c'est reconnaître mes démons, les repousser, examiner mon passé et en extraire les vieux schémas que l'on traîne derrière soi, afin de faire place au calme. Dans le silence seulement résonne la petite voix que je saurais reconnaître et suivre. Quelle qu'elle soit, elle m'a toujours accompagnée, bien que pendant mon second acte – et une grande partie du premier – il ait été trop dangereux de l'écouter.

J'ai besoin de discipline pour me libérer et vivre un troisième acte plus tranquille, j'ai besoin de discipline pour vivre avec la conscience de ma mort.

Je ne veux pas mourir sans savoir qui je suis.

Avez-vous jamais joué avec l'une de ces grosses graines sèches et dures qui, plongée dans un verre d'eau, se déploie en un paysage aquatique plein de mystère et de couleurs ? Lorsque je dis vouloir vivre selon une certaine discipline et en ayant conscience de la mort, cela signifie que je veux me saisir de chaque minute et la voir s'épanouir, tendre vers une plus grande plénitude comme l'une de ces graines dans un verre d'eau.

Pour mieux comprendre les raisons de ce choix, il nous faut remonter une vingtaine d'années en arrière. A l'époque où mon père était en train de mourir. Je restais assise à côté de lui en silence pendant des heures, espérant qu'il me parlerait, qu'il me dirait quelque chose sur ce qu'il pensait et ressentait tandis que le courant l'entraînait loin de nous, vers cet éternel ailleurs. Ce n'est jamais arrivé.

Puisqu'il ne venait pas à moi, j'allais vers lui. Je me suis concentrée sur son visage et j'ai tenté de m'introduire dans son corps, de devenir lui. Je me rappelle avoir ressenti une profonde tristesse – pas parce qu'il mourait, mais parce qu'il n'avait jamais vraiment su être proche de moi ni de mon frère, et que j'étais certaine qu'il le regrettait. Comme à sa place, je l'aurais fait.

Cette expérience m'a montré que je n'avais pas peur de la mort.

Mais je suis terrifiée à l'idée d'arriver avec des regrets à cet instant extrême, alors qu'il est trop tard pour se rattraper.

Il y a, bien sûr, des choses que nous regrettons tous, des actes que nous aimerions ne pas avoir accomplis et pouvoir effacer. J'en compte quelques-uns qui me hanteront toujours et que j'espère avoir le courage d'évoquer dans ce livre. Mais, plus que ce que vous avez fait et n'auriez pas dû faire, c'est ce que vous n'avez pas fait tout en sachant devoir le faire qui est terrible : les si-seulement et les que-se-serait-il-passé-si ?

« Pourquoi ne lui ai-je pas dit combien je l'aimais ? »

« Si seulement j'avais eu la force de surmonter cette vieille terreur. »

En approchant la soixantaine, j'ai beaucoup réfléchi à tout cela. Je vivais de profondes transformations intérieures – dont je n'ai pas compris la nature avant de me lancer dans l'écriture de ce livre. J'ai su alors que pour éviter les regrets, je devais chercher, tant que j'en avais encore la force, à mettre des mots sur eux – et à agir. J'avais besoin de vivre de façon consciente et je savais que cela m'obligerait à regarder en face certaines choses dont j'avais peur – comme ce qui est, par exemple, de l'ordre de l'intime.

Toutes ces pensées m'ont envahie lors de mon cinquante-neuvième anniversaire, en 1996. C'était maintenant ou jamais. A prendre ou à laisser. Dans douze mois, j'aurais soixante ans. Une de mes amies m'a avoué avoir dormi toute la journée ce jour-là. Une autre s'être cachée. Mais ne vous y trompez pas. Je déteste vieillir – une vanité parmi d'autres. Pourtant je savais que j'allais devoir faire ce que je fais en général lorsque j'ai peur d'une chose : m'en approcher, m'y habituer et finir par l'aimer. « Connais ton ennemi » est une maxime qui m'a souvent servi. Quand j'ai, par exemple, eu la quarantaine, sachant qu'approchaient la ménopause et les transformations inévitables qu'elle entraîne, j'ai passé deux ans à faire des recherches et à écrire avec mon amie Mignon McCarthy un livre intitulé *Women Coming of Age* qui traitait de la façon dont les femmes peuvent se préparer à cette nouvelle étape. Quand c'est arrivé pour moi (beaucoup plus tard que je ne l'avais prévu), j'étais prête. Je savais ce qui était négociable et ce qui ne l'était pas.

C'est ainsi que j'ai décidé de prendre mes soixante ans à brasle-corps et d'explorer ce que ma vie avait été. Et j'ai changé en le faisant comme jamais je ne l'aurais imaginé. Considérer les luttes individuelles que j'ai menées dans un contexte sociétal élargi m'a montré que toutes les femmes – avec des modalités et des résultats différents, peut-être, mais aussi des expériences fondamentales communes – vivaient la plupart des épreuves que j'avais traversées. Ce fut une libération, grâce à laquelle ce livre put être écrit.

J'ai aussi compris qu'il était temps de parler de ce que j'ai vécu pendant les cinq dernières années de la guerre du Viêtnam. J'ai voulu le faire en partie pour raconter ce qui s'est passé mais surtout ce que j'ai appris alors – sur moi, sur le courage et la rédemption. Les plus importantes de ces leçons m'ont été données par des conscrits américains. Ils m'ont montré que, bien que risquant de plonger au cœur des ténèbres, nous pouvons, si nous avons le courage de faire face et d'énoncer nos vérités, changer, nous libérer.

Bien des choses ont été dites (et pas toujours de façon très amicale) sur les bifurcations que mon existence a suivies aux yeux de tous, les différents personnages dont je semble avoir endossé l'identité, les différents visages que j'ai semblé prendre chaque fois qu'un nouvel homme entrait dans ma vie. J'ai maintenant, et maintenant seulement, compris de quoi il retournait. C'est ce que ce livre cherche à expliquer. J'espère que d'autres femmes se retrouveront dans ce que j'écris sur la façon dont une fille perd contact avec ce qu'elle est, avec son corps, et dont elle doit lutter pour se retrouver, et retrouver sa voix. Je crois aussi que le changement est une bonne chose, à condition que l'on s'implique pleinement dans chaque nouvelle phase afin d'évoluer. Pour le meilleur et pour le pire, je me suis totalement investie, à chaque étape, et j'en suis heureuse, car cela m'a permis d'apprendre et d'avancer. J'espère que ce livre donnera chair et âme au dicton selon lequel « la vie est le voyage lui-même et non son but », car je crois le voyage en lui-même plus joyeux que l'idée d'une destination quelconque.

Mon existence a été marquée par le changement et la discontinuité. Déjouant toute attente familiale, sociale et professionnelle, je ne me suis jamais laissé piéger par le miroir aux alouettes et je crois maintenant que c'est cette incapacité à me fixer qui m'a sauvée. Si, par peur, par paresse ou par désir de « normalité », j'étais restée figée dans ce que j'étais autrefois, cette jeune femme qui avait tant besoin d'être approuvée, vous pouvez être certains que je dormirais maintenant pendant tout le troisième acte... à l'aide de somnifères.

J'ai l'impression que le caractère fluctuant de ma vie fait que mon histoire peut servir aux autres, et au monde moderne. Sur une planète où il n'est question que de flexibilité et d'improvisation, les jeunes subissent pourtant la pression de leurs parents qui veulent les voir vivre comme ils l'ont fait eux-mêmes : en décidant très tôt de leur avenir, et en se tenant à leur projet. Et si tout ne marche pas comme prévu, ils croient qu'en eux quelque chose ne va pas. Nous grandissons dans l'attente (quand j'aurai mon bac, quand je serai mariée, quand je saurai ce que je veux faire, quand je serai grand) et espérons être ensuite satisfaits. Les rêves de jeunesse font alors place à la « réalité » et nous succombons à ce qui est, au lieu de tendre vers ce qui pourrait être. La constance peut constituer un piège, surtout quand on préfère persister dans l'erreur plutôt que s'arrêter, admettre qu'on s'est trompé et changer de cap.

Une chose est sûre – le génie du « flux continuel » s'est échappé de sa lampe magique. Les glissements tectoniques de notre environnement global psycho-socio-économique ont fait du changement perpétuel la norme à suivre constamment ! J'adhère à ce vers du poète soufi Rumi : « L'alchimie d'une vie changeante est la seule vérité. » Et mon histoire, c'est certain, démontre que le flux est souvent créatif et stimulant.

J'ai divisé ce livre en trois actes. Le premier s'intitule « La récolte ». C'est pendant ces trente premières années de mon existence que j'ai acquis tout ce qui a fait de moi ce que je suis, outils, expériences et cicatrices dont j'ai passé le reste de ma vie à me remettre, et sur lesquelles je me suis construite. C'est aussi l'époque où s'est développée ma résilience.

Le deuxième acte a pour titre « La quête ». Il parle de la période où je me suis tournée vers l'extérieur et où j'ai commencé à vouloir trouver dans le monde un sens qui échappait à la petitesse de mon moi et de mon existence personnelle, en me posant un certain nombre de questions : « Qu'est-ce que je fais sur terre ? A quoi ressemble la vie des autres ? Est-ce que je peux la rendre meilleure ?

Le dernier acte s'appelle « Le commencement ». Car c'est ce qu'il me semble être.

Si l'extrême visibilité de ma vie publique n'a pas toujours été compatible avec mon bonheur et ma paix intérieure, elle a donné une certaine universalité à mes métamorphoses successives. Au fur et à mesure que j'écrivais, je me suis rendu compte que je pouvais utiliser cela de façon intéressante. Il me suffit de débarrasser mon histoire de la partie visible de l'iceberg, celle dont vous, lecteurs, avez déjà entendu parler, et de vous inviter à regarder au-delà de ce que vous croyez en connaître, à en suivre les étapes avec des yeux nouveaux.

Très jeune, je suis « sortie de moi-même », de mon corps, et j'ai passé une grande partie de ma vie à chercher comment y revenir, comment me retrouver. Je ne l'ai compris qu'à soixante ans passés, en écrivant ce livre. J'en suis arrivée à croire que ma vie a peut-être un sens : vous montrer, à travers mon itinéraire, comment et pourquoi cette « désincarnation » prend place, en particulier en ce qui concerne les femmes, et comment, en revenant en nous, nous pouvons restaurer l'équilibre, le nôtre et celui de la planète. J'ai découvert que cette désincarnation gâchait ma vie personnelle, et au milieu du deuxième acte, j'ai cherché à retrouver mon corps.

J'ai dédié ce livre à ma mère. Pour moi, c'est important – une façon de commencer à retrouver mon équilibre. J'ai, voyez-vous, longtemps vécu comme si j'étais le fruit d'une immaculée conception inversée : née d'un homme sans l'aide d'une femme. Pour des raisons que vous allez découvrir, j'ai dépensé une énergie énorme à oublier tout ce qui dans ma vie représentait ma mère. Ce fut un poids terrible. Lui dédier ce livre marque un tournant dans ma quête.

Alors, à vous, chers lecteurs. Et à toi, Frances Ford Seymour, ma mère – tu as fait de ton mieux. Tu m'as donné la vie ; tu m'as laissée avec des blessures ; mais tu m'as aussi apporté, tout au moins partiellement, de quoi cicatriser.

ACTE UN

LA RÉCOLTE

Porter jusqu'au terme, puis enfanter : tout est là.

Rainer Maria Rilke,
Lettres à un jeune poète.

CHAPITRE UN

LE PAPILLON

Ne t'envole pas ! Reste là
Encore un peu, que je te voie !
Je trouve en toi tant de substance,
Historien de mon enfance !

William WORDSWORTH,
Le Prélude et autres poèmes,
« A un papillon ».

J'étais assise en tailleur sur le sol de la cabane que je m'étais construite avec des cartons. Ses murs étaient si hauts qu'en levant les yeux je ne voyais que le plafond en lattes blanches d'une véranda vitrée comme il y en avait tant dans le Connecticut des années quarante. Elle longeait d'un bout à l'autre le devant de la maison et dégageait une odeur de moisi. La lumière qui entrait par les vitres se reflétait contre le plafond et m'éclairait. J'avais onze ans, je nettoyais une selle.

C'était une selle anglaise, celle dont se servait ma demi-sœur Pan à l'époque où elle n'avait pas encore vendu son cheval et n'était ni mariée ni partie pour New York, cette époque où nous pensions encore que les choses s'arrangeraient.

Je tenais la selle sur mes genoux, frottais le beau cuir souple, encore et encore. *Vas-y. Arrange-moi ça. Tu sais que tu peux y arriver.* L'odeur du savon de sellerie avait quelque chose de réconfortant. Comme l'étroitesse de mon abri. C'était un endroit où je pouvais être sûre de ce qui allait se passer. Personne n'avait le droit d'y entrer, même pas mon frère Peter. Tout y était toujours rangé de la même façon, la selle, le savon, les chiffons doux soigneusement pliés, et mon livre de poèmes de John Masefield. L'ordre était important... une chose sur laquelle je pouvais compter.

Maman était à la maison pour quelque temps et en me penchant légèrement en avant, je pouvais la regarder par ma « porte », assise à l'autre bout de la véranda devant la table couverte d'une toile cirée où un bocal était posé. Un papillon se débattait frénétiquement contre ses parois de verre, ma mère prenait un morceau de coton avec une pince, le trempait dans l'éther, dévissait le couvercle du pot et y laissait doucement tomber la petite boule blanche. Un instant plus tard, les ailes de l'insecte ralentissaient, puis s'immobilisaient. *Paix.* Une bouffée d'éther flottait vers moi, me rappelant les séances chez le dentiste. Je savais ce que ressentait le papillon, car chaque fois que j'allais faire régler mon appareil, l'assistante me mettait un masque sur le visage en me disant de respirer à fond. Immédiatement les contours de mon corps s'effaçaient. Les bruits me parvenaient comme de très loin et je m'abandonnais à la merveilleuse sensation de vide qui accompagnait ma chute, tandis que, telle Alice au pays des merveilles, je disparaissais dans un trou noir. J'aurais aimé faire durer cette sensation éternellement. Je ne plaignais pas le papillon.

Au bout d'un moment, Maman dévissait à nouveau le couvercle du pot. Délicatement, elle en sortait l'insecte à l'aide de sa longue pince. D'un geste attentif et tendre elle lui transperçait le corps. Et l'épinglait à un tableau blanc accroché au mur derrière la table. Elle en avait au moins une douzaine, différentes queues d'hirondelle, un cynocéphale méridional, un vulcain, un coliade du trèfle et un monarque. Je n'ai jamais pu dire lequel je préférais.

Un jour, elle m'a emmenée dans une prairie où, parmi les fleurs des champs et les hautes herbes, elle attrapait ses papillons. Il y avait encore beaucoup de coins sauvages à Greenwich, Connecticut, dans les années 40 – des marais, des forêts inexplorées, et des prairies. Je l'ai regardée s'avancer, ses cheveux blonds dorés par le soleil flottaient au vent, elle a abattu son filet vert puis l'a vite retourné pour y bloquer sa proie. Ensuite, je l'ai aidée à enfermer l'insecte dans le pot.

Je ne comprenais pas très bien pourquoi Maman s'était lancée dans cette collection de papillons. Je ne me souviens pas qu'elle l'ait jamais fait lorsque nous vivions en Californie. C'était moi qui m'intéressais à eux. J'en peignais tout le temps. A l'âge de dix ans, avant que nous déménagions, j'avais offert un dessin à mon père pour son anniversaire, « Papillons, par Jane Fonda » : ils étaient alignés sur deux rangs avec leurs noms écrits sous eux de ma petite écriture serrée et soignée qui ne voulait rien révéler, et le titre en haut à droite de la feuille. J'y avais ajouté un mot :

19 mai 1948
Cher Papa,
Je n'ai pas décalqué ces dessins. J'espère que tu as eu un joyeux anniversaire. Je t'ai entendu dans l'émission de Bing Crosby. Je vais t'envoyer des papillons tous les deux jours.
Je t'embrasse,
Jane.

Quand ma mère s'est lancée dans cette activité, j'avais plus de onze ans et Peter neuf. Nous vivions dans une maison louée, la seconde depuis que nous étions arrivés de Californie dans le Connecticut. Elle était en bois, pleine de coins et de recoins, avec un étage, perchée en haut d'une colline qui donnait sur le péage de la Merrit Parkway. Je pouvais compter les voitures par la fenêtre de ma chambre. Nous avions grandi dans les montagnes californiennes de Santa Monica qui surplombaient l'immensité scintillante du Pacifique. C'est peut-être pour cela que dans mes rêves d'enfants, je me voyais toujours combattre de puissants ennemis. Si j'avais dès le début été élevée au-dessus d'un péage, je me serais probablement imaginée comptable.

Nous avions un vaste terrain bordé à l'ouest par une immense forêt de feuillus qui prenait en hiver l'aspect d'une forteresse grise. Puis au printemps, les cornouillers fleurissaient, taches blanches de l'espoir dans les raies sombres des bois, auxquelles les arbres de Judée ajoutaient leurs zébrures rouges. En mai, tout était envahi par différents tons de vert. Pour quelqu'un qui avait jusque-là vécu dans l'absence des saisons de la Californie, cette palette continuellement renouvelée semblait miraculeuse.

Sombre et glacée comme la demeure de la famille Addams, cette maison avait bien plus de chambres que d'habitants, ce qui renforçait l'impression d'instabilité et d'étrangeté que lui donnait sa situation au sommet de la colline. J'y vivais avec Grand-Mère Seymour (la mère de ma mère), Peter et une bonne d'origine japonaise qui s'appelait Katie et dont la présence parmi nous, en trois ans devenue familière, fut pour Peter un véritable réconfort. Alors que je me souviens à peine d'elle. Mais Peter s'est toujours plus attaché aux gens que moi. J'étais le cow-boy solitaire.

Maman ne vivait plus très souvent avec nous, sans que je sache pourquoi. C'est pendant l'une de ces périodes où elle était revenue du lieu où elle allait le reste du temps, qu'elle commença la collection de papillons. Peut-être lui avait-on conseillé de s'intéresser à quelque chose. Peter et moi avions cessé de nous inquiéter de ses absences, en tout cas moi. Cela faisait partie de notre vie : maman était là, puis elle n'était plus là. Dans un cas comme dans l'autre, c'était Grand-Mère Seymour qui s'occupait de nous. Grand-Mère était une femme forte, sur qui nous pouvions compter. Mais si je l'aimais, je ne me rappelle pas avoir jamais couru me jeter joyeusement dans ses bras, comme le font mes petits-enfants quand ils me voient. Je ne me souviens pas qu'elle nous ait jamais fait partager ce que la vie lui avait appris ni de m'être amusée avec elle. Elle avait un rôle plus solennel et plus basique. Mais lorsque nous avions besoin de quelque chose de moins personnel, elle était toujours là.

Il était fait quelquefois allusion à un hôpital, ou à une maladie, et juste après que nous nous fûmes installés à Greenwich, Maman avait fait un long séjour au Johns Hopkins Hospital où on l'avait opérée d'un rein. Grand-Mère nous a emmenés la voir une fois, et je me souviens de Maman me disant qu'ils l'avaient presque coupée en deux. Mais elle avait été si souvent « malade » et à l'hôpital que cela avait presque perdu toute signification. Normalement, vous alliez vous faire soigner afin de pouvoir rentrer chez vous et y rester. Elle, elle repartait.

Depuis que nous étions arrivés à Greenwich, j'avais moi aussi passé pas mal de temps à l'hôpital. Moi, la santé même. D'abord atteinte d'une septicémie, j'ai eu ensuite des otites chroniques, puis de nombreuses fractures. La première fois que je me suis cassé le bras, c'était en me bagarrant avec Teddy Wahl, le jeune palefrenier d'un club d'équitation. Teddy m'a jetée contre la porte d'une écurie. J'avais mal, mais je suis rentrée sans rien dire – entre Peter et ma mère, il y avait assez d'hypocondriaques comme ça dans la maison. Et je me suis installée devant la télévision pour regarder mon émission préférée, *The Howdy Doody Show* et son épisode quotidien de *Lone Ranger*, le cow-boy solitaire.

Je me suis assise sur mes mains, comme je le faisais chaque fois que Papa était à la maison. J'avais peur qu'il voie mes ongles encore rongés. Puis nous sommes passés à table, il m'a demandé si je m'étais lavé les mains, et lorsque je lui ai dit que non, furieux, il m'a arrachée à ma chaise et tirée vers la salle de bains, a ouvert le robinet et attrapé mon bras cassé, qui pendait mollement le long de mon corps. Je me suis évanouie. Il ne pouvait pas savoir que j'étais blessée et s'est excusé longuement tout en me conduisant à l'hôpital où l'on m'a radiographiée, puis plâtrée. Le pire pour moi, était que tout cela se passait très peu de temps avant la rentrée des classes, alors qu'on venait de m'inscrire au collège pour filles de Greenwich, et que j'allais devoir affronter ainsi cette période de l'année où les élèves s'évaluent les unes les autres, décident de qui est « cool » (à l'époque on disait « chouette »), qui joue bien au hockey, qui veut être l'amie de qui.

A l'époque Papa jouait *Mister Roberts*, pièce à succès de Broadway. Je devais sentir qu'entre mes parents, ça n'allait pas du tout, je l'ai compris depuis. Il régnait dans l'atmosphère une tension palpable. Sautes d'humeur et colères de Papa. Absences répétées de Maman. Même si j'avais eu les mots pour exprimer ce que je « savais », j'avais déjà appris que personne chez nous ne voulait entendre parler de ce que les autres ressentaient. Seul mon corps pouvait encore envoyer des signaux de détresse.

Nous venions de quitter la Californie quand le Harper's Bazaar est venu interviewer Papa et nous prendre en photo en train de pique-niquer – une de ces mises en scène qui donnent aux enfants de stars l'impression d'être des accessoires. Nous sommes assis sur la pelouse ; Papa, Peter et moi, Maman et Pan, ma demi-sœur, celle à qui appartenait la selle et qui, à seize ans, était d'une beauté voluptueuse.

L'un de ces clichés est particulièrement explicite. Je l'ai découvert dans un album après plusieurs années de thérapie, lorsque j'ai été capable de mieux le regarder, et avec plus de compassion. Au premier plan, appuyé sur ses coudes, Papa a l'air de penser à quelque chose de passionnant et qui n'a rien à voir avec le reste d'entre nous. Je suis agenouillée à côté de lui, je le regarde intensément, comme souvent sur nos photos de famille, montrant clairement de quel côté je suis. Derrière moi, Peter joue avec le chat et Pan est à moitié allongée, langoureuse. Puis, tout au fond, presque comme si elle ne faisait pas partie du groupe, ma mère se penche avec une expression douloureuse et inquiète. Quand je regarde ce visage, ce que j'ai souvent fait à l'aide d'une loupe, la tristesse m'envahit.

Comment ai-je pu ne pas comprendre ? Pourquoi n'ai-je pas été plus gentille ? J'avais dix ans.

A la fin de la Seconde Guerre mondiale, Papa avait quitté la marine et il était parti dès le lendemain (c'est en tout cas l'impression que j'ai eue) pour New York, où commençaient les répétitions de *Mister Roberts*. Nous étions restés en Californie. Quand il devint évident que la pièce allait tenir, Maman décida de mettre la maison en vente et de déménager dans l'Est. Elle choisit Greenwich parce ce n'était qu'à trente-cinq minutes de New York, en train ou en voiture, ce qui permettrait à papa de venir y passer tranquillement les week-ends. Et dans cette enclave riche du Connecticut, elle était certaine de trouver à louer des maisons entourées de terrains assez grands pour que Peter et moi puissions continuer à battre la campagne comme nous en avions l'habitude. Ce que nous avons fait.

Je ne me souviens pas que Papa soit venu souvent quand nous nous sommes installés à Greenwich. Et les rares fois où cela arrivait, je sentais en lui une force qui le tirait vers New York, bien que sans savoir pourquoi. Je me disais tout simplement que Maman, Peter et moi n'étions pas très intéressants. On voyait qu'il n'avait pas vraiment envie d'être là. Mais mon père avait été boy-scout, et le sens du devoir était inscrit dans son ADN. Malheureusement il nous le faisait savoir.

Papa nous emmenait parfois, Peter et moi, pêcher le carrelet dans le détroit de Long Island. Il était en général de mauvaise humeur, ce qui gâchait nos sorties, mais je les aimais quand même – j'aimais me retrouver avec eux dans le petit bateau à moteur qu'il louait, j'aimais l'odeur de sel et de fuel, et le pincement de cœur à la sortie du port, quand nous passions la bouée et arrivions en mer. Comme les carrelets se nourrissent dans les fonds, nous ne nous éloignions jamais beaucoup de la côte. Enfin Papa éteignait le moteur et nous disait de sortir nos cannes. Moment de vérité.

Pour mettre l'appât à l'hameçon, il fallait plonger la main dans un seau plein de varech brun où grouillaient de longs vers rougeâtres dont la tête semblait armée de griffes. Peter les détestait. Il refusait de les toucher – ce qui demandait beaucoup de courage. Sachant que mon père n'essayerait même pas de cacher le mépris que lui inspirait l'attitude dégoûtée de Peter et que son humeur s'assombrirait encore, moi, le cow-boy solitaire, j'arrivais à la rescousse et jouais les hommes forts. Sans un frisson, j'attrapais un ver, passais la pointe du hameçon à travers le corps qui se tortillait. Je n'agissais pas ainsi pour faire honte à Peter. J'aimais mon frère. Je voulais juste rouler des mécaniques, en espérant que ça détendrait Papa.

Peter était ce qu'il était. Quand il avait peur, il le montrait. Quand il était malade, il se plaignait. Et il se fichait de ce que cela pouvait entraîner. J'aurais souvent souhaité qu'il fasse semblant, comme moi, afin de rendre les choses plus faciles. Mais non, Peter était lui-même. Quant à moi, j'ai pris l'habitude de cacher celle que j'étais pour que Papa m'approuve. *Vas-y. Arrange-moi ça. Tu sais que tu peux y arriver.*

Une fois, Papa nous a fait venir en ville et il nous a emmenés au cirque. Le journaliste new-yorkais Radie Harris, qui nous connaissait, était là lui aussi et voici ce qu'il en a raconté :

« Je me souviens d'être allé au cirque quelques mois après la première de *Mister Roberts*. Henry était assis à ma droite. Jane et Peter l'accompagnaient, et il ne leur a pas dit un mot de tout le spectacle. Quant aux enfants, ils devaient savoir qu'ils avaient intérêt à se taire, à moins qu'ils ne fussent terriblement intimidés. Il ne leur a acheté ni hot dog, ni barbe à papa, ni souvenir. A la fin, ils se sont levés et ils sont partis. Ça m'a fait de la peine pour eux trois. »

Puis un jour, alors que je venais de finir mon petit déjeuner et que j'allais partir à l'école, j'ai vu Maman debout à l'entrée de la pièce. Elle m'a fait signe d'approcher. Elle voulait me parler. « Si quelqu'un te dit que ton père et moi allons divorcer, Jane, réponds que tu le sais déjà. »

Ce fut tout. Ensuite je suis allée à l'école. J'avais constaté qu'avoir des parents divorcés ne vous obligeait pas à disparaître au fond d'un trou où personne ne viendrait vous chercher. D'autres enfants, parmi nos amis, semblaient bien s'en sortir. Malgré tout j'ai gardé de cette journée un souvenir étrange, comme si je l'avais passée en dehors de moi, avec cette sensation que procurait l'éther du dentiste, mais en me sentant aussi plus importante, méritant plus d'attention qu'à l'ordinaire. Les divorces étaient rares, à cette époque.

Quelques jours après que le mot eut été prononcé (devant moi, pas devant Peter), alors que j'étais avec elle sur son lit, Maman m'a demandé si je voulais voir sa cicatrice. Je n'en avais pas très envie, mais j'ai pensé que, si elle me le proposait, c'est qu'elle devait avoir besoin de me la montrer et que je ne pouvais pas refuser. Elle a relevé sa veste, baissé son pantalon de pyjama et... Horreur, voilà pourquoi ils divorçaient ! Qui donc aurait pu vivre avec quelqu'un qu'on avait coupé en deux par le milieu et dont la taille était entourée d'un épais bourrelet rose ? C'était affreux.

« Je n'ai plus d'abdominaux, a-t-elle dit tristement. C'est moche, hein ? » Que voulait-elle que je lui réponde ? Que ce n'était pas si terrible ? Ou préférait-elle que j'abonde en son sens ?

« Et regarde ça », a-t-elle continué en découvrant son sein. Son téton était tordu. Je la plaignais, tout cela avait dû lui faire horriblement mal, et en même temps j'aurais préféré ne pas être sa fille. J'allais me réveiller et découvrir qu'ils m'avaient adoptée. Je voulais une mère belle et en bonne santé, qu'un père pouvait avoir envie de regarder nue. Tout était de sa faute.

Je crois que c'est à peu près à ce moment-là, peut-être même juste là, sur ce lit, que je me suis promis de faire tout ce qu'il faudrait pour être parfaite et qu'un homme m'aime. Cinquante-trois ans plus tard, Pan m'a raconté que Maman s'était fait mettre une prothèse mammaire qui avait été mal implantée. J'imagine qu'elle avait, elle aussi, voulu être parfaite. Mais je reviendrai au deuxième acte sur le triste sujet de ce genre d'opérations.

Howard Teichmann, auteur de la biographie officielle de mon père, *My Life*, écrit que lorsque Papa a dit à Maman qu'il voulait divorcer, elle lui a répondu : « Eh bien, d'accord. Bonne chance, Henry. »

« Elle a été absolument formidable, a expliqué Fonda. Elle a accepté. Elle s'est montrée bienveillante. Incroyablement compréhensive. »

Evidemment. Maman faisait ce qu'il fallait. Si elle savait aimer comme on le doit, sans égoïsme ni colère, mais avec tolérance, Papa lui reviendrait. Pourtant, intérieurement, elle se désagrégeait. Elle massacra sa chevelure à coups de ciseaux à ongles, et lors d'un séjour chez une amie de New York, se mit à arpenter les rues en chemise de nuit.

A cette époque, moi aussi je marchais en chemise de nuit, mais dans mon sommeil, et toujours poussée par le même cauchemar : j'étais au mauvais endroit, il fallait absolument que je sorte de la pièce, que je retourne là où je devais être. Il faisait sombre et froid et je n'arrivais pas à trouver la porte. Dans mon somnambulisme, je déplaçais les meubles de ma chambre afin de retrouver mon chemin, puis, devant l'inanité de l'effort, je finissais par renoncer et me recoucher. Le lendemain, il fallait tout remettre en place. C'est un cauchemar que j'ai continué à faire – seul changeait l'endroit où je devais aller – jusqu'à ce que j'épouse Ted Turner, à cinquante-quatre ans.

Dans un des souvenirs les plus marquants que j'ai de cette époque, nous sommes assis en silence autour de la table de la salle à manger, dans cette inquiétante maison en haut de la colline – Peter, Grand-Mère, Maman et moi. Le paysage encore gris du mois de mars s'étend derrière la fenêtre. Maman, qui préside, pleure en silence au-dessus de son assiette pleine. Il y a pour dîner des épinards et du jambon en boîte. Nous mangions beaucoup de conserves, à cette époque, comme si la guerre et ses restrictions continuaient. Je me demandais souvent pourquoi, mais je sais maintenant que Maman avait très peur de dépenser ce qu'elle avait et de se retrouver sans rien après le divorce.

Elle pleurait et personne n'a rien dit. Peut-être avions-nous peur, en mettant des mots sur ce à quoi nous assistions, de faire imploser l'existence quotidienne et saturer l'air d'une tristesse irrespirable. Personne n'a rien dit non plus après le repas. Grand-Mère ne nous expliquait rien, jamais. Peut-être que si « ça » n'était pas nommé, « ça » n'existerait pas. Peter et moi sommes partis dans nos chambres faire nos devoirs, comme d'habitude. Cette scène a été enterrée dans le cimetière qui voisinait mon cœur, et l'habitude qu'avaient ces adultes de ne jamais parler de ce qu'ils ressentaient s'est transmise à la génération suivante.

Mais la vie a continué, comme elle le fait toujours, jusqu'au dernier moment, et comme elle le fait surtout quand vous avez onze ans et que vous découvrez le monde. Cette année-là, j'ai réussi pour la première fois à sauter à cheval un obstacle d'un mètre trente. Je suis devenue une acharnée de la canasta. Et je me suis mise à écrire avec Brooke Hayward, un partenariat qui nous a valu le prix de la meilleure nouvelle de la Greenwich Academy.

De la maison, je pouvais aller à pied à un club de cheval, pas celui où Teddy Wahl m'avait cassé le bras, un autre, plus petit, où je prenais des leçons d'équitation dans une carrière ouverte. J'y montais Silver, un cheval blanc. Diana Dunn, ma meilleure amie, m'y rejoignait souvent. Nous adorions toutes deux le moniteur, un Irlandais chaleureux du nom de Mike Carroll. Avec la maison de carton où je nettoyais la selle de ma sœur, cet endroit était celui où je me sentais le mieux. J'éprouvais pour les chevaux une véritable passion, un amour dans lequel je me réfugiais.

Grand-Mère m'a dit des années plus tard que Maman a été transférée à peu près à cette époque du Centre d'Austen Riggs de Stockbridge, Massachusetts, résidence assez ouverte où étaient soignés les riches atteints de « troubles mentaux », à la clinique Craig House de Beacon, dans l'Etat de New York. Les médecins pensaient que la détérioration de son état psychique et ses tendances suicidaires nécessitaient une vigilance constante. Grand-Mère, qui l'a accompagnée durant ce voyage, m'a raconté qu'on avait passé à Maman une camisole de force et qu'elle ne l'avait pas reconnue. Une telle image de ma mère est pour moi presque inconcevable, comme la douleur que ma grand-mère a dû ressentir alors.

Un jour, Maman est revenue à la maison, accompagnée d'une infirmière en uniforme. J'ai refusé de la voir. Assise sur le plancher à l'étage, je jouais aux cartes avec Peter, quand leur limousine est arrivée. Grand-Mère nous a appelés.

J'ai attrapé Peter par le bras :

« Ne descends pas. Je ne veux pas y aller. Joue encore avec moi. Je te laisserai gagner. D'accord ?

— Non, j'y vais », a répondu Peter. Et il a disparu dans l'escalier.

Pourquoi ai-je fait ça ? Est-ce que je lui en voulais de ne pas être là pour nous ? Voulais-je lui montrer que moi non plus, je n'avais pas besoin d'elle ?

Je ne l'ai jamais revue.

Elle savait probablement qu'elle ne reviendrait pas. Elle était, j'imagine, venue nous dire au revoir – et prendre son petit rasoir dans la boîte en émail noir que lui avait offerte des années auparavant son amie Eulalia Chapin. Elle a dû monter au premier étage et réussir à le glisser dans son sac avant que l'infirmière arrive derrière elle.

Un mois plus tard, le jour de son quarante-deuxième anniversaire, Maman a écrit six lettres. Une à chacun de ses enfants, Pan, moi et Peter, une à sa mère, une à son infirmière, lui disant de ne pas aller dans la salle de bains mais d'appeler le médecin, et la dernière à son psychiatre : « Vous avez fait tout ce que vous pouviez, docteur Bennett. Je suis désolée, mais c'est la meilleure solution. »

Puis elle est allée dans sa salle de bains de la clinique Craig House, elle a pris le rasoir qu'elle avait réussi à cacher et s'est tranché la gorge. Elle vivait encore quand le Dr Bennett est arrivé, mais elle est morte quelques minutes plus tard.

Les ailes ralentissaient, puis s'immobilisaient. Paix.

Au moment où je rentrais de l'école cet après-midi-là, Grand-Mère m'a appelée de sa chambre, en haut des escaliers.

« Il est arrivé quelque chose à ta mère, Jane. C'est son cœur. Ton père sera là dans un moment. Reste dans la maison, attends-le. Ne sors pas. »

J'ai fait demi-tour, je suis ressortie immédiatement et j'ai couru jusqu'au club de cheval où je devais suivre une reprise. Je ne me souviens pas d'avoir ressenti quoi que ce soit, et pourtant, je devais savoir que c'était grave, sinon Papa ne serait pas venu de New York, comme ça, en plein milieu de semaine. Pendant ma leçon, le téléphone a sonné. C'était Papa, demandant qu'on me renvoie immédiatement chez moi. J'ai pris mon temps. Il y avait des tas d'insectes morts et de jolis cailloux à regarder sur le chemin. Finalement, quand je n'ai plus rien trouvé pour repousser l'instant, j'ai grimpé jusqu'en haut de la colline. Une étrange voiture était garée en bas des marches. J'ai pensé, en frissonnant, que c'était probablement celle que Papa avait louée pour venir nous voir. Tout au fond de moi, dans un lieu secret que ma raison n'atteignait pas, je savais. Tandis que la part consciente de mon cerveau paraissait vivre un rêve. J'allais bientôt me réveiller. J'ai poussé la lourde porte de la maison et je suis entrée dans le salon. Aucune lampe n'avait été allumée, la pièce semblait encore plus sombre qu'à l'ordinaire. Mon père et ma grand-mère étaient assis très droits, chacun sur un canapé. Papa m'a prise sur ses genoux, il m'a dit que Maman avait eu une crise cardiaque et qu'elle était morte.

Morte. Maintenant il y a un mot, et pas n'importe lequel. Court, lourd. J'ai l'impression de le sentir entre mes mains, comme une pierre. *Morte, comme les papillons épinglés sur une planche de l'autre côté du mur du salon. Les bocaux et les pinces de ma mère étaient toujours posés sur la même table. Je les avais vus la veille quand j'étais allée nettoyer la selle. Elle ne pouvait pas être morte. Elle n'avait pas rangé ses affaires. Je devais rêver.* Je me suis retrouvée à côté de moi, en train de me regarder, attendant de me voir réagir. Tout semblait comme d'habitude, pourtant rien n'était plus pareil. D'une autre pièce, arrivait un tic-tac discordant, exaspérant. L'horloge ne savait-elle pas que le temps n'avait plus d'importance ? J'ai remarqué que la housse du canapé faisait des plis et j'ai essayé de les aplanir. *Vas-y. Arrange-moi ça. Tu sais que tu peux y arriver.*

Peter est rentré quelques minutes plus tard. Papa s'est levé et a changé de place avec Grand-Mère, puis il a pris Peter sur ses genoux et lui a répété ce qu'il venait de me dire. Il fallait que je m'en aille, que je me retrouve en moi, que je découvre ce que je ressentais.

« Je monte dans ma chambre, excusez-moi. »

Je me suis vue monter l'escalier, comme j'entendais Peter pleurer. Assise au bord de mon lit, je me demandais *mais pourquoi est-ce que, moi, je ne pleure pas ?* Maman est morte, je ne la verrai plus. Plus jamais. Je me répétais ces mots, encore et encore, pour faire venir les larmes. En vain.

Je me suis souvenue que je n'étais même pas descendue l'embrasser, la dernière fois qu'elle était venue. *Pourquoi est-ce que je ne suis pas allée la voir ?* J'ai senti quelque chose se serrer derrière ma cage thoracique. *Voilà, ça vient. Je suis normale.* Mais cette sensation a disparu et je me suis retrouvée une fois de plus en dehors de moi, une fois de plus insensibilisée.

Lorsque, à quarante ans passés, j'ai enfin versé des larmes pour ma mère – de façon inattendue et sans raison apparente –, je n'ai pas pu les arrêter. Elles venaient de si loin que j'ai eu peur de ne pas leur survivre, de voir mon cœur partir en petits morceaux que je ne pourrais jamais recoller.

Grand-Mère et Papa ont organisé la crémation de Maman, puis Papa est reparti pour New York où, le soir même, il a joué *Mister Roberts*. N'a pas raté une seule représentation. Cela ne signifie pas qu'il n'avait pas de peine ; je crois seulement qu'il ne savait pas comment réagir face à la douleur. Qu'il ne pouvait que la cacher. Ou peut-être était-il anesthésié, comme moi. Peut-être était-ce une chose que je tenais de lui.

Dès que Papa est parti, je suis allée dans la chambre de Maman et j'ai trouvé un de ses sacs préférés, qui avait l'odeur de son rouge à lèvres. Sur la table de nuit était posé un exemplaire écorné du livre de Dale Carnegie, *How to Win Friends and Influence People ?* (*Comment se faire des amis et jouer de son influence ?*). Il y avait sur le sol de son placard, dans la poche de son manteau, des traces de sa vie interrompue – qui ne reprendrait jamais. Dans l'armoire à pharmacie les flacons de médicaments – avec sur leurs étiquettes son nom, Frances Fonda, et une date d'expiration – *mais c'était elle qui avait expiré* – étaient rangés en lignes, comme des orphelins. Comme moi. Est-ce qu'on allait les jeter ? Est-ce qu'on allait se débarrasser de moi ?

Mon amie Diana Dunn m'a appris récemment que son père lui avait dit : « Jane va venir passer quelque temps à la maison. Sa mère est morte. Viens avec moi, nous allons la chercher. » Papa ou Grand-Mère avaient dû leur téléphoner. Selon Diana, je suis restée chez eux plusieurs jours, sans qu'un seul mot soit jamais prononcé à propos de ma mère. « Tu ne pleurais pas, a-t-elle dit. Ça me faisait peur. Ta maman venait de mourir et je ne comprenais pas pourquoi personne ne t'en parlait. Tu étais ma meilleure amie, je t'aimais, et je ne savais pas comment t'aider. »

Dans les années qui ont suivi, je n'ai jamais parlé d'elle avec mon père. J'avais peur que cela le contrarie. Je pensais qu'il se sentait coupable d'avoir voulu divorcer. *Arrange-moi ça.* Je ne sais même pas s'il savait que je savais que l'histoire de la crise cardiaque n'était pas vraie. Ne rien demander et ne rien dire. Peter, lui, s'exprimait, et plutôt deux fois qu'une. A Noël, huit mois après la mort de notre mère, Papa est venu ouvrir les cadeaux avec nous à Greenwich, où nous étions restés sous la garde de Grand-Mère et de Katie. Peter avait rempli un fauteuil de cadeaux pour Maman et lui avait écrit une lettre. L'idée de ce petit garçon de onze ans qui avait besoin de dire à sa mère qu'il l'aimait, qu'elle lui manquait et qui voulait tellement qu'on pense à elle me semble aujourd'hui affreusement triste et émouvante. Pourtant, Seigneur, rien à l'époque n'aurait pu rendre cette journée de Noël plus horrible. Furieuse contre lui, j'ai soutenu Papa qui semblait ne voir dans cette attitude qu'une comédie pour se faire plaindre. Mais comment une telle pensée pouvait-elle lui venir ?

Pendant la semaine qui a suivi la mort de Maman, mes professeurs ont fait preuve d'une gentillesse et d'une compréhension inhabituelles. Je me suis aperçue que ce que l'on disait de moi était exactement ce que j'espérais entendre. Que j'étais très courageuse et que je réagissais magnifiquement bien. En fait, je devenais un as de la dissimulation ! Puisqu'on me félicitait maintenant de cette inclination que j'avais toujours eue, j'allais en faire un art : *Tu ne ressens pas vraiment ce que tu ressens ; tu n'entends pas vraiment ce que tu entends.* Je ne le faisais pas consciemment

– je n'enterrais pas volontairement mes sentiments. C'était juste une habitude prise depuis si longtemps qu'elle était maintenant inscrite au plus profond de moi-même. Je n'avais plus idée de ce que je savais, voulais, pensais ou ressentais – je ne savais même plus qui j'étais, quel était ce corps dans lequel je vivais. J'allais devenir ce que ceux que j'aimais et dont je voulais attirer l'attention voulaient que je sois. Essayer d'être parfaite. Cela me rassurait. Et cette technique de survie m'a beaucoup aidée – sur le moment.

CHAPITRE DEUX

GÈNES BLEUS

Et pourtant ces êtres du passé vivent en nous, au fond de nos penchants,
dans le battement de notre sang, ils pèsent sur notre destin :
ils sont ce geste qui ainsi remonte de la profondeur du temps.

Rainer Maria RILKE,
Lettres à un jeune poète.

Le passé n'est jamais mort. Il n'est même jamais le passé.

William FAULKNER,
Requiem pour une nonne.

MAMAN

« C'était une reine, toujours au centre de ce qui se passait, et mon Dieu, comme elle aimait la vie ! » Tandis que sa voix résonnait dans le combiné, je me suis dit que, pour parler comme ça de ma mère, cette femme devait être un peu givrée.

Elle s'appelait Laura Clark. Elle avait été, dans les années 30, mannequin chez Elisabeth Arden où elle défilait en robe d'après-midi devant les clientes de l'institut de beauté. Elle était ainsi entrée un jour dans la pièce où ma mère, qui était une habituée, venait de recevoir des soins de visage. Maman lui lança un coup d'œil, la trouva belle et, sans s'intéresser à la robe qu'elle présentait, lui offrit une tasse de thé.

« Vous semblez épuisée, lui dit-elle. Venez donc vous asseoir. » Elles bavardèrent et cette conversation fit d'elles des amies à jamais.

Je venais d'apprendre que Laura Clark cherchait à me joindre depuis plus de vingt ans pour me parler de ma mère. Dans les années 70, elle était même allée dans la loge de mon père qui jouait à Broadway *My First Monday in October*, lui demander comment elle pouvait me joindre. « Essayez les flics ! » lui avait-il répondu d'un ton exaspéré. C'était l'époque où je défendais des causes controversées.

Je me rappelais vaguement avoir reçu des lettres d'une certaine Laura Clark, mais comme elle disait être une amie de ma mère, je les avais jetées. En ce qui me concernait, Maman aurait alors aussi bien pu ne pas avoir existé. Et voilà que des années plus tard, je recevais une autre de ces missives, m'indiquant un numéro de téléphone où l'appeler, si j'en avais envie. Elle ne pouvait pas savoir que j'avais décidé d'écrire ce livre et de comprendre celle qui avait été ma mère. Assise à mon bureau, je décrochai le téléphone. J'étais prête. Enfin je le croyais.

La voix douce de Laura me décrivait quelqu'un que je ne pouvais me rappeler.

« Votre mère m'a prise sous son aile et elle m'a invitée aux merveilleuses réceptions qu'elle donnait dans sa propriété de Long Island et au club El Morocco. Les hommes perdaient la tête dès qu'ils la rencontraient. Il lui suffisait de lancer un de ces regards en coin dont elle avait le secret pour qu'ils soient à ses genoux.

— Mais elle était mariée, non ? ai-je demandé. Pan était née ?

— Elle était veuve, lorsque je l'ai connue. Son premier mari, George Brokaw, venait de mourir. Sa fille devait avoir deux ans. »

Pendant la guerre, Laura était partie avec son fils Danny chercher du travail à Los Angeles, où elle avait retrouvé ma mère.

« A cette époque, bien sûr, elle avait déjà épousé votre père. Vous étiez tout petits, Peter et toi. Votre mère m'a trouvé un appartement, elle m'a emmené à des fêtes, comme elle le faisait à New York, m'a présenté des gens. Je m'appelais alors Laura Pyzel, ça ne vous dit rien ?

— Vous êtes Laura Pyzel ! Mais bien sûr que je me souviens de vous, et de Danny. Il avait l'âge de Peter. Il venait tout le temps à la maison. Mais parlez-moi de Maman. Avait-elle des moments de déprime ?

— Jamais. Elle était toujours en forme, pleine de vitalité. Son suicide m'a bouleversée. C'est curieux, le jour où j'ai appris la nouvelle par la radio, je portais une robe de dentelle noire qu'elle m'avait donnée. »

M'étant toujours demandé si Maman avait eu du mal à s'habituer, après New York, à la vie beaucoup moins mondaine qu'elle menait en Californie avec mon père, j'ai interrogé Laura à ce sujet.

« Oui, ils étaient très différents, et c'était dur pour elle. » Puis Laura a continué, évoquant le Los Angeles des années 40, et soudain elle m'a dit : « Vous savez, Jane, votre mère était une femme très attirante, et très moderne.

— Ce qui signifie ? » Je me suis redressée dans mon fauteuil, attentive.

« Votre père est parti dans la marine, pendant la guerre. Frances s'est retrouvée toute seule et elle est tombée amoureuse folle d'un jeune homme qui s'appelait Joe Wade. Un vrai don Juan, divinement séduisant ! Elle était dingue de lui. Toutes les femmes l'étaient. »

Mon cœur battait à grands coups, je ne prenais plus de notes. « Parlez-moi de lui.

— Il buvait beaucoup et menait une vie de bâton de chaise. Nous avions peur pour elle, car il était totalement imprévisible. Tout le monde se demandait ce qui allait arriver quand votre père rentrerait. »

Soudain un souvenir a surgi. « Est-ce que par hasard, il était musicien ? »

Laura s'est tue un instant. « Oui, je crois bien que oui », a-t-elle fini par dire.

Oh mon Dieu ! Voilà, les pièces du puzzle s'imbriquaient.

Je devais avoir sept ans, Papa était au loin et nous marchions, Maman et moi, sur le chemin qui menait à notre maison de Californie quand elle m'a dit de but en blanc : « N'épouse jamais un musicien. » Je m'en souviens nettement, pas seulement parce que c'est une chose étrange à dire à une enfant de cet âge, mais parce que Maman ne m'a jamais donné aucun autre conseil de ce genre. J'ai souvent repensé à ces mots. Je me rappelais vaguement avoir entendu dire que lorsque Papa était parti dans la marine, elle avait aidé un jeune musicien débutant et essayé de le lancer. Maintenant je comprenais : elle était tombée amoureuse de Joe Wade et il l'avait quittée.

« Savez-vous si Joe Wade venait parfois chez nous ? » ai-je demandé à Laura. Je tremblais et essayais de garder la voix ferme.

« Oui, il était souvent là. Comme je vous l'ai dit, c'était un garçon imprévisible, sauvage. Il se promenait avec un revolver. Il a même tiré dans le plafond.

— Dans la chambre de Maman ? » ai-je demandé, en essayant d'imaginer la scène. Soudain ma mère devenait une héroïne à la Mae West.

« Oui, a répondu Laura. Et votre mère s'est fait un souci fou pour ce trou dans le plafond. » Evidemment. Que pouvait-elle dire ? Qu'elle était en train d'essayer un nouveau pistolet et que le coup était parti tout seul ?

J'ai senti au fond de moi un glissement tectonique, la *reconnaissance* de ma mère. Pour la première fois je ne la voyais pas comme une victime, mais comme une femme qui avait défendu son droit au plaisir. J'ai raccroché et sangloté longuement.

L'automne précédent, j'avais appris, là aussi par hasard, que le Dr Peggy Miller, une psychologue de Pacific Palisades, en Californie, avait connu Maman. Elle était en fait la belle-fille de sa meilleure amie, Eulalia Chapin. Assise dans le salon de Peggy, je me sentais comme une archéologue fouillant follement le passé pour y trouver des indices qui éclaireraient le présent.

« Parlez-moi de ma mère, Peggy. Racontez-moi ce que vous savez. »

Comme Laura, elle m'a expliqué que Maman était toujours au centre de ce qui se passait, et prête à toutes les aventures.

« Dick, mon mari qui est mort depuis, m'a dit que, bien que beaucoup plus jeune qu'elle, il adorait sa compagnie, qu'elle était l'être le plus drôle, le plus amusant qu'il ait jamais connu. Selon lui, elle attirait les hommes comme la flamme d'une bougie les papillons de nuit. » Je l'ai interrogée à propos de Joe Wade et elle a confirmé ce que m'avait dit Laura, ajoutant que sa belle-mère Eulalia avait « couvert » Maman en faisant comme si c'était elle qui avait une aventure avec Joe, et qu'elle lui avait souvent prêté sa maison pour l'y retrouver.

Paul Peralta-Ramos, fils de l'artiste mondain Milicent Rogers et cousin de Maman, m'a dit :

« Frances était celle à qui nous nous adressions en cas de problème. Rien ne la choquait. Si on mettait une fille enceinte, c'était ta mère qu'on allait voir. On savait qu'elle trouverait un médecin. Elle était un roc, aucune difficulté ne l'arrêtait. »

Je n'en revenais pas. Maman ? Un roc ?

Je devais être folle pour ne jamais avoir vu en elle celle que trois personnes maintenant m'avaient décrite : une femme solide, qui aimait le plaisir et la vie. Pourquoi est-ce que je l'avais toujours considérée comme une victime, hypersensible et triste, quelqu'un à qui il était aussi dangereux de demander de l'aide que de marcher sur des sables mouvants et à qui, à aucun prix, je ne voulais ressembler ? J'ai trouvé la réponse un an plus tard, quand, avec l'aide d'avocats, j'ai pu obtenir de l'Austen Riggs Center le dossier médical de ma mère.

J'étais seule ce soir-là dans une chambre d'hôtel quand j'ai ouvert l'épaisse enveloppe. La simple lecture du titre, « Dossier médical de Frances Ford Seymour Fonda », m'a coupé le souffle. Je me suis déshabillée et couchée. Je claquais des dents, je tremblais de tout mon corps.

Au milieu des comptes rendus quotidiens décrivant l'aggravation de l'état de santé de ma mère et les traitements qui lui étaient prescrits, j'ai trouvé huit feuilles qu'elle avait remplies elle-même, sans interlignes, à la machine à écrire, quand elle était arrivée dans cette institution, puis qu'elle avait complétées et corrigées de sa main.

Je n'arrivais pas à le croire. J'avais tellement désiré savoir ce qui lui était arrivé. Et c'était là, devant moi. Je vais maintenant partager avec vous les éléments de son récit qui m'ont aidée à la comprendre, et donc à me comprendre. Je me suis également appuyée sur ce que d'autres m'ont appris à son sujet, en particulier ma demi-sœur, Pan Brokaw.

Le père de ma mère, Ford Seymour, dirigeait à trente-cinq ans un important cabinet d'avocats new-yorkais. Un jour qu'il se promenait dans sa ville natale, il aperçut en vitrine la photo d'une ravissante jeune fille de dix-neuf ans. Elle s'appelait Sophie Bower et habitait à Morrisburg, sur la rive canadienne du Saint-Laurent. Il fut immédiatement séduit, ce qui n'a rien d'étonnant quand on voit l'éclat malicieux qui brillait dans les yeux de ma grand-mère et son sourire joyeux. Mon grand-père était un homme extrêmement séduisant, un gentleman au charme diabolique qui appartenait à une famille de notables. Il avait, comme dit Pan, « quelque chose d'un peu fou que ces dames appréciaient ». Elle ne croit pas si bien dire. D'après ce que Maman leur a raconté, les médecins de l'Austen Riggs Center l'avaient qualifié de schizophrène à tendance paranoïaque.

Il était décidé à épouser Sophie, et cette dernière était trop jeune pour déceler les signes de sa maladie. Après leur mariage, il l'emmena à New York. Quand il rentrait de son cabinet d'avocats, il se plaignait toujours de maux de tête et demandait à Grand-Mère qu'elle lui mette des compresses humides sur le front. Jusqu'à ce que la mère de la jeune femme vienne leur rendre visite et s'écrie : « Mais enfin, ma chérie, s'il a mal la tête, c'est tout simplement parce qu'il a bu ! » Il s'avéra que Grand-Père était un homme à femmes, un séducteur qui écrivait des poèmes, souffrait de troubles mentaux et d'alcoolisme, problème récurrent au sein de sa famille. Sa paranoïa le rendait pathologiquement jaloux. Il ne supportait pas la moindre marque d'attention de ses collègues envers sa ravissante jeune femme et, en 1906, peu après la naissance de leur premier enfant, mon oncle Ford, Grand-Père quitta son cabinet d'avocats et acheta une ferme à côté de Morrisburg, au bord du Saint-Laurent. Après moins d'un an d'absence, Grand-Mère se retrouvait là où elle avait toujours vécu. En avril 1908, elle y donna naissance à ma mère. Un an plus tard, elle eut une autre petite fille, Jane, malade dès sa naissance. L'enfant souffrait d'épilepsie – ce qui fut diagnostiqué beaucoup plus tard – et il fallait constamment la surveiller.

La vie n'était pas facile pour les Seymour. Maman a écrit que son père les « fessait » si souvent et si fort que Grand-Mère le suppliait de s'arrêter. Aujourd'hui, on parlerait d'enfants battus. Il fermait les portes avec des barres de fer pour s'assurer que personne ne viendrait voir Grand-Mère, accrochait des serviettes aux fenêtres, se cloîtrait dans sa chambre. Le seul étranger qui fût autorisé à entrer était l'accordeur de piano. Qui abusa de ma mère quand elle avait huit ans, je le lus sur les feuilles qu'elle avait écrites de sa main.

Ce traumatisme transforma très probablement sa vie, et la mienne – j'y reviendrai par la suite.

Grand-Père ne travaillait plus. Leurs parents riches aidaient financièrement les Seymour, qui pour s'en sortir vendaient les pommes de leur verger et les œufs de leurs poules. Il n'y avait à cette époque ni machine à laver ni fers électriques, ce qui n'empêchait pas Grand-Père d'exiger que tout soit impeccablement repassé ; et tout devait être fait sur place, y compris le pain, le savon et le beurre. Pour accomplir ses tâches en veillant sur son enfant malade, Grand-Mère lui avait appris à rester continuellement pendue à ses jupes. La petite Jane la suivait partout où elle allait. Comment, dans ces conditions, les autres enfants auraient-ils pu bénéficier de l'attention dont ils avaient besoin ? Mon cœur se brise à la pensée de ma mère, terrifiée par les coups de son père, cachant le sombre secret de ce que lui avait fait l'accordeur de piano, et ne pouvant que regarder, impuissante, sa mère consacrer à sa petite sœur le peu de temps qui lui restait. Que son père ait eu autant d'enfants sans gagner de quoi les élever ni pouvoir s'occuper d'eux mettait ma mère très en colère. Elle l'écrivit plus tard.

La sœur de Grand-Père, Jane Seymour Benjamin, avait une fille, Mary, qui avait épousé le colonel H.H. Rogers, militaire de carrière et fils de Henry Huttleston Rogers, vice-président de Standard Oil. Mary Benjamin Rogers, gentille et généreuse matriarche, finit par se rendre compte de ce que vivait la famille de son oncle fou. Quinze ans avaient passé depuis leur installation au Canada et Grand-Mère avait maintenant cinq enfants à élever. Mary décida de faire venir ses cousins à Fairhaven, dans le Massachusetts. Avant d'aller la rejoindre, Grand-Mère plaça sa fille Jane dans une institution où elle mourut plus tard de pneumonie.

Maman a passé ses deux dernières années de lycée à Fairhaven. Sa cousine Mary et sa fille, Milicent Rogers, de six ans plus âgée que ma mère, l'aimaient énormément. D'une beauté étonnante, fréquentant la haute société, Milicent est devenue créatrice de bijoux et mécène. Le musée Milicent Rogers de Taos, au Nouveau-Mexique, abrite une partie de sa collection de tableaux et les lourds bijoux d'or et d'argent qu'elle dessinait, témoignages de son talent et de son goût. Ces femmes étaient intéressantes, élégantes et fortes – de celles grâce à qui le monde garde une certaine cohérence – et elles ont dû représenter pour Maman des modèles puissants. Mais elles l'intimidaient. Dans son dossier médical, son médecin avait noté qu'elle s'était toujours sentie « douloureusement inapte, cousine pauvre inférieure socialement et intellectuellement ».

Chez elles, Maman rencontra une certaine Miss Harris, secrétaire à Wall Street qui gagnait dix mille dollars par an, salaire, à cette époque, incroyablement élevé. Peut-être est-ce ainsi que Maman décida de faire elle aussi ce métier. Elle dit à son amie Eulalia Chapin qu'elle allait suivre des cours et devenir la sténodactylo la plus rapide qu'on puisse trouver. « Ensuite je descendrai à Wall Street, ajouta-t-elle, et j'épouserai un millionnaire. » Et c'est exactement ce qu'elle fit.

Avec l'aide financière de Mary Rogers, Maman s'inscrivit dans l'école de secrétariat de Katharine Gibbs, joua sur ses relations familiales et obtint un poste à la Guaranty Trust Company, où elle en apprit beaucoup sur le monde des affaires. Puis, à vingt ans, elle rencontra le multimillionnaire George Brokaw, dont la famille avait fait fortune pendant la guerre de Sécession en fabriquant les uniformes des soldats yankees. Brokaw venait de divorcer de Clare Booth, écrivaine et future femme de Henry Luce, du *Time*. Maman et Mr Brokaw se marièrent en 1931. Ils s'installèrent à Manhattan, dans une extravagante demeure de pierre entourée d'une douve au coin de la 79e Rue et de la Cinquième Avenue.

Comme sa mère, Maman avait épousé un homme qui avait presque trente ans de plus qu'elle et était sérieusement alcoolique.

Brokaw mourut en maison de santé quelques années plus tard, lui laissant une fillette de trois ans, ma demi-sœur Frances Brokaw, surnommée Pan, et une partie de sa fortune. Ne dépendant plus de la générosité de ses cousines, Maman considéra que c'était maintenant à elle de faire profiter les autres de ses largesses et elle proposa à sa mère, sa sœur Marjory et son frère Rogers de venir à Manhattan pour y vivre avec elle et s'occuper de Pan. C'est à cette époque qu'elle rencontra Laura Clark, la jolie fille qui travaillait comme mannequin d'Elisabeth Arden.

J'ai refermé le dossier médical de Maman et je suis restée allongée, envahie par une tristesse indescriptible et en même temps totalement soulagée. J'aurais voulu la prendre dans mes bras, la bercer, lui dire que tout allait bien, que je l'aimais et lui pardonnais car maintenant je comprenais. Oui, je comprenais enfin la nature de cette ombre qu'elle m'avait léguée et qui avait si longtemps plané sur moi – celle de la culpabilité qu'éprouve la victime de sévices sexuels. Mais pourquoi, vous demanderez-vous peut-être, une enfant se sent-elle coupable du mauvais traitement qu'on lui inflige ?

J'étudie depuis dix ans – sans avoir eu au départ la moindre idée de ce qui m'y poussait – les effets des violences sexuelles sur les enfants. J'ai appris ainsi qu'une petite fille, qui n'est pas encore structurée pour pouvoir condamner un adulte, reporte la faute sur elle. Cette culpabilité la pousse ensuite souvent à se rendre responsable de tout ce qui va mal, à détester son corps et à avoir besoin de le rendre parfait pour effacer la tache – sentiment qu'elle a de fortes chances de transmettre à sa fille. (J'ai été stupéfiée, en lisant ce qu'elle avait écrit, de découvrir combien ma mère avait eu honte de se faire refaire les seins et le nez.)

Une enfant qui a subi ce genre d'agression va penser que sa sexualité est la seule chose en elle qui ait de la valeur, et chercher, au cours de son adolescence, à multiplier les relations. Maman utilisait plusieurs fois dans son texte les mots *garçons, garçons, garçons*, pour décrire ses années de classe. Et celles à qui une telle chose est arrivée ont souvent un étrange éclat dû à l'énergie sexuelle éveillée en elles par la force et bien trop tôt. Je l'ai constaté chez des femmes dont je connaissais le passé de victime et vu l'attrait qu'elles exercent sur les hommes... la fameuse image de la flamme et des papillons de nuit. L'histoire de ma mère donnait une nouvelle dimension à ce que mon père avait un jour dit d'elle : « Elle rayonnait... comme une lampe spot. »

Je comprends maintenant que Maman était bien celle que l'on m'avait décrite, la reine, la flamme, la lumière, ainsi que tout ce que j'avais senti enfant, la victime, le papillon magnifique mais abîmé, incapable de me donner ce que je demandais – qu'elle me regarde, qu'elle m'aime – car elle ne pouvait se l'accorder à elle-même. Enfant intelligente et forte, j'avais deviné, avec cet instinct animal que l'on a alors, les profondes blessures qui lui avaient été infligées. J'avais entrevu l'éclat funeste d'une fragilité que les hommes qu'elle choisissait ne faisaient qu'augmenter. Petite, j'ai pris peur et je me suis enfuie. Adulte, je suis maintenant capable de ne voir en cette histoire que la sienne, et non la mienne. Je peux donc revenir à ma propre aventure, celle que ce livre veut raconter.

PAPA

La famille de mon père était originaire d'une vallée des Apennins située à une vingtaine de kilomètres de Gênes, en Italie. Le village de Fonda, qui signifie le « fond », s'y nichait entre deux pans de montagne. Au XIVe siècle, mon ancêtre le marquis de Fonda voulut renverser le gouvernement de la République de Gênes afin de permettre à tous les citoyens d'élire le Doge et les membres du Sénat. Un type comme je les aime. Sa tentative échoua. Il fut accusé de trahison, dut s'enfuir et se réfugia en Hollande, à Amsterdam. J'imagine que c'est à cette époque que le calvinisme se glissa dans nos veines. Avec le temps, les Fonda devinrent plus hollandais qu'italiens bien que restant, comme dit mon frère, « juste assez méditerranéens pour rendre le mélange musical ».

Le premier Fonda qui traversa l'Atlantique répondait aux prénoms de Jellis Douw et était membre de l'Eglise réformée. Fuyant les persécutions religieuses, il arriva dans le Nouveau Monde au milieu du XVIIe siècle. Après avoir remonté le fleuve Mohawk en canoë, il s'arrêta dans le village indien de Caughnawaga, en plein territoire Mohawk. Quelques générations plus tard, il n'y avait plus d'Indiens dans cette région mais une ville qui s'appelait Fonda et faisait partie de l'Etat de New York.

Elle existe toujours, non loin d'Albany. On y arrive en remontant le long de l'Hudson puis en se dirigeant vers l'ouest, un trajet que j'ai fait en train depuis la gare de Grand Central pendant six ans – quand j'étais pensionnaire à l'institut Emma Willard de Troy puis étudiante au Vassar College de Poughkeepsie.

Dans les années 70, je suis allée à Fonda avec mes enfants et ma cousine Tina, fille de Douw Fonda, descendant direct du fameux Jellis Douw. Nous sommes surtout restés dans le cimetière, à lire sur les pierres tombales recouvertes de mousse et parfois renversées, le vieux nom italien de Fonda précédé de prénoms hollandais tels que Pieter, Ten Eyck et Douw. Et avons trouvé parmi eux un Henry et une Jayne, des homonymes morts depuis longtemps.

Les ancêtres de Maman étaient des Tories, fidèles aux Anglais. Les Fonda des Whigs convaincus qui soutenaient la cause des colonies. Après la guerre de Sécession, mon arrière-grand-père Ten Eyck Fonda emmena sa famille à Omaha, dans le Nebraska, où mon père a grandi. Ten Eyck exerçait à la gare le métier de télégraphiste, qu'il avait appris dans l'armée. Omaha était un carrefour important du réseau ferroviaire alors en plein développement.

Je n'ai jamais connu mes grands-parents paternels, ils sont morts avant ma naissance. Mon grand-père William Brace Fonda dirigeait une imprimerie. Sa femme Herberta, à qui, paraît-il, je ressemble, était femme au foyer et éleva trois enfants, mon père, Harriet et Jayne. Les parents de Papa, et une grande partie du reste de la famille, étaient des scientistes chrétiens. Sur les photos que nous avons d'eux, ils semblent former une famille unie, gaie, heureuse.

J'ai souvent fouillé les boîtes à chaussures pleines de souvenirs à la recherche d'indices qui auraient expliqué l'humeur souvent maussade de mon père. Et je ne suis pas la seule à vouloir comprendre. Il y a quelques années, lorsqu'il devint évident que Tante Harriet, seule sœur survivante de mon père, n'avait plus beaucoup de temps à vivre, je suis allée la voir chez elle, à côté de Phœnix, pour l'interroger.

« Est-ce que Papa était proche de votre mère ? Y avait-il des problèmes chez vous ?

— Non, aucun ! répondit-elle. Et je me demande ce que vous avez toutes à venir éplucher mes photos et me poser des questions de ce genre ! »

Je ne m'y attendais pas.

« Qu'est-ce que tu veux dire ? Qui d'autre est venu ? »

Tante Harriet cita les noms de quelques-unes de mes cousines et de leurs filles. Ah, ah, pensais-je. Peut-être le malaise rampe-t-il dans d'autres branches de la famille. Et les plus jeunes cherchent aussi à savoir.

Ma visite à Tante Harriet m'a permis de me rappeler que les gens de cette génération ne s'adonnaient pas beaucoup à l'introspection. Ses souvenirs n'étaient teintés d'aucune nuance, ni d'aucune ombre. Ils avaient eu, à ses yeux, une vie idyllique, et peut-être est-ce vrai.

Je savais que Papa portait une grande admiration à son père, William Brace – un homme, comme lui, peu bavard. Papa racontait à son sujet deux anecdotes, toutes deux révélatrices.

Un soir après dîner, William Brace emmena son fils à l'imprimerie. Là, de la fenêtre du deuxième étage qui donnait sur la place du tribunal, il lui montra une assemblée d'hommes qui hurlaient, brandissaient des torches, des massues, des fusils. Un jeune Noir soupçonné de viol était provisoirement détenu à l'intérieur du tribunal. Il n'y avait pas eu de procès, même pas de charges réunies contre lui. Le maire et le shérif étaient là, à cheval, essayant de calmer la foule. Mais l'homme fut traîné dehors et pendu à un réverbère devant eux. Puis les lyncheurs criblèrent son corps de balles.

Papa avait quatorze ans. Il était horrifié, terrifié. Son père ne prononça pas un mot – ni sur le moment, ni quand ils rentrèrent chez eux, ni jamais par la suite. Silence. Cette expérience allait devenir part intégrante de la psyché Henry Fonda. Il la revécut en jouant dans *Douze hommes en colère*, *L'Etrange Incident*, *Vers sa destinée* et *Clarence Darrow*, et elle fit germer en lui cette idée qu'il incarnait pour moi au-delà des mots : le racisme et l'injustice sont des choses horribles qu'en aucun cas l'on ne doit tolérer.

La seconde histoire concerne l'attitude de son père quant au métier d'acteur. Papa gagnait 30 dollars par semaine comme employé de banque quand la mère de Marlon Brando, qui était une amie de ma grand-mère, le fit entrer dans la troupe de théâtre d'Omaha où on lui offrit le rôle de Merton dans *Merton of the Movies*. Lorsque Papa parla d'en faire son métier, son père déclara que dans leur famille, on ne gagnait pas sa vie en faisant croire aux gens des balivernes, surtout quand on avait déjà un emploi stable. Papa voulut argumenter, mais son père refusa de lui répondre – et ne lui parla plus pendant six semaines.

Malgré tout, la pièce se monta, avec papa dans le rôle de Merton. Et toute la famille, y compris mon grand-père, alla la voir. Lorsque Papa rentra chez lui après le spectacle, ils l'attendaient dans le salon. Apparemment plongé dans la lecture du journal, son père ne leva même pas les yeux et ne lui adressa toujours pas la parole. Sa mère et ses sœurs commentèrent la soirée et le complimentèrent. Mais à un moment, sa sœur Harriet évoqua un passage qu'il aurait, pensait-elle, dû jouer autrement. Alors, à l'autre bout de la pièce, mon grand-père reposa son journal et lui dit : « Taistoi donc. Il a été parfait ! »

Papa disait que c'était la meilleure critique qu'il ait jamais eue et chaque fois qu'il racontait cette histoire, les larmes lui montaient aux yeux.

Je ne sais pas grand-chose d'autre sur mon père. Je crois que l'atmosphère de retenue et de contrainte qui a régné sur son enfance a attisé en lui une tendance naturelle à la mélancolie et en a fait le personnage morose, lointain et souvent redoutable qu'il est devenu. En parlant avec mes cousines, j'ai appris, à ma grande surprise, qu'il y avait dans la famille d'autres exemples de neurasthénie non diagnostiquée. Douw, le cousin de mon père, souffrait lui aussi de dépression, et mon grand-père probablement aussi.

Papa était la contradiction incarnée. Voici ce que pensait de lui l'écrivain John Steinbeck :

« Henry donnait l'impression d'un homme ouvert mais inaccessible, doux mais capable d'accès de violence soudaine et dangereuse, très critique mais tout autant vis-à-vis de lui-même, emprisonné et cherchant à scier ses barreaux mais craignant la lumière, maladivement opposé à toute contrainte extérieure tout en s'imposant une discipline de fer. Son visage reflète ces conflits intérieurs. »

Mon père pouvait passer des heures à broder un motif qu'il avait dessiné, ou à faire du macramé. Il peignait magnifiquement et il y avait souvent une certaine douceur dans son jeu d'acteur, sans aucune trace de machisme. Mais face à moi, il ne restait plus rien de cette aménité. Il n'était gentil qu'avec ceux qu'il ne connaissait pas. Je rencontre souvent des gens qui me racontent s'être retrouvés assis à côté de lui dans un vol transatlantique et ne tarissent pas d'éloges sur son comportement affable, la façon dont ils ont bu et bavardé ensemble « huit heures d'affilée ». Ça me met en colère. Je ne lui ai jamais parlé une demi-heure entière ! Mais il n'est pas rare, je le sais, que des hommes renfermés révèlent une part plus agréable de leur personnalité en compagnie d'absolus étrangers, ou avec des animaux, en jardinant ou en pratiquant leur passe-temps préféré. Le mauvais côté de mon père réapparaissait entre nos quatre murs. Nous avions, nous qui partagions son intimité, conscience de marcher sur un champ de mine et de pouvoir à chaque instant faire exploser sa rage. Cette tension perpétuelle m'a entraînée à penser que la vie privée était la plus dangereuse, qu'il valait mieux être loin de chez soi.

Au début des années vingt, comme son père l'y avait autorisé, Papa est parti avec un ami de la famille à Cape Cod, où il s'est bientôt lié aux membres de l'University Players, une compagnie de répertoire estival de Falmouth, Massachusetts. Joshua Logan, un de mes futurs parrains, en faisait partie. Papa était le seul d'entre eux à ne pas sortir d'une des prestigieuses universités de l'Ivy League.

Quand Margaret Sullavan, jeune beauté du Sud genre Scarlet O'Hara, petite et mince, douée, aguicheuse et pleine de caractère rejoignit la troupe l'été suivant, elle séduisit le jeune homme timide du Nebraska. Ils s'aimaient, mais Sullavan s'en alla jouer les têtes d'affiche à Broadway.

Leur histoire, apparemment enflammée et tempétueuse, continua néanmoins. Au bout d'un an et demi, Papa fit sa demande, elle accepta, ils se marièrent et s'installèrent dans un appartement de Greenwich Village. Moins de quatre mois plus tard tout était fini. Papa est allé vivre dans un hôtel de la 42e Rue infesté de cafards, tandis que Sullavan avait une liaison avec le producteur Jed Harris. Papa restait des heures le soir en face de chez elle, les yeux levés vers ses fenêtres, sachant que Harris était là avec elle. « J'étais démoli, a-t-il avoué des décennies plus tard à Harold Teichmann. De toute ma vie, je ne me suis jamais senti aussi trahi, rejeté, et seul. »

Papa raconte être allé après leur rupture à une réunion de scientistes chrétiens et y avoir rencontré un homme à qui il s'est confié. « Je ne sais pas ce qui s'est passé, a-t-il dit à Teichmann. Je devais avoir la foi, ce jour-là. Je n'ai aucune idée de qui était cet homme, mais il m'a aidé à me débarrasser de ma douleur. Quand je suis ressorti de là, j'étais de nouveau Henry Fonda. Un acteur au chômage, mais un homme. » Oh, Papa, comme je voudrais pouvoir pleurer en lisant cela, mais pourquoi n'as-tu pas laissé cette expérience t'apprendre que parler à quelqu'un qui t'écoute d'une oreille bienveillante peut guérir, et ne pas être seulement un signe de faiblesse ? Si la foi que tu avais alors a produit un miracle, pourquoi ne lui as-tu pas fait une plus grande place, pourquoi nous as-tu méprisés, Peter et moi, lorsque nous nous sommes tournés vers ce genre de soutien – thérapie ou croyance – pour arriver à vivre ?

Apparemment, Papa s'est ensuite refermé sur lui-même, et il a vécu de petits boulots. A cette époque, beaucoup de gens comme lui n'avaient pas de quoi manger à leur faim. Il a partagé pendant quelque temps un deux pièces dans le West Side avec Josh Logan, James Stewart et Myron McCormick, acteur à la radio. Ils se nourrissaient de riz et d'eau de vie. Des prostituées occupaient le reste de l'immeuble, qui se trouvait à côté du quartier général de Legs Diamond, un gros bonnet de la pègre.

Tandis que celle qui allait devenir sa seconde épouse, ma mère, vivait avec Mr Brokaw dans la splendeur d'une demeure entourée de douves sur la Cinquième Avenue, mon père avait à peine de quoi survivre.

En 1933, Franklin Delano Roosevelt fut nommé Président, et dans l'année qui suivit, Papa connut son premier grand succès à

Broadway dans la revue satirique *New Faces*, avec Imogene Coca. Il obtint d'excellentes critiques, sa carrière démarra. Leland Hayward, qui allait devenir le meilleur agent du pays, le prit en main et le convainquit, non sans mal, de partir à Hollywood où il était engagé à mille dollars la semaine. Ce n'était qu'un début.

Deux ans plus tard, en 1936, ma mère s'embarquait pour l'Europe avec sa dame de compagnie et sa Buick. C'est ainsi qu'elle rencontra mon père à Londres, en allant voir une amie sur le tournage de *La Baie du destin*, où il jouait aux côtés de l'actrice française Annabella. Avec six films derrière lui et un premier rôle qui l'attendait dans une pièce de Broadway, Papa était déjà devenu une star, ou presque.

« J'ai toujours eu tous les hommes que je voulais », a dit un jour Maman à une de ses amies. Mon père était divinement beau, délicieusement timide, et elle le voulait. Il reconnaissait que, bien que trop inhibé pour faire le premier pas, il se laissait facilement séduire. Et selon Laura Clark, si quelqu'un aimait séduire, c'était ma mère.

Papa et Maman se sont mariés peu après leur retour à New York. Un an plus tard, née de cet amalgame génétique aussi inquiétant qu'intéressant, j'arrivais sur cette terre.

Ils étaient très différents l'un de l'autre. Il penchait du côté de Roosevelt et du New Deal, elle préférait l'élite, dont faisaient partie plusieurs membres de sa famille qu'inquiétait la présence à la Maison Blanche de « cet homme-là ». Il avait des goûts d'ascète. Elle adorait le luxe. Il voulait écouter Ella Fitzgerald et Louis Armstrong dans des bars du Village. Elle préférait les dîners chic. On a beau dire que les différences rendent l'existence plus passionnante, il me semble que pour eux, ce n'était pas évident.

Savoir ce que je tiens de mon père n'est pas très difficile. Je lui ressemble physiquement, j'ai embrassé la même carrière, et j'ai en commun avec lui des traits de caractère incontestables – y compris, malheureusement, une tendance à me renfermer et à me montrer cassante (je me suis pourtant donnée beaucoup de mal pour me débarrasser de ce genre d'attitude). Mais les gènes paternels m'ont aussi transmis sa solidité d'homme du Middle West, le respect de l'intégrité, le goût de la défense des opprimés et la haine des oppresseurs. Je lui dois mon amour de la terre. Même en ayant grandi dans la ville d'Omaha, personne ne peut avoir vécu dans le Nebraska – tout au moins à l'époque où il le fit – sans éprouver ce sentiment. Le Middle West est le grenier de notre pays, son économie repose sur les riches prairies des Grandes Plaines qui s'étendent sans fin et ondoient sous le vent. Je crois que Papa a, jusqu'au jour de sa mort, porté en lui un sens moral lié à la terre, et que j'en ai hérité, ainsi que mes enfants.

Parce que je ressemble à mon père, mais aussi parce que je voulais m'éloigner de ma mère, je ne me suis jamais demandé en quoi les gènes qu'elle m'a transmis avaient contribué à faire de moi ce que je suis. Mais j'ai découvert maintenant certains aspects de ma personnalité que je lui dois, et dont je lui suis très reconnaissante. Ce que je tiens d'elle – la générosité, le besoin d'aller vers les autres et de m'occuper d'eux, la capacité à organiser un environnement de vie quotidienne complexe ainsi que le goût de la fête – a été le ferment grâce auquel la pâte de mon austère héritage calviniste a pu lever.

Les êtres humains devraient suivre des cours pour apprendre à élever les enfants. J'aimerais l'avoir fait. Nous prenons bien des leçons avant de conduire une voiture ou piloter un avion. Est-il vraiment raisonnable de se lancer dans la tâche la plus complexe et la plus importante de notre existence sans avoir à faire preuve d'un minimum de compétence ? J'ai appris à pardonner à mes parents leurs défaillances. J'espère que mes enfants me pardonneront les miennes.

Mais pardonner avant d'avoir affronté les raisons pour lesquelles il faut le faire est comme recoudre une blessure sans en enlever la balle qui l'a provoquée. Pour pouvoir pardonner il faut retourner tout au fond, là où reposent ces choses dont vous n'avez plus voulu entendre parler depuis votre enfance, mettre des mots sur elles puis vous en séparer. Entreprendre ce voyage dans le temps demande du courage. Lorsque cela est possible, il est plus facile de le faire avec l'aide d'un professionnel, capable et bienveillant.

Dans *Breaking Down the Wall of Silence* (*Casser le mur du silence*), la psychologue Alice Miller écrit que « Retrouver la vérité affective est la condition préalable indispensable à la guérison ». Nous pouvons alors, et alors seulement, comprendre qu'il ne s'agissait pas de nous. Si nos parents se sont montrés cruels ou négligents, ce n'était pas parce que nous ne méritions pas d'être aimés. Mais parce qu'ils ne savaient pas comment faire autrement, ou qu'ils n'allaient pas bien.

Il y a, bien sûr, parmi nous quelques veinards qui ont grandi entre un père et une mère qui s'aimaient et se respectaient, des gens pour qui élever des enfants était une responsabilité partagée, et non uniquement dévolue à la femme, qui pensaient qu'être un homme signifiait soigner, câliner, qui assumaient leurs différences de façon harmonieuse et qui, quand ils étaient là, étaient vraiment, totalement, complètement là.

CHAPITRE TROIS

LADY JAYNE

Dans les jeux-rêves de mon enfance,
j'étais toujours le chevalier, jamais la Dame :
celui qui cherchait, demandait, gagnait ou perdait,
mais jamais elle, objet de la quête.

Denise LEVERTOV,
Relearning the Alphabet.

J'aime être née le jour le plus court de l'année, celui du solstice d'hiver. Cela me donne l'impression d'être reliée par une énergie primitive à Stonehenge et au Machu Picchu, où, chez les Celtes et les Incas, cette date était vénérée et fêtée. Et j'aime aussi être née en un temps où le plastique, l'air pollué, les mégapoles et les fast-foods n'existaient pas. Ni même la télévision. J'aime sentir dans mes os le souvenir d'un monde où nous étions beaucoup moins nombreux. Quatre milliards de moins exactement. Quatre milliards, c'est énorme, vous ne trouvez pas ? La vie était très différente, alors, et simplement à cause de ces quatre milliards d'individus en moins, sept millions dans la seule agglomération de Los Angeles. Il y avait plus d'espace, entre les gens, entre leurs maisons, entre leurs mauvais caractères et les voitures, plus d'espaces libres où l'herbe poussait et qu'une fille pouvait explorer en écoutant les chants d'oiseaux. Plus d'oiseaux.

En 1938, l'année de ma naissance, les gens se relevaient de la Grande Dépression. Le New Deal avait mis en place le système de sécurité sociale, les subventions agricoles, le salaire minimum et les HLM afin de donner les mêmes chances à chacun, de protéger les gens ordinaires de ce que Roosevelt, dans son discours d'investiture, avait appelé les « royalistes de l'économie ». Malgré la montée du fascisme dans d'autres régions du monde, aux Etats-Unis, il y avait de l'espoir dans l'air.

Et à ma naissance, l'espoir régnait peut-être aussi sur le mariage de mes parents. Quand le moment approcha, ma mère prit le train pour New York et entra au très chic Doctors Hospital où, royalement traités, les grands de ce monde se faisaient soigner ou donnaient le jour à leurs enfants.

Mon père tournait alors *L'Insoumise* avec Bette Davis et son contrat stipulait qu'il pourrait prendre l'avion dès que sa femme accoucherait. Le moment arriva, et Bette Davis se retrouva en train de jouer des scènes d'amour face au superviseur du scénario. Elle s'amusa plus tard à feindre la colère chaque fois qu'elle me voyait : « Voilà celle qui m'a volé mon partenaire, maudite gamine ! » aboyait-elle de sa voix saccadée.

Ils m'appelèrent Lady Jayne Seymour Fonda. « Lady ! », c'est vraiment le nom qu'ils m'ont donné. Plus tard, sur les petites marques de tissu que l'on cousait au col de mon uniforme scolaire, on pouvait lire : LADY FONDA. Apparemment, je comptais, parmi mes ancêtres maternels, Lady Jane Seymour, épouse de Henry VIII. Mais qu'elle fût reine était-il bien important ? La pauvre femme mourut après avoir donné naissance à un fils longtemps attendu. Sans parler du fait que je n'avais aucune envie de ressembler à une lady, et que je ne voulais surtout pas être différente des autres. Pour tout arranger, il y avait ce « y » de Jayne. Une particularité de ma famille paternelle : Jaynes était le second prénom de mon père.

Il semble que Papa ait été très ému de mon arrivée. Il aurait dit, selon son biographe : « C'était un grand jour ! J'ai pris des dizaines de photos avec mon Leica. Ce soir-là, et tous ceux qui ont suivi, les infirmières ont dû me pousser dehors. » Cela me fait plaisir. J'ai gardé ces photos. On m'y voit dans un berceau ou dans les bras d'une infirmière dont le bas du visage disparaît derrière un masque blanc. Jamais dans ceux de ma mère.

Ce n'était pas que Maman ne fût pas heureuse, elle aussi, mais, si j'en crois Grand-Mère Seymour, elle voulait un garçon. A cette époque, on disait aux femmes qu'il valait mieux s'arrêter à la seconde césarienne. Comme elle avait déjà eu Pan, je devais être son dernier enfant, et j'aurais mieux fait d'être armée d'un pénis.

Mais expliquer ainsi cette impression que j'ai toujours eue de ne pas être à la hauteur serait délicieusement trop simple.

Deux ans plus tard, malgré les avertissements des médecins, Maman essaya encore une fois d'avoir un fils. Grand-Mère Seymour m'a raconté que dans l'éventualité où son troisième enfant serait une fille, Maman avait déjà commencé les démarches nécessaires pour adopter un petit garçon. C'est dire l'importance que cela avait pour elle. Elle prit l'avion pour New York, alla accoucher dans l'hôpital où elle m'avait mise au monde. Mais après la naissance de Peter, au lieu de donner libre cours à la jubilation qu'elle aurait dû ressentir et de revenir chez nous avec lui, elle est restée sept semaines à l'hôtel Pierre. Que se passait-il ?

Afin d'en avoir le cœur net, je suis allée voir Le Dr Susan Blumenthal qui a servi comme chirurgien en chef adjoint de l'armée américaine et a été la première secrétaire d'Etat adjointe à la Santé des femmes. Expert national et faisant autorité en matière de suicide et de dépression féminine, le Dr Blumenthal est aussi professeur de clinique psychiatrique des écoles de médecine des universités de Georgetown et de Tufts. Elle m'a expliqué que ma mère avait probablement été atteinte de dépression post-partum, désordre psychologique qui peut avoir de sérieuses répercussions sur la santé des mères et de leurs enfants. Il arrive encore souvent aujourd'hui que ce syndrome ne soit pas diagnostiqué, et il est probable qu'à l'époque de ma mère les médecins n'aient pas eu conscience de la gravité de ce problème. Le Dr Blumenthal a ajouté que les troubles bipolaires, ou maniaco-dépressifs, apparaissent souvent chez les femmes à la suite d'une naissance. Ma mère en a souffert pendant des années, et cette maladie n'a été diagnostiquée chez elle qu'à la fin de sa vie.

Le Dr Blumenthal a ensuite souligné que les désordres psychiques, comme la maniaco-dépression, sont souvent héréditaires.

Selon les recherches actuelles, il pourrait y avoir dans certaines familles une propension génétique à l'alcoolisme chez les hommes, et à la dépression chez les femmes. L'alcoolisme peut coexister avec le désordre bipolaire et la dépression clinique, et il est plus courant chez les maniaco-dépressifs que dans l'ensemble de la population. Les troubles dont souffrait mon grand-père ont donc pu avoir un rôle dans la maladie de Maman. Il semble effectivement que l'on puisse établir un lien, tant sur le plan psychique que biologique, entre l'alcoolisme et les changements d'humeur d'un père et la dépression de sa fille.

Quand nous sommes nés, Peter et moi, tout le monde se cachait derrière quelque chose. Maman derrière la dépression, Papa derrière son objectif, capturant l'instant mais ne le vivant pas, les infirmières derrière leurs masques.

Pour la naissance de Peter, Papa est passé du Leica à une caméra portable et dès son retour en Californie, il nous a montré les films qu'il avait tournés avant que Maman s'installe à l'hôtel Pierre. Je me souviens exactement de l'endroit du salon où j'étais assise, juste à côté du projecteur 16 mm, quand apparut l'image de Peter dans les bras de Maman. C'est le premier de tous mes souvenirs. Le plancher se dérobait, je tombais dans un trou noir. J'ai retrouvé récemment une lettre dans laquelle Grand-Mère Seymour m'écrivait : « Je n'oublierai jamais la réaction que tu as eue quand tu as vu ta mère avec ton petit frère contre elle. Les larmes coulaient le long de tes joues, mais tu as pleuré sans faire de bruit. » Je crois que j'ai enfermé à ce moment-là la part douce de ma personnalité tout au fond de moi, dans un coffre-fort dont je n'ai commencé à trouver la combinaison que soixante ans plus tard, au début de mon troisième acte.

Je me rappelle ensuite le jour où Maman est enfin revenue dans notre maison de Californie. Je la revois debout sur le pas de la porte de notre salle de jeu, Peter dans les bras. Elle portait une jupe bleu marine et un pull de la même couleur où étaient brodés deux petit drapeaux nautiques. Je n'ai jamais aimé le bleu marine.

Ma grand-mère m'a raconté que, pendant longtemps, je n'ai plus laissé ma mère me toucher et que lorsqu'elle le faisait, je me mettais à pleurer. « Tu ne pouvais pas lui pardonner. Tu croyais qu'elle t'avait rejetée pour Peter. » Je suis certaine que le fait qu'elle ait été absente si longtemps après son accouchement a contribué à mon sentiment d'abandon, mais il y avait plus grave. Les magnifiques yeux bleu-vert de Maman étaient comme des miroirs recouverts de buée, ils ne me voyaient pas et ne pouvaient me renvoyer une image aimée comme sont censés le faire les yeux d'une mère. J'étais figée dans son regard glacé. Elle ne m'aimait pas. Aimer vraiment, c'est voir l'autre tel qu'il est en réalité, tout entier, pas seulement la part de lui qui coïncide avec ce que l'on désire voir.

Papa m'aimait, lui. Je le savais, surtout dans ma petite enfance. J'étais son aînée, je ressemblais aux Fonda et j'agissais comme un garçon manqué. L'été, il me prenait dans ses bras, descendait les marches de la piscine et jouait avec moi dans l'eau. Avant que nous plongions, j'enfonçais mon nez au creux de son épaule et je respirais le parfum de sa peau. Il avait une délicieuse odeur musquée que j'adorais, l'odeur de l'Homme. Oui, il était heureux de jouer avec moi quand j'étais petite, et je savais plus ou moins consciemment qu'il était dans l'équipe gagnante et que je ferais n'importe quoi pour y entrer aussi.

J'ai passé les quatre premières années de ma vie dans une vaste maison californienne, entre Beverly Hills et la ville côtière de Santa Monica. Margaret O'Brien vivait un peu plus loin dans une grande demeure blanche rappelant les plantations du Sud. Le producteur Dore Scharyn dont les deux filles, Jody et Jill, sont allées ensuite à l'école avec moi, habitait au coin de la rue. Maman avait acheté une maison pour Grand-Mère Seymour presque à côté de la nôtre.

C'est maintenant l'acteur et réalisateur Rob Reiner et sa femme Michelle qui habitent notre ancienne maison. Dans les années 90 j'ai assisté, avec mon troisième mari Ted Turner, à une fête qu'ils donnaient pour le visionnage des Oscars dans une nouvelle aile servant de salle de projection. Pendant un entracte, j'ai demandé à Bob Steiner si je pouvais faire le tour des lieux, pour voir ce dont je me souvenais. Je suis entrée dans la grande chambre du premier étage. Je savais exactement où j'étais, car c'est dans cette pièce que je revois les meilleurs souvenirs que j'ai gardés de ma mère. J'avais à peu près quatre ans. Elle me prenait quelquefois dans son lit avec elle le matin et me lisait les contes de Grimm ou *Le Magicien d'Oz*.

Maman passait déjà beaucoup de temps couchée. Elle avait une table roulante, comme celle des hôpitaux, dont le plateau glissait au-dessus du lit et que l'on mettait à l'horizontale pour y poser le petit déjeuner ou que l'on redressait pour lire. Elle portait toujours de magnifiques chemises et peignoirs de dentelle, et dormait dans des draps doux, soyeux. Son lit était un endroit merveilleux, et je devais alors lui avoir pardonné de me préférer mon frère. Les contes de fées et les poèmes qu'elle me lisait étaient illustrés par Maxfield Parrish. Images colorées de princesses, de sorcières, de fées et de chevaliers brandissant leurs épées face au dragon cracheur de feu. Atmosphère à la fois onirique et fantomatique, romantique et terrifiante. Il n'y avait qu'une illustration par chapitre, mais leur pouvoir évocateur était si fort qu'elles m'entraînaient dans leur monde sombre et fascinant. La voix de Maman s'éloignait, je devenais l'histoire, le film qui se déroulait dans ma tête.

Je me suis souvent demandé pourquoi ces contes marqués par la tristesse, la perte et le danger ont toujours eu autant de succès. Pourquoi les écrivains racontent-ils des choses qui font peur ? Mais quand je retourne en arrière, que je retrouve la petite fille de quatre ans que j'étais alors, je comprends que les enfants, moi comme les autres, savent déjà que la vie est dangereuse et triste et qu'au lieu de cacher ces réalités, les contes et leurs illustrations les symbolisent de façon à ce que nous puissions les reconnaître mais ne pas en mourir.

A la fin des années trente, une certaine famille Hayward vivait à quelques blocs de chez nous. Et ce qu'il y a d'extraordinaire, c'est que Mrs Hayward n'était autre que Margaret Sullavan, la première femme de mon père, celle qui lui avait brisé le cœur. Et que Mr Hayward était Leland Hayward, l'agent de mon père. Ils avaient trois enfants, Brooke, Bridget et Bill. Sullavan était alors devenue une star de théâtre et de cinéma, mais son rôle de mère l'emportait sur le reste. Leland s'occupait non seulement de mon père, mais de toutes les grandes vedettes d'Hollywood, Greta Garbo, James Stewart, Cary Grant, Judy Garland, Fred Astair, Ginger Rogers, etc. Evidemment, les enfants Hayward venaient chez nous et nous allions chez eux. Mais pendant toutes ces années, mes parents n'ont dîné qu'une seule fois chez les Hayward et ma mère ne leur a jamais rendu l'invitation. J'avais l'impression que Papa s'animait quand Sullavan était dans les parages, et si je m'en étais aperçue, cela ne pouvait pas avoir échappé à Maman.

Je garde une image très précise de Margaret Sullavan, de son physique, de sa voix chaude et profonde. Mais ce qui me plaisait en elle, c'était son côté sportif, pour ne pas dire casse-cou. Papa lui avait autrefois appris à marcher sur les mains et elle bondissait parfois en avant, se mettait à avancer la tête en bas. On jouait à des tas de jeux, chez eux, et on riait beaucoup. Maman, elle aussi, riait, à cette époque, et avait des amis, mais elle se fatiguait vite et n'était pas sportive. Elle me faisait porter des robes à volants et des chasubles, que je détestais, alors que Mrs Hayward laissait ses enfants mettre des vêtements confortables et traînait elle-même en salopette et en sandales.

Si la naissance de Peter fut pour moi l'événement majeur de ces années-là, la menace de guerre joua aussi son rôle. Je me rappelle que Maman et Papa sortaient surveiller le ciel, au cas où arriveraient des bombardiers ennemis. C'était un geste patriotique pour lequel certains civils se portaient volontaires : « Ne nous laissons pas surprendre. » La gouvernante me mettait en pyjama et me permettait de descendre leur dire bonsoir avant qu'ils partent. J'étais submergée par l'angoisse. Et s'ils tombaient sous les bombes et ne revenaient pas ? Les adultes avaient beau m'expliquer que nous ne nous étions pas engagés dans le conflit et que personne n'allait nous attaquer, rien n'y faisait. Si personne ne devait nous attaquer, pourquoi scrutaient-ils le ciel ? Cela n'avait pas plus de sens que l'éternel « finis ton assiette, pense aux petits Chinois qui meurent de faim ». S'ils avaient faim, nous n'avions qu'à leur envoyer de quoi manger. La logique des adultes est parfois bien étrange.

CHAPITRE QUATRE

TIGERTAIL

Je suis trop seul au monde et pourtant pas assez
pour consacrer chaque heure [...]
Ma volonté, je veux, je veux accompagner
ma volonté sur les voies de l'action ; [...]
je veux être de ceux qui savent
ou être seul.

Rainer Maria RILKE,
Le Livre des heures,
« Le Livre de la vie monastique ».

Aux alentours de 1940, Maman et Papa achetèrent quatre hectares de terre au bout d'un chemin que l'on appelait Tigertail, car il serpentait dans la montagne comme une queue de tigre. A cet endroit, la chaîne de Santa Monica n'était que douces ondulations beiges, courbes féminines drapées de prairies, ponctuées çà et là de feuillus rabougris et de quelques robustes chênes californiens. Les pentes les plus raides étaient couvertes d'épais buissons de manzanita aux tiges rouges, de chaparral et de sauge, et dans le fond du canyon s'élevaient les sycomores aux troncs épais, noueux et couverts d'écorce tachetée comme les arbres de Maxwell Parrish où vivent les Gremlins. Rien de tout cela ne subsiste aujourd'hui, les collines sinueuses sont envahies de maisons et de faux jardins exotiques, derrière lesquels a disparu la Californie de mon enfance.

Puis mes parents firent construire une maison qui, étant donné que cela se passait à Hollywood et que Maman était ce qu'elle était, ressemblait autant que faire se peut à une ferme hollandaise de Pennsylvanie.

Il n'est pas impossible qu'ils aient été heureux, bien que cette vie ne ressemblât en rien à celle que Maman avait connue avant. Veuve de la haute société new-yorkaise, autonome et active, elle se retrouva, tout au moins au début, épouse au foyer d'un acteur qui travaillait constamment, la laissait souvent seule et ne se montrait pas très agréable à vivre lorsqu'il était là.

Au bout de quelques années, mon père eut des aventures. Maman semble n'en avoir rien su jusqu'à ce qu'une de ces femmes entame une action de reconnaissance en paternité contre Papa. Maman puisa dans son argent personnel pour acheter son silence. J'en ai parlé avec Pan. « Je me souviens comme si c'était hier, m'a-t-elle dit, de l'atmosphère pesante et angoissée qui régnait dans la chambre de Maman, des longues conversations qu'elle avait alors avec Grand-Mère. »

Cette crise ne fut, à mon avis, que l'épisode le plus dramatique d'une série de problèmes. Toujours distant, Papa faisait preuve d'une froideur contre laquelle Maman ne savait pas lutter. Grand-Mère Seymour raconte qu'elle le suppliait : « Je t'en prie, Henry, dis-moi ce que j'ai fait de mal. Dis-moi quelque chose, n'importe quoi. » Il ne lui répondait jamais. Pas un mot, ajoute Grand-Mère. Je ne pense pas qu'il voulait se montrer cruel. Peut-être était-il déjà atteint de la dépression chronique des Fonda.

Et puis il y avait ses accès de colère. Ils n'étaient pas du genre latin, style je-déballe-tout-et-on-n'en-parle-plus. C'était une rage protestante, glacée, qui fermait toutes les portes et dont il était difficile de se remettre. A l'exception de Peter qui ne semblait pas s'en soucier, nous faisions tous très attention à ne pas mettre le pied sur le détonateur.

Souvent absent à cause de son travail, quand il revenait à la maison, il étudiait des scénarios et préparait ses rôles. Assis des heures en notre présence, il ne nous parlait pas. C'était un silence assourdissant. Ma mère a dû se sentir très seule et, comme moi, se rendre responsable de cette humeur maussade. Elle était extravertie et sensible, et c'est certainement ce qui avait attiré Papa. Mais il considérait aussi les besoins affectifs comme une faiblesse. Il semblait penser qu'un adulte mûr et fort n'a besoin de personne, sauf peut-être pour satisfaire des besoins tels que le sexe et le travail (bien que même dans sa carrière il désavouât apparemment toute nécessité relationnelle) et combler une éventuelle solitude. Et seuls ces besoins comptaient. Les gens, eux, étaient plus ou moins remplaçables.

Alors que je n'étais pas plus haute que l'ourlet des robes à la mode de chez Valentina que portait Maman, ce qui se passait entre mes parents m'avait déjà mis dans la tête l'idée qu'une femme doit répondre aux besoins affectifs et physiques de son mari. Qu'elle doit se tordre comme un bretzel, ne jamais lui faire voir qui elle est réellement. Qu'elle ne doit laisser sa personnalité s'exprimer qu'en dehors de leur relation – à la maison, dans son travail, avec ses amis ou ses amants, mais n'importe où ailleurs. Comme tant d'autres, c'est ce que Maman faisait. Et non, je crois, parce que Papa le lui demandait, mais parce que c'est ce que font toutes les femmes « désincarnées » quand elles veulent être de « bonnes » épouses. Une chose est certaine, cela ne rend pas la vie à deux très enviable.

Puis est arrivé le 7 décembre 1941, que Roosevelt qualifia de « date à jamais entachée d'infamie ». La radio annonça le bombardement de Pearl Harbor. Huit mois plus tard, Papa s'est engagé dans la marine. A trente-sept ans et avec trois enfants à charge, il n'avait pas été appelé. Mais il déclara à Maman : « Il s'agit de mon pays et je veux être là où les choses se passent. Pas dans une fausse guerre de studio... Je veux être avec de vrais marins, pas au milieu de figurants. » C'était un bon patriote et il détestait le fascisme, pourtant je pense aussi qu'il avait envie de partir. De lever l'ancre. Maman le savait probablement. Elle a dû se sentir abandonnée.

Sorti major de sa promotion, Papa est devenu officier des renseignements aériens et il est revenu passer une semaine à la maison avant d'être envoyé dans le Pacifique. Il portait un uniforme impressionnant, avec boutons dorés, insignes et casquette de marine. Je me souviens du soir où il m'a dit au revoir. Jamais encore il ne s'était assis sur mon lit pour me souhaiter bonne nuit. Et il m'a même chanté une chanson. Puis je lui en chanté une. Ensuite il m'a serrée contre lui et il s'en est allé.

« Je suis supposé être impassible, inébranlable, mais après avoir embrassé Jane et être sorti de sa chambre, je me suis arrêté près de sa porte et il a fallu que je prenne un mouchoir pour m'essuyer les yeux. C'était une réaction incontrôlable. Je l'ai écoutée me chanter sa chanson, et tout d'un coup je n'avais plus envie de les quitter. »

J'ai été très heureuse de lire ces lignes dans sa biographie. Mais j'aurais préféré qu'il pleure devant moi, que nous partagions nos larmes. Cela m'aurait permis de voir en lui quelqu'un de vulnérable, de plus humain.

Malheureusement et heureusement, j'étais souvent livrée à moi-même quand nous vivions à Tigertail. De plus en plus indépendante, je trouvais refuge dans la nature aride et broussailleuse de la Californie du Sud.

On m'appelait toujours Lady, mais je portais des blue-jeans et des chemises larges, et j'étais toujours pleine de bleus, d'épines et de tiques que j'attrapais en courant dans la montagne et en grimpant aux arbres. Je m'échappais jusqu'au sommet d'un grand chêne d'où je contemplais l'océan Pacifique ; une musique martiale et triomphante résonnait dans ma tête et je me voyais conduisant une armée jusqu'en haut de la colline, où je vaincrais l'ennemi. Peter ne s'intéressait pas tellement aux Indiens et il n'était pas très aventureux, aussi me suis-je inventé un frère amérindien. Je priais : Mon Dieu, s'il vous plaît, dites à Santa Claus de m'apporter pour Noël un frère indien.

Quand nous n'allions pas à l'école, nous devions faire la sieste tous les après-midi, ce que je détestais car je n'étais jamais fatiguée. Allongée pendant cette heure interminable, je transformais mes doigts en marionnettes qui représentaient toute la famille. Le médium, le plus grand, pour Papa, l'index pour Maman, l'auriculaire pour Peter et ainsi de suite. Je les habillais avec des mouchoirs en papier, et lorsque je pensais à glisser en cachette un stylo dans mon lit, je leur donnais un visage. Quand j'avais fini, je roulais les Kleenex en boule, aussi serrés que possible. Puis je les ouvrais et je les repassais du plat de la main sur le lit jusqu'à ce qu'ils soient comme neufs, sans le moindre pli. Et je me disais, *Vas-y. Arrange-moi ça. Tu sais que tu peux y arriver.* C'est pendant ces siestes que j'ai commencé à prononcer cette espèce de mantra.

Ma meilleure amie, Sue Sally Jones, était la sportive la plus accomplie de l'école. J'avais l'impression que jamais je ne serais aussi courageuse et forte qu'elle, mais que je pouvais chercher à lui ressembler. Je me rappelle avoir un jour, avec le plus grand sérieux, demandé à Peter : « A ton avis, qui est-ce qui rabattrait mieux le buffle, Sue Sally ou moi ? »

Sans la moindre hésitation, il a répondu : « Toi, sœurette. »

Un vrai frère ! Mais il pensait peut-être que, s'il répondait : « Sue Sally », je le jetterais par la fenêtre.

Mrs Jones, la mère de Sue Sally, fut la seule adulte qui, de toute mon enfance, me prit un jour sur ses genoux et m'expliqua comment je devais me comporter. J'avais, tandis que nous jouions au square, insulté un garçon. Un soir où je dormais chez Sue Sally, Mrs Jones m'a entraînée à l'écart, assise contre elle et elle a plongé ses yeux bleu pâle dans les miens : « Tu te souviens, Lady, du gros mot que tu as dit à ce garçon l'autre jour ? m'a-t-elle demandé.

— Oui, Mrs Jones. » Je me sentais d'autant plus honteuse qu'elle ne criait même pas.

« Tu ne dois pas, personne ne doit dire de mots grossiers. Ça laisse croire que tu n'es pas une fille bien. Et pourtant tu es une fille bien. Tu comprends, Lady ?

— Oui, Mrs Jones.

— Tu me promets de ne jamais recommencer ?

— Oui, Mrs Jones. »

Si je me souviens aussi précisément de cette scène, c'est probablement à cause de ce qu'elle avait, pour moi, d'exceptionnel.

En CE 2, j'ai voulu prendre mon destin en main et annoncé que désormais je m'appellerais Jane, sans « y ». Dans la rubrique « comportement » de mon bulletin scolaire la maîtresse a écrit :

« Jane est équilibrée et pleine de vie. Elle a confiance en elle, de l'assurance. Les autres enfants l'aiment bien car elle a des réactions intéressantes et vives. Elle sait raconter ses expériences de façon prenante et imagée. Je la crois douée, elle sait rendre un lieu commun tout à fait palpitant. »

Cette preuve de confiance en moi et de l'assurance que j'ai eues un jour constitue un trésor. Bientôt il n'en resterait rien.

Ma première expérience de ce qui concerne la sexualité fut plutôt violente. Nous avions deux ânes, Pancho et Pedro. Un après-midi, je les ai sortis tous les deux. Je montais Pancho et tenais Pedro par une longe. J'avais sept ans, il faisait chaud, j'étais en short. Arrivée en haut d'une colline voisine, dans une forêt de chênes, je sentis soudain deux sabots s'accrocher par derrière à mes cuisses nues, et ce fut la catastrophe. Pedro, compris-je, voulait grimper sur Pancho, sans se soucier de ma présence sur son dos. Chocs, ruades, coups de sabots dans les jambes finirent par me faire tomber et je me retrouvai devant... un truc de plus d'un mètre de long, touchant presque le sol, et pas très beau à regarder.

Je savais que cela avait quelque chose à voir avec le sexe. Je ne sais pas comment, mais je le savais. J'ai observé le dessous du ventre de Pancho. C'était la première fois que j'étais confrontée à cette partie de son anatomie. Et alors je compris. Pancho était en réalité Panchita ! Une fille ! Elle était arrivée chez nous avec ce nom de garçon et personne ne m'avait conseillé de vérifier. Voilà ce qui arrive lorsque l'on n'explique pas aux enfants les choses de la vie. Je ne suis pas certaine de m'en être jamais remise. Etourdie, le corps douloureux, je tremblais de peur. Je me suis relevée, j'ai vu que les sabots de Pedro m'avaient blessée et que je saignais, et je suis rentrée en boitant. Cette fois, je les ai tirés tous les deux à la longe, en regardant constamment derrière moi pour m'assurer que personne ne cherchait plus à s'envoyer en l'air.

C'est ainsi que le sexe a pénétré dans ma vie, si je puis m'exprimer ainsi. Un jour, peu après l'épisode des ânes, je jouais au ballon avec des amis dans la cour de l'école. Il y avait un garçon qui me plaisait et je me suis rendu compte qu'il lançait toujours le ballon à la même fille, jamais à moi. Puis je l'ai entendu lui dire : « Je veux faire l'amour avec toi. » Mon cœur s'est arrêté de battre.

Je ne savais pas vraiment ce que cela signifiait, mais j'avais compris que s'il le lui disait à elle, cela n'augurait rien de bon pour moi.

En rentrant cet après-midi-là, je suis allée voir Maman dans sa chambre et je lui ai demandé : « Qu'est-ce que ça veux dire, "Je veux faire l'amour avec toi", Maman ? » Je ne suis pas certaine que les choses se soient vraiment passées de cette façon, mais j'ai eu l'impression qu'elle se désintégrait lentement devant mes yeux. La bouche ouverte, elle a bégayé. Mais sans dire quoi que soit. Peut-être m'a-t-elle répondu : « Plus tard, Lady », ou : « Demande à ta sœur. » Tout ce que je sais, c'est que je suis ressortie de sa chambre aussi ignorante que j'y étais entrée et désirant encore plus connaître le sens de ces mots. Je suis montée voir Pan. Elle n'a pas eu l'air surprise du tout et s'est lancée dans une description terre à terre de qui mettait quoi dans quel trou, continuant par : « Et alors le garçon fait pipi », et ainsi de suite, puis elle m'a expliqué comment les enfants sortent du ventre de leur mère. J'avais en tête ce que j'avais vu pendre sous Pedro quand j'étais tombé dans la colline et essayais d'associer ça à mon « là en bas », et au pipi. J'étais horrifiée. Je suis allée dans ma chambre et je suis restée assise un long moment en respirant à fond pour me remettre de cette révélation terrifiante mais excitante. Je ne me rappelle pas grand-chose de cette année-là, pourtant je me souviens de chaque mot que Pan a prononcé alors.

Quelques jours plus tard, notre gouvernante est arrivée avec un livre expliquant d'où viennent les bébés. On y voyait des dessins de trompes de Fallope, d'utérus et de pénis. Ma mère, comme encore aujourd'hui tant de parents, avait si peu idée de ce que je pouvais ressentir et comprendre, qu'elle croyait, à la simple mention de l'expression « faire l'amour », devoir tout m'apprendre sur notre plomberie interne. Ce dont j'avais vraiment besoin, c'était qu'elle s'asseye avec moi, passe son bras autour de mes épaules et me demande où j'avais entendu ces mots. Puis elle aurait compris que ce que je voulais savoir était plus une question de sentiments que de mécanique. Que j'étais jalouse et blessée et pensais ne pas être assez bien pour qu'un garçon ait envie de « faire l'amour » avec moi. Elle m'aurait serrée dans ses bras, cela m'aurait apaisée. Puis elle aurait ajouté : « Il ne connaît probablement pas lui non plus le sens de ces mots. Quelqu'un a dû les prononcer devant lui et il a pensé que, s'il les répétait, il aurait l'air d'un homme. Cela ne veut pas dire qu'il est amoureux de cette fille et que tu ne lui plais pas. Tu es à un âge où l'on commence à ressentir certaines choses, à être parfois tout remué en présence d'un garçon ou d'une fille qu'on apprécie. Ça ne t'est jamais arrivé ? » Alors je n'aurais pas eu peur de lui répondre : « Si. C'est ce qui se passe chaque fois que le garçon dont je t'ai parlé est près de moi, et c'est pour ça que j'étais si triste quand il a dit ça à cette fille. » Et nous aurions pu évoquer ces sentiments, qui sont beaux et naturels, et font partie de ce que c'est que grandir.

Si d'autres ont pu voir en ma mère « celle à qui on s'adressait en cas de problème », je n'ai pourtant pas eu cette chance. J'aurais pu autrement me confier à elle l'année suivante, quand une chose bien plus grave m'est arrivée. Mais vu la façon dont elle a réagi ce jour-là, je ne lui ai plus jamais posé de question personnelle.

Nous changions, il me semble, de gouvernante tous les deux mois ; aucune d'entre elles ne m'a beaucoup aidée en matière de sexe et de sentiments. L'une d'elle était même très religieuse. Elle arrivait le matin dans ma chambre avant que je me sois levée et reniflait mes doigts pour vérifier que je ne les avais pas mis « là en bas ». Elle me fit comprendre que le plaisir solitaire est un péché mortel.

Celle qui la remplaça était jeune et jolie et elle avait un petit ami dans l'armée. Un après-midi de permission où il était venu chez nous, elle le fit entrer dans la salle de bains pendant que je prenais un bain. Elle me dit de sortir de l'eau et j'obéis, puis elle me retourna vers le mur. J'ai eu peur. Mais je ne me souviens pas de la suite. Je ne sais pas ce qu'il m'a fait, pourtant il a dû se passer quelque chose car mon comportement s'est transformé et je me suis mise à avoir des fantasmes, à imaginer des scènes de perversion ou de violence sexuelle auxquelles j'assistais ou bien participais. Et j'ai aussi commencé à me sentir terriblement angoissée devant tout ce qui avait un rapport avec la sexualité, scène d'amour au cinéma, couples en train de flirter sur une plage. Cette angoisse m'est restée jusqu'à plus de cinquante ans, sans que je sache pourquoi. Ai-je vu quelque chose que je n'aurais pas dû voir ? Le petit ami de la gouvernante m'a-t-il touchée ? Même à l'école, j'ai eu des problèmes. Je me suis fait surprendre devant une fille alors qu'elle baissait sa culotte parce que je lui avais demandé de me montrer son machin et j'ai été envoyée dans le bureau de la directrice qui m'a dûment sermonnée. C'est à cette période que la maman de Sue Sally m'a entendue dire des gros mots. Papa était au loin, et Maman avait une aventure avec Joe Wade. Si j'évoque ce que j'ai vécu alors, c'est parce que pendant la plus grande partie de ma vie, les questions liées à la sexualité et aux problèmes d'identité sexuelle, ou de genre, ont été pour moi une source de mal être, comme elles le sont pour tant de femmes et de filles. Voilà pourquoi j'aide aujourd'hui des jeunes des deux sexes à se sortir de ces problèmes.

Le 6 août 1945, les Etats-Unis larguèrent une bombe atomique sur Hiroshima. Mon père fut renvoyé en Amérique le jour où le Japon se rendit, puis décoré de la Bronze Star. Comme beaucoup, il revint de la guerre transformé. Il avait vécu une vie d'homme avec ses camarades, dégagé de ses responsabilités familiales. Je crois qu'il aimait vivre dans ce milieu exclusivement masculin, avec une mission à accomplir, une vraie, qui faisait de lui autre chose qu'un héros de l'écran.

A son retour, j'ai eu l'impression que Maman ne l'attirait plus. Elle ne semblait cependant pas en avoir conscience. Quand elle se promenait toute nue devant lui, j'avais envie de lui dire de s'habiller. Est-ce qu'elle ne savait pas ? Elle était probablement encore très belle mais – oh ! comme je déteste cette trahison – je la voyais avec les yeux critiques de mon père. Adolescente, j'ai retrouvé dans le regard que Papa posait sur moi la même désapprobation. Mais à l'époque je rendais Maman responsable du fossé qui s'élargissait entre eux. Elle ne faisait pas ce qu'il fallait pour qu'il l'aime. Et j'en concluais qu'à moins de se montrer parfaite et de faire très attention, il était dangereux d'être une femme. *Si tu veux survivre, reste du côté des hommes*. Sors, va écouter du jazz avec eux, remplis leurs verres de whisky, amène-leur des femmes, si c'est ce qu'ils veulent, et apprends à trouver ça marrant. Sois plus que parfaite si tu veux être aimée. Et ne te promène pas toute nue.

De cette période d'après-guerre, il me reste un autre souvenir triste. C'était l'après-midi, j'avais pris un livre pour lire à côté de Papa. Comme son père avant lui, il était un lecteur passionné et passait des heures à lire, profondément enfoncé dans son fauteuil. Mes talents de lectrice s'étaient affinés pendant son absence, et je pensais que c'était une chose à travers laquelle nous pouvions nous retrouver, sans avoir à parler. J'ai pris *Black Beauty*, je me suis installée en face lui. Comme il ne semblait pas s'apercevoir de ma présence, quelques instants plus tard, au lieu de retenir mon rire en lisant un passage que je trouvais drôle, je l'ai laissé bruyamment éclater en espérant que Papa me demanderait de lui faire connaître la cause de mon hilarité. Mais il n'a pas relevé les yeux, ni dit un mot. C'était comme si je n'étais pas là. Quand j'étais petite il m'aimait, je le savais, mais maintenant, à neuf ans, je me posais des questions.

En 1947, Papa est parti à New York répéter *Mister Roberts*, pièce mise en scène à Broadway par Joshua Logan et produite par Leland Hayward, le père de Brooke. Quelque temps plus tard, Brooke est venue à Tigertail m'annoncer que ses parents divorçaient. C'était affreux. Si cela pouvait arriver dans cette famille-là, où tout le monde s'amusait et riait tout le temps, alors... Non, mieux valait ne pas y penser.

Je venais d'avoir dix ans. Avant que l'aiguille du temps n'ait parcouru un autre cercle, nous serions partis pour Greenwich, dans le Connecticut. Et la vie ne serait plus jamais ce qu'elle avait été.

CHAPITRE CINQ

PERDUE

J'étudiais la population d'une école qui allait des classes élémentaires au baccalauréat et,
pour remercier les élèves avec qui nous avions travaillé, nous leur offrions parfois des pizzas.
Quand je demandais aux filles ce qu'elles voulaient commander,
celles de dix ans répondaient : « Chorizo et supplément de fromage »,
celles de treize ans : « Je ne sais pas »
et celles de quinze ans : « Ça m'est égal ».

Catherine STEINER-ADAIR, ED. D.,
Full of Ourselves : Advancing Girl Power, Health and Leadership.

Tandis que la salle de l'Alvin Theater, où mon père jouait *Mister Roberts*, restait plongée dans l'ombre, les gens se pressaient autour de nous dans les coulisses. C'était un soir de début juin 1948, nous venions d'atterrir à New York, Maman, Peter et moi, et avions été directement conduits à Broadway.

Peter et moi attendions à côté du régisseur que l'entracte nous rende notre père quand j'ai jeté un coup d'œil entre les rideaux et vu... un morceau de paradis. Si près et pourtant si loin, baigné de lumière, animé d'une énergie qui passait en courant continu entre mon père et les spectateurs. Mais cet homme en uniforme kaki n'était pas mon père. C'était Mr Roberts, un type exubérant et drôle. Même le gris métallique du décor, les ponts, les canons de défense antiaérienne et les tourelles du destroyer semblaient luire de l'intérieur. Rien d'étonnant à ce qu'il nous ait fait venir : plus vivant que dans la vie, il était ici le cœur d'un tourbillon d'amour et de rire.

Un tonnerre d'applaudissements a retenti soudain. Tout le monde s'est mis à courir et avant d'avoir eu le temps de comprendre ce qui se passait je me suis retrouvée dans les bras de Papa. Serrée contre lui, j'ai senti passer à travers l'étoffe de son uniforme un peu de cette énergie qu'il ramenait de la scène, ainsi que sa lourde odeur musquée. Je ne voulais plus jamais m'en aller. Mais Papa et Maman ont dit qu'il était temps d'aller nous coucher. Alors nous nous sommes encore embrassés et je suis montée dans la voiture qui nous ramenait à Greenwich, Connecticut, où désormais nous habitions.

Peter était désespéré d'avoir quitté Tigertail, la rancœur exsudait de tous ses pores. Je savais que plus jamais nous ne partirions nous promener, Sue Sally et moi, habillées de culottes de peau et montant nos chevaux à cru, mais je voyais ce déménagement comme une nouvelle aventure, tout au moins quand nous sommes arrivés. Vue ma nature pragmatique, j'accueille toujours avec enthousiasme ce à quoi l'on ne peut échapper. Et puis que pouvais-je faire ? Supplier Mrs Jones de m'adopter ? Non, le lien qui m'attachait à mon père, si fragile qu'il me parût parfois, restait ma ligne de sauvetage et ce n'était pas la peine de trop tirer dessus. J'ai toujours été ébahie par la façon dont Peter mettait continuellement les autres à l'épreuve. Comment pouvait-il être aussi certain que la corde n'allait pas se rompre ?

J'ai dormi tard ce matin-là, et le soleil était déjà haut lorsque j'ai sauté du lit et ouvert ma fenêtre en grand. Devant moi s'étendait un champ de pommiers, si long que je n'en voyais pas le bout. Il était bordé de chaque côté par ce qui me sembla être une jungle. J'ai compris que l'étonnante gamme de verts de ma boîte de crayons de couleur n'avait pas été inventée par les fabricants de matériel à dessin : elle était là, juste devant moi. Jamais je n'ai mis aussi peu de temps pour m'habiller, descendre l'escalier et me retrouver dehors. Le bruit du battant qui se refermait derrière moi était nouveau : je n'avais jamais vécu dans une maison munie de doubles portes. En Californie, il n'y avait pas de moustique. Autre nouveauté, l'air était si lourd que j'avais la peau humide sans transpirer. Un monde s'ouvrait à moi. Je le trouvais formidable.

Le terrain paraissait immense, probablement parce qu'il n'y avait pas de barrière pour le délimiter. La forêt et des marais l'entouraient sur trois côtés. A la fin de la journée, j'avais exploré ce qui me semblait être des kilomètres de sous-bois noyés de brume. Devant la maison, entre le verger et la route, s'élevait un vieux mur de pierres recouvertes de mousse, posées les unes sur les autres sans le moindre mortier. Des blocs de granite affleuraient par taches dans l'herbe luxuriante. Je n'avais jamais rien vu de tel. Dans mes montagnes californiennes, les roches de grès, parfois aussi impressionnantes qu'un troupeau d'éléphants serrés les uns contre les autres, n'avaient pas l'éclat luisant des veines de quartz et des grains de mica et ne semblaient pas comme celles-ci porter en elles toute l'histoire de la Terre. Je suis tombée amoureuse des rochers cet été-là. Et aujourd'hui encore, la simple vue des pierres du Connecticut me remplit de bonheur.

En un été, je me suis approprié ce nouvel environnement. Il agissait comme un baume sur mon corps, qui exprimait alors à travers la maladie les tensions opposant mes parents. C'est à cette époque que j'ai commencé à me ronger les ongles jusqu'au sang. Maman me faisait mettre pour dormir des gants de coton blancs. Elle passait un produit au goût amer sur le bout de mes doigts. Elle me faisait raconter par des voisins comment les rognures d'ongles allaient former dans mon estomac un amas semblable aux boules de poils qui font vomir les chats. Mais rien ne pouvait m'arrêter, car rien de ce qu'on me proposait ne cherchait à atteindre les raisons pour lesquelles je le faisais et tombais si souvent malade ou me brisais les os.

Un jour, sur l'une de ces étroites routes de campagne, je rencontrai une grande fille maigre pleine de taches de rousseur, aux cheveux noirs coupés courts. Diana Dunn. Il ne fallut pas longtemps pour découvrir que nous partagions la passion des chevaux et allions entrer dans la même classe à l'école de filles de Greenwich.

Elle m'a emmenée au club d'équitation de Round Hill. J'y ai

appris à faire sauter un cheval, et c'est là que Teddy, le garçon d'écurie, m'a cassé le bras. Un autre garçon venait jouer avec nous cet été-là. Je ne me souviens pas de son nom, tout ce que je sais c'est qu'il était le fils du jardinier d'une propriété voisine. Lui, Teddy, Diana et moi, courions dans la campagne comme une meute de chiens sauvages, nez à terre, reniflant, furetant, roulant sur nous-mêmes, nous bagarrant. Je m'appelais Jane, donc j'étais une fille, mais en dehors de ça, il n'y avait pas grande différence entre un garçon et moi. Maman, qui ne devait pas beaucoup apprécier que mes amis fussent fils de jardiniers ou garçon d'écurie, sombrait alors lentement dans son horrible désespoir et je faisais ce que je voulais.

Diana avait un cheval à robe noir et blanc qui s'appelait Pie. Sa mère, une longue femme mince, très impliquée dans le monde de l'équitation, s'est, pendant les quatre années où nous avons vécu à Greenwich, montrée bonne envers moi. Quelqu'un, peut-être Maman, avait dû leur demander de m'héberger pendant certaines de ses absences répétées, car je passais souvent chez eux des laps de temps inhabituellement longs. C'est lors de notre premier automne à Greenwich que Papa a annoncé à Maman qu'il voulait divorcer et qu'elle s'est mise à disparaître, ou, comme je le sais maintenant, à aller se faire soigner à l'Austin Riggs Center. Alors Grand-Mère est venue de Californie pour s'occuper de nous et de la maison.

Les Dunn ont rempli le vide laissé par ma séparation d'avec Sue Sally et Mrs Jones. Sue Sally représentait pour moi les cow-boys, les indiens et les culottes de peau. Diana la chasse au renard, les jodhpurs jaune vif, les bottes à bouts de cuir verni et les bombes de velours.

Ce qu'il y a de bien, lorsque l'on change d'école, c'est que l'on peut endosser une nouvelle personnalité. J'ai fait un jour à l'étude quelque chose dont je ne me rappelle pas, mais j'entends encore la classe éclater de rire. J'adorais que l'on me trouve drôle. Je me suis mise à jouer les pitres, j'avais besoin d'être quelqu'un, je suis devenue un clown.

L'automne apporta ses révélations. Je vis pour la première fois les feuilles passer du vert à l'orange et au rouge. Poussée par

Diana, j'ai suivi des chasses au renard. Je ne me souviens pas m'y être jamais sentie à l'aise. Chaque fois qu'il y avait un obstacle à sauter ou qu'il fallait tourner à angle aigu sur le sol humide, j'étais terrifiée à l'idée que le cheval pouvait glisser et me tomber dessus. Je connaissais bien la peur, mais j'ai toujours pensé que le courage était une preuve de caractère, aussi faisais-je semblant que tout allait bien. Personne n'a jamais su, et surtout pas Diana. Etre qualifiée de trouillarde, classée dans la catégorie chochotte, était la pire des choses qui pouvait m'arriver

Puis ce fut l'hiver. J'avais déjà vu la neige, mais jamais vécu avec elle, quand elle bloque les chemins et qu'il faut les dégager à la pelle pour partir à l'école, quand il y en a suffisamment pour faire de la luge derrière la maison. Furieuse de ne pas pouvoir, comme Peter, sortir mon petit zizi et écrire mon nom dans la couche de poudreuse, j'ai enlevé ma culotte et couru jambes écartées aussi vite que je pouvais pour tracer les quatre lettres de Jane en faisant pipi. Inutile de dire que le résultat était illisible, et que j'ai eu très froid.

Lors de notre premier Noël à Greenwich, Papa m'a offert un costume d'indien Mohawk en peau, avec des mocassins brodés de perles et une bande de faux cheveux qui se dressaient droit sur ma tête quand je l'y accrochais, une vraie coiffure Mohawk. Nous n'avions quitté la Californie que depuis six mois, j'avais toujours mes nattes blondes, et le cow-boy solitaire était toujours mon idole, Papa n'aurait donc pu trouver un cadeau qui me fasse plus plaisir. Dans l'après-midi, je me suis changée et il a tourné un petit film. Je sortais des épais buissons et courait d'un pied agile et silencieux en haut d'une butte où je m'arrêtais, mettais ma main au-dessus de mes yeux et scrutait l'horizon d'où l'ennemi semblait devoir surgir. Il a fait un plan serré de mon petit visage sérieux tournant lentement de droite à gauche, puis j'ai disparu dans la forêt. Mon premier rôle. En le revoyant maintenant je me souviens avoir commencé à peu près à cette époque à détester mon physique, en particulier mon visage rond et plein. Un écureuil qui aurait stocké des noisettes derrière ses joues, voilà à quoi je croyais ressembler.

Ce tournage marqua la fin de ma vie imaginaire parmi les cowboys et les Indiens. Je ne me suis plus jamais habillée en Mohawk.

J'entrai dans cette période de l'adolescence où se faire accepter par les autres devient plus important que tout. J'ai fait couper mes magnifiques nattes. Personne d'autre n'en avait à l'école et à cause d'elles, je me sentais totalement hors du coup. Je ne sais plus qui a exécuté le massacre, ma mère ou un coiffeur, mais ça ne m'a pas arrangée. Mes cheveux tombaient juste au-dessous de mes oreilles, raides et drus comme une queue de mule, casque informe, inélégant, dont s'échappait un épi hérissé comme des poils de chien électrocuté. Les cheveux sont un problème grave, à cet âge-là, il faut le savoir. Les filles bien coiffées étaient toujours les plus aimées. J'étais, à tout point de vue, cette « brave Jane », le pitre aux cheveux tristes.

Il m'arrivait le soir de redescendre la route pour aller regarder discrètement ce qui se passait à l'intérieur des autres maisons à l'heure du dîner. J'étais fascinée par la façon dont ces familles vivaient, si différentes de nous. Par la suite, quand j'ai eu des amies et que j'ai été invitée chez elles, je me sentais à leur table comme une extraterrestre en mission d'observation. Que l'on me demande ce que je pensais de tel ou tel sujet était pour moi une expérience totalement inédite. Chez nous, on ne me posait jamais de telles questions. Les conversations à plusieurs niveaux, les échanges d'opinions animés, les désaccords me permettaient de comprendre qu'au-delà du petit bout de réalité qu'était ma vie d'enfant de dix ans, s'étendait un monde d'idées où je pénétrerais un jour.

Pendant les quatre années que j'ai passées à Greenwich, deux élections se sont déroulées. Celle où Truman a battu Dewey, et celle où Eisenhower a battu Adlai Stevenson. Je me souviens des vives discussions qui se déroulaient dans les familles (républicaines) de mes amies. Bien que mon père fût un démocrate à tendance chien de prairie, ce qui signifie qu'il aurait préféré voter pour un chien de prairie que pour un républicain, et bien qu'il s'intéressât passionnément à la politique, il en parlait rarement avec nous, ses enfants. C'est à cette époque que prit fin sa vieille amitié pour John Ford, John Wayne et James Stewart, quoiqu'il fût tellement proche de ce dernier qu'ils ont fini par se réconcilier.

Ces ruptures furent provoquées par le sénateur Joe McCarthy et sa Commission de contrôle des activités antiaméricaines. Le maccarthysme devint synonyme de campagnes de calomnies et de manipulations de l'opinion publique basées sur la peur. Toute organisation ayant eu un lien avec Roosevelt et le New Deal fut considérée comme subversive. Des milliers d'innocents, qui n'avaient fait que participer à une politique sociale, furent traités comme des criminels. McCarthy et sa commission, à laquelle appartenait un jeune représentant au Congrès de la Californie appelé Richard Nixon, considéraient toute dissension comme un acte de subversion. Papa disait qu'il s'agissait d'une « chasse aux sorcières » où les communistes remplaçaient les sorcières, et il balança un jour un grand coup de pied dans un poste de télévision qui retransmettait les auditions de la Commission. Mais il n'a pourtant pas rejoint Humphrey Bogart, Lauren Bacall, John Huston, Lucille Ball, John Garfield et Danny Kay à Washington pour y soutenir dans une conférence de presse ceux qu'on appelait les Dix d'Hollywood : producteurs et réalisateurs accusés d'être communistes. Certains, comme Ronald Reagan (alors président de la Guilde des acteurs et informateur du FBI depuis 1946), Gary Cooper, George Murphy, Walt Disney ou Robert Taylor coopérèrent avec la Commission et acceptèrent de donner les noms de ceux de leurs collègues qu'ils pensaient être proches des communistes. Ces témoins « amicaux » se virent remettre des déclarations préétablies et accorder autant de temps pour parler qu'ils en avaient besoin. Alors qu'on coupait la parole aux témoins « inamicaux » et que leurs avocats ne purent procéder à aucun contre-interrogatoire. James Stewart et John Wayne n'allèrent pas à la barre, mais ils n'en étaient pas moins de fervents supporters de McCarthy. Je ne comprenais pas à l'époque ce que signifiait tout cela, mais je savais que des tas de gens voyaient leur carrière brisée. En particulier les Dix d'Hollywood car les studios annulèrent leurs contrats et refusèrent de les réemployer tant qu'ils ne jureraient pas ne pas être communistes. Considéré comme subversif, Charlie Chaplin n'eut pas le droit de revenir aux Etats-Unis avant 1972, année où l'Académie des arts et sciences du cinéma lui accorda un diplôme d'honneur. A la remise des oscars, je me suis retrouvée sur la scène avec lui. Je ne me doutais pas que presque vingt ans plus tard j'aurais moi aussi à comparaître devant une nouvelle version de la Commission ou qu'à l'âge de cinquante-quatre ans j'épouserais un homme qui avait toujours entendu dire par son père que Roosevelt était un communiste, et le New Deal une politique de « rouges ».

A l'automne 1948, comme si c'était notre destin, nous retrouvâmes les enfants Hayward. Nous n'en revenions pas de voir nos familles, quoique légèrement recomposées en ce qui les concernait, réunies à des milliers de kilomètres de la Californie et d'aller une fois de plus dans les mêmes écoles, Bill et Peter à Brunswick, Brook, Bridget et moi à la Greenwich Academy.

C'était bon d'avoir des anciens d'Hollywood avec nous, car les gens jasaient à propos des Fonda. A Hollywood, Papa n'était qu'une star parmi d'autres, et qu'une famille se délite n'impressionnait personne, mais à Greenwich, c'était problématique. C'était comme si, d'ailleurs à juste titre, le divorce et le scandale, plus courants parmi les gens du spectacle, pouvaient être contagieux.

C'est à Greenwich que j'ai entendu pour la première fois le mot *nègre*. Je l'ai moi-même prononcé un jour, assise sur la banquette arrière de la voiture que Papa conduisait. Il s'est retourné, et m'a donné une tape en disant : « Ne répète jamais, jamais ce mot ! » Et je ne l'ai jamais fait, vous pouvez me croire. C'est la seule fois de ma vie que Papa m'a frappée.

Je me suis souvent interrogée sur l'intérêt que je porte aux gens quelle que soit leur célébrité, leur fortune ou leur couleur de peau. Je ne peux m'empêcher de penser que la réponse à cette question se trouve dans les films de mon père. Lui-même ne parlait jamais de race ou de classe sociale, mais les personnages qu'il a joués représentaient le type d'hommes qu'il admirait : Abraham Lincoln, Tom Joad (le syndicaliste des *Raisins de la colère*), le héros d'*Un étrange incident* (qui déplore le lynchage d'un Mexicain), Clarence Darrow ou Mr Roberts. J'ai demandé un jour à la fille de Martin Luther King, Yolanda, si son père lui avait beaucoup parlé quand elle était petite de la vie, du bien et du mal, de la spiritualité.

« Non, m'a-t-elle répondu. Jamais.

— Le mien non plus, ai-je dit. Mais ils nous ont transmis leurs valeurs, l'un dans ses films, l'autre dans ses sermons, tu ne crois pas ? »

Le bruit courait à l'école que mon père fréquentait un « tendron ». J'ai demandé à une amie ce que ça voulait dire, elle m'a expliqué qu'un tendron était une jeune femme lascive et voluptueuse. Cette pensée me donnait la nausée. Mais comme ma mère, je m'interdisais d'éprouver de la colère envers Papa.

En cinquième et en quatrième, j'ai eu ma période comédie musicale. De *South Pacific* à *The King and I*, Brooke et moi apprenions toutes les paroles de tous les morceaux. Et je ne savais évidemment pas que le tendron de vingt et un ans que Papa fréquentait était la belle-fille d'Oscar Hammerstein – celui qui écrivait les chansons que j'aimais tant chanter.

Quand le cercle de ma onzième année s'est bouclé, le trouble et l'excitation que je ressentais en présence de certains garçons avaient pris dans ma vie une importance prépondérante. Si un garçon me plaisait, je me battais avec lui. J'ai déjà parlé de Teddy, le palefrenier qui m'avait cassé le bras. Ce que je n'ai pas dit, c'est qu'il était blond, assez beau et que je lui avais donné un coup de pied dans les couilles quelques semaines avant notre combat. Il était devenu tout blanc et s'était écroulé. C'est ainsi que je concevais le flirt.

Il y avait de l'action, dans le monde des hommes, voilà pourquoi je ne voulais pas être une fille. J'avais un physique tellement androgyne qu'on me demandait à quel sexe j'appartenais. C'était le plus grand compliment qu'on pût me faire. Je crois maintenant que je voulais surtout échapper à ce que la féminité exigeait. Je savais faire le garçon manqué, mais je ne savais pas me conduire en fille, sauf dans ma très active vie imaginaire.

Un jour que je me sentais mal en classe, j'ai été envoyée à l'infirmerie où l'on m'a dit de m'allonger en attendant que quelqu'un vienne me chercher. De mon lit, j'ai aperçu sur l'étagère au-dessus de moi un petit livre intitulé *Masturbation*. Je ne devais pas être très malade car j'ai eu le temps de le prendre et de le lire presque en entier avant que l'infirmière revienne. On y disait que la masturbation donnait de l'acné et qu'elle pouvait vous rendre folle. Je suppose que cet ouvrage était posé là dans le seul but d'attirer l'attention de filles comme moi. Evidemment, il m'a profondément troublée, bien plus que la gouvernante qui me reniflait les doigts. Faire croire aux enfants qu'ils sont coupables, alors qu'ils agissent de façon tout à fait naturelle et saine me paraît aujourd'hui criminel. Ces adultes ont probablement connu les mêmes tourments lorsqu'ils étaient jeunes et ils reproduisent le schéma, génération après génération.

J'étais en classe de cinquième quand nous avons déménagé pour nous installer dans la vieille baraque qui donnait sur la Merrit Parkway, celle où je m'étais construit ma petite maison de carton et où Maman faisait collection de papillons.

Mes courses dans la nature prirent fin. Le cow-boy solitaire n'était plus un idéal approprié. Quand je voyais flirter certaines de mes amies, j'avais l'impression qu'elles avaient accès à quelque chose qui m'était interdit. J'étais si entière – un trait de caractère que je tenais de mon père – que je n'aurais pas pu flirter sans « aller jusqu'au bout ». « Aller jusqu'au bout » me semblait moins « mal » que se comporter en allumeuse. Il fallait finir ce qu'on avait commencé, comme il fallait manger le contenu de son assiette.

En juin 1950, deux mois après la mort de Maman, j'ai été envoyée en camp de vacances dans le New Hampshire avec Brooke et une autre amie, Susan Turbell. Ce fut pour moi un été compliqué. Je n'extériorisais pas les effets qu'avait eu sur moi la mort de ma mère, mais Brooke se souvient que je me réveillais en hurlant « Maman, Maman ! » au milieu de la nuit. « Et quand je dis en hurlant, note-t-elle dans ses mémoires, je veux parler de cris si violents que toutes les monitrices devaient venir autour de son lit pour la calmer. »

J'ai attrapé un rhume qui traînait dans le camp. Et quelque chose « là en bas » qui n'était pas mes règles. J'étais souvent à l'infirmerie, mais trop effrayée ou gênée pour demander aux infirmières de m'examiner. C'était douloureux, ça grattait et ça faisait peur, mais je n'en ai parlé à personne. Je pensais que mon « là en bas » avait quelque chose qui n'allait pas, que l'exemplaire dont Dieu m'avait équipée était défectueux. Et cette peur m'est restée des années. Je n'avais pas de mère, voyez-vous, avec qui parler de ces choses-là.

Maman est morte dix mois avant que la nouvelle maison qu'elle avait fait construire pour nous ne soit finie. Avril était arrivé, je crois qu'elle ne pouvait plus attendre. C'était le mois de son anniversaire, ce qui n'arrange jamais rien. Le Dr Susan Blumenthal m'a rappelé ce vers de T. S. Eliot : « Avril est le plus cruel des mois. » Elle m'a appris que c'est la période de l'année où le taux de suicide est le plus élevé, avant octobre. « Le printemps est là. Avec la sortie de l'hiver et la nouvelle saison, l'espoir devrait renaître, mais aussi le temps du grand chambardement. »

Elle pense que l'augmentation du taux de suicide au printemps et à l'automne est peut-être dû à la répercussion des changements saisonniers qui, en détraquant le cycle sommeil/veille, et en altérant les rythmes circadiens, c'est-à-dire notre horloge biologique, peuvent jouer sur nos humeurs et nos comportements. « Selon certains chercheurs, m'a-t-elle dit, ces modifications, et celles des neurotransmetteurs qui les accompagnent, peuvent, chez des patients souffrants de troubles bipolaires, provoquer le passage de la phase dépressive à la phase maniaque et de la phase maniaque à la phase dépressive. Après la longue dépression hivernale, certains semblent aller mieux, mais en réalité, ils sont en proie à une agitation grave et l'énergie qui les envahit va leur permettre d'organiser leur suicide et de passer à l'acte. Tout cela est aussi souvent accompagné d'un événement déclencheur, une perte ou une humiliation. »

Mais je ne savais pas alors que Maman s'était tuée. Je l'ai appris à l'automne suivant dans la salle d'étude où une camarade de classe m'a passé un magazine de cinéma qui parlait de mon père. Je l'ai lu. Et je suis arrivée à cette phrase : « Sa femme, Frances Fonda, qui était alors en maison de repos, s'est tranché la gorge à l'aide d'un rasoir. » J'ai su immédiatement que c'était la vérité, et que l'on m'avait menti.

Après l'étude, nous avions cours de dessin. Nous devions décorer des plateaux de métal noir, j'ai peint sur le mien deux branches de cornouiller en fleur et deux papillons jaunes. Brooke était assise à côté de moi, je lui ai fait signe de se baisser sous la table où je lui ai demandé à voix basse : « Est-ce que ma mère s'est suicidée, Brooke ?

— Euh... mon Dieu, Jane... je ne sais pas... je... », a-t-elle bégayé. Plus tard, dans ses mémoires, elle a raconté qu'après la mort de ma mère « toutes les élèves de l'école ont été réunies en assemblée et Miss Campbell leur a demandé de respecter jusqu'à nouvel ordre cette version (celle selon laquelle Frances Fonda avait succombé à une crise cardiaque) ».

A la sortie de l'école, ce jour-là, j'ai couru jusque chez nous et je suis montée directement dans la chambre de Mrs Wallace. Grand-Mère l'avait embauchée pour s'occuper de nous après la mort de Maman. C'était une gentille et jolie femme aux cheveux gris tirés en chignon souple.

« Est-ce que Maman s'est suicidée, Mrs Wallace ? » ai-je demandé sans reprendre mon souffle. Si cette question l'a étonnée, elle n'en a rien montré. Elle m'a prise sur ses genoux et m'a répondu doucement : « Oui, Jane, c'est ce qu'elle a fait. Je suis désolée que ce soit moi qui te l'apprenne.

— Et elle s'est vraiment tranché la gorge avec un rasoir ? »

Mrs Wallace a hésité une seconde. Elle a dû décider très vite de m'en dire autant qu'une enfant de douze ans pouvait supporter d'en entendre.

« Oui. Depuis quelques mois, elle avait réussi à faire croire aux médecins de la maison de repos qu'elle allait mieux. Ils ont écrit à ton père et à ta grand-mère qu'elle semblait être sortie de l'impasse. Ce sont leurs mots... être sortie de l'impasse. Ils espéraient qu'elle pourrait bientôt rentrer chez elle, ont relâché leur surveillance et c'est comme ça qu'elle y est arrivé. Elle a écrit une lettre à chacun de vous avant de mourir.

— Est-ce que Peter est au courant ?

— Non, et je crois que ce serait mieux que tu ne lui en parles pas tout de suite. Il est tellement fragile.

— Vous croyez que je pourrais voir la lettre qu'elle m'a laissée ?

— Ta grand-mère m'a dit que ces lettres n'étaient plus en sa possession. Je suis désolée. »

Voilà qui allait me donner matière à réfléchir.

Je n'étais pas en colère, mais j'aurais aimé lire ce qu'elle m'avait écrit. M'en voulait-elle d'avoir refusé de descendre la dernière fois qu'elle était venue ? J'aurais peut-être pu lui dire alors quelque chose de gentil qui l'aurait fait changer d'avis. Elle savait peut-être que je ne l'aimais pas et c'était pour ça qu'elle s'était suicidée. Mais est-ce que je l'aimais ou non ? Je ne pouvais pas répondre à cette question car une partie de mon cœur avait sombré dans la torpeur.

Quelques mois plus tard, en décembre 1950, Papa épousa la fille dont il était amoureux – le tendron –, Susan Blanchard, belle-fille d'Oscar Hammerstein. Ils partirent en lune de miel aux îles Vierges.

J'étais un soir chez Diana Dunn quand le téléphone sonna. Mrs Dunn décrocha, son visage se décomposa et le « oh » qui sortit de sa bouche avait deux octaves de moins que sa voix habituelle, comme cela arrive souvent quand on apprend une mauvaise nouvelle. Elle me jeta un regard rapide, baissa les yeux puis couvrit le combiné de sa main.

« Ton frère a eu un accident, Jane. Il s'est tiré une balle dans le ventre et on l'a transporté à l'hôpital d'Ossining. Ta grand-mère me demande de t'y emmener tout de suite. »

Peter s'est tiré une balle dans le ventre.

Une fois de plus je sortis de mon corps.

L'hôpital se trouvait à côté de la prison de Sing Sing. Dès que je l'ai retrouvée, Grand-Mère m'a expliqué que Peter avait été déclaré mort à son arrivée mais que le docteur de la prison, chirurgien de pointe en matière de blessures par armes à feu qui venait de rentrer d'une partie de chasse, avait découvert que son cœur battait encore, quoique faiblement, et s'était empressé d'arrêter l'hémorragie. La balle était entrée par le ventre, avait touché sa cage thoracique, traversé son estomac et son rein et était allée se loger sous la peau à côté de la colonne vertébrale. Je me suis assise avec Grand-Mère dans la salle d'attente. Au bout d'un moment, le médecin est sorti de la salle d'opération et il a appelé Grand-Mère dans le couloir. Je l'ai entendu lui dire que, malgré ses efforts, le cœur de Peter avait cessé de battre et bien qu'ils aient réussi à le réanimer, il ne savait pas s'il pourrait s'en sortir. J'ai prié de toutes mes forces : « Mon Dieu, laissez-le vivre, et je vous promets que je ne serais plus jamais méchante avec lui. Amen. » Je ne me souviens pas avoir jamais prié aussi intensément avant ce jour-là.

Papa a interrompu sa lune de miel, trouvé un avion, ce qui

n'était pas une mince affaire à l'époque, et il nous a rejointes quelques heures plus tard. Nous avons monté la garde tard dans la nuit. Puis nous sommes rentrés dormir quelques heures avant de repartir à l'hôpital le lendemain matin. Cela a duré comme ça pendant cinq jours. J'ai eu la permission d'entrer dans la chambre de Peter une fois et je l'ai vu là, si petit, à peine une bosse sous les draps, avec tous ces tubes qui entraient et sortaient de son corps. Le cinquième jour les médecins ont annoncé qu'il avait passé le plus dur. Puis son état s'est stabilisé. Il allait s'en sortir.

Quand je suis retournée à l'école, j'étais une somnambule. Mon corps restait tendu, ma respiration courte. Rien ne semblait avoir de sens. « C'est vraiment quelqu'un, cette petite, disaient les professeurs. Plus les choses sont difficiles, plus elle se montre forte. » Le prestige que me valait cette attitude satisfaisait le besoin que j'avais d'être approuvée et m'enfermait dans mon personnage de « Jane, la fille forte ». Une coque se forma autour de mon cœur, qui me permit de tenir debout, mais me figea dans une apparence trompeuse et une indépendance farouche.

Peter est resté un mois à l'hôpital. Il est très vite redevenu insupportable et je n'ai pas vraiment tenu la promesse que j'avais faite à Dieu.

C'était un accident. Peter était avec des amis. L'un d'eux avait persuadé le chauffeur de ses parents de les emmener dans un terrain de tir près de Sing Sing où ils voulaient essayer un calibre 22. Le coup était parti pendant que Peter rechargeait le pistolet. Heureusement, le chauffeur savait où se trouvait l'hôpital et il l'y avait emmené immédiatement. Mais étant donné l'époque où cela est arrivé, je ne peux m'empêcher de me demander si des forces inconscientes n'ont pas agi alors dans le corps de ce petit garçon malheureux, furieux de voir son père se remarier tandis que tout le monde semblait si vite oublier sa mère.

Les deux années qui avaient commencé avec la maladie et la mort de Maman avaient été dures. Maintenant, mes camarades donnaient, en l'absence de leurs parents, des surprises-parties où les jeux impliquant des baisers entre garçons et filles étaient de rigueur. J'aurais aimé avoir du succès, être comme les autres. Mais alors que Brooke et toutes mes amies semblaient savoir comment se comporter, je craignais ces jeux comme la peste. Avais-je peur que quelqu'un me choisisse et essaye d'« aller trop loin » ou qu'au contraire personne ne veuille de moi, je ne m'en souviens pas. Et tandis que mes camarades devenaient de plus en plus féminines, je m'enfonçais dans les limbes, paquet androgyne, toujours à la traîne, ramant pour rattraper la troupe. Qu'était-il arrivé à la petite fille de huit ans équilibrée et sûre d'elle, celle qui s'imaginait toujours en héros ? Elle avait disparu tout doucement, sans que j'aie le temps de lui dire : « Salut, on se voit dans cinquante ans. »

CHAPITRE SIX

SUSAN

Ah, comme nous guettions l'aide d'humains : des anges
sont montés d'un seul pas sans un bruit par-dessus
le cœur qui gisait.

Rainer Maria RILKE,
Œuvres poétiques et théâtrales.

Un après-midi, Grand-Mère m'a emmenée à New York voir Papa dans un hôpital où on l'avait opéré du genou. Quand je suis entrée dans sa chambre, il y avait à côté de lui la plus belle femme que j'avais jamais vue. Elle devait avoir une vingtaine d'années, ses cheveux brun clair étaient tirés en un gros chignon, faisant ressortir ses yeux en amande bleu pâle, qui n'étaient pas sans rappeler ceux de ma mère. Elle portait un chemisier blanc à l'ancienne, avec un col haut et de la dentelle. Une montre montée sur un bracelet de velours noir entourait son poignet. Papa nous a présentées.

« Jane, voici Susan. »

Elle n'avait que neuf ans de plus que moi. Pourtant elle fut un cadeau de ces anges qui s'élèvent « sans bruit par-dessus le cœur qui gisait », car j'avais à cette époque désespérément besoin de pouvoir prendre en exemple une femme. Elle était peut-être un « tendron », mais vraiment, un délicieux tendron.

C'est au cours de l'été 1951, un peu plus d'un an après la mort de Maman, que j'ai appris à la connaître. J'allais avoir quatorze ans. Papa finissait la tournée de *Mister Roberts* aux Etats-Unis par Los Angeles, où il devait jouer pendant toutes les vacances. Il s'est arrangé pour que Peter et moi l'y rejoignions.

Nous étions logés dans une somptueuse demeure construite quelques années plus tôt par William Randolph Hearst pour son amante, l'actrice Marion Davies et transformée en hôtel avec colonnes de marbre, sol de mosaïque, miroirs dorés à la feuille, piscine olympique et club de sport. Nous allions tous les jours à la plage, d'une part parce qu'on s'y amusait, mais aussi parce que Susan, qui était new-yorkaise, ne savait pas conduire. Une autre femme aurait peut-être demandé à Papa un chauffeur afin de pouvoir suivre à Beverly Hills une « thérapie par l'argent ». Pas Susan. Elle restait avec nous. J'ai du mal à comprendre comment cette fille de vingt-deux ans, âge généralement encore marqué par l'immaturité, a su nous prendre, Peter et moi, sous son aile, être une mère pour nous au point que Peter l'appelait Maman Deux.

Par une merveilleuse soirée californienne, alors que le soleil se couchait écarlate et que la brise douce comme du velours sentait le sel et l'algue, nous étions assises toutes les deux sur les marches de marbre qui menaient à la piscine quand elle m'a demandé si je n'avais pas trop souffert de la mort de Maman.

Mon cœur s'est arrêté. Depuis tout ce temps, plus d'un an, personne n'avait jamais abordé ce sujet avec moi, et encore moins posé de questions sur ce que je ressentais. C'était un moment clé. Malheureusement je n'avais pas de mots à lui offrir. Parce que je réprimais toujours mes sentiments, je n'avais même pas le vocabulaire le plus élémentaire pour les exprimer. Mais je lui ai raconté que je n'avais pas pu pleurer quand c'était arrivé et que j'avais appris en lisant un magazine qu'elle s'était suicidée. Susan a gardé le silence. Le temps ralentissait. Je crois qu'elle ne savait pas quoi dire. A son âge, je ne l'aurais certainement pas su. Mais ensuite elle a suggéré que la mort de Maman était peut-être une bénédiction voilée. Ces mots peuvent paraître pompeux et trahir un manque de tact, pourtant, aussi étrange que cela paraisse, j'y ai trouvé à l'époque un certain réconfort. Mes pensées étaient tellement confuses en ce qui concernait ma mère, qu'une « bénédiction voilée » constituait un point d'accroche, un élément de réflexion tangible. Susan savait peut-être que c'était ce qui me manquait.

Elle était souple, avait des chevilles fines, bien dessinées, et de longs genoux comme en peint El Greco. Elle avait étudié avec la chorégraphe Katherine Dunham et la danse comptait beaucoup pour elle. Je la regardais tournoyer ou faire des pas de cha-cha-cha d'un bout à l'autre de la pièce en chantant des airs de comédies musicales face à un partenaire imaginaire, ses cheveux longs jusqu'à la taille voletant autour d'elle. Elle était magnifique. Il lui arrivait aussi de swinguer sur un disque de jazz en claquant des doigts, elle balançait la tête, les yeux fermés, tout en dansant sur place. Ensuite j'allais dans ma chambre et essayais d'imiter ce que je l'avais vue faire. Je l'imitais tout le temps. Si j'arrivais à lui ressembler, peut-être que Papa m'aimerait plus.

Susan nous a rendu le rire, dont le son avait depuis longtemps presque disparu de notre vie familiale. Elle avait tout un répertoire de plaisanteries : de longues histoires compliquées qui la faisaient pouffer avant d'arriver à leur chute, des blagues juives, qui m'apprirent quelques mots de yiddish et d'autres qu'elle avait entendues chez les musiciens de jazz qu'elle fréquentait beaucoup. Elle était une merveilleuse combinaison de loufoquerie et de sophistication, avec un petit peu de bon sens pionnier pour lester le tout. Sa *joie de vivre* [1] nous entraîna dans son sillon.

La jeune sœur de Maman et son mari alcoolique étaient venus s'installer à Greenwich pour aider Grand-Mère à s'occuper de nous et il semble qu'ils aient essayé d'obtenir notre garde. Susan dit à Papa que c'était inconcevable et qu'il devait absolument nous prendre avec eux à New York. Il avait eu, je pense, l'intention de nous laisser à Greenwich et de venir nous y voir de temps en temps. Si sa seconde femme avait été une autre que Susan – si elle avait, par exemple, ressemblé à son épouse numéro quatre, l'Italienne –, je ne sais honnêtement pas ce que nous serions devenus. J'aurais survécu, mais pas en tant que citoyenne active et productive. Pendant les cinq brèves années qu'elle a passées avec mon père, Susan m'a montré ce qu'une belle-mère devait être. Je ne me doutais pas alors à quel point son exemple me servirait plus

1. En Français dans le texte (*NdT*).

tard, quand, entre un mari et un autre, j'allais me retrouver avec six beaux-enfants.

J'étais trop immature et aveugle pour remarquer, bien que je m'en sois probablement aperçue mais l'aie oublié tout de suite, que Susan n'était plus tout à fait la même quand Papa arrivait. Mais personne, à part Peter, ne restait soi-même en présence de Papa. Elle devenait un peu moins animée. Si elle se montrait trop expansive, Papa, craignant peut-être que sa spontanéité et son exubérance soulignent leur différence d'âge – vingt-trois ans –, cherchait à la calmer. Elle déclara un jour que leur couple était comparable à celui qu'auraient formé Yente, la marieuse de *Findler on the Roof*, avec l'intraitable pasteur Brand d'Ibsen. A Howard Teichmann, elle dit : « J'étais l'épouse japonaise typique. J'aurais fait n'importe quoi pour lui plaire. » Si une femme voulait « construire » une relation, elle devait se comporter selon le désir de l'homme, telle était une fois de plus l'image que l'on me renvoyait de la féminité. Et ce que je ne savais pas, c'est que Susan était boulimique, comme j'allais le devenir.

Tout cela ne l'empêchait pas de vouloir nouer avec nous des liens réels, ce à quoi j'étais prête. Elle ne trouva pas en moi qu'une jeune adolescente blessée, mais une partenaire désireuse d'engager le dialogue. Le personnage du cow-boy solitaire derrière lequel je me cachais, enfant, me permettait d'exiger des autres une véritable attention. Si les rapports entre les gens étaient artificiels, j'étais aussi bien seule, merci. Mais comme un rayon laser, je scrutais l'horizon et détectais la moindre présence chaleureuse et vraie dont je pourrais apprendre quelque chose, et allait la rejoindre. Puis, après ma puberté, et le divorce de Papa et Susan, j'ai éteint le laser et je suis partie à la rencontre de tout ce qui se présentait, vrai ou faux. A cet âge-là, la solitude ne semble pas envisageable.

Lors de ce premier été en Californie, Papa et Susan nous emmenaient souvent dîner avec eux dans des restaurants chic d'Hollywood, au Brown Derby ou au Chasen's, un des préférés de mon père. Nous n'avions, Peter et moi, jamais vécu ce genre d'expérience. Je savais qu'Henry Fonda était célèbre, mais cela restait pour moi une notion abstraite, et je n'avais aucune idée de ce que la renommée impliquait. Chaque fois qu'il entrait dans un restaurant, un courant d'énergie semblait confluer vers lui, comme vers un aimant. Le patron l'appelait souvent par son prénom et on nous conduisait à « sa » table, chez Chasen's vers le box aux fauteuils de cuir rouge, tandis que les têtes se tournaient sur notre passage en murmurant : « Tu as vu, c'est... » Etre suffisamment connu des serveurs pour qu'ils sachent comment vous vous appelez et vous apportent à boire ce que vous voulez sans que vous ayez à le commander, devint pour moi une marque de célébrité. Son agent de la MCA (Music Corporation of America) ou Lew Wasserman et Jules Stein, qui dirigeaient la MCA, et leurs femmes nous rejoignaient parfois.

Etre invitée à partager le monde des adultes dans lequel mon père évoluait me permit d'en comprendre le fonctionnement. Je remarquai avec intérêt que Papa se conduisait différemment en société, qu'il était plus chaleureux et plus drôle avec ceux qui ne partageaient pas son intimité, surtout après deux Jack Daniel's. Mais c'était surtout Susan que j'observais attentivement, notant ses différentes attitudes, la retenue dont elle faisait preuve face à certaines personnalités plus âgées, et importantes, et son exubérance en compagnie des vieux copains de Papa comme Johnny Swope ou Dorothy McGuire. Un jour, sur le chemin du retour vers Ocean House, elle plongea la main dans son décolleté et en tira un faux sein en éclatant de rire. Je me suis demandé si j'arriverais un jour à être aussi décontractée qu'elle devant les gens. J'essayais toujours de cacher mes imperfections, celles de mes seins ou de mon arrière-train, et espérais que personne ne les remarquerait. J'avais la taille très fine, environ 48 centimètres de tour, et des fesses hautes et rebondies que je trouvais proportionnellement beaucoup trop grosses. Pire, j'ai entendu Papa dire que mes jambes étaient épaisses. Je suis immédiatement allée me coucher et j'ai dormi deux jours, je ne connaissais pas d'autre moyen d'échapper à ces mots qui m'ont poursuivie toute mon existence.

Jamais je n'avais été aussi proche de Peter que cet été-là, dans tous les sens du terme. Comme nos chambres étaient l'une à côté de l'autre et que nous partagions la même salle de bains, nous nous soignions nos coups de soleil et passions de longues heures ensemble. Séparés de nos amis de Greenwich, je n'avais plus que lui et il n'avait plus que moi, et nous devions en même temps nous habituer à ce qui se dessinait de plus en plus nettement comme un nouveau chapitre de notre vie. Pendant les week-ends, un orchestre faisait danser les adultes dans la grande salle de bal au rez-de-chaussée de l'hôtel. Séduite par Susan, j'avais décidé que la danse valait la peine d'être pratiquée, et Peter et moi descendions en cachette et valsions follement tout les deux dans une salle vide où personne n'entrait jamais. Nous dansions aussi des slows serrés. C'était chouette d'avoir un frère avec qui s'exercer en toute sécurité. J'ai appris cet été-là combien j'aimais Peter, et j'ai aussi mieux compris à quel point nous étions différents.

Nous avons des rythmes différents, des points de vue différents et des façons différentes d'affronter les situations. Il était le préféré de Maman, ou tout au moins essayait-elle de se l'approprier, tandis que j'étais plutôt la fille de mon père, cela explique beaucoup de choses. Susan m'a raconté récemment comment ces différences se manifestaient : « Tu observais, et tu intériorisais tout. Peter était déchaîné, il extériorisait. » Bien que ce ne fût pas volontairement, Papa se montrait souvent cruel envers Peter. J'utilise le mot cruel car, même s'il ne le faisait pas exprès, les effets de son attitude étaient les mêmes que s'il avait agi intentionnellement. Il essayait souvent d'être un bon père, de faire avec lui des choses qu'il avait dû faire avec son père : pêcher, jouer au cerf-volant, construire des avions en modèles réduits – tous les rituels qui lient les hommes aux autres, génération après génération. Mais si un père ou une mère ne s'aiment pas, ou ne s'aiment pas assez, c'est avec l'enfant du même sexe que lui qu'il va être le plus dur. Et la célébrité de ce père ou de cette mère rend les choses encore plus difficiles. Ce n'est pas juste votre père qui vous fait vous sentir minable, c'est cette icône en qui des millions d'adorateurs voient le symbole de l'intégrité. Je ne crois pas que Papa s'aimait beaucoup, et peut-être retrouvait-il chez Peter la sensibilité et l'émotivité qu'il avait enfouies au fond de lui. Comme l'a dit un jour Susan : « Il y a en ton père un cri qui n'a jamais été poussé, un rire qui n'a pas éclaté. »

Papa détestait toute manifestation émotive. « Tu me dégoûtes », a-t-il dit à au moins deux de ses épouses alors qu'elles pleuraient. Peut-être cela lui faisait-il peur ; peut-être avait-il l'impression que si jamais il laissait ses sentiments s'exprimer, il s'y noierait. Je crois que lorsqu'il était jeune, on lui a appris que pour être un homme, un vrai, il fallait mettre de côté tout ce qui ressemblait à la tendresse, au lien intime et au besoin de l'autre – qui caractérisent les femmes. Ce phénomène est presque universel et les hommes payent cher cette confiscation, nous le savons tous. Dans lc cas dc Papa, l'éthiquc masculine a probablement été exacerbée par l'exemple de son père et le stoïcisme bourru du Middle West. Comme la couche aquifère d'Ogallala qui s'étend sous les Sand Hills de son Nebraska natal et affleure en certains endroits pour y créer des lacs, le « soi » caché de mon père se révélait lorsqu'il jardinait, s'adonnait à des passe-temps artistiques comme la broderie et la peinture ou incarnait à l'écran un Tom Joad très émouvant.

Enfant, je sentais ses tensions intérieures jouer comme des forces opposées sur un champ de bataille. C'était sa douceur cachée que j'aimais, et dont j'avais besoin. Dans *I Don't Want to Talk About it*, le psychologue Terence Real écrit : « Les fils ne veulent pas les couilles de leurs pères, ils veulent leur cœur. » Les filles aussi. Si Papa avait pu assumer totalement sa sensibilité, il aurait été plus heureux, et plusieurs générations de ses descendants l'auraient été aussi, car le système de croyance qui sous-tend la vieille notion de masculinité est un poison qui se transmet. Papa a appris les pas de la danse patriarcale sur les genoux de son père qui les tenait probablement lui-même du sien (bien que parfois ce soit sur les genoux des mères qu'on les apprenne), et cet héritage toxique est passé d'une génération à l'autre, jusqu'à maintenant.

Je veux, avant de mourir, essayer de changer cette danse – pour moi, pour mes enfants et pour les autres.

Peter est profondément doux, bon et sensible. Il ne ferait jamais de mal à quelqu'un volontairement. Il m'a même soutenu un jour que les légumes avaient une âme (c'était dans les années 60). Il a un esprit étrange, complexe, qui saisit les détails et se fixe sur eux, de ceux de son enfance à ceux qui concernent le cosmos, en passant par des milliers d'autres de toutes sortes. Papa ne pouvait ni apprécier ni nourrir la sensibilité de Peter, il ne pouvait pas le voir tel qu'il était. Il essayait au contraire de lui faire honte en lui renvoyant l'image de sa propre indifférence. Peter s'attache aux gens et aux animaux. Pendant l'été que nous avons passé à Ocean

House, il fouillait tout le temps le sable sous les cabines à la recherche des pièces de monnaie qui glissaient entre les lattes de leurs planchers. Quand il en avait trouvé assez, il téléphonait à l'autre bout du pays, chez nous à Greenwich, pour demander à Katie comment allait Buzz, notre dalmatien alors âgé de six ans. Quand il apprit qu'on avait fait piquer le chien sans nous demander notre avis, il en fut profondément attristé. Je l'entendais pleurer le soir dans sa chambre. Alors que ça ne me faisait pas grand-chose. Greenwich était à tous points de vue un chapitre qui se terminait. Nous allions vivre à Manhattan avec Papa, Susan et... de toute façon c'était difficile d'avoir un chien en ville.

Pendant presque toute sa scolarité, Peter fut la tête de Turc de ses camarades et il dut affronter cette dureté dont les garçons font preuve envers ceux qui ne cachent pas leur vulnérabilité et qui constitue leur visa d'entrée dans le monde des « vrais hommes ». Peter, et c'est tout à son honneur, s'est rarement caché. Je m'émerveillais de le voir, face à la colère de Papa, rester lui-même, mettre son cœur à nu, défier son père : « Regarde-moi tel que je suis. Il n'est pas question que je change pour que toi, tu te sentes mieux. » Alors que tout acte pouvant provoquer la désapprobation paternelle m'était pratiquement impossible. Jusqu'à ce que je comprenne, bien plus tard, que je ne pouvais attirer son attention qu'en provoquant cette désapprobation.

CHAPITRE SEPT

LA FAIM

Après tous ces ans affamés
Vint mon Midi – et son Repas –
J'abordai en tremblant la Table
Et je touchai le Vin étrange.
J'avais vu cela sur les tables
Lorsque affamée, rentrant chez moi,
Je regardais dans les vitrines
Un luxe – hors de ma portée.
...
Et je n'avais pas faim, non plus –
Je compris que la faim, c'était
Pour les gens devant la vitrine –
Qu'on entre – elle disparaît.

Emily Dickinson,
Poèmes.

La faim commença durant cet été que je passai à la plage avec Susan. C'est alors que je « sortis » de moi-même et qu'une angoisse perpétuelle et sourde s'installa dans mon vide intérieur. Je ne savais pas d'où l'anxiété venait. Je croyais simplement que c'était ce que ressentait une fille lorsqu'elle arrivait à l'âge-où-vous-êtes-supposée-devenir-une-femme – que cette impression d'être laissée dehors, le nez collé à la vitre pour regarder de l'autre côté, où je désirais entrer de toutes mes forces, était normal. Je ne savais pas que c'était à l'extérieur de moi-même que j'étais. Mais comment aurais-je pu rester à l'intérieur de cette fille dont je venais de découvrir qu'elle n'était pas parfaite ? Qui donc l'aurait voulu ? Le concept de perfection qui n'avait pas encore assombri mon horizon – j'étais jusqu'à treize ans trop occupée à grimper aux arbres et à me bagarrer – s'est emparé de moi.

Mon corps était le centre de l'imperfection. Il devint mon Armaggedon, la preuve visible du mal qui me possédait. Je n'étais pas assez mince. Je me dis maintenant que le suicide de ma mère jouait sûrement un rôle dans ce qui se passait. Etre ultramince, après tout, permettait de repousser le passage à l'état de femme, et de victime. L'androgynie comme gage de liberté. Et puis ma mère avait été terriblement obsédée par son image corporelle. L'industrie de la mode, enfin, qui glorifie la maigreur, enfonce le mot minceur dans la gorge des jeunes filles au moment où elles se forgent une identité, avait certainement aussi quelque chose à voir là-dedans. Ainsi que mon père. Papa faisait une fixation sur les femmes filiformes. Mes cousines m'ont appris que tous les hommes de la famille étaient comme ça. Sur son lit de mort, Douw Fonda demanda à sa fille Cindy : « Est-ce que tu as enfin perdu du poids ? » Et elle n'était pas grosse. Beaucoup de femmes Fonda, et au moins deux épouses de mon père, ont souffert de troubles alimentaires. Quand je suis devenue une adolescente, la seule fois où Papa a fait allusion à mon physique, ce fut pour me laisser entendre que j'aurais pu être plus mince. Ensuite, il est toujours passé par la femme avec qui il vivait pour me faire dire que je lui déplaisais, que je devais porter un autre maillot de bain, moins révélateur, une ceinture moins serrée, une robe plus longue.

Je n'ai jamais été grosse. C'est la vérité. Mais ce n'est pas ce qui compte. Pour une fille qui essaye de plaire, l'important, c'est la façon dont elle se voit. Comment elle a appris à se voir : à travers les yeux de ceux qui la mettent en position d'objet, et qui la jugent.

Mon amie d'enfance Maria Cooper Janis m'a raconté qu'elle était venue, quand elle avait à peu près seize ans, déjeuner dans notre villa de Malibu Beach avec ses parents Rocky et Gary Cooper. Et alors que nous étions assises toutes les deux sur la plage, mon père a dit : « Jane est bien foutue, mais Maria est jolie. » Je n'en revenais pas, non seulement parce que sa mère le lui avait répété, mais surtout parce que cette anecdote révèle la propension qu'avait mon père à me juger – et à me mettre en position d'objet –, même devant les autres.

Vouloir être parfait c'est vouloir l'impossible. Nous sommes mortels, donc incapables d'atteindre la perfection. Elle est réservée à Dieu. La complétude, voilà, comme l'a dit Carl Jung, ce vers quoi nous autres humains devrions tendre. Mais la complétude (ou plénitude) n'est réalisable qu'à partir du moment où l'on cesse de vouloir être parfait. Sous la tyrannie de la perfection, j'ai confondu la faim physique et la faim spirituelle [1]. Cette quête concerne surtout les femmes. Les hommes, en général, ne sont pas obsédés par de tels problèmes. Pour eux, être pas mal est suffisant.

Papa avait décidé de nous mettre en pension, comme cela se faisait alors dans les familles qui en avaient les moyens. Peter fut inscrit à la Fay School, dans le Massachusetts, et moi à l'Emma Willard School de Troy, dans l'Etat de New York. Pour bien commencer l'année, il me fallait maigrir, la minceur l'emportant sur la coiffure dans la hiérarchie de ce qui importait vraiment.

Je me rappelle avoir trouvé dans un magazine une annonce où l'on promettait, en échange de deux dollars et de coupons à découper, de vous envoyer des chewing-gums contenant des œufs de ténia qui, quand on les mâchait, pouvaient éclore et les vers dévoraient alors toute la nourriture que vous avaliez. Ça m'a semblé une idée géniale, une façon d'avoir le beurre et l'argent du beurre, en quelque sorte. J'ai posté les deux dollars et les coupons, mais les chewing-gums ne sont jamais arrivés. Lorsque j'ai raconté cette histoire à une de mes amies, récemment, elle s'est écrié : « Mais enfin, comment une fille intelligente a-t-elle pu se laisser

1. Je ne veux pas dire que toutes les filles qui s'efforcent d'être parfaites et se sentent loin du compte souffrent un jour de troubles de l'alimentation, mais cela arrive trop souvent : 5,6 % des anorexiques/boulimiques meurent tous les dix ans, ce qui représente un taux annuel environ douze fois plus élevé que celui de la mortalité générale des filles de quinze à vingt-quatre ans. Ces morts sont généralement provoquées par des complications liées à la maladie, arrêt cardiaque, déséquilibre électrolytique ou suicide (Melissa Spearing, « Eating Disorders : Fatcs about Eating Disorders and the Search for Solution », National Institute of Mental Health, NIH Publication n° 01-4901, 2001). La sensation d'incomplétude conduit à d'autres comportements addictifs non reliés à la nourriture. Selon la psychologue Marion Woodman, « est addiction tout ce que nous faisons pour ne pas entendre les messages que nous envoient notre corps et notre âme ».

duper ainsi ? » J'avais treize ans (donc je me croyais immortelle) et mettre ma santé en danger quand il s'agissait de mincir ne me posait pas de problème. Je savais que le ver solitaire n'était pas mortel. S'il s'était agi d'un virus de peste bubonique, j'aurais peut-être hésité, et encore. Tout ce qui me permettrait de maigrir sans que j'aie à agir me semblait merveilleux. Si je ne suis jamais allée, comme d'autres filles qui refusaient de s'alimenter, jusqu'au stade de l'hospitalisation, j'ai toujours pu me vanter d'être la plus mince de ma classe.

L'année suivante, Carol Bentley, une fille aux cheveux châtains et aux yeux humides qui venait de Toledo, Ohio, est entrée à Emma Williard et elle est devenue ma meilleure amie. La première fois que je l'ai vue, je sortais de la douche. Elle était nue, un corps à couper le souffle : elle avait des seins pleins qui se tenaient droits au-dessus d'une taille très fine, des hanches étroites et des jambes longues et fuselées comme celles de Susan. J'étais certaine qu'un jour elle dirigerait le monde et que si je restais assez longtemps à côté d'elle, une partie de son pouvoir finirait par déteindre sur moi. J'avais déjà appris à associer le pouvoir et la réussite des femmes à la perfection physique.

Pourtant, son image corporelle posait à Carol, elle aussi, de graves problèmes. C'est elle qui m'a appris à me gaver puis à me faire vomir, ce que l'on appelle désormais la boulimie. Elle disait que cette idée lui était venue en cours d'histoire lorsqu'elle avait lu que pendant leurs orgies, les Romains se bourraient de nourriture puis s'enfonçaient les doigts dans la gorge pour rendre ce qu'ils venaient d'ingurgiter et recommencer à manger. Pouvoir avaler tout ce qui était le plus calorique sans grossir semblait un rêve.

Nous faisions ripaille avant chaque bal ou chaque départ en vacances. Nous amassions tous les biscuits au chocolat et toutes les glaces que nous pouvions trouver et les avalions jusqu'à ce que nos ventres se gonflent comme ceux de femmes enceintes de cinq mois. Et ensuite nous nous faisions vomir. Nous pensions que personne d'autre que nous depuis les Romains n'avait jamais fait ça ; c'était notre secret. Il créait entre nous un lien troublant.

Plus tard, c'est devenu un rituel aux modalités précises : je devais être seule (c'est une maladie qui isole) et habillée de vêtements lâches, confortables. J'entrais, catatonique, dans une épicerie où j'achetais les aliments réconfortants dont j'avais besoin, d'abord des glaces, du pain, des pâtisseries – *juste une fois encore, la dernière.* Ma respiration devenait plus rapide (comme quand on fait l'amour) et superficielle (comme quand on a peur). Ensuite, je commençais par boire du lait, parce que cela m'aiderait ensuite à vomir. Manger était excitant, mon cœur battait à grands coups. Mais une fois que tout avait été dévoré, j'étais submergée par la nécessité absolue de me séparer de cette nourriture. Rien n'aurait pu m'empêcher de m'en débarrasser, de me délivrer de ce chargement toxique qui avait semblé si proche d'un aliment maternel, parce que s'il restait en moi, j'en mourrais, je le savais. Après, je m'écroulais sur mon lit et je plongeais dans un sommeil lourd. *Demain, tout va changer.* Ça n'arrivait jamais.

Et dire que je croyais ne pas avoir à payer le prix de ce que je faisais. Quelle illusion ! Il m'a fallu des années avant que je m'autorise à reconnaître la nature addictive et dangereuse de ce comportement. Comme l'alcoolisme, l'anorexie et la boulimie sont des maladies de la dénégation. Vous vous mentez à vous-même en pensant que vous tenez les rênes et que vous pouvez vous arrêter quand vous voulez. Même lorsque j'ai découvert que je ne le pouvais pas, je n'ai pas voulu voir qu'il s'agissait d'une dépendance. Cela prouvait au contraire que j'étais faible, que je ne valais rien. Je trouve aujourd'hui que c'est totalement absurde, mais la culpabilité fait partie de la maladie. Ça a duré comme ça de quatorze à plus de quarante ans, le temps de sortir de l'adolescence, de me marier deux fois et d'être deux fois mère. Mes maris ne l'ont jamais su, ni mes enfants, ni aucun ami ou collègue de travail.

Contrairement à l'alcoolisme, la boulimie est facile à cacher, sauf à sa mère ou à une amie qui est elle-même passée par là. Comme presque tous ceux qui souffrent de troubles alimentaires, je tenais à garder le secret, personne ne devait pouvoir essayer de m'arrêter. J'étais convaincue de contrôler la situation et d'être capable de m'en sortir dès que je le voudrais vraiment. J'étais souvent fatiguée, irritable, désagréable, malade, mais j'avais une telle volonté de maintenir les apparences que la plupart du temps, personne ne comprenait pourquoi.

A l'université, je suis aussi devenue accro aux amphétamines, que j'ai commencé à prendre pour bûcher mes examens, et qui, je m'en suis vite aperçue, me coupaient l'appétit. Lorsque j'ai travaillé comme mannequin pour payer mes cours d'art dramatique et mon loyer, j'ai eu toutes les ordonnances que je voulais d'un infâme « diététicien » new-yorkais – qui me prescrivait également les diurétiques qui me faisaient désenfler, et m'ont probablement gravement abîmé les reins. Les amphétamines me stimulaient et m'aidaient à exprimer mes émotions, et bientôt j'en ai eu besoin pour jouer.

Il y a eu des années où la boulimie faisait par moments place à l'anorexie, que l'analyste jungienne Marion Woodman décrit comme un équivalent de l'ivresse sèche des alcooliques. Pendant ces périodes-là, je ne mangeais pratiquement rien de toute la journée, peut-être un trognon de pomme, mais jamais une pomme entière, ou un œuf dur. Je n'avais plus que la peau sur les os, et j'en étais fière. C'était une preuve de ma valeur morale. La maladie s'accentuait dès qu'on me faisait sentir qu'il fallait que je sois mince, comme lorsque j'ai été mannequin, que j'ai joué à Broadway ou tourné dans des films où je devais montrer mon corps. En en regardant certains, je vois la maladie dans mes yeux et sur mon visage, une tristesse vide, noyée. Dans les interviews télévisées, ce sont les effets excitants des amphétamines qui apparaissent ou la fausse minceur hâve que les diurétiques provoquent. J'aurais certainement été bien meilleure à mes débuts si j'avais pu mettre dans chaque rôle tout ce qu'il y avait en moi, au lieu d'arriver sur les plateaux démolie par une maladie dont personne ne se doutait.

Mes troubles alimentaires réapparaissaient systématiquement lorsque j'adoptais, par amour, une attitude inauthentique, que je faisais semblant et quelque part me trahissais moi-même. Enfant – grâce au cow-boy solitaire – je savais me protéger des liens apocryphes. Mais en grandissant, pour échapper à la solitude et me faire aimer de mon père et de mes petits amis, j'ai revêtu un masque. C'était toujours aux hommes que je voulais plaire. Pour entretenir ces prétendues relations, je devais oublier qui j'étais, ce qui me plongeait dans une perpétuelle angoisse. Mais plutôt que de me retrouver seule, je préférais « planquer » ce que je ressentais vraiment, vivre à côté de moi-même.

Etre assise à une table devant des plats chargés de nourriture devenait cauchemardesque, aussi évitais-je les situations qui m'y obligeaient. J'ai traversé ce qui aurait dû être les plus belles années de ma vie, celles où j'aurais dû m'amuser et aimer librement, à me cacher dans une espèce d'engourdissement. Je réservais ce que j'avais de plus intime aux sols douteux des toilettes des dortoirs puis, plus tard, à ceux, élégamment carrelés, des meilleurs restaurants de Beverly Hills. Je suis devenue experte dans l'art de vomir tout ce que je venais d'avaler et de retourner à table maquillée et souriante.

J'avais plus de quarante ans lorsque j'ai arrêté. Mais il m'a fallu attendre le troisième acte (la soixantaine !) pour commencer à m'accepter avec toutes mes imperfections, réinvestir mon corps et comprendre, comme le dit Emily Dickinson « que la faim, c'était / Pour les gens devant la vitrine / Qu'on entre – elle disparaît. »

Le pensionnat où j'ai fini mes études secondaires avait été fondé en 1814 par Emma Hart Willard, pionnière de l'éducation féminine. Elle lutta pour que l'instruction des filles, qui dépendait alors du système de préceptorat ou d'écoles financées par fonds privés, bénéficie, comme celle des garçons, de l'aide publique.

C'est à Emma Willard que fut en partie tourné *Le Temps d'un week-end*, avec Al Pacino. Sa splendeur gothique – tourelles, gargouilles, fenêtres garnies de vitraux et rampe de bois sculpté longeant des escaliers incroyablement larges – surplombe les collines boisées du nord de l'Etat de New York. C'est un lieu privilégié et la plupart du temps j'y étais malheureuse. Mais ne fallait-il pas, pour être dans le coup, se lamenter et se plaindre de l'absence de garçons et de la sévérité du règlement ? Si c'était à refaire, j'y retournerais sans la moindre hésitation. Les professeurs étaient formidables, leurs cours toniques et enrichissants.

Nous étions obligées d'aller à la chapelle tous les dimanches, chapeautées et gantées. Le seul sermon qui m'ait un jour émue y fut prononcé par le premier doyen afro-américain de la chapelle de l'université de Boston. Fille d'un agnostique, je n'avais aucun sentiment religieux. Mais j'aimais écouter et chanter les cantiques protestants. Je me surprends aujourd'hui souvent à en fredonner lorsque je pêche à la mouche ou que j'arrache les mauvaises herbes. Il y a dans *Klute* une scène improvisée où mon personnage, Bree Daniel, assise à une table seule dans son appartement, fume un (prétendu) joint. Tout d'un coup, je me suis mise à chantonner doucement : « Nous nous réunissons pour demander à Dieu sa bénédiction... et depuis le commencement du combat, vers la victoire, Seigneur, tu nous accompagnes. » Je ne sais pas du tout pourquoi j'ai fait ça – c'est sorti sans que j'y réfléchisse – et le réalisateur Alan Pakula, toujours prêt à apprécier les contradictions, l'a gardé au montage.

Lorsque j'étais en seconde, nous nous retrouvions après le dîner dans un petit dortoir où nous bavardions, étalées sur les lits. Voilà comment je me suis aperçue que j'étais une des seules filles de la classe à ne pas avoir encore eu ses règles. Les autres discutaient des avantages et inconvénients des différentes marques de serviettes hygiéniques, se demandaient qui utilisait des tampons, ce qui était rare, si c'était douloureux, mais non voyons, qui avait mal au ventre et combien de temps ça durait. Je restais silencieuse. Je ne voulais pas que quelqu'un sache que j'avais un « là en bas » défectueux. En vérité, à cette époque nous utilisions déjà le mot vagin. J'avais un vagin défectueux. L'année suivante, un dénommé George Jorgensen Jr, qui avait jusque-là vécu dans le Bronx, était parti au Danemark où il était devenu, grâce à la chirurgie, Christine Jorgensen. Ce fut la première opération de ce genre dont on parla ouvertement dans le monde entier. « La nature s'était trompée, j'ai corrigé son erreur, avait écrit Christine à ses parents. Je suis maintenant votre fille. » Ce changement de sexe scandalisa l'Amérique et fit les gros titres de la presse pendant quelques mois, repoussant à l'arrière-plan la guerre de Corée et les essais de bombes à hydrogène sur l'atoll d'Eniwetok.

Je pensais continuellement à cette histoire. J'avais, comme Jorgensen, le sentiment qu'une erreur avait été commise à mon sujet. Peut-être étais-je un garçon dans un corps de fille. Hantée par cette idée, je m'allongeais par terre, les pieds en l'air, posés sur une chaise, pour regarder dans un miroir s'il n'y avait absolument rien entre mes jambes qui ressemblât à un pénis. Ce n'est pas facile d'observer son vagin. Il faut se donner du mal. Il faut se mettre dans la position qui vous éclaire le mieux, et sans ombre projetée, à moins d'utiliser une lampe de poche, mais dans un cas comme dans l'autre, placer le miroir reste une opération complexe. J'étais à la fois fascinée et terrifiée par ce que je pouvais découvrir dans cet amas confus de couleurs et de plis. (Au moins le problème des poils ne se posait-il pas, je n'en avais pas un seul, et continuerais à ne pas en avoir avant quelques années.) J'ai trouvé mon clitoris, bien sûr, et pendant au moins un an, je fus persuadée qu'il s'agissait d'un pénis attendant sa libération, et attristée à l'idée que Maman ne serait pas là pour voir que sa fille était en fait le garçon tant attendu. Je ne parlais à personne de mes inquiétudes, de même que je n'avais jamais évoqué les fantasmes de mon enfance, ni ce qui s'était peut-être passé avec le petit ami de la gouvernante, ni de mon « là en bas » infecté au camp de vacances. C'étaient mes maux secrets, enfouis sous le silence.

Si je parle de mon vagin et des peurs que je ressentais, c'est à cause du travail que j'ai entrepris lors de mon troisième acte, et pour lequel j'ai parfois l'impression d'avoir été « appelée ». J'aide des jeunes gens à venir à bout de problèmes qui concernent l'identité sexuelle, la sexualité, les grossesses précoces et l'éducation. On dit que l'on enseigne ce que l'on doit apprendre. Grâce à cette activité, j'ai découvert que les angoisses et les traumatismes qui ont été les miens sont aussi ceux de nombreux autres enfants. Et si j'arrive à évoquer ce sujet, c'est grâce à Eve Ensler, auteur des *Monologues du vagin.* Bien que certains d'entre vous eussent peut-être préféré que je n'aie pas bénéficié d'une telle libération, je tiens à dire qu'il est important, pour les femmes et les filles, de pouvoir s'exprimer à propos de cette partie très complexe de leur corps. Car elle peut représenter un bien précieux. Les vagins sont, après tout, talentueux et compétents. Ils peuvent se distendre, se resserrer, donner naissance, sentir et donner du plaisir. En 2001, juste avant de sortir brièvement de ma retraite pour jouer *Les Monologues du vagin* au Madison Square Garden, j'ai dit à Barbara Walters lors de l'émission « 20/20 » : « Si les pénis pouvaient faire la moitié de ce que les vagins font, il y aurait des timbres imprimés en leur honneur et une statue de quatre mètres de haut en représenterait un dans la rotonde du Capitole. » Au lieu de cela, parce qu'ils appartiennent au genre féminin, les vagins ont été violés, pénétrés de force, coupés, cousus, traités comme des objets, et généralement dénigrés tout au long des siècles – ce qui arrive la plupart du temps à ce que les hommes pensent devoir craindre et qu'ils ont si souvent besoin de dominer.

Jusqu'à ce que j'aborde la trentaine, mon vagin n'a été pour moi qu'une source de problèmes. Le reste de mon individu avait réussi à s'accorder, mais lui restait décidé à se faire remarquer. En classe de première j'achetais des serviettes hygiéniques, très ouvertement, et je faisais semblant d'avoir mes règles. Je n'accordais pas à cette époque l'intérêt que j'ai montré, à quarante ans passés, pour tout ce qui aide à avoir un corps sain et vigoureux. Je détestais les cours de gymnastique et les sports d'équipe, alors puisque de toute façon je simulais, autant prétendre avoir les règles les plus fréquentes, les plus longues et les plus douloureuses possible. Cela me permettait d'être dispensée d'éducation physique. J'étais tous les mois terrifiée à l'idée que quelqu'un découvre la vérité. Des études scientifiques ont démontré que chez les filles qui ont peur de devenir des femmes, les hormones, parfois, ne s'activent pas, ce qui repousse la puberté. Peut-être est-ce ce qui m'est arrivé, car Dieu sait que je craignais ce que pouvait entraîner le fait de devenir... ce que ma mère avait été.

Pendant les vacances, je rentrais à Manhattan, dans la confortable maison bourgeoise où Papa vivait avec Susan, et où Peter et moi disposions chacun de notre chambre. J'ai eu mon premier rendez-vous avec un garçon pendant les congés de Noël de 1951. Danny Selznick, fils de David O. Selznick, célèbre producteur d'*Autant en emporte le vent*, m'a invitée à aller voir avec lui, son père et sa belle-mère, Jennifer Jones, *Dial M for Murder* qui se jouait à Broadway. Nous nous connaissions depuis que nous étions petits, et j'étais allée jouer chez lui, mais là, c'était autre chose. Je me sentais surexcitée, anxieuse, car je savais que Danny avait plus l'habitude que moi de sortir et qu'il avait aussi déjà invité Brooke plusieurs fois. Cette dernière, à propos, vivait toujours à Greenwich et allait bientôt faire la couverture du magazine *Life* comme débutante de l'année.

Pour mon premier rendez-vous avec Danny, Susan m'a trouvé une robe décolletée en shantung gris et elle m'a montré comment mettre des faux seins. Je portais un jupon gonflant raide, comme c'était la mode : taille fine et jupe large pour l'accentuer, tout à fait ce qu'il me fallait. Puis, exactement comme dans les films, on a sonné à la porte, Susan a ouvert, je suis descendue accueillir Danny, nous sommes sortis et montés dans la limousine avec Mr Selznick et Jennifer Jones pour aller dîner avant le théâtre dans un restaurant chic. Je me rappelle avoir commandé un petit steak. Pendant que je le coupais, un morceau a bondi de l'assiette et s'est glissé dans mon soutien-gorge rembourré, qui l'a empêché de tomber plus bas. J'ai fait comme si de rien n'était, en espérant que personne ne s'en apercevrait. Mais au bout d'un moment, le gras a transpercé le tissu. Je me suis excusée et je suis partie aux toilettes en cachant la tache avec mon sac à main et en maudissant le sort qui avait fait de moi la fille la plus maladroite du monde. A l'instant même où la porte se refermait, Jennifer Jones est entrée et m'a vue. Jennifer *Le-Chant-de-Bernadette*, *Duel-au-soleil* Jones m'a surprise alors que je sortais un morceau de viande de sous mes vêtements ! Mortifiée, j'ai essayé de me cacher, mais elle a tout de suite compris et ri doucement. « Oh ! Jane, ma pauvre chérie, a-t-elle dit. Attends, je vais t'aider. » Elle a mis des serviettes en papier sous ma robe (*S'il vous plaît, mon Dieu, faites qu'elle ne voit pas mes faux seins)*, essuyé et tamponné le gras avec un peu d'eau tiède pour le faire disparaître, m'a prêté un châle pour cacher l'objet de ma honte, et passé gentiment son bras autour de mes épaules tandis que nous retournions nous asseoir. De ce jour là, Jennifer est toujours restée en haut de ma liste de *mensches* – mot yiddish désignant tout être humain qui, quoi qu'il advienne, se conduit décemment.

Lors du second été que nous avons passé ensemble, Papa, Susan, Peter et moi, mon père avait loué une petite maison dans les bois à l'extrémité de Lloyd Neck, à Long Island, afin de pouvoir se rendre facilement à Manhattan où il jouait *No Return*.

Cet été-là je me suis débattue contre des accès de dépression dont personne ne soupçonnait la nature, moi moins que quiconque. Je pensais simplement que « c'était la vie ». Il m'arrivait de dormir douze à treize heures et de me faire gronder par mon père, qui me reprochait d'être paresseuse et grognon. C'est là que j'ai commencé à avoir la sensation qu'une fête se déroulait quelque part ailleurs, dont j'étais exclue, alors et pour toujours. Je ne me voyais aucun avenir. Même la forêt ne m'attirait plus. Avec l'adolescence, non seulement je rejetais mon corps, mais aussi la nature qui m'avait apporté tant de réconfort lorsque j'étais enfant.

Dans les propriétés voisines, des jeunes filles donnaient des réceptions et dansaient avec des garçons qui préparaient des grandes écoles telles que Phillips Andover et Phillips Exeter. J'aurais bien voulu y aller, mais comment, je n'en avais aucune idée, et Papa ne faisait pas partie de la haute société de Long Island.

Puis, pour tout arranger, j'ai été invitée à Syracuse, dans l'Etat de New York, chez une élève d'Emma Willard qui avait été ma « grande sœur » en seconde et voulait absolument devenir mon amie, bien que nous n'eussions pas grand-chose en commun. Je n'avais pas vraiment envie d'accepter, mais je ne savais pas comment dire non (un problème qui m'a gâché la vie pendant plus longtemps que je n'ai voulu l'admettre). A mon arrivée à Syracuse, je fus accueillie par deux journalistes venus m'interviewer : LA FILLE D'HENRY FONDA EN VISITE CHEZ UNE CAMARADE DE CLASSE À SYRACUSE, tel était l'angle d'attaque de leur article, qui n'oubliait pas de mettre en évidence le nom des gens qui me recevaient. Ce fut un véritable choc. Gênée d'avoir à répondre à leurs questions, après tout je n'étais pas célèbre et n'avais rien à dire, j'en voulais à cette fille de m'avoir mise dans cette situation, mais, bien entendu, je ne lui en ai pas parlé.

Le second jour, nous nous sommes rendues au lac Ontario. J'ai voulu essayer un nouveau plongeon que j'avais vu dans un film. Il s'agissait de partir en courant et de se jeter à la surface des vagues comme pour les effleurer. Mais j'ai raté mon coup et en fait de rase-mottes, j'ai heurté le fond. J'ai tout de suite senti que quelque chose n'allait pas et je suis remontée, mais quand j'ai ressorti la tête de l'eau, et ouvert la bouche pour appeler à l'aide, ce fut en vain. Affolée par cette incapacité à émettre un son, j'ai rampé sur le sable où je suis restée allongée totalement immobile. Je ne pouvais ni bouger ni parler, et une douleur sourde me traversait le dos. Quand mon amie et sa mère sont venues voir ce qui n'allait pas, je leur ai fait signe de me laisser là un moment. Finalement j'ai recouvré la parole et je me suis levée très lentement. Elles m'ont ramenée chez elles en voiture et couchée dans ma chambre. Le lendemain matin je leur ai dit qu'il fallait que je reparte à Manhattan. Je me sentais bizarre, mais je pensais que j'en rajoutais, afin de partir plus vite. Pendant le trajet du retour, j'ai expliqué au contrôleur que je devais rester allongée car je m'étais brisé le dos, en me sentant, bien sûr, coupable de lui mentir.

J'ai traîné dans la maison pendant quatre ou cinq jours, puis je suis allée voir Papa dans les coulisses du théâtre. « Papa, ai-je commencé en essayant de ne pas avoir l'air de me plaindre, je crois que j'ai quelque chose au dos. Il faudrait peut-être me faire des radios. » Il a appelé Susan qui m'a emmenée à l'hôpital. Je m'étais cassé cinq vertèbres, à la hauteur des omoplates. Les médecins ont dit que c'était un miracle, que j'aurais dû rester paralysée. Le moindre faux mouvement aurait pu me rendre infirme à vie.

Les vertèbres fracturées ne se soignent plus comme ça aujourd'hui, mais on était dans les années 50, et on m'a plâtrée des hanches jusqu'aux épaules. Une camisole de force lourde, épaisse et sans taille. Or quelques semaines plus tôt j'avais reçu mon premier carton d'invitation à l'un de ces grands bals officiels dont j'avais tant rêvé. Mais qu'est-ce que j'allais devenir ? Ma vie était finie. Pas du tout, a dit Susan, et elle m'a emmenée dans un magasin pour futures mamans où j'ai trouvée une robe du soir de femme enceinte. Quand le grand jour est arrivé, elle s'est occupée de moi, m'a coiffée, maquillée et couvée jusqu'à ce que j'accroche à mon corsage l'orchidée que mon cavalier m'avait apportée et que je sois installée à l'arrière de la voiture avec lui.

Aussi étrange que cela puisse paraître, j'ai eu beaucoup de succès à ce bal. Des tas de garçons m'ont invitée à danser, probablement pour voir quel effet cela faisait de tenir un plâtre contre soi. J'aurais pour ma part bien aimé sentir le contact de leur ventre et de leur poitrine, mais le plaisir de ces premiers émois physiques devrait encore attendre.

L'automne arrivait, il fallut retourner à Emma Willard toujours habillée en femme enceinte. Le plâtre avait un avantage, il me dispensait de cours d'éducation physique. Mais il me posait aussi un grave problème. Tout le monde, sauf moi, semblait maintenant avoir de la poitrine. J'étais évidemment encore plate comme une planche deux mois plus tôt quand l'accident avait eu lieu. Les médecins n'avaient pas laissé de place entre ma peau et le plâtre.

J'étais certaine que rien ne pourrait pousser sous cette armure. Et j'aurais non seulement un vagin défectueux, mais des seins enfoncés dans ma cage thoracique !

J'ai fini par avoir mes règles durant l'été 1954, à seize ans et demi. Après m'être tant inquiétée de ne pas voir arriver ce moment, j'ai cru ce jour-là être victime d'une hémorragie mortelle provoquée par mon vagin blessé. Susan m'a ramenée à la réalité : il s'agissait de sang menstruel. Elle m'a tendu un drap de bain et une serviette hygiénique et quand je suis sortie de la douche, elle m'a prise dans ses bras, en disant : « Félicitations, Jane. Te voilà une femme, maintenant ! » Une femme ? Si ses mots m'ont permis de comprendre que je n'allais pas mourir, ils ont éveillé en moi une nouvelle angoisse.

Une femme ? Mais je ne veux pas être une femme. Les femmes sont détruites.

Cet après-midi-là, Susan m'a dit que je devais aller chez le gynécologue. Elle en connaissait un très bon. Elle m'a ensuite expliqué que puisque désormais je pouvais tomber enceinte, il faudrait parler contraception avec ce médecin, en sachant qu'il était tenu au secret médical et que rien de ces conversations ne sortirait de son cabinet. « J'espère que tu ne vas pas avoir tout de suite de relations sexuelles, Jane, a-t-elle ajouté. Tu es encore trop jeune. Mais il faut que tu saches comment éviter une grossesse non désirée. » Quelle femme intelligente ! Si seulement toutes les mères et belles-mères pouvaient agir ainsi lorsque leur fille devient pubère.

Le médecin s'appelait Lazar Margulies et il allait devenir le pionnier du maintenant banal stérilet en plastique. Quand je me suis assise en face de lui, j'ai éclaté en sanglots. Enfin je pouvais parler, exprimer toutes mes peurs refoulées, ce « là en bas » qui n'allait pas, mon syndrome « Christine Jorgensen », ce corps de fille qui aurait dû être un garçon. De toute évidence, il avait l'habitude de recevoir des adolescentes inquiètes et il m'a écoutée avec beaucoup de patience. C'était merveilleux d'être face à un professionnel, qui ne me jugerait pas, et à qui je pouvais poser ces questions si angoissantes. Tous les enfants devraient avoir cette chance. Quand il m'a examinée, j'ai fermé les yeux de toutes mes forces et arrêté de respirer pendant qu'il faisait ce que font tous les gynécologues. Et lorsqu'il m'a annoncé que j'étais tout à fait normale, j'ai de nouveau pleuré, cette fois de soulagement.

Nous avons parlé des différents choix de contraception qui s'offraient à moi. La pilule n'existait pas encore, mais il y avait les diaphragmes et les stérilets en cuivre. Je préférais la seconde solution, étant donné ma maladresse, c'était plus sûr. Et ce fut fait.

Régulièrement, à Emma Willard, l'une d'entre nous faisait circuler la liste de tout ce que nous pouvions imaginer en matière de sexe, et nous devions mettre une croix en face de ce que nous avions fait. Carol Bentley remplissait pratiquement chaque ligne : embrasser avec la langue, rapports, fellation et des tas d'autres choses dont la simple évocation accélérait ma respiration. Je révérais Carol. Mes exploits se limitaient à des baisers bouche fermée et quelques caresses, mais je prétendais avoir déjà embrassé un garçon avec la langue et eu des rapports sexuels. Au cours des deux années qui ont suivi, j'ai eu deux petits amis (l'un après l'autre), et j'ai essayé de faire l'amour avec eux. Mais malgré nos efforts haletants et les irritations dues au tapis sur lequel cela se passait, ça n'a jamais marché. Mon corps semblait refuser de les laisser entrer. Malgré les affirmations rassurantes du médecin, j'avais de nouvelles raisons de penser que j'étais anormale.

CHAPITRE HUIT

L'ATTENTE

Ils choisissent sagement les masques aux traits accentués que nous avons forgés pour eux. Et malheureusement pour nous, comme pour eux, les adolescents gardent ensuite trop souvent ces atours caricaturaux qu'ils avaient seulement eu l'intention d'essayer.

Louise J. KAPLAN, psychologue.

Entre ma sortie d'Emma Willard et le moment où je suis devenue actrice, j'ai pataugé – ou gardé la tête hors de l'eau en attendant de trouver un sens à ma vie. On raconte que je faisais n'importe quoi, que je suis entrée dans un bar en moto, que je me suis déshabillée en dansant sur une table, que j'ai mis le feu à un dortoir. On dit qu'à Vassar, où l'on prétend que nous étions obligées de porter gants et colliers de perles pour le dîner (ce qui est faux), j'ai détourné le règlement en descendant au réfectoire vêtue de ces seuls accessoires. *Moi*[1] *!* Je confesse avoir eu un penchant pour la provocation, mais honnêtement, jamais je n'aurais été capable d'une telle impudeur. Ma vie en dehors de l'université était très différente de celle des autres. Elles pouvaient se téléphoner et se retrouver au drive-in, avaient des petits amis avec qui

1. En français dans le texte (*NdT*).

elles dansaient le be-bop dans des caves. Je ne faisais rien de tout ça. Parce que la gloire d'Henry Fonda rejaillissait sur moi, que je vivais à Manhattan et que je savais tromper mon monde, les gens me croyaient beaucoup plus avertie et dans le coup que je ne l'étais.

Ce que je ne savais pas, je l'imitais, empruntant aux autres des attitudes que j'intégrais afin de me débrouiller dans les réceptions ou avec les garçons. Il fallait que je me sente en confiance pour réinjecter dans ce personnage soigneusement élaboré ma propre personnalité. La plupart du temps, je m'habillais et me conduisais de façon conventionnelle, me coulant parfaitement dans le moule du monde prédigéré-du-merveilleux-progrès de ces années 50.

Devenir comédienne ne me tentait pas spécialement. Je doutais trop de moi et n'avais jamais entendu personne – et surtout pas mon père – dire que ce métier pouvait vous apporter des satisfactions d'ordre intime. Je n'avais jamais associé les mots « acteur » et « joie ». J'avais même développé des arguments qui allaient à l'encontre d'une telle éventualité : « Les acteurs sont trop égocentriques. J'ai assez de problèmes comme ça. Je ne veux pas penser à moi plus que je ne le fais déjà. Non, ce n'est pas pour moi. » En vérité, je me trouvais grosse et ennuyeuse, et j'avais peur d'échouer.

Pendant les vacances qui ont suivi ma dernière année à Emma Willard, nous sommes tous allés en Europe rejoindre Papa qui tournait *Guerre et Paix* à Rome avec Audrey Hepburn. Cet été-là Susan se rendit compte qu'elle ne pouvait plus supporter d'être mariée à un homme qui n'était jamais là, et voulut divorcer.

« Je ne pouvais pas être moi-même, a-t-elle dit à Harold Teichmann. Dès que je voulais aborder un problème avec lui, il faisait la sourde oreille. Il avait une incroyable capacité à éviter toute confrontation... Mais quand il laissait exploser sa colère, c'était terrifiant. Petit à petit, je me suis rendu compte que j'avais toujours eu peur de lui. » Et petit à petit, elle a compris que celui qu'elle avait pris au début pour un homme adorablement timide, était en fait psychorigide, et qu'elle aurait beau faire, jamais elle ne parviendrait à briser la carapace derrière laquelle il s'abritait. Elle m'a raconté que Papa ne lui parlait parfois pas de la journée, puis que le soir, brandissant son statut d'époux, il s'attendait à ce qu'elle ait envie de faire l'amour avec lui.

« Je ne suis pas une machine, Jane », a-t-elle ajouté d'un ton triste. Elle l'avait supplié d'entreprendre une thérapie avec elle, il avait refusé. Et quand elle est allée chez un psy pour soigner sa boulimie, Papa lui a dit qu'elle devrait le payer de ses propres deniers.

Susan m'a aidée à comprendre que ce à quoi j'avais assisté depuis si longtemps n'était ni le produit de mon imagination, ni ma faute. Contrairement à ma mère, elle a refusé de vivre une relation purement superficielle et elle est partie, non pas vers un autre homme, mais vers elle-même. Elle fut la troisième épouse de mon père, mais l'introspection et l'aide des professionnels ne faisaient pas partie du mode de vie d'Henry Fonda, ni, peut-être plus généralement, des gens de sa génération. Il s'est donc marié encore, moins de deux ans plus tard, à une Italienne qu'il avait rencontrée cet été-là à Rome. Et ce quatrième mariage a duré encore moins que le précédent.

Susan est entrée dans notre vie, puis elle en est sortie. Mais nous lui serons toujours, Peter et moi, reconnaissants de ce qu'elle nous a apporté.

En 1951, après avoir été acceptée à l'université de Vassar (que j'avais demandée pour y retrouver Carol Bentley), je suis partie avec Peter, Papa et Tante Harriet passer l'été à Hyannis Port sur le Cap Cod. Papa venait de finir *Douze hommes en colère*, premier long métrage de Sydney Lumet, qui tournerait ensuite des films aussi importants que *Serpico* ou *Un après-midi de chien*. La maison que nous avions louée était située derrière la propriété des Kennedy. Papa les connaissait, nous les voyions de temps en temps. Dire qu'ils étaient comme une famille royale peut paraître banal, mais c'est la vérité.

Le théâtre Dennis Playhouse, où nous pouvions facilement nous rendre en voiture, proposait un stage d'été et Papa a pensé qu'il pourrait m'intéresser, en tout cas en ce qui concernait la mise en scène. Bien qu'il y ait eu quelques cours d'art dramatique au programme et quelques petits rôles attribués aux apprentis comédiens dans les pièces du répertoire qui allaient être ensuite jouées en tournée, quand mon père m'inscrivit, ce n'était nullement pour m'encourager à suivre ses traces. Il était très difficile de réussir en tant qu'acteur, il nous l'avait fait comprendre clairement, à Peter comme à moi. Il connaissait trop de gens qui n'avaient pu faire autre chose que de s'autoproduire.

Le premier jour, nous fûmes présentés à l'assistant du metteur en scène, James Franciscus, que tout le monde appelait Goey, et dès l'instant où je le vis, l'été prit un nouvel éclat. Blond aux yeux bleus, il avait la beauté d'une star, ce qu'il devint plus ou moins puisqu'il joua par la suite le rôle principal de séries comme *Naked City* ou *Mr Novak*, et dans une trentaine de films. Il était aussi en seconde année à Yale. Je tombai sous son charme. Les relations inabouties que j'avais connues jusque-là ne m'avaient pas préparée à vivre une véritable histoire d'amour, et je me montrais très réservée. Mais, comme j'allais vite le découvrir, Goey avait beau ressembler à un play-boy, il était en fait aussi timide que moi.

Goey supervisait les stagiaires, aussi avions-nous de nombreuses occasions de nous retrouver. Il devint vite évident que l'intérêt qu'il éveillait en moi était réciproque. Nous parlions beaucoup. Je découvris qu'il y avait d'autres choses à aimer en lui que sa beauté et son appartenance à Yale. Il était intelligent et cultivé, avait le sens de l'humour, vivait à Manhattan, avait préparé les grandes écoles (du seul fait qu'il était à Yale), mais n'appartenait à aucune association d'étudiants. Ne venant pas d'une famille riche, il devait travailler. Il n'aimait pas le football et avait une passion. Les garçons que je connaissais avaient des hobbies, mais pas de passion. Goey, lui, écrivait une épopée en pentamètres iambiques. Ce qu'il m'en lut, environ un tiers de la pièce, me sembla brillant.

Enfin, un samedi soir avant que je parte, il m'a demandé s'il pouvait m'inviter à dîner le lendemain, jour de relâche. Il est venu me chercher dans sa vieille décapotable rouge, cela je m'en souviens, mais j'ai tout oublié du dîner et de notre conversation. C'est ce qui s'est passé ensuite qui reste gravé en moi. Nous sommes allés sur la jetée regarder le soleil se coucher. Ne sachant pas quoi dire, je restai immobile face à la mer. J'attendais. J'espérais. Mon cœur battait trop fort, j'avais peur qu'il l'entende. Puis il a passé son bras autour de mes épaules, m'a tournée vers lui et il a plongé ses yeux au fond des miens. C'était un regard si intense, qu'au bout d'un moment j'ai voulu me dégager, mais en vain. Il m'a retenue d'une main ferme, les yeux toujours rivés aux miens, m'a attirée doucement. Quand mon corps s'est lové contre le sien, je me suis sentie défaillir, mes genoux m'ont lâchée, et il a dû me soutenir pour m'empêcher de tomber, ce qui l'a fait rire de plaisir en m'embrassant. Puis nos lèvres se sont séparées, j'ai reculé et il a fallu que je m'assoie. *Patatras.* Tout tournoyait, la mer, le ciel. Et quel ciel. Je ne l'oublierai jamais. En deux minutes, il avait pris des teintes totalement différentes, s'était voilé d'une brume tremblante. Les mots de Hemingway « Et la terre bougea », me sont revenus. Voilà ce qu'ils signifiaient ! La terre bougeait.

C'était la première fois que je défaillais ainsi, et si ce ne fut pas la dernière, quelque chose d'unique arriva à ce moment-là – avec ce garçon-là. Goey et moi formions une nouvelle entité. Nous passâmes ensemble chaque minute que nous avions de libre jusqu'à la fin de l'été. J'avais dix-huit ans et lui vingt, et il semble que nous étions bien plus gamins que ne le sont en général aujourd'hui les jeunes de cet âge. Nous nous embrassions sans fin et échangions de furtives caresses au clair de lune, mais jamais nous n'avons fait l'amour. Et je goûtais un plaisir doux à en repousser le moment. C'était le plus bel été que j'avais jamais vécu.

Papa a amené sa nouvelle amie à Hyannis Port. Elle était vénitienne, avait un peu plus de trente ans, les yeux verts, les cheveux roux et un certain charme insistant dont Peter et moi nous sommes immédiatement méfiés. « Faux jeton », tel est le premier qualificatif qui nous est passé par l'esprit à tous les deux en la voyant. Mais nous savions que Papa avait l'intention de se marier avec elle, car il ne nous présentait jamais celles qu'il n'épousait pas. Et s'il ne s'agissait pas d'une autre Susan, la belle-mère au cœur tendre, nous étions maintenant juste assez vieux pour que cela n'ait plus autant d'importance. D'une certaine manière, plus je devenais femme, plus je m'éloignais de mon père, et qu'il ait choisi de faire entrer cette Italienne dans notre vie était un facteur de séparation supplémentaire. Mais lui, je l'aimais tendrement, et l'ombre longue de sa silhouette restait au centre de ma vie.

J'avais, au cours des dix-huit derniers mois, essayé de perdre ma virginité avec trois garçons différents (les uns après les autres), mais sans y arriver – ils m'avaient presque pénétrée, mais pas vraiment. C'était comme fumer sans inhaler. (Ce côté technique a son importance, lorsque vous tentez de vous prouver que vous êtes normale.) Ma virginité persistante finit par céder petit à petit mais pas – comme l'a écrit Carrie Fisher dans *Surrender Pink* – « parce que c'était si dur qu'il fallut s'y reprendre à trois fois ». Mon corps semblait simplement dire *Désolé, je ne suis pas prêt.* (Je ne pouvais pas appeler ce qui se passait entre nous faire l'amour, car ce n'était pas ce que nous faisions, et je ne savais pas que les sentiments joueraient un rôle si important pour moi. Carol Bentley, après tout, disait bien, ou prétendait, que le sexe et l'amour étaient pour elle deux choses différentes.) Je me souviens avoir écouté fascinée et envieuse mes deux maris (l'un après l'autre) me raconter leur première fois.

Vadim avait perdu sa virginité au cours d'ébats voluptueux sur un tas de foin, en France, pendant la Seconde Guerre mondiale. Comme il l'écrivit ensuite dans *Mémoires du diable*, quand il atteignit l'orgasme, « le plafond de la grange se mit à bouger. Le sol trembla... Un grondement apocalyptique remplit l'air ». Il pensa tout d'abord que c'était l'effet du plaisir (encore le syndrome Hemingway). Mais c'était tout simplement qu'il avait choisi pour son dépucelage « un moment historique : zéro heure, le 6 juin 1944 – la première vague du débarquement allié en Normandie » et que la grange ne se trouvait qu'à quelques kilomètres de la côte.

Ted Turner, quant à lui, attendit d'avoir plus de dix-neuf ans pour faire l'amour, mais lorsqu'il le fit, ce fut une telle révélation qu'il « recommença dix minutes plus tard ». Il me le raconta la seconde fois que nous nous vîmes, et allait pendant dix ans le répéter dès qu'il se trouvait en présence de quelqu'un qui ne l'avait pas encore entendu.

Je ne peux rien revendiquer de semblable. Je ne m'en souviens pas. Je sais que ça a eu lieu avec Goey cet automne-là, à Yale. Je garde un souvenir précis du plaisir que j'ai eu à passer un week-end entier seule avec lui pendant une tempête de neige dans une petite ferme que ses parents possédaient au nord de l'Etat de New

York : avoir toute la maison pour nous, sans nous inquiéter du bruit que nous faisions, nous réveiller dans le même lit, prendre des bains ensemble, apprendre de lui comment préparer des *whiskies sours*. De tout cela je me souviens. Mais pas du sexe.

Avoir un petit ami officiel qui écrivait des pièces de théâtre me donnait de la valeur. Je décidai de demander une chambre individuelle à Vassar, de préférence une petite mansarde où je pourrais à juste titre m'adonner à l'angoisse existentielle, réciter des tirades de Shakespeare, écouter du Mozart et des chants grégoriens, lire Kant jusqu'au matin.

Au milieu des années 50, les filles que je connaissais n'allaient en général pas à l'université pour découvrir ce qui les intéressait ou ce pour quoi elles étaient douées afin d'exercer ensuite un métier dans ce domaine. C'était simplement ce que l'on faisait en attendant qu'un homme vous mette le grappin dessus. Et elles tombaient comme des mouches. Carol Bentley partit en seconde année pour se marier, ainsi que Brooke Hayward. Les Américains croyaient alors pour la plupart que, si une fille n'était pas au moins fiancée quand elle quittait l'université, c'est que quelque chose en elle ne tournait pas rond. Moi non. J'aimais énormément ce que je vivais avec Goey, pourtant je n'ai jamais, à cette époque, envisagé le mariage. J'avais, dans ce domaine au moins, suffisamment de bon sens pour savoir que, si je me fixais avec un homme à ce stade-là de ma vie, je resterais coincée dans une histoire qui n'était pas la mienne.

Alors que j'étais en seconde année, le directeur de Westminster, pensionnat où Peter poursuivait ses études, m'a appelée et dit que Peter n'allait pas bien, que je devais aller le chercher.

A mon arrivée, je l'ai trouvé caché dans des buissons, les cheveux décolorés en blond platine. Il m'a demandé de l'appeler Holden Caulfied, comme l'anti-héros de *L'Attrape-Cœur* de J. D. Salinger qui se fait renvoyer de son école préparatoire parce qu'il refuse de se plier à l'hypocrisie qui y règne. Je l'ai habillé chaudement pour l'emmener – mais où ? Nous ne pouvions pas aller « chez nous », dans la maison de Papa à Manhattan, car ce dernier travaillait ailleurs et nous n'avions pas le droit d'y habiter sans lui. Je ne pouvais pas le garder avec moi à Vassar. Alors j'ai appelé Tante Harriet à Omaha. Et Peter a vécu avec elle et Oncle Jack pendant quatre ans.

Quand il débarqua chez eux, ils le firent examiner afin de savoir s'il était fou. On leur répondit qu'il avait besoin d'aide. Ils lui firent aussi passer des tests, au cas où il aurait besoin de redoubler son année. Il s'avéra qu'il avait un QI de plus de 160 – celui d'un génie. Il entama donc une psychanalyse (avec le beau-père du financier Warren Buffett) et entra à l'université d'Omaha. Peter était l'anticonformiste qui « passait à l'acte ». Le psychothérapeute Terrence Real écrit dans *I Don't Want to Talk about It* que les garçons qui passent à l'acte sont « comme des manifestants, des grévistes qui refusent de se laisser entraîner dans l'état d'aliénation que nous appelons humanité... Et nous les qualifions en général de délinquants ». De Peter, les gens disaient : « Bof, il cherche tout simplement à attirer l'attention », et je hochais la tête, d'accord avec eux, en me demandant pourquoi mon frère ne devenait pas adulte. Aujourd'hui, lorsque j'entends quelqu'un parler comme ça, je crie : « Et alors, pourquoi ne lui avez-vous pas accordé l'attention, et l'amour dont il avait besoin, avant qu'il passe à l'acte ? »

Moi aussi, je suis passée à l'acte, à ma façon. Mais j'étais bien plus susceptible d'accepter le système que Peter l'a jamais été. Je ne me suis jamais aventurée si près du précipice. Je savais comment jouer sur les deux tableaux – être tout près de prendre de gros risques, sans jamais le faire.

En dehors de mon histoire avec Goey, il ne me reste pas grand-chose des deux années que j'ai passées à Vassar. Je buvais trop, ne travaillais pas assez en dépit de mes bonnes intentions, passais d'une passion à l'autre, devins accro aux amphétamines, obtins de meilleures notes que je n'en méritais et ne m'enthousiasmais pour aucun cours. J'ai appris avec les années qu'il m'est impossible d'étudier comme on doit le faire pendant ces années de formation générale. Je dois absolument comprendre pourquoi j'apprends, à quoi cela va me servir, sentir que j'en ai besoin parce que cela correspond de façon palpable à ma vie, à ce que je *fais*. Depuis une douzaine d'années, il m'a fallu, pour le travail bénévole que j'effectue auprès des jeunes, savoir pourquoi les gens se comportent comme ils le font et ce qui leur permet de changer. Je me suis donc plongée dans les livres de psychologie, de théorie relationnelle, de science comportementale, de développement international, et les biographies de femmes. Mais à Vassar, je ne savais pas *pourquoi* j'apprenais.

Lors de mon dernier examen de musique, j'ai dessiné sur ma copie des femmes en train de crier. Quelques jours plus tard, j'ai été convoquée dans le bureau de la directrice. Je m'attendais à apprendre que j'avais échoué. Mais non. Les professeurs m'ont dit qu'elles comprenaient les problèmes que j'avais à cause du remariage de mon père, et m'autorisaient à repasser cette épreuve. Cela m'a semblé absurde. Je ne me sentais pas troublée par cet événement – j'étais vaccinée – et j'ai trouvé étrange que l'on me disculpe ainsi. Je voulais être rendue responsable de mes actes et remise en question. J'en avais besoin. C'est alors que j'ai décidé que je perdais mon temps et gâchais l'argent de mon père. Il fallait que je parte.

J'annonçai à Papa que je n'avais pas fini mon année et ne voulais pas retourner à l'université le semestre suivant. Puis je me suis retrouvée en train de lui expliquer que je voulais aller à Paris étudier la peinture. En vérité, je ne savais pas vraiment ce que je désirais faire, et j'espérais intérieurement que mon père me sauverait de moi-même en refusant. Peut-être pensait-il à autre chose, à ses nouvelles amours. Peut-être sa femme et lui avaient-ils envie de se retrouver seuls. Quoi qu'il en soit, il accepta de me laisser partir.

En 1957, Papa loua pour les vacances une villa sur la Côte d'Azur, à Villefranche, qui avait encore le charme d'un village de pêcheurs. La maison était grande, avec un assez beau jardin, une piscine et une pelouse qui s'étendait jusqu'au bord de la falaise rocheuse, à plus de trente mètres au-dessus de la mer. Les Fonda reçurent beaucoup cet été-là – ou plus exactement, Afdera, dernière épouse de Papa, reçut beaucoup. Mon père n'avait jamais était un mondain. Et il y avait quelque chose d'attendrissant dans les efforts qu'il faisait pour s'adapter, paraître à l'aise, souvent derrière son appareil photo. Quelque chose que j'aimais tendrement.

Gianni et Marelle Agnelli, Jacqueline de Ribes, la princesse Marina Ciccona et son frère Bino, le comte, la comtesse Volpi et leur fils Giovanni, le sénateur Kennedy et Jackie, la haute société défilait à la maison et nous étions constamment invités chez les uns, chez les autres. Elsa Maxwell, surnommée « la plus parfaite des hôtesses », avait loué une villa à côté de la nôtre. Sur le *Christina*, l'énorme yacht de l'armateur grec Aristote Onassis, il y avait un Picasso accroché dans le salon, des robinets en or, une piscine en mosaïque et des tas de jolies filles aux yeux pleins de secrets toujours prêtes à faire connaissance avec des hommes possédant de telles merveilles. Picasso avait d'ailleurs un atelier dans la région, où nous lui avons rendu visite. Je me retrouvais face à face avec Jean Cocteau, Ernest Hemingway, Charlie Chaplin. J'étais sans voix.

Un après-midi, Greta Garbo est arrivée à la maison avec son amie. Après avoir bu poliment un verre au milieu des invités, elles sont parties à l'intérieur de la maison et en sont ressorties en peignoirs et bonnets de bain comme en portent les nageuses professionnelles. Garbo m'a demandé si je voulais descendre nager avec elles dans la mer. J'étais estomaquée. Greta Garbo ! Il faut noter ici que de tout l'été, aucun autre invité ne s'arracha jamais aux mondanités de notre terrasse pour descendre les marches taillées dans la roche jusqu'à la mer. Je ne l'avais fait moi-même qu'à de rares occasions. Le chemin me paraissait long et l'eau froide. Mais nous partîmes, Greta Garbo, son amie et moi. Lorsque nous sommes arrivées en bas, Garbo a enlevé son peignoir, révélant son corps athlétique. Et entièrement nu. Puis elle a marché jusqu'à la pointe des rochers où les vagues se brisaient et exécuté un plongeon impeccable. Une approche bien différente de mes atermoiements habituels – allons-y petit à petit, d'abord les orteils, ensuite les genoux. Je me suis rappelé qu'elle venait de Scandinavie, c'était donc plus facile pour elle, mais malgré tout j'ai pris ma respiration et je me suis jetée à l'eau (en maillot de bain, évidemment). Elle a nagé avec vigueur assez longtemps sans s'arrêter, puis elle est revenue, m'a croisée. Alors elle a ralenti et nous sommes rentrées tranquillement, en échangeant de temps à autre un regard. Le visage de Garbo était lumineux et pur, sans la moindre trace de maquillage.

Puis, de sa voix rauque de *Ninotchka*, elle m'a demandé si je voulais être actrice.

Elle me parlait de moi. Je n'en revenais pas.

« Non, ai-je répondu. Je n'ai pas assez de talent.

— Ça alors, a dit Garbo, je parierais le contraire. Et tu es assez jolie pour y arriver. » *Oh mon Dieu !*

« Merci », ai-je balbutié en avalant une gorgée d'eau salée tandis que mon cerveau tournait en boucle. *Elle dit ça par politesse. Attends. Quelqu'un qui quitte la réception pour aller nager ne dit pas les choses par politesse. Mais comment Greta Garbo pourrait-elle me trouver jolie ?*

Nous nous sommes séchées au soleil sur les rochers et j'ai remarqué qu'elle avait un corps de sportive, sain et athlétique, et non celui de ce qu'on appelait alors une pin-up. Cela m'a fait du bien. Des millions de gens l'adoraient, la perfection physique n'était donc pas indispensable. Je me souviens avoir remonté la falaise derrière elle en essayant de cacher le sourire triomphant qui apparaissait sur mon visage.

Villefranche se trouve juste à l'ouest de Monaco, petit royaume dirigé alors par le prince Rainier et sa femme Grace Kelly. Les gens riches et célèbres allaient dépenser leur argent dans les boutiques et le casino du port de Monte-Carlo. L'été, il y avait tous les samedis un bal de gala où l'on dînait, buvait du champagne, dansait sous les étoiles, admirait le feu d'artifice. Afdera me trouvait des cavaliers, fils d'industriels ou bien d'aristocrates. Elle devait me chercher un mari – probablement parce qu'elle avait envie de vivre seule avec mon père, mais aussi pour ce que cela ajouterait à sa gloire personnelle. Je n'ai jamais envisagé la moindre histoire sérieuse avec les hommes que j'ai rencontrés alors – le gratin riche et oisif –, pas plus qu'avec les étudiants des grandes universités américaines. J'avais besoin que l'on m'entraîne dans d'autres mondes – non celui de l'argent mais de la passion et de l'intensité. Je voulais un rebelle, un aventurier, quelqu'un de différent.

Goey et un de ses amis de Yale, José de Vicuna, vinrent passer une semaine avec nous. José, un Espagnol branché qui connaissait la région, avait des amis chez qui il dormait, mais Goey s'était installé dans l'une des nombreuses chambres de notre villa. Nous nous retrouvions dans la mienne à l'heure de la sieste. J'aimais faire l'amour l'après-midi, rester allongée languide sous le ventilateur. Les stores de toile baissés au-dessus des larges baies vitrées jetaient des ombres sur le carrelage frais, et le bruit des pales qui tournaient doucement au-dessus de nous devint synonyme de plaisir.

Un après-midi, je suis partie avec Goey et José pour Saint-Tropez, vieux village de pêcheurs aux maisons couleur sépia. Nous sommes arrivés au coucher du soleil, et j'ai été émerveillée par la beauté de ce lieu que les touristes découvraient alors grâce au film *Et Dieu créa la femme*, premier long métrage du jeune réalisateur Roger Vadim, qui rendit célèbre sa femme d'alors, Brigitte Bardot.

Au cours de cet été à Villefranche, j'ai compris que mon histoire avec Goey commençait à s'essouffler. Je m'ennuyais. Il paraissait paralysé, et j'ai compris le sens de ce qui arrivait à sa pièce en pentamètres iambiques : il ne dépasserait jamais le premier acte. Cette pensée était comme un murmure glacé à mon oreille, mais j'évitais d'aborder le sujet avec lui. J'avais peur de le blesser. J'ai honte d'avoir continué comme si rien n'avait changé, alors que je n'éprouvais plus pour lui les mêmes sentiments. Car je l'ai fait ainsi beaucoup plus souffrir lorsque le moment de la rupture est arrivé et que je me suis installée dans ce qui allait devenir une sensation permanente d'autotrahison. L'année suivante, quand Goey m'a demandée en mariage et que j'ai refusé, il devint impossible de continuer à nous voir. Ma première vraie histoire d'amour a pris fin tristement, au bout d'un an et demi.

Au début de l'automne 1957, Papa et Afdera m'ont accompagnée à Paris où ils avaient trouvé de quoi me loger. J'habiterais chez une femme qui prenait des pensionnaires dans son appartement de l'avenue d'Iéna, sur la rive droite. La fille d'une amie d'Afdera y avait vécu quand elle était venue étudier ce que l'on appelait alors les arts d'agréments. Afdera aurait voulu que je suive moi aussi ces cours où les jeunes filles de la haute société apprenaient les bonnes manières. Mais j'ai refusé tout net et je me suis inscrite à l'Académie de la Grande-Chaumière, dans le quartier plus bohème de Montparnasse, de l'autre côté de la Seine, afin d'y étudier la peinture et le dessin.

Susan, mon ex-belle-mère, vivait à Paris depuis presque un an, et la savoir là était un réconfort. Mais elle avait sa vie et me croyait probablement aussi mûre qu'elle l'avait été elle-même à dix-neuf ans. Je dégageais quelque chose d'adulte, c'est vrai, mais je restais intérieurement immature et j'avais besoin de structures et de limites. Or j'étais encore incapable de me les imposer. Je me sentais comme une passoire, les choses se déversaient en moi et s'écoulaient à nouveau vers l'extérieur. Un contenant sans contenu. Je m'étais retrouvée là sans le vouloir, seule et effrayée, dans cette ville étrangère où je me perdais tout le temps, où je ne connaissais âme qui vive en dehors de Susan, et où j'osais à peine utiliser mon français hésitant et désuet.

Ma logeuse était une femme aux cheveux gris, issue de la haute bourgeoisie (elle avait de très beaux meubles, de l'argenterie et de la vaisselle fine), mais parcimonieuse. Toujours habillée de noir, elle était d'une austérité extrême, comme sa fille qui, bien qu'adulte depuis longtemps, vivait là avec elle. Elles n'allumaient jamais les lumières ni n'ouvraient les rideaux, et les fauteuils et canapés du salon étaient continuellement recouverts de housses de plastique. Sans l'odeur vaguement aigre de navets bouillis qui semblait incrustée dans les tapis et les tentures, on se serait cru à la morgue.

J'ai honte, mais il faut que je l'avoue, je ne suis allée pendant ces deux mois et demi que trois fois à la Grande-Chaumière. Mon prétendu désir d'étudier l'art n'avait été qu'un prétexte pour ne pas retourner à l'université. Je passais la plupart de mon temps assise dans des cafés à lire des livres, ou le journal.

J'adorais Paris, les bouches de métro créées par Hector Guimard dans le style art nouveau, qui me rappelaient la magie des images de Maxfield Parrish, les saules pleureurs et les platanes des bords de Seine, les bateaux-mouches promenant des touristes dans un sens et dans l'autre, passant sous les arches métalliques de ponts ornementés, la pierre beige clair des immeubles le long des quais, leurs toits d'ardoise pentus et les étroites ruelles pavées. Cette ville appartenait à l'Histoire, cela se sentait. Alors que mon pays était encore très jeune.

Une nuit où je dînais et dansais chez Maxim's avec une bande d'acteurs, dont Christian Marquand et Marie-José Nat, un grand brun aux yeux bridés nous rejoignit. Il était accompagné d'une femme magnifique qui semblait enceinte de neuf mois. Un flux d'énergie, qui me rappela celui que provoquait mon père chaque fois qu'il entrait dans un restaurant, sembla confluer vers lui. C'était Roger Vadim.

Il était devenu célèbre du jour au lendemain, à la sortie d'*Et Dieu créa la femme*, film, qui à cause de la jeunesse de son réalisateur (Vadim n'avait pas trente ans) et de son style irrévérent, iconoclaste, fut considéré comme celui qui lança la nouvelle vague du cinéma français. Mais c'était surtout le « phénomène » Bardot qui attira le public, en particulier aux Etats-Unis, où les gens coururent la voir.

Je ne savais pas que Vadim et Brigitte s'étaient séparés. Apparemment, elle était tombée amoureuse du comédien qui jouait le principal rôle masculin d'*Et Dieu créa la femme*, et Vadim était maintenant avec cette magnifique Danoise blonde, Annette Stroyberg, qui allait bientôt lui donner son premier enfant et qui, comme Bardot, deviendrait une star grâce à l'un de ses films. Ils n'étaient pas mariés à l'époque, ce qui me choqua. Je n'étais pas habituée à cette « coutume » qu'avaient les Français d'avoir d'abord des enfants, puis, peut-être, de se marier. Quand ils furent à notre table, Vadim me fit l'impression d'un prédateur, et je me sentis mal à l'aise, conventionnelle, petite oie blanche américaine. Je sais, car il me l'a dit plus tard, que c'est exactement l'impression que je lui fis. Je n'aurais alors jamais imaginé que ces gens seraient un jour au centre de ma vie.

De temps à autre, Susan m'invitait à dîner avec ses amis, et nous allions parfois danser à L'Eléphant blanc, boîte de nuit très à la mode. Elle était souvent accompagnée d'un homme qu'elle considérait comme le meilleur danseur qu'elle connaissait, et c'était un plaisir de les regarder évoluer sur la piste comme Fred Astaire et Ginger Rogers. J'ai toujours eu un faible pour ceux qui savent danser avec autant de grâce. Il s'agissait d'un comte italien, un play-boy dont la famille avait perdu presque toute sa fortune, ce qui l'avait obligé à venir travailler à Paris dans une société de courtage. Il semblait connaître tout le monde, adorait s'amuser. Aussi, lorsqu'il m'a invitée à passer une soirée avec lui, ai-je accepté. Comme c'était un ami de Susan, je lui avais probablement prêté des qualités qu'il n'avait pas. Mais j'étais seule, et sortir avec lui me donnait l'impression de faire partie de quelque chose. Il ne m'attirait pas spécialement, pourtant, lorsqu'il me proposa de partir en week-end dans sa maison de campagne, je n'ai pas su dire non. « Je passe de très bons moments en ta compagnie, mais je n'ai pas l'intention d'avoir une liaison avec toi, aussi dois-je décliner ton invitation » n'était pas le genre de refus poli qui me venait à l'esprit. J'acceptais. Tout ce qu'il voulait.

Et ce qu'il voulait n'était pas seulement faire de moi sa maîtresse, mais me prendre en photo. Nue. J'ai du mal à m'expliquer pourquoi je ne pensais pas pouvoir dire non, alors que je ne le voulais pas. En parler ici est douloureux, mais je veux le faire pour que les lecteurs – et surtout les lectrices – sachent qu'à partir du moment où elle manque d'estime de soi et croit qu'une femme est supposée « suivre », n'importe quelle fille, même une fille bien, et intelligente, peut se retrouver dans ce genre de situation. J'aurais aimé pouvoir dire que cela ne m'arriva plus jamais. J'ai eu avec cet homme une brève liaison dont j'ai détesté chaque instant. Je me détestais surtout de trahir mon corps, et je ne comprenais absolument pas pourquoi je laissais cela arriver. Les photos qu'il prit n'étaient en rien pornographiques, mais assez belles et sages. Je crois que ce qui l'excitait, c'était d'avoir réussi à faire poser pour lui la fille de Henry Fonda. Il fit, bien sûr, immédiatement circuler l'histoire de cette triste conquête. Afdera, toujours à l'affût des commérages, l'apprit et avertit Papa. Lorsque je rentrai à New York pour Noël, à la demande de mon père, elle m'annonça que je ne repartirais pas. J'étais mortifiée, horrifiée, mais aussi soulagée. Je ne voulais pas retourner là-bas. Je sentais que ma vie partait en vrille.

Pendant six mois, j'ai vécu dans la maison de mon père à Manhattan. Il jouait *Two for the Seesaw* à Broadway, et ça ne lui plaisait pas. Il n'a jamais parlé des photos. Merci, mon Dieu. Il devait être terriblement gêné, et pensait certainement que j'avais « mal tourné ». Mais il ne s'agissait pas de ça.

J'étais perdue. Je ne savais pas quoi faire. Je me sentais profondément déprimée, dormais de nouveau douze ou treize heures par jour, et piquais même du nez dans les salles de spectacle – une sorte de narcolepsie du passage à l'âge adulte. J'avais, je le crois aujourd'hui, des problèmes existentiels parce que je n'arrivais pas à donner de sens à ma vie et que j'aurais aimé voir émerger un moi authentique dont je n'étais même pas certaine de l'existence.

Puis l'été arriva et Papa nous emmena tous à Santa Monica, dans une maison au bord de l'eau située à environ un kilomètre et demi d'Ocean House où Peter et moi avions passé plusieurs été avec Susan. Là encore, il chargea Afdera de me faire savoir que je devrais, à la rentrée, trouver un appartement. J'avais vingt ans et je pouvais commencer à me débrouiller seule. Mais parce que je ne savais pas du tout comment gagner ma vie, je me suis sentie totalement paniquée.

Il y a quelques années, José (l'ami espagnol de Goey, qui était par la suite devenu mon amant) m'a renvoyé les lettres que je lui avais écrites (en français) cet été-là de Malibu ; elles témoignent de mon état d'esprit :

> *Mon chéri,*
> *Je suis horriblement déprimée. A quoi bon continuer ? Pourquoi essayer de se battre quand toutes les portes se referment, que nous nous retrouvons séparés de ceux que nous aimons, et tellement malheureux ? Il y a des moments comme ça où, sans raison particulière, je me sens découragée. Je me dis que je ne serais jamais heureuse, que je ne réussirais rien. Je ne sais même pas ce que je peux faire. Je suis vide, un vrai légume. Afdera (la quatrième femme de mon père) utilise toujours les mêmes mots que Papa : je les déçois beaucoup, je suis paresseuse, frivole, faible, et j'en passe. Je ne crois pas être aussi nulle qu'elle le dit, mais parfois je me demande quand même si elle n'a pas raison. J'ai tout et je ne fais rien. Il y a un piano et je ne sais pas jouer. Il y a des livres en italien et je ne peux pas les lire. Je n'arrive pas à dessiner. Je n'ai pas « une once » d'intérêt pour quoi que ce soit, et je serais somme ça toute ma vie, sache-le !*

Plus loin, dans la même lettre ·

Afdera ne compte pas rester avec mon père, elle dit qu'ils n'ont pas d'avenir, qu'il serait mieux avec Lauren Bacall. Pour une fois je suis d'accord avec elle, elle devrait tout de suite laisser la place à Miss Bacall.

Beaucoup de jeunes gens se sentent exactement comme moi à cette époque, désespérés et vides, ne sachant que faire de leur vie. Nous avons tous besoin d'un but qui donne du sens à notre existence. Et lorsque nous n'en avons pas, nous nous en rendons responsables, avons l'impression d'être bons à rien. Mon mal de vivre se traduisait en sommeil perpétuel, boulimie et esprit conventionnel. Pour avoir l'impression d'exister, d'autres plongent dans la provocation, les drogues, l'alcool ou la conduite trop rapide.

Mais alors que l'été était déjà bien avancé, quand tout semblait désespéré, un hasard m'a mise sur le chemin du sens. Mais il faut être prêt, lorsque le destin frappe. Comme le dit Bill Moyers, « les coïncidences permettent à Dieu de rester anonyme ».

CHAPITRE NEUF

LE TOURNANT

Notre plus grand talent, ce qui nous rapproche le plus du divin, c'est notre pouvoir de création. Lorsque nous créons, nous vivons pour quelque chose qui n'est pas nous, alors les couleurs s'intensifient, les sons s'approfondissent, et l'on se sent vivant. Voilà ce qui est enivrant dans notre métier d'acteur.

Troy GARITY, mon fils, acteur.

Un orage d'été se préparait à l'ouest. Chaussures à la main, mâchoire serrée, penchée résolument contre le vent, je longeais la plage de Santa Monica vers la maison qu'il avait louée, en me répétant que je me fichais d'être acceptée ou non. De toute façon, je ne voulais pas devenir actrice. Pourtant je suis arrivée à sa porte le cœur battant. J'ai enlevé le sable que j'avais sur les pieds et enfilé mes chaussures. Elles étaient assorties à ma robe et avaient les indispensables talons hauts qui me faisaient de plus jolies jambes.

Après avoir pris ma respiration, j'ai tapé et attendu, de plus en plus nerveuse. Un petit homme est venu ouvrir. Il portait des lunettes, avait un front immense, les cheveux poivre et sel. D'une voix pincée et nasillarde, sans me jeter un regard ni se présenter, comme si d'autres choses plus urgentes l'attendaient, il m'a fait entrer et asseoir dans le salon. Il avait un drôle d'accent, celui d'un Juif d'un certain âge qui venait du Lower East Side, mais qu'à l'époque je ne savais pas reconnaître. J'ai compris qu'il s'agissait de Lee Strasberg, celui que j'étais venue voir. Il ressemblait plus à un rabbin ou à un dentiste qu'à un célèbre professeur d'art dramatique. Il paraissait sévère, en colère. Je n'avais pas l'habitude des gens qui ne s'embarrassent jamais des conventions sociales, mais avec le temps, c'est une qualité que j'ai fini par apprécier chez lui : pas de chichis. Vous pouviez lui faire confiance. Il pensait ce qu'il disait.

Il s'est assis, m'a regardée et a murmuré : « Bon. » Le silence qui a suivi n'était brisé que par le bruit étrange qu'il faisait en poussant l'air qu'il exhalait de sa gorge vers son nez (une espèce de craquement qu'il utilisa de façon très réussie pour sa scène avec Al Pacino dans *Le Parrain II*). Quand il m'a regardée de ses yeux bizarrement grossis par ses épaisses lunettes, je suis restée paralysée. Puis j'ai senti quelque chose se détendre en lui, s'adoucir. Peut-être a-t-il vu à quel point j'avais peur. Des mois plus tard, il m'a dit que je lui avais semblé fermée, essayant à tout prix d'être une jeune femme comme il faut. Je lui ai demandé alors pourquoi il m'avait prise dans son cours, et il a répondu : « C'est à cause de tes yeux. J'y ai vu autre chose. »

J'avais rencontré sa fille, Susan, au début de l'été. Elle venait souvent chez nous avec son frère Johnny, qui avait à peu près l'âge de Peter, et Marty Fried, un protégé de Lee. Susan Strasberg, avec son petit visage et sa peau de magnolia, avait fait sensation à Broadway dans *Le Journal d'Anne Frank*, et tourné cette année-là avec mon père *Stage Struck*, de Sidney Lumet. Je la trouvais formidablement sûre d'elle, et adulte.

Jour après jour, pendant plus d'un mois, alors que nous jouions aux échecs, Susan et Marty avaient essayé en vain de me persuader de suivre les cours de Lee. « Pourquoi est-ce que tu n'essayes pas ? » répétaient-ils encore et encore. Et je leur répondais avec la même véhémence que je ne voulais pas devenir comédienne. Seulement je ne savais toujours pas ce que j'allais faire à l'automne, et je commençais à m'affoler. Aussi ai-je fini par accepter. Je suis devenue actrice à défaut d'autre chose.

Lee Strasberg appliquait une technique du jeu d'acteur appelée la Méthode. Ce n'était pas vraiment un ensemble de règles énoncées, mais une adaptation typiquement américaine de procédés mis au point par le fondateur du théâtre d'Art de Moscou, Konstantin Stanislavski – auxquels Lee, acteur et metteur en scène avant d'être professeur, avait ajouté sa touche personnelle. En 1949, deux ans après avoir fondé l'Actors Studio, Elia Kazan, Cheryl Crawford et Robert Lewis lui demandèrent de se joindre à eux. Il devint bientôt leur directeur artistique et seul enseignant d'actorat. Ses élèves, acteurs parmi les plus grands de l'époque – James Dean, Paul Newman, Joanne Woodward, Anne Bancroft, Geraldine Page, Al Pacino, Julie Harris, Rip Torn, Ben Gazzara ou Sally Field –, apportèrent à leur travail un réalisme aigu, plus intérieur et personnel que le jeu théâtral auquel le public était habitué. Ils ne montraient pas, ils étaient.

Je venais d'être acceptée dans le cours privé de Lee – un échelon en dessous de l'Actors Studio, mais premier pas dans le cercle de celui qui était considéré comme l'un des meilleurs professeurs des Etats-Unis. Tout cela parce que Billy Wilder tournait *Certains l'aiment chaud* à Hollywood et que la femme de Lee, Paula, était le coach de Marilyn. La famille Strasberg était donc venue s'installer à Los Angeles, à quelques dizaines de mètres de chez nous. Voilà le hasard qui a changé ma vie.

Susan m'a emmenée un jour voir sa mère sur le tournage. J'avais, plus jeune, souvent été dans les studios où mon père travaillait, mais je portai cette fois un regard plus aigu, une attention plus soutenue à ce que je vis. Lorsque les lourdes portes capitonnées qui conduisaient au plateau se sont tout doucement refermées derrière nous, je me suis sentie arriver en terre étrangère, dans un monde sombre, énigmatique, « une civilisation à l'intérieur d'une autre », comme le dit mon fils, qui est acteur. Lorsque l'on ne fait pas partie de l'équipe, se retrouver là n'est jamais évident. On se sent forcément comme un intrus laissé en dehors du secret qui réunit tous les autres en cette obscure caverne aux murs matelassés et au plafond si haut qu'il faut, pour l'apercevoir, renverser la tête complètement en arrière. En son centre se trouve un cercle de lumière vers lequel toute l'énergie conflue, là où gît le secret. D'épais câbles électriques serpentent sur le sol noir et remontent dans d'énormes boîtes accrochées à des perches, les sunlights, dont les contours se dessinent dans un halo, silhouettes de sentinelles dos tourné. Tout le monde, sauf vous, a une tâche à accomplir, et toujours par rapport à cette lumière. Les gens parlent d'une voix basse, suspendue étouffée devant leur visage. Ils sont polis, mais vous sentez la force centripète qui les entraîne loin de vous. Une sirène retentit. Vous sursautez. Une ampoule rouge s'allume au-dessus des portes, comme le gyrophare d'une voiture de police. « Silence ! » crie quelqu'un. Puis seuls quelques murmures se font entendre. « Moteur ! » continue la voix. Puis : « Action ! » Le son et l'énergie sont alors inexorablement aspirés dans le vide lumineux.

Il y avait énormément de tension, ce jour-là, sur le plateau. C'est souvent le cas lorsque sont réunies des stars comme Marilyn Monroe, Tony Curtis, Jack Lemmon et Billy Wilder. Que Marilyn eût des problèmes avec son texte n'arrangeait rien. Ils avaient déjà tourné plusieurs fois la même scène. Il s'agissait de celle où elle se retrouve, au début du film, dans le wagon-lit avec Tony et Jack en travestis. Susan Strasberg me montra sa mère sans rien dire. Paula était assise dans un fauteuil en toile, concentrée sur ce qui se passait à l'intérieur du cercle de lumière. C'était une femme ample. Tout en elle était large, ses grands yeux, son visage aux pommettes saillantes, son corps drapé d'étoffes noires superposées et recouvertes d'un châle aux couleurs de la terre et de bijoux ethniques. On avait envie de se réfugier dans ses bras. Les verres épais de ses lunettes lui faisaient des yeux de chouette et ses cheveux roux pâle étaient tirés en un chignon natté. On voyait qu'elle avait été très belle, comme l'était Susan.

J'ai retenu ma respiration pendant ce qui m'a paru une éternité, puis une voix a crié : « Coupez ! » Instantanément, des gens se sont agités, ont quitté l'ombre pour exécuter dans le cercle éclairé les gestes précis et syndicalement régentés qui leur étaient attribués. Et Marilyn a fait le chemin inverse, ruisselante de lumière. Tandis qu'elle se dirigeait avec Paula vers l'endroit où nous nous tenions, Susan et moi, quelqu'un a posé sur ses épaules un peignoir en chenille rose qu'elle a refermé sur la chemise de nuit à bretelles. Son corps semblait la précéder, j'aurais pu le fixer indéfiniment. Mais en relevant la tête, j'ai vu son visage d'enfant aux grands yeux apeurés. Je me sentais étourdie. J'avais du mal à croire qu'elle fût là, en face de moi, iridescence dorée, nous murmurant bonjour de sa voix haletante de petite fille. La vulnérabilité qu'elle irradiait m'a fait l'aimer immédiatement et me sentir heureuse qu'elle ait, pour la materner, une femme ample et douce comme Paula. Elle a été très agréable avec nous, mais elle avait besoin, cela se voyait, que Paula lui accorde toute son attention, lui donne ce qu'il lui fallait pour retourner dans le cercle et rejouer encore une fois la scène. Je me suis demandé comment elle pouvait se montrer aussi terrorisée alors qu'elle était probablement la femme la plus célèbre du monde. Nous sommes restées un moment, j'ai dit bonjour à Billy Wilder, que je connaissais depuis l'enfance, et à Jack Lemmon, que j'avais rencontré dans ce même studio quand il y tournait *Mr Roberts* avec mon père. Puis nous sommes reparties et sorties sous le soleil aveuglant, dans cette autre civilisation qu'était la vie réelle. Mais pour la première fois de ma vie, quelque chose en moi se sentait attiré par la lumière qui brillait derrière les portes capitonnées, au cœur de l'ombre.

Cela se passait quelques semaines avant mon entrevue avec Lee, et longtemps avant le jour où je me suis retrouvée à mon tour sous les sunlights, et où il me fallut découvrir ma façon à moi d'affronter les peurs que la célébrité ne sait pas apaiser.

Je suis retournée un peu plus tard aux Studios de la Warner avec mon père, pour y rencontrer James Stewart. Le réalisateur Mervin LeRoy avait pensé que je pourrais jouer sa fille dans *La Police fédérale enquête*, et parce que James était son meilleur ami, Papa avait dû voir ce projet comme une sorte de gentille affaire de famille. Or c'était justement ce dont je ne voulais pas. Je n'avais pas envie de me retrouver propulsée dans le cinéma parce que « fille de mon père ». James Stewart a bien mesuré mon manque d'enthousiasme et les choses en sont restées là. Mais étant donné les relations houleuses que j'ai eues par la suite avec le FBI, il aurait été assez drôle que mon premier rôle fût celui-ci.

Lee Strasberg avait donc accepté de me prendre dans son cours, et je savais maintenant ce que je ferais à la rentrée. Il restait à trouver un endroit où habiter et comment gagner ma vie. Par chance, Susan Stein, dernière fille de Jules et Doris Stein de la MCA, et sœur de Jean (Stein) Vanden Heuvel, venait d'obtenir son diplôme à Vassar et cherchait un appartement à partager dans Manhattan.

Elle me conseilla de rencontrer Eileen Ford, qui dirigeait la célèbre agence de mannequins du même nom. Peut-être pourrait-elle me faire travailler, ce qui me permettrait de payer ma part de loyer et mes cours. Deux mois plus tard, j'étudiais avec Lee, posais pour des magazines, et (au grand soulagement d'Afdera) vivais avec Susan dans un duplex de la 66e Rue Est et non plus chez mon père. J'étais partie, peut-être comme une feuille emportée par le fleuve, mais même si je ne contrôlais pas ma destinée, au moins je m'étais lancée.

Le travail de mannequin m'était difficile. Je n'aimais pas devoir continuellement penser à ce à quoi je ressemblais, et je ne me suis jamais trouvée photogénique (fichues joues rondes !), mais j'ai vite trouvé un médecin pour me prescrire des amphétamines, qui me coupaient l'appétit et me donnaient de l'énergie, et des diurétiques, qui me faisaient faire pipi continuellement. Pour un mètre soixante-douze, je suis tombée de cinquante-quatre kilos, ce qui n'était déjà pas énorme, à moins de quarante-neuf. Mon visage, qui dans ces années-là (1959-1960) apparut dans les grands magazines – *Life*, *Esquire*, *Harper's Bazaar*, *Look*, *Vogue* et *Ladies' Home Journal* –, était tiré et mes yeux vides. Mais les photographes me demandaient. Je traînais devant les kiosques chaque fois que j'étais en couverture, à l'affût de ce que le public disait. Eileen Ford, la directrice de mon agence, s'est exclamée un jour : « C'était incroyable ! Elle doutait continuellement de sa beauté et de l'impact qu'elle avait sur les gens. Elle était toujours étonnée d'apprendre que quelqu'un avait envie de l'utiliser et de bien la payer. »

Lee Strasberg donnait ses cours dans un banal immeuble de Broadway. Un ascenseur étroit qui sentait le moisi nous emmenait au sixième étage, dans un petit théâtre dont la salle pouvait contenir une quarantaine de personnes. Ne vous est-il jamais arrivé, enfant, en entrant dans une nouvelle école, de regarder autour de vous pour essayer de deviner avec qui vous pouviez vous entendre ou non ? Je compris tout de suite que je n'étais pas comme les autres. Je me sentais mal à l'aise de mon évidente appartenance à la haute société, de mon apparence de riche dilettante. J'avais l'impression de porter une pancarte où il était écrit : « Je ne suis pas certaine d'avoir envie d'être là. Je veux seulement voir ce que ça donne. » Les autres affichaient généralement un style bohème et négligé qui signifiait : « Je suis un acteur new-yorkais sérieux et passionné. A prendre ou à laisser ! » Mes vêtements ressemblaient plutôt à ceux des filles des classes préparatoires, et ma voix, avec son accent chic, semblait artificielle. Les autres savaient que j'étais la fille de Henry Fonda et j'avais l'impression, vraie ou fausse, qu'ils m'en voulaient.

Des visages connus apparaissaient parfois en cours – France Nuyen, par exemple, qui triomphait à Broadway dans *The World of Suzie Wong* ; Salome Jens ; ou Carroll Baker, alors considérée comme une découverte majeure du cinéma après sa prestation particulièrement sensuelle dans *Baby Doll* d'Elia Kazan.

Et il y avait Marilyn Monroe, l'élève la plus célèbre de Lee, qui s'asseyait sagement, l'air sérieux, au fond de la salle, habillée d'un imper, un foulard sur la tête, sans maquillage. Deux fois par semaine, je m'installais derrière elle, et essayais de comprendre ce qui se passait, en priant le ciel que Lee ne m'appelle pas sur scène. Je n'étais absolument pas décidée à faire une carrière d'actrice et même pas certaine de continuer à suivre son enseignement. Marilyn, m'a-t-on dit, n'a jamais pu jouer pendant ses cours. Chaque fois qu'elle essayait, le trac la faisait vomir. Un jour, en repartant, je l'ai suivie dans la rue. Je l'ai regardée héler un taxi, s'éloigner incognito. Je l'avais vue aux actualités, derrière les projecteurs, assaillie par les fans et les paparazzi, et je me suis demandé comment la même personne pouvait passer de cet extrême à l'autre, être au centre d'une frénétique attention puis se retrouver seule dans une rue de New York, comme une inconnue, effrayée.

Quelques années plus tard, son attaché de presse (qui était aussi le mien) m'a raconté que Marilyn avait un jour eu tellement peur de descendre de sa chambre d'hôtel dans le hall où il avait organisé une conférence qu'elle s'était mise à vomir sans pouvoir s'arrêter. Elle passait continuellement du rêve à la terreur. Disait parfois n'être pas seulement une « star », c'est-à-dire une étoile, mais un « corps céleste ». Et murmurait souvent : « Un jour vous verrez, ils s'apercevront que je suis bidon. » J'aurais aimé aller vers elle et lui prendre la main.

Le premier cours de la semaine était consacré à un travail intitulé « exercice de mémoire sensorielle ». Un étudiant était appelé sur scène où il devait recréer les sensations d'une activité donnée, ses odeurs, ses bruits, ou plus exactement les revivre. Contrairement à la pantomime, pour laquelle il faut simuler sans accessoires les gestes exacts d'une activité quelconque, la mémoire sensorielle exige que l'on prenne le temps de véritablement sentir, par exemple, la chaleur et le poids d'une tasse de café que l'on tient à la main, puis son arôme quand on l'approche de ses lèvres. Il ne s'agit pas de « faire comme si », mais de « revivre l'expérience ». Ce qui permet de développer votre conscience sensorielle et votre concentration. Puis Lee commentait devant tout le monde ce qu'il venait de voir et passait la parole aux autres étudiants.

Venait ensuite l'« exercice de chant », au cours duquel l'élève devait se tenir au centre de la scène en vociférant toujours sur la même note une chanson dont il devait faire durer chaque mot le plus longtemps possible. Quelque chose dans une voix qui vibre interminablement sans suivre de mélodie permet aux émotions de remonter à la surface et de jouer sur les cordes vocales comme sur une harpe. Quelquefois, la voix chevrotait ou se cassait, le corps et le visage tremblaient, et Lee, de son ton calme et nasillard, encourageait l'étudiant à continuer en détendant telle ou telle partie de son corps ou de son visage. Cela apprend à l'acteur à se relaxer afin de ne pas se laisser submerger par les émotions que certaines scènes risquent de provoquer.

Puis l'élève continuait sa chanson en se jetant d'un bout à l'autre de la scène, mou comme un pouf rempli de billes de polystyrène, sautant et rebondissant en balançant les bras.

C'était fascinant, mais à l'époque, je ne comprenais pas à quoi cela servait. Je savais que mon père n'éprouvait que dédain pour les cours d'art dramatique en général et pour la Méthode Strasberg en particulier. Il ne croyait pas que l'on pouvait apprendre à jouer et considérait la Méthode comme une foutaise autocomplaisante qui permettait à de mauvais acteurs de se croire intéressants. Assise là, à regarder les autres, je me demandais s'il n'avait pas raison. Il était tellement facile de tourner tout cela en dérision.

Lors du second cours de la semaine, les étudiants devaient jouer une scène à deux qu'ils avaient choisie, après quoi Lee commentait. Je regardais ces acteurs et ces actrices que je trouvais excellents, Lane Bradbury, Ellie Wood, Lou Antonio et d'autres dont les noms m'échappent. Beaucoup d'entre eux avaient déjà des petits rôles à Broadway ou dans des shows télévisés. D'autres travaillaient dans des restaurants ou, comme moi, faisaient des photos. La façon dont Lee orientait chaque élève vers ce qu'il avait besoin de développer en lui-même me fascinait. Il était quelquefois très patient, surtout avec les jolies filles. Et quelquefois dur, violent. Il y avait des élèves qui venaient depuis des années, il connaissait leurs forces et leurs faiblesses, et se sentait frustré en les voyant stagner. C'était d'être critiquée par Lee devant les autres que je redoutais plus que tout. Sans compter qu'il leur demandait parfois d'ajouter leurs commentaires aux siens.

Mais je me suis dit qu'avant de laisser tomber, je devais essayer au moins une fois de participer. J'ai choisi de travailler ma mémoire sensorielle à partir d'un verre de jus d'orange. Je vivais encore chez mon père, à ce moment-là. En fin d'après-midi, après les séances de photos, je pressais des oranges puis je m'asseyais dans la bibliothèque avec mon verre et je me concentrais le plus intensément possible sur toutes mes sensations.

Un jour, en rentrant, Papa m'a surprise. « Mais qu'est-ce que tu fais, Jane ? a-t-il demandé.

— J'exerce ma mémoire sensorielle », ai-je répondu crispée, car je savais ce qui allait suivre.

Après m'avoir lancé un regard dédaigneux, il est ressorti de la pièce en soupirant : « Seigneur Jésus ! »

Cela ne m'a pas empêchée de persévérer. Il se trouve que « Persévère » est la devise de notre famille.

Au bout d'un mois et demi de cours, j'ai enfin annoncé à Lee que j'étais prête à faire mon premier exercice. La semaine suivante, il m'a appelée. Je me suis assise sur une chaise au milieu de la scène, plus terrifiée que je ne l'avais été de toute ma vie. J'avais l'impression qu'il y avait beaucoup plus de monde que d'habitude dans la salle et que ces gens étaient venus pour me voir échouer. Mais je me suis lancée, j'ai arrondi mes doigts autour d'un verre imaginaire de jus d'orange glacé. J'ai fermé les yeux et me suis bientôt retrouvée seule au milieu d'un univers purement sensoriel : les terminaisons nerveuses de mes doigts sentaient le froid. J'ai ouvert les yeux et levé lentement le verre, évaluant son poids jusqu'à ce qu'il pèse dans ma main, et lorsque je l'ai porté à ma bouche, mes papilles gustatives se sont réveillées, anticipant le goût du liquide, acide et sucré. Je vivais pour la première fois ce qui est l'essence même du travail d'acteur : je savais que je me trouvais sur une scène et devant un public, simulant – pourtant j'étais seule, et totalement impliquée dans ce que je faisais.

J'ai vécu ensuite l'instant le plus important de ma vie.

Lee se taisait, me regardait. Puis il a dit d'une voix basse : « Je vois beaucoup de gens passer, Jane, et toi, tu es vraiment douée. »

Le haut de mon crâne s'est décollé, des oiseaux se sont envolés de ma tête, la pièce baignait dans la lumière. *Lee Strasberg m'a dit que j'étais douée. Il n'est ni mon père ni au service de mon père. Il travaille avec des acteurs toute la journée tous les jours. Il n'était pas obligé de dire ça. Je sais que ce n'est pas pour me « faire plaisir », ces mots n'appartiennent pas à son vocabulaire.*

Mon histoire a basculé, et presque à mon insu car, à l'époque, je n'ai pas compris pourquoi ce qui s'était passé alors était si essentiel. Quand je suis sortie du cours, la ville semblait différente, comme si j'en possédais maintenant un bout. Quand je me suis couchée, mon cœur battait à toute vitesse, et quand je me suis réveillée le lendemain matin, je savais que j'étais vivante, et ce que je voulais faire. Il n'y a rien de plus délicieux que pouvoir gagner sa vie en faisant ce que l'on aime (ça, et être capable d'aimer). Il avait suffi que quelqu'un du métier me dise – sans y être obligé – que j'avais été bien.

Et parce que c'est dans mon tempérament, j'ai pris le mors aux dents. Au lieu de deux cours par semaine, j'en suivais quatre. Au lieu d'une scène de temps en temps, j'en jouais le double. Je ne crois pas avoir totalement compris la Méthode, ni avoir vraiment su l'appliquer ensuite à mon travail. Mais ces cours m'apportèrent la confiance en moi dont j'avais désespérément besoin. Je savais qu'il y aurait toujours des gens pour dire que c'était parce que j'étais la fille de Henry Fonda que j'avais percé. Et qu'à de tels moments, il fallait que je puisse penser : *Non. J'ai travaillé dur, j'ai acquis une technique. Je ne suis pas dilettante. Et je ne crois pas que tout cela m'est dû.*

Avant de s'être retrouvé sur les scènes de Broadway ou un plateau de cinéma, mon père avait joué dans des centaines de pièces de répertoire, l'été et en tournée. C'était ce qui lui avait servi de cours, il y avait développé son talent. A la fin des années 50, quand je suis arrivée, le monde du spectacle était devenu compétitif ; il y avait beaucoup plus d'acteurs qui cherchaient du travail, et, parce que j'étais la fille de Henry Fonda, on m'attendait au tournant. Or je n'avais pas comme lui la possibilité de m'entraîner et de me tromper dans des salles obscures. Pour ma nièce, Bridget Fonda, et maintenant pour mon fils, Troy Garity, la compétition est encore plus serrée, les défis plus difficiles à relever. Le talent ne s'enseigne pas, mais on peut apprendre les techniques qui le font apparaître dans les circonstances difficiles qui sont souvent celles de ce métier. Papa avait tort de penser que ces cours ne valaient rien – pour moi ils étaient précieux. Des années plus tard, Troy est allé à la New York's American Academy of Dramatic Arts, et il dit que c'est ce qui l'a sauvé, comme Lee Strasberg m'a sauvée.

Parce que j'avais toujours été dans la dénégation et eu un père pour qui montrer ses émotions avait quelque chose de « dégoûtant », je n'avais pas l'habitude de voir les gens s'exprimer sincèrement, au point parfois de risquer le ridicule. Le travail avec Lee me transforma, et soigna mon âme blessée. Sally Field a parfaitement saisi ce qu'être actrice pouvait apporter à des filles qui comme nous avaient grandi dans les années 50 : « C'était probablement pour moi une façon acceptable, car déculpabilisante, d'exprimer mes sentiments. » En jouant, je sondais de nouveaux domaines en moi – le chagrin, la colère, la joie – et je les exposais aux autres en toute sécurité. J'avais l'impression d'être acceptée pour ce que j'étais vraiment, et ne ressentais plus le besoin de me réfugier derrière une façade de « fille comme il faut ». Jamais je n'avais été aussi heureuse.

Dans ses cours, et dans ceux qu'il donnait à l'Actors Studio, où je me présentai et entrai l'année suivante, Lee nous apprenait aussi que le théâtre est un art majeur. L'Actors Studio avait été créé par le Group Theatre, afin de faire perdurer la tradition du travail en groupe qui permet d'accéder à un haut niveau de vérité et de réalité. Ceux d'entre nous qui ont eu le privilège d'étudier avec Lee se sentaient inscrits dans une histoire et porteurs d'un idéal, et ils en tiraient une grande force.

Lee était un lecteur vorace, et, du sol au plafond, l'appartement spacieux mais sans prétention qu'il avait sur Central Park West était tapissé de livres. Ce lieu devint un havre pour beaucoup d'entre nous, un endroit où s'asseoir dans la cuisine devant un verre de thé en parlant de théâtre. Je n'avais jamais été assise dans une cuisine à discuter pendant des heures. Je n'avais pas l'habitude de donner mon opinion, ni qu'on me la demande. Et Marilyn semblait comme moi une âme perdue qui trouvait enfin une place entre ces murs chargés de culture.

Plus le caractère indispensable de ce que Lee enseignait aux acteurs me devenait évident, plus je comprenais pourquoi mon père le méprisait. Les musiciens se servent d'instrument pour s'exprimer à travers les sons. Les peintres, qui ont le temps et la solitude pour eux, se servent de couleurs et de brosses pour s'exprimer sur une toile. L'acteur a pour toile et pour instrument son être lui-même, et, surtout au théâtre, c'est devant un public qu'il crée. Faire en sorte que votre être le plus profond soit prêt à répondre, désireux et capable de donner le meilleur de lui-même n'est pas toujours facile. La seule chose à quoi je puisse comparer ce travail, est ce que vit, par exemple, le batteur d'une équipe de base-ball quand il s'agit de marquer le dernier point de la dernière manche (analogie qui ne me viendra à l'esprit que bien plus tard, pendant toutes ces années où j'ai suivi avec Ted Turner les matchs de base-ball des Atlanta Braves). Le monde le regarde et il y arrive ou non ; tout dépend de lui. Et il y a une autre chose fondamentale que partagent les athlètes et les comédiens : il leur est essentiel d'être détendus.

Lee a dit un jour : « La tension est la maladie professionnelle des acteurs. » J'ai regardé attentivement les joueurs de base-ball moyens quand ils frappent et retournent dans l'abri en secouant la tête, en jurant et en donnant des coups de batte sur le sol. Les grands joueurs (je pense en particulier à Chipper Jones et Greg Maddux) parcourent ce trajet comme s'ils se baladaient dans Central Park comme si tout allait bien. Ils savent garder leur calme physique et mental. C'est une technique. Pour être bon, en sport, en amour ou sur scène, il faut être détendu. Et il ne s'agit pas pour un acteur de frapper dans une balle ou de courir, mais de libérer son énergie afin que l'inspiration naisse et s'exprime à travers ses yeux, sa voix, ses mouvements, à travers le seul instrument qu'il possède : son corps. Mais ce n'est pas comme si on pouvait arriver devant le public et se dire : « Détends-toi, bon sang ! » Et ce n'est pas en faisant semblant d'être décontracté que l'on vient à bout des doutes et des inhibitions, souvent inconscients, qui bloquent le processus créatif et empêchent de jouer une scène comme on le voudrait.

A certains acteurs qui deviennent tout de suite connus et passent ensuite de rôle en rôle, on demande souvent d'utiliser les mêmes qualités, celles qui les ont rendus célèbres, jusqu'à ce qu'ils finissent par s'imiter eux-mêmes. Etre une star peut sonner le glas des plus grands talents. Lee disait parfois que si la carrière des comédiens se fait devant le public, leur art mûrit dans l'intimité. Sentir que vous êtes célèbre mais que vous avez perdu le feu qui brûlait dans vos entrailles sans comprendre comment ni pourquoi est tout à fait désespérant. Quelque chose ne va pas, et vous ne savez pas y remédier. C'est là que les cours sont utiles. Dans le sanctuaire d'une classe, l'acteur peut essayer des choses nouvelles, prendre des risques, se casser la figure, apprendre comment tirer le maximum de son instrument, et de toutes les façons possibles, dès qu'il en a besoin. Pour atteindre ce but, nous devons prendre conscience de ce qui nous fait réagir comme nous réagissons dans la vraie vie, dans certaines situations, certaines relations. Nous devons affronter nos inhibitions, nos peurs, nos affects et ce qui les active, tout ce qui nous trouble sans même que nous le sachions. Les techniques utilisées par Lee visaient à rendre l'acteur conscient de ces barrières intérieures et à lui permettre de s'en débarrasser. Il n'avait pas de règles strictes et applicables à tous. Au contraire, il analysait les possibilités de chacun et lui proposait des solutions adaptées à ses problèmes personnels. J'étais continuellement entravée par mon besoin de perfection. Cela provoquait en moi une tension perpétuelle, et parce que je voulais constamment prouver mon talent, j'en rajoutais (ce qui m'a toujours été très facile). Aussi, Lee me demandait-il de travailler des personnages au débit lent, plutôt amorphes et mollassons. En faire moins, voilà exactement ce que je devais apprendre.

L'autre grand défi qu'un acteur doit relever est celui de l'inspiration. Nous nous sentons tous, certains jours, pleins d'énergie, le corps vibrant, et d'autres, complètement vaseux, inertes. Ce n'est déjà pas terrible dans la vie quotidienne, mais que peut faire un acteur qui a une scène importante à jouer (souvent, dans le cinéma, à des heures impossibles de la nuit ou du petit matin) quand il a l'impression d'être intérieurement « mort » ? C'est là que la technique devient fondamentale. En travaillant sur une large variété d'exercices, qu'ils mettent en jeu la mémoire sensorielle ou l'expérience intime, et en vous essayant dans des scènes que l'on ne vous demandera peut-être jamais de jouer de toute votre carrière mais qui peuvent débloquer ce que vous avez tendance à verrouiller, vous acquérez un arsenal d'outils qui, dans ce genre de situations, peuvent vous sauver.

Bien sûr que mon père détestait la Méthode : il n'y était question que de sonder ses profondeurs intérieures et d'exposer spontanément sa personnalité la plus intime, surtout pendant les cours, où nous cherchions à comprendre comment fonctionnait notre instrument. Cela allait avec tout ce qu'il rejetait, religion ou psychothérapie, tout ce qui traduit le manque, antithèse de la force. « Foutaises ! » aurait-il dit.

Plusieurs dizaines d'années plus tard, nous tournions ensemble une scène de *La Maison du lac*, où, debout dans l'eau à côté de son bateau, je lui dis vouloir être son amie. Quand nous l'avions répétée, j'avais réfréné mon envie de le toucher, préférant le faire lorsque cela en vaudrait vraiment le coup, quand on tournerait le gros plan sur son visage. Papa avait rarement pleuré au cinéma, et je voulais que cette scène fasse monter des larmes dans ses yeux, cela signifiait énormément pour moi. Quand le moment est arrivé et que la caméra s'est approchée de lui, j'ai posé la main sur son bras en lui disant : « Je veux être ton amie. »

Ce que j'ai vu alors m'a stupéfiée : un millième de seconde, il a été déstabilisé. Il a même eu l'air furieux : *Ce n'est pas ce que nous avons répété*. Puis l'émotion s'est emparée de lui, ses yeux se sont mouillés, jusqu'à ce qu'il se reprenne, que la colère revienne et qu'il regarde ailleurs. Bien que presque invisible à l'image, tout cela m'est apparu clairement, et j'ai ressenti pour lui un grand élan de tendresse. Comme je l'ai aimé, à cet instant. Qu'il ait été un aussi grand acteur malgré sa peur du naturel et de l'émotion vraie me paraît incroyable. Je me rappelle avoir lu ce que Leora Dana, qui jouait au théâtre avec lui dans *Point of No Return*, a dit un jour :

« Son jeu était formidable. D'une précision si parfaite que cela me donnait envie d'être parfaite. Il était étonnement décontracté. Je trouvais ça merveilleux... Et puis un jour, j'ai posé la main sur son bras à un moment où je n'étais pas censée le faire. Et j'ai senti que cet être humain soi-disant détendu était d'acier. Son bras semblait fait de métal. »

Bien sûr que mon père détestait la Méthode. Mais moi, j'étais enfin chez moi[1].

1. Pour de plus amples renseignements sur la théorie et la pratique de Lee, voir dans *Strasberg : at the Actors Studio*, ed. Robert Hethmon, Viking Press, 1965, les retranscriptions de ses cours qui ont été enregistrés.

CHAPITRE DIX

DÉDOUBLÉE

Quand vous n'êtes personne, la seule façon d'être quelqu'un,
c'est d'être quelqu'un d'autre.

PATIENT ANONYME,
Your Inner Child of the Past.

Au printemps 1959, après m'avoir fait faire un bout d'essai, Josh Logan me proposa un contrat de 10 000 dollars par an et un premier film adapté de la pièce *La Tête à l'envers*, avec Anthony Perkins. Nous devions tourner dans les studios de la Warner à Burbank. J'adorais me promener dans les deux étages réservés aux costumes, passer de salle en salle et d'époque en époque, déchiffrer les étiquettes indiquant sur chaque vêtement le titre du film qui lui correspondait et le nom de celui ou de celle qui l'avait porté. On y trouvait aussi les mannequins fabriqués aux dimensions exactes de toutes les stars de la Warner, corps de toile aux formes plus ou moins rebondies, aux carrures plus ou moins larges, auxquels les couturières adaptent leurs patrons. Ils n'avaient pas de tête, mais si l'un d'eux vous intriguait par ses courbes impressionnantes, comme celui de Marilyn, ou sa petite taille, comme celui de Natalie Wood, une des cinquante couturières vous disait immédiatement de qui il s'agissait. Dans cette partie de l'immeuble, plus que partout ailleurs, je me retrouvais, pleine de crainte, face à l'histoire de Hollywood, dans laquelle j'entrais maintenant à mon tour. On avait pris mes mesures à New York et mon mannequin était là, parmi les autres, désespérément dénué de rondeurs.

Puis vint le jour des essais de maquillage, effectués sous la direction du très estimé Gordon Bau. Un peu plus loin, une de ses assistantes s'occupait d'Angie Dickinson, et une autre de Sandra Dee. Je me suis allongée, pensant que Mr Bau allait me donner un visage de star. Et quand il a eu fini, je me suis relevée et regardée dans la glace... *Oh, mon Dieu ! Qui est cette femme ? Est-ce à ça qu'il pense que je dois ressembler ?* Quelle horreur ! Mais qui étais-je pour lui dire que je ne voulais pas être cette personne-là ? Qu'elle n'était pas moi. Ma bouche avait une forme totalement différente et mes sourcils, épais et noirs, ressemblaient à des ailes de vautour.

Je détestais ce visage, pourtant je n'ai pas osé émettre la moindre critique. Puis c'est mon corps qu'il a fallu faire maquiller, par quelqu'un d'autre (répartition syndicale du travail) et dans une autre pièce... (*Oh, Seigneur !*) tapissée de miroirs. On m'y voyait sous toutes les coutures. Ça tournait au cauchemar. Une femme m'a demandé de monter sur une petite estrade où elle a tartiné de fond de teint chaque partie de mon anatomie qui serait dévoilée. C'est-à-dire, puisque je jouais une pom-pom girl, à peu près toutes. Aujourd'hui encore l'angoisse remonte dès que l'odeur de ce fond de teint me chatouille les narines. Je commençai à penser que ce métier n'était pas fait pour les gens comme moi, qui détestent leur physique.

Le lendemain, j'aurais voulu disparaître. Ce que je voyais sur l'écran, ces joues pleines et ce masque irréel, me dégoûtait. Sans parler de mes cheveux. Et pour couronner le tout, Jack Warner, qui avait visionné ces essais dans sa salle de projection privée, demanda que l'on me fasse mettre des faux seins. Quand il me l'apprit, Josh ajouta que je pourrais, peut-être, après ce tournage, envisager de me faire refaire la mâchoire et arracher les molaires afin d'avoir les traits ciselés et les joues creuses de Suzy Parker, mannequin vedette de l'époque.

« Et évidemment, a dit Josh en me prenant par le menton pour me mettre de profil, avec un nez pareil, tu ne pourras jouer que dans des comédies, il est bien trop mutin pour un rôle dramatique. »

Dès cet instant, le tournage de *La Tête à l'envers* se transforma en enfer. Ma boulimie devint totalement incontrôlable et je recommençai à être somnambule. Mais ce que j'imaginais dans mon sommeil avait changé. J'étais dans un lit où je devais tourner une scène d'amour, et petit à petit je me rendais compte que j'avais commis une terrible erreur. Ce n'était pas le bon lit, ni la bonne chambre, l'équipe m'attendait ailleurs pour se mettre au travail, et je ne savais pas où.

C'était l'été, il faisait chaud, je dormais souvent nue. Je me suis réveillée une fois dans la rue devant chez moi, en tenue d'Eve, frissonnante, cherchant en vain où (et qui) j'étais supposée être.

Je n'arrivais pas à retrouver l'intensité que j'avais ressentie pendant les cours de Lee Strasberg. Je ne savais pas comment utiliser ce que j'y avais appris et rendre mon personnage de pom-pom girl moins caricatural. La caméra me semblait une ennemie. J'avais l'impression, face à elle, de tomber sans filet d'une falaise. Mon apparence était au centre de toutes les attentions, et il y avait toujours quelqu'un pour me dire en quoi et comment je pouvais devenir plus belle. A une exception près.

Un jour où nous ne tournions pas, je suis allée voir un spécialiste de chirurgie esthétique. Quand je lui ai montré mes seins en lui disant qu'ils étaient trop petits, et que je voulais me les faire refaire, à mon grand étonnement (et tout à son honneur), il s'est mis en colère.

« Vous êtes folle, ils sont très bien, vos seins, m'a-t-il dit. Rentrez chez vous et oubliez tout ça. »

Mais son aval n'a pas suffi à recoller les morceaux. Toutes mes peurs – d'être ennuyeuse, dénuée de talent et physiquement médiocre – sont remontées à la surface. Quand je suis rentrée à New York, après le tournage de *La Tête à l'envers*, je me suis promis de plus jamais faire de cinéma.

J'avais vingt-deux ans, j'étais en train de devenir célèbre, je gagnais ma vie et ne dépendais de personne.

Alors pourquoi, lorsqu'il a fallu raconter cette période de ma vie, n'ai-je plus pu écrire pendant six mois ? Oh, j'avais des tas d'excuses. Des chardons dont je devais débarrasser mon ranch du Nouveau-Mexique. Des rochers à déplacer, des arbres à couper, des chemins à tracer. Mes enfants qui venaient me voir... Enfin, la vie, quoi. Mais au bout de six mois, j'ai bien été obligée d'accepter que j'avais du mal à évoquer ce qui s'est passé après que Lee Strasberg m'eut donné envie de devenir actrice. Pourquoi alors que tout avait si bien commencé, les années suivantes me paraissent-elles si tristes, tellement artificielles ? Certes, il y eut aussi de bons moments, mais la douleur marque plus profondément notre mémoire.

Les cours de Strasberg m'ont permis de retrouver une vérité, une authenticité perdue depuis l'enfance. Dès mon travail sur scène devant lui, j'ai eu la sensation qu'il me « voyait ». Il savait mieux que quiconque reconnaître ce qui était vrai et lui donner un nom. On m'avait appris à ne pas essayer d'atteindre ce qu'il y avait en moi, à ne pas identifier, ne pas mettre de mots sur ce que je ressentais. Lee m'a encouragée à plonger dans les profondeurs de ma personnalité et à en remonter – ce que j'ai fait – neuve, vulnérable, comme après une seconde naissance. Et ensuite, *vlan !*, je me suis lancée dans le métier, et tout ce que Lee avait commencé à mettre en place a été refoulé, il n'a plus été question que de cheveux, de grosses joues et de petits seins et, parce que je venais à peine de me retrouver, je n'ai pas pu m'y opposer. Je suis entrée dans une spirale d'autodestruction, de dépression et de passivité qui a duré trois ans. Je n'ai pas l'intention de m'appesantir sur mon sort. Il y a des choses bien pires dans la vie que de s'entendre critiquer physiquement et la célébrité vaut mieux qu'un coup de pied au derrière. Mais ce que j'ai vécu pendant le tournage de *La Tête à l'envers* a déclenché tous mes mécanismes anxiogènes. Apparemment je m'en sortais bien. Mes amis de l'époque seront probablement troublés à la lecture de ces lignes. Seulement, j'ai toujours eu l'air d'aller très bien. Je sais comment le faire croire.

Quand je suis revenue de Hollywood à New York, il m'arrivait de me gaver puis de vomir jusqu'à huit fois par jour. Je n'avais plus aucune limite. Aussi étais-je constamment fatiguée, de mauvaise humeur et déprimée. J'ai voulu me faire aider par un psychanalyste freudien qui s'asseyait derrière moi pendant que j'étais sur le divan, convaincue qu'il dormait ou qu'il se masturbait. J'ai vite compris que raconter mes rêves au plafond de son bureau n'était pas ce qu'il me fallait. J'avais besoin qu'on me regarde dans les yeux et que l'on me réponde immédiatement – parce qu'il fallait d'abord que j'arrête et ensuite que je comprenne pourquoi j'avais ces accès de boulimie. Mais je ne savais pas à qui m'adresser.

J'ai commencé à avoir peur des hommes et ma sensualité s'est mise en veille. Je cherchais la sécurité auprès d'homosexuels ou de bisexuels. C'est à cette époque que la danse classique est entrée dans ma vie. Parce qu'elle impose des attitudes corporelles strictement établies, elle attire toujours celles qui souffrent de troubles alimentaires. Comme l'anorexie et la boulimie, elle a à voir avec le contrôle. C'était un temps où les femmes n'étaient pas supposées transpirer. Cela ne se faisait pas. Dans les rares clubs de mise en forme qui existaient alors, tout ce qui était proposé était totalement passif, saunas ou ceintures de massage qui vous faisaient vibrer « là en bas ». Les haltères et les machines étaient strictement réservés aux hommes. Avec la danse classique, c'était la première fois que mon corps travaillait dur, suait, se transformait. De 1959 à 1978, année où j'ai lancé mon club de fitness, partout où j'ai tourné mes premiers films, dont *Barbarella* et *Klute*, en France, en Italie, aux USA ou en URSS, la danse classique fut la seule forme d'entraînement physique que je pratiquais.

Un mois après mon retour à New York, j'ai commencé à répéter avec Josh *There Was a Little Girl*, une pièce de Daniel Taradash qui traitait du viol. Mon père m'avait suppliée de refuser ce rôle. Il craignait que les critiques trouvent cette histoire trop osée. J'y ai vu la possibilité d'aller plus loin que ce qui m'avait été demandé pour *La Tête à l'envers* et, malgré ses imperfections, le texte abordait un sujet intéressant, presque féministe avant la lettre : une jeune fille fête ses dix-huit ans avec son petit ami et espère faire l'amour pour la première fois de sa vie ce soir-là avec lui. Il lui explique qu'il n'est pas prêt, ils se disputent, elle s'enfuit, descend dans le parking où un homme la viole, avec l'aide d'une bande de copains. Quand elle rentre chez elle, en état de choc, elle comprend que, bien que ne le lui disant pas ouvertement, ses parents et sa sœur (rôle abominablement mal interprété par Joey

Heatherton alors âgée de quinze ans) pensent que tout est de sa faute – l'éternel tu-n'as-eu-que-ce-que-tu-méritais, la vieille réaction qui consiste à faire porter la faute à la victime. Consciente d'avoir voulu, ce soir-là, avoir une relation sexuelle et croyant qu'elle a peut-être provoqué ce qu'il lui a fait, la jeune fille, au bord de l'effondrement, part à la recherche de son violeur en espérant qu'il lui apprendra la vérité.

Un an à peine avait passé depuis que j'avais commencé à prendre des cours avec Lee puis tourné *La Tête à l'envers*. C'était la première fois que je me produisais dans un théâtre. Et j'allais le faire avec un rôle lourd, chargé, en étant sur scène du début jusqu'à la fin, avec quelques secondes pour changer de costume de temps en temps, tout en essayant de vivre les diverses étapes d'une chute programmée. Au fur et à mesure des répétitions, il devint évident que la pièce avait d'énormes défauts, et, tous les matins, Dan Taradash y apportait des corrections. J'ai toujours aimé les défis, mais celui-là dépassait ce que je pouvais assumer.

Le 1er janvier 1960, une semaine avant que nous commencions les représentations à Boston, nous apprîmes que Margaret Sullavan, la mère de Brooke, avait été retrouvée morte dans une chambre d'hôtel à New Haven, où elle s'était probablement suicidée. A cette nouvelle, j'ai eu l'impression de recevoir un coup de poing dans le plexus. Ce fut aussi un choc terrible pour Josh, dont elle était l'amie depuis l'époque des University Players.

Deux jours avant la première au Colonial Theater de Boston, Josh a renvoyé mon partenaire principal et l'a remplacé par Dim Jones, qui avait à peine eu le temps d'apprendre son texte. Puis, lorsque nous avons enfin joué, Louis Jean Heydt, qui tenait le rôle de mon père, est mort d'une crise cardiaque avant son entrée en scène, au milieu du second acte. Et deux jours plus tard, Josh, qui souffrait depuis longtemps de maniaco-dépression, ce dont je n'avais aucune idée alors, a craqué et disparu pendant plus de dix jours, nous laissant seuls avec l'auteur, qui n'avait jamais fait de mise en scène.

Trois jours après notre arrivée à Philadelphie, dernière étape d'une semaine avant New York, Josh est revenu, comme si de rien n'était, bien que la présence continuelle de sa femme Nedda à ses côtés laisse soupçonner un problème. Ma chambre d'hôtel était à côté de la leur et un soir en me couchant, je les ai entendus chuchoter et j'ai voulu en avoir le cœur net. J'ai employé une technique qu'un de mes petits amis m'avait montrée : un verre appuyé à l'envers contre un mur agit comme un haut-parleur et permet d'entendre ce qui se passe de l'autre côté. Nedda chantait une berceuse à Josh. Je n'en revenais pas. Mais j'avais trop peur de ce qui nous attendait à New York pour ressentir la moindre compassion. Je ne me rendais même pas compte que moi-même j'étais au bord du gouffre. Le lendemain soir, j'ai recommencé le coup du verre. Et cette fois, ce que j'ai entendu m'a beaucoup plus troublée : Josh disait à quelqu'un que, même si les critiques nous étripaient, nous devions tenir au moins vingt et un jours, afin qu'il puisse déclarer aux impôts une perte sèche.

Il sait que la pièce va être démolie, et il s'inquiète plus de ses impôts que de notre réputation professionnelle !

J'étais atterrée. Les critiques de Boston et de Philadelphie ne s'étaient pas montrés très encourageants, c'est le moins qu'on puisse dire, pourtant, j'avais obtenu quelques compliments et réussi à croire, envers et contre tout, que Josh et Dan Taradash finiraient par apporter les changements nécessaires. Je savais maintenant qu'ils n'essaieraient même pas. *Déclarer aux impôts une perte sèche !* On était loin de la vision de Lee Strasberg : le théâtre comme grand art. Mon idéalisme en prenait un coup.

There Was a Little Girl s'est traînée jusqu'à Broadway. J'ai affronté la première mal à l'aise et appris à faire bonne figure en public malgré les mauvaises critiques. Mais là encore, en ce qui me concernait, il y en eut de positives. « Héroïne défaite d'un fade mélodrame, Jane Fonda nous offre une interprétation pleine de vie et complexe, un vrai travail de professionnelle, et montre qu'elle est faite pour ce métier », écrivit Brooks Atkinson dans le *New York Times*. « Avec le jeune talent, qu'elle a montré hier soir, elle deviendra peut-être la Sarah Bernhardt de nos années 90. Mais elle ferait mieux de se trouver d'ici là une pièce plus authentique, » disait John Chapmann, dans le *Daily News*.

La pièce a tenu seize représentations. Ce qui a permis à Josh de régler son problème d'impôt. Et à moi d'obtenir le prix du meilleur espoir féminin de l'année du New York Drama Critics' Circle.

Je me sentais dédoublée. Il y avait celle que les autres voyaient, dont la bouche s'ouvrait, se refermait et prononçait des mots. Je n'oublierai jamais l'audition que j'ai passée devant Elia Kazan pour le principal rôle féminin de *La Fièvre dans le sang*. Kazan, qui avait déjà tourné *Sur les quais* et *A l'est d'Eden*, m'a fait signe d'avancer tout au bord de la scène, puis il s'est présenté, m'a serré la main et demandé : « Est-ce que vous croyez être ambitieuse ? » J'ai lâché un « Non ! » retentissant. Le mot est sorti tout seul, cachant la véritable passion que j'éprouvais pour ce métier. Et immédiatement j'ai su que c'était une erreur, je l'ai lu sur le visage de Kazan. Si je n'étais pas ambitieuse, c'est que je n'avais pas le feu sacré, n'étais qu'une dilettante. *Mais les filles bien ne sont pas supposées avoir d'ambition.* Je fis ce qu'il me demandait ensuite, mais je savais que c'était fichu. Natalie Wood a eu le rôle, avec Warren Beaty. Aucun des deux n'aurait à ma place hésité à dire : « Oui ! »

J'étais totalement désincarnée. Je parlais d'une voix si haute, en travaillant comme dans la vie, qu'elle semblait posée sur le haut de mon crâne. Et mon autre moi, qui ne parlait pas avec cette voix aiguë, était presque une étrangère, quelqu'un avec qui je me retrouvais lorsque j'étais seule et que je n'avais rien à prouver, mais que je ne pouvais pas emmener dehors. Comme un muscle inutilisé, cet autre moi s'atrophiait et, avec le temps, je finis par presque l'oublier. J'étais toujours très étonnée quand quelqu'un semblait le voir et s'attendre à ce que je donne plus que ce que je donnais alors ou me croyais capable de donner. Parce que je ne me prenais pas au sérieux, je me soldais – dans des films qui n'étaient pas très bons et à des gens que je n'aimais pas vraiment.

A l'automne 1960, alors que ma seconde pièce à Broadway, *Invitation to a March* d'Arthur Laurent, venait de commencer, Bridget, la sœur de Brooke Hayward, fut retrouvée morte dans son appartement de New York, où elle s'était, elle aussi, probablement suicidée. L'ombre qui était tombée sur la famille autrefois si joyeuse de Brooke me terrifiait. Personne n'était donc à l'abri, tout pouvait arriver et voiler la lumière.

J'ai découvert à peu près à cette époque que Josh allait revendre mon contrat au producteur Ray Stark pour 250 000 dollars. Comme je ne voulais plus être liée à qui que ce soit, je le lui ai racheté pour la même somme. Si 250 000 dollars ne semblent pas grand-chose aujourd'hui dans le show business, cela signifiait alors que je devrais travailler constamment pendant cinq ans pour rembourser ma dette. Mais je m'y suis engagée sans hésiter. Ma liberté valait cet effort.

Bien que m'étant juré de ne plus jamais tourner à Hollywood, j'avais maintenant besoin d'accepter tout ce qu'on me proposait. Aussi, lorsque l'on m'a offert le rôle de Kitty Twist dans l'adaptation cinématographique de *La Rue chaude*, roman sombre de Nelson Algren sur la Grande Dépression, ai-je tout de suite accepté. Ce n'était pourtant pas uniquement pour l'argent. J'avais envie d'interpréter le personnage de cette petite voleuse effrontée, qui vient de s'échapper d'une maison de correction, saute de train en train et finit à La Nouvelle-Orléans, dans un bordel de luxe. Kitty était à l'opposé de la pom-pom girl que j'avais jouée dans *La Tête à l'envers*. Et il y avait d'autres stars sur les épaules de qui le film reposerait : Barbara Stanwyck, Laurence Harvey, Anne Baxter et Capucine.

Je décidai aussi de m'inspirer de Marilyn et d'emmener un coach à Hollywood, pour me sentir moins vulnérable. Il s'appelait Andreas Voutsinas. Magnifique acteur grec et professeur de théâtre, il m'avait aidée à préparer la scène grâce à laquelle j'étais entrée à l'Actors Studio. Après *La Rue chaude*, il a travaillé avec moi sur deux films, *L'Ecole des jeunes mariés* et *In the Cool of the Day*, et m'a dirigée à Broadway dans *The Fun Couple.*

CHAPITRE ONZE

VADIM

Vous regretterez plus, dans vingt ans, ce que vous n'avez pas fait que ce que vous avez fait. Alors, larguez les amarres. Voyagez loin des ports tranquilles. Suivez les alizés. Explorez. Rêvez. Découvrez.

Mark TWAIN.

Qui ne risque rien n'a rien, déclara le démon, passant de l'anglais au français, comme à son habitude.

Mary MCCARTHY,
Memory of a Catholic Girlhood.

On était en 1963, je tournais *Un dimanche à New York*, mon sixième film, quand mon agent m'a appelée à Hollywood pour me demander si je voulais aller en France faire avec Vadim une nouvelle version de *La Ronde*, classique des années cinquante. Je lui ai immédiatement fait envoyer un télégramme disant que jamais je ne travaillerais avec Vadim ! J'avais vu *Et Dieu créa la femme*, et bien qu'ayant admiré en Brigitte Bardot une merveilleuse force de la nature et reconnu dans ce film quelque chose de nouveau et d'impertinent, je ne l'avais pas trouvé si bien que ça. Et je me souvenais du sentiment de danger que la présence de Vadim m'avait fait ressentir des années plus tôt chez Maxim's à Paris.

Pourtant, la France semblait être inscrite dans mon destin. Quelque temps plus tard, le réalisateur René Clément est venu à Los Angeles me parler d'un projet avec Alain Delon. J'ai accepté. J'étais contente de mettre un océan entre moi, Hollywood et l'ombre écrasante de mon père. Et puis la France était le berceau de la nouvelle vague qui réunissait de jeunes cinéastes tels que Truffaut, Godard, Chabrol, Malle ou Vadim. Clément, qui appartenait à la génération précédente, n'en faisait pas partie, mais il était l'auteur du merveilleux *Jeux interdits*.

Quand je suis arrivée à Paris à l'automne 1963, j'en suis immédiatement retombée amoureuse. Cette fois, pourtant, la ville me semblait plus une amie qui allait m'enseigner l'art de vivre qu'une grande fête dont je me croyais exclue. La presse était si chaleureuse que me sentais comme une enfant longtemps disparue quand elle revient chez elle. Il faut dire que Simone Signoret m'avait prise sous son aile. Avec son léger et charmant défaut de prononciation, ses lèvres sensuelles et pleines, ses yeux bleus aux paupières lourdes, Simone était une femme solide, aux opinions bien définies, et qui tenait à être plus humaine qu'actrice. Elle vivait avec Yves Montand au-dessus du restaurant Paul sur l'île de la Cité, en face de mon hôtel. Ils étaient amis avec le réalisateur Costa-Gavras, qui, pure coïncidence, devait travailler comme assistant de René Clément sur *Les Félins*, le film que j'étais venue tourner. Futur auteur de thrillers politiques comme *Z*, *Etat de siège* et *Missing*, il était souvent chez Simone et Yves, où nous mangions entre amis les repas qu'ils faisaient monter de chez Paul, et discutions tard dans la nuit. Il y avait dans l'atmosphère un nous-ne-sommes-pas-pressés-d'arriver ou qu'y-a-t-il-de-mieux-que-parler qui me rappelait ce que j'avais connu chez Lee Strasberg, où d'ailleurs Yves et Simone étaient souvent venus. Les Français aiment le vin, la bonne cuisine et tout ce qui relève de l'intellect. Comme le disait Descartes : « Je pense donc je suis. »

J'avais rencontré Simone en 1959, quand elle avait accompagné Yves à New York, où son one-man show *Un soir avec Yves Montand* avait fait un tabac à Broadway. Mon père, Afdera et moi avions dîné avec eux à l'hôtel Algonquin. Je me souviens que

Simone regardait Papa avec adoration, et maintenant, à Paris, elle me parlait souvent des films qu'il avait faits, *Blocus*, *Les Raisins de la colère*, *Vers sa destinée* ou *Douze hommes en colère*. Elle disait aimer les valeurs qu'ils défendaient et les personnages magnifiques que mon père incarnait. Grâce à elle, j'ai commencé à le regarder et l'apprécier autrement. Certes, il ne nous avait pas toujours fait partager les qualités qu'elle admirait en lui, mais j'étais maintenant assez grande pour comprendre la complexité des besoins humains. Il faut des parents aimants, mais aussi des héros. Peut-être trouvait-il difficile d'être à la fois un héros et un père. Pour le monde entier, Papa *était* Tom Joad.

J'ai compris que si les Français m'accueillaient avec un tel enthousiasme, ce n'était pas seulement parce que j'étais une actrice américaine ou la fille d'une star, mais plus précisément celle de Henry Fonda, qui incarnait ce que l'Amérique avait de mieux à leurs yeux – et que Kennedy représentait aussi. J'étais venue pour ne plus être « la fille de mon père » et je découvrais maintenant qu'il y avait beaucoup de choses en lui dont j'étais fière et auxquelles je voulais m'associer.

Je n'avais encore jamais rencontré de gens qui aient cette approche intellectuelle du cinéma et je ne savais pas l'importance qu'avaient pour les réalisateurs européens les films américains – des comédies burlesques de Jerry Lewis aux œuvres de John Ford, Alfred Hitchcock ou Preston Sturges.

C'est en France que j'ai rencontré le communisme avec un petit « c », et comme j'ai souvent été accusée d'être communiste par ceux qui voulaient me discréditer, je tiens à en parler ici. A force de fréquenter Simone et Yves, j'ai appris qu'ils étaient ce qu'on appelait des intellectuels de gauche, comme par exemple l'autre Simone (de Beauvoir), son compagnon Jean-Paul Sartre et, bien sûr, Albert Camus, mort en 1960. C'étaient des militants, des gens *engagés* [1] et sympathisants du PC, dont certains faisaient partie, puis qu'ils quittaient, et où d'autres, tels que Simone et Yves, n'étaient jamais entrés. Comme beaucoup, ils détestaient tous deux la politique culturelle doctrinaire du Parti pour qui la liberté artistique était un crime bourgeois. Les intellectuels avaient pourtant avec le commu-

1. En français dans le texte (*NdT*).

nisme une longue histoire commune. Ils y voyaient le parti du changement et, depuis la Révolution de 1789, où ils avaient eux-mêmes joué un grand rôle, ils se considéraient comme agents de la transformation sociale. Et ils se méfiaient de l'Otan, des armes nucléaires et de la nouvelle guerre – du Viêtnam – dans laquelle les Etats-Unis faisaient semblant de ne pas se lancer. Pour cette intelligentsia, qui s'était souvent opposée à la guerre coloniale que la France menait en Indochine et avait pris une part active à la résistance contre l'occupation nazie, seul le PC pouvait aider de façon acceptable à lutter contrer le fascisme.

Habituée au système américain binaire républicains ou démocrates, j'étais ébahie du nombre de partis qu'il y avait en France, certains grands et puissants, d'autres plus petits, se formant souvent en réponse à une crise précise puis disparaissant ou se transformant. Le PC était l'une des six formations représentées au Parlement. J'ai lu quelque part qu'à l'époque où je suis allée en France, dans les années 50 et 60, presque 40 % des Français votaient communiste. C'était, sur une scène politique complexe, un parti comme un autre, qui n'avait rien de spécialement menaçant. Je ne militais pas encore, et ne m'intéressais pas particulièrement à la politique et aux idéologies (et je me méfie toujours de ces dernières), et personne ne semblait penser que j'aurais dû le faire. Personne n'essaya de me convaincre. Mais je crois que cette longue, intime (et inoffensive) fréquentation explique en partie pourquoi quand je me suis ensuite *engagée*[1] – comme le disait Simone – je n'ai pas considéré le communisme avec la même terreur phobique que beaucoup d'autres Américains. Pour moi, lorsque les gens avaient le choix, ils savaient plus ou moins garder un certain équilibre entre le capitalisme libéral et un système de contrôle centralisé. Le plus important étant d'avoir le choix.

Curieusement, je me sentais à Paris plus américaine que jamais. J'ai eu besoin de quitter mon pays pour comprendre à quel point nous étions différents et ce qu'être citoyen des Etats-Unis signifiait. En France (et, comme je l'ai découvert plus tard, dans les autres pays d'Europe), les différences de classes sont plus marquées. Il y une séparation plus nette entre la bourgeoisie, l'aristocratie et le pro-

1. En français dans le texte (*NdT*).

létariat, les ouvriers. Les frontières sociales sont rarement traversées. La naissance préside au destin de chacun. Notre société est plus fluide, et elle l'a surtout été dans les années 50. L'existence actuelle d'une élite dont les privilèges se transmettent héréditairement et les disparités économiques graves rendent l'ascension sociale plus improbable, mais on trouvait alors normal qu'un individu venant d'un milieu modeste puisse choisir son avenir, à condition bien sûr qu'il jouisse d'une bonne santé, d'une éducation et d'une instruction correctes, et qu'il ait un peu de chance. Cette mobilité, qui accompagnait une stabilité politique exemplaire, est, je crois, ce qui explique notre énergie et notre optimisme. Il aurait fallu que tous les Américains aient eu la chance de regarder et d'analyser, depuis l'autre rive de l'Atlantique, ce qui se passait chez eux dans les années 60.

C'était le bon moment pour être là. Sous Eisenhower, les Français nous trouvaient balourds, bruyants, peu élégants : les vilains Américains. Avec Kennedy et Jackie à la Maison Blanche, tout avait changé. Les Kennedy nous ont gagné l'estime du monde entier, et leur popularité retombait sur ceux d'entre nous qui vivaient à Paris.

Le 22 novembre, quand je suis rentrée à l'hôtel après ma journée de tournage, l'acteur américain Keir Dullea était au téléphone, devant le comptoir de la réception. Il avait le visage gris. « On a tiré sur Kennedy, ils pensent qu'il est mort », m'a-t-il annoncé. Je me suis assise dans le hall, effondrée, attendant d'en apprendre plus. Un journaliste des *Cahiers du cinéma* qui devait m'interviewer m'a demandé si je préférais annuler. « Non, lui ai-je répondu. J'ai besoin de parler à quelqu'un. »

Nous sommes montés dans ma chambre et, après avoir en vain tenté tous deux de mener un entretien qui se tenait, nous avons renoncé.

Simone m'a appelée. Elle pleurait et m'a dit que je ne devais pas rester seule, qu'elle m'attendait chez eux. Assise avec elle, Yves et leurs amis, ce soir-là, j'ai senti qu'ils considéraient cette perte comme la leur et que nous partagions tous l'impression que quelque chose était irrémédiablement fini. Pour moi, une bulle avait éclaté. Les institutions au milieu desquelles j'avais grandi n'étaient plus aussi stables. Et ce n'était pas terminé : Robert Kennedy et Martin Luther King, eux aussi, allaient mourir.

J'étais venue à Paris pour des raisons professionnelles mais surtout personnelles. Peut-être allais-je pouvoir y entendre le son de ma véritable voix, essayer de trouver qui j'étais, ou tout au moins faire émerger un personnage plus intéressant que celui dans lequel je me glissais inévitablement lorsque j'étais chez moi.

J'allais rester six ans en France. Et entre les mains d'un homme qui était passé maître dans l'art de fabriquer des icônes féminines, je prendrais un nouveau chemin, celui de la féminité faite femme.

Nous avancions d'un pas solennel derrière son cercueil, entre les murs ocre de Saint-Tropez, nous tenant par le bras, Brigitte Bardot, Annette Stroyberg, Catherine Schneider, Marie-Christine Barrault et moi. De toutes les compagnes et épouses de Vadim, seules manquaient Catherine Deneuve et Ann Biderman. Notre fille Vanessa Vadim, alors âgée de trente et un ans, marchait devant nous aux côtés de son demi-frère Vania (le fils de Vadim et de Catherine Schneider), portant contre elle son bébé nouveau-né, le petit Malcolm. Les rues étaient bondées d'admirateurs, de vieux amis et de badauds venus rendre un dernier hommage à l'artiste. Nous étions depuis deux mois dans le nouveau millénaire.

Catherine Schneider, qu'il avait épousée après moi, avait organisé le service religieux. Un pasteur écossais prononça le sermon dans un français rendu méconnaissable par son accent. Quel étrange mélange nous formions tous ! La veuve de Vadim, Marie-Christine Barrault, nièce du mythique acteur Jean-Louis Barrault et elle-même actrice ayant joué dans des films comme *Cousin, cousine*, s'était lancée dans un discours aux élans de tragédie grecque, quand un pet sonore et étrangement long, émis par le bébé Malcolm, l'interrompit. L'assistance éclata de rire, ce que Vadim aurait apprécié. Il aimait les rires, surtout perturbateurs.

A la sortie de l'église, une surprise nous attendait : trois violonistes russes, habillés de costumes folkloriques, prirent place derrière le cercueil et se mirent à jouer de la musique tzigane. C'était Brigitte Bardot qui leur avait demandé de venir. Une façon délicieuse de rappeler ce jour-là que Vadim était russe. Je me suis alors sentie très proche d'elle. Sur le chemin du cimetière, nous avons cueilli des branches de mimosa que nous avons jetées dans sa tombe en lui disant adieu.

J'avais vécu avec Vadim des jours heureux à Saint-Tropez et chaque fois que nous rentrions au port dans son Chris-Craft, après avoir été pique-niquer sur une île ou fait du ski nautique, nous passions devant le vieux cimetière perché au-dessus des rochers, que Vanessa appelait « le village des gens morts ». Un jour, quand elle avait environ cinq ans, alors qu'elle marchait avec son père sur la route le long des sépultures, elle s'arrêta pour regarder les inscriptions des tombes et se mit à poser des questions sur la mort et la survie de l'âme. Vadim le raconte dans *Mémoires du diable* :

« Elle penchait pour la probabilité d'une sorte de vie dans l'au-delà, mais craignait qu'il n'y ait pas d'endroit pratique pour s'y donner rendez-vous. Quelques larmes silencieuses coulèrent sur ses joues puis, soudain, son visage s'éclaira : "Il faut qu'on meure ensemble", dit-elle.

« C'était un serment difficile à tenir, mais je promis de vivre très, très vieux pour l'attendre[1]. »

Ils ont toujours été profondément liés l'un à l'autre. Il est mort alors qu'elle s'était allongée à côté de lui, la tête posée sur sa poitrine. Il a vécu assez longtemps pour la voir devenir une femme remarquable et connaître son petit-fils, qu'il appelait Bouddha.

Après l'enterrement, nous sommes allées chez Catherine Schneider où nous avons bu, parlé et ri, conscientes de la dimension très « Vadim » de cette réunion de femmes, maintenant amies, qui l'avaient toutes aimé. Nous nous sommes raconté pourquoi nous l'avions aimé. Mais n'avons pas abordé les raisons pour lesquelles nous l'avions toutes quitté. En relisant son livre *D'une étoile à l'autre*, j'ai retrouvé une phrase de Catherine Deneuve qui exprime peut-être ce qui est le plus proche de la vérité : « Je me demande même dans quelle mesure ce n'est pas lui qui [nous] a quittées. *Vous savez, on peut quitter quelqu'un en faisant en sorte qu'il vous quitte*[2]. »

Il s'appelait Roger Vadim Plemiannikov et, pendant des années, mon passeport a indiqué « Jane Fonda Plemiannikov ». Plemianni-

1. Roger Vadim, *Mémoires du diable*, Stock, 1975.
2. Roger Vadim, *D'une étoile à l'autre*, Editions n° 1, 1986.

kov signifie « neveu », sa famille, paraît-il, descendait d'un neveu de Gengis Khan. Ce qui expliquerait les yeux bridés dont ma fille et mon petit-fils ont hérité. Il y avait en France une liste de prénoms en dehors de laquelle vous ne pouvez pas choisir celui de votre enfant. D'où le « Roger ». Mais tous ceux qui le connaissaient l'appelaient Vadim.

Il a été adolescent pendant l'occupation nazie, et cela a probablement eu un impact important sur ce qu'il est devenu. Il évoque dans *D'une étoile à l'autre* l'hypocrisie qui régnait alors ainsi que la collaboration de l'Eglise avec l'ennemi, mais aussi les actes d'héroïsme dont il fut le témoin.

« Dès l'âge de seize ans, je m'étais imposé une règle : pour éviter de tomber dans le cynisme et, pire, l'amertume, j'allais profiter de tout ce que la vie m'offrait de mieux. La mer, la nature, le sport, les Ferrari, les amis et les copains, l'art, les nuits d'ivresse, la beauté des femmes, l'irrévérence et les pieds de nez à la société. Je conservais mes idées politiques (je suis un libéral allergique aux mots "fanatisme" et "intolérance"), mais je refusais l'engagement sous toutes ses formes. Je croyais aux qualités de l'individu, mais j'avais perdu tout respect pour la race humaine. »

Une fois adulte, il travailla de temps en temps comme assistant du réalisateur Marc Allégret, écrivit des scénarios, mais chercha surtout à éviter tout emploi fixe. Dans *Mémoires du diable*, il écrit : « Nous refusions toute forme de travail qui aurait aliéné notre liberté... »

Etre libre, c'était faire l'amour quand il voulait, traîner à Saint-Germain-des-Prés, où il côtoyait André Gide, Jean Genet, Salvador Dalí, Edith Piaf, Jean Cocteau, Albert Camus, Henry Miller. Pendant un temps, il partagea une maîtresse avec Hemingway. Et il fit aussi la lecture à Colette, dans son appartement de la rue de Beaujolais.

Vadim s'est toujours montré loyal et généreux envers ses amis. Il partageait tout l'argent qu'il avait, même quand il en avait peu. S'il était avec une femme qui était d'accord, elle aussi, il la partageait.

Après que sa première femme, Brigitte Bardot, fut partie avec Jean-Louis Trintignant, son partenaire dans *Et Dieu créa la femme*, Vadim fut envahi par une jalousie qui faillit le pousser au suicide. Quand il alla mieux, il se jura de ne plus jamais laisser ce « démon inconnu » prendre possession de son corps et de son âme. « Je devins immunisé contre ce virus. » Mais il ajoute : « Ce que vous croyez avoir enterré vit en vous, se nourrit de vous silencieusement. Vous consume. La seule différence, c'est que vous ne vous en rendez pas compte. » Cela me fait penser à la douleur que mon père disait avoir ressentie sous les fenêtres de l'appartement où Margaret Sullavan faisait l'amour avec Jed Harris, et je crois que Vadim avait raison : vous pouvez avoir l'air d'écarter toute colère, toute jalousie, ces sentiments que vous refusez de reconnaître continuent de vous dévaster, et ce d'autant plus que vous les refusez.

Vadim avait horreur de la jalousie, qu'il trouvait minable, bourgeoise, indigne de lui et donc de celles qui étaient avec lui. Lorsque notre couple a commencé à se défaire, j'ai souvent souhaité qu'il se batte pour le sauver plus qu'il ne le faisait : qu'il semble plus inquiet – et même plus jaloux. Mais au lieu de cela, il devenait presque passif, comme s'il avait su que cette fin était programmée depuis longtemps – une attitude dans laquelle je ne voyais qu'un manque d'amour. Dans *D'une étoile à l'autre*, il raconte que Bardot aurait dit : « Si seulement Vadim avait été jaloux, les choses se seraient peut-être arrangées. » Les gens ont besoin d'être désirés, et de savoir qu'ils le sont.

Je pourrais donner une version de mon mariage avec Vadim qui le ferait apparaître comme un irresponsable misogyne et cruel. Je pourrais aussi le décrire comme le plus tendre des hommes, charmant, poétique, romantique même. Les deux seraient vrais.

Vadim réapparut dans ma vie un mois après l'assassinat de Kennedy, le 21 décembre. Mon agent, Olga Horstig, l'avait invité à la fête qu'elle donnait pour mon anniversaire. Et aussi inattendu que cela puisse paraître, nous avons passé la soirée assis l'un à côté de l'autre, à bavarder ensemble. Il ne ressemblait absolument pas au souvenir que j'en avais. Je l'ai trouvé drôle et gentil, mais de façon un peu décalée, tranquille. J'ai appris depuis qu'on a souvent tendance à mettre sur un piédestal ceux que l'on prend pour des diables et qui se révèlent simples mortels. C'est dangereux. Un regard clair, pesant le pour et le contre, vaut toujours mieux. En fin de soirée, il a entonné des chansons paillardes que les soldats français chantaient en Algérie et plus le temps passait, plus son délicieux accent français lui revenait.

Rien de tout cela ne paraît exceptionnel, d'accord, mais il y avait, rivés aux miens, ses yeux bridés au-dessus de ses pommettes saillantes, verts, remplis de mystères et de promesses. Mon Dieu, qu'il était beau. Certainement pas parfait – dents trop grandes, visage trop long – mais incroyablement attirant. Et, autre point en sa faveur, bien que grand, brun et très mince, il ne ressemblait pas à mon père.

La rencontre suivante allait être décisive. Il avait rendez-vous avec Jean André, son formidable architecte décorateur, aux Studios Eclair, où je tournais avec Delon. J'ai entendu quelqu'un dire qu'il était à la cafétéria et dès que j'ai pu, j'ai couru le rejoindre – après avoir enfilé sur le simple corset dont j'étais vêtue pour la scène que nous venions de finir un imperméable qui s'est évidemment ouvert au moment où j'entrais dans la salle, le souffle court, les joues rouges, surexcitée. C'est ce qu'il attendait. J'étais, à vingt-six ans, plutôt naïve. Il en avait dix de plus, et pas mal d'heures de vol.

Quand ma journée de travail s'est terminée, il m'a raccompagnée jusqu'à ma chambre où nous nous sommes d'abord étreints avec passion, mais une fois au lit, son désir s'est éteint. J'ai pensé que c'était de ma faute et je me suis sentie humiliée, mais je n'ai rien dit, je ne voulais pas aggraver la situation. C'était quand même Vadim, amant renommé, et voilà qu'il n'y arrivait pas. Maintenant, je savais de façon certaine que quelque chose en moi ne collait pas.

Ça a duré trois semaines. J'étais désespérée, je voulais mourir, pourtant je n'en montrais rien, je croyais que ça ne servirait à rien. Je n'ai jamais pensé à renoncer. Cela aurait été accepter la défaite. *Arrange-moi ça. Tu sais que tu peux y arriver !* Au lieu de m'éloigner de lui, le fait qu'il se soit montré impuissant au début de notre relation m'a plutôt rassurée. Il n'était pas Superman, mais un être vulnérable, humain.

Lorsque enfin le sort fut rompu, nous sommes restés au lit quarante-huit heures d'affilée et ne nous sommes plus quittés jusqu'à mon départ pour les Etats-Unis où je devais aller faire la promotion d'*Un dimanche à New York*. Tout ce qui, dans ma vie, n'était pas lui, s'est arrêté. Je ne mangeais plus que les miettes de son pain et ses croûtes de camembert. Dès que j'avais un après-midi de libre, nous le passions à faire l'amour. Puis, avec un baiser d'adieu, il allait rejoindre sa fille Nathalie, qui avait alors trois ans et vivait avec sa mère, Annette Stroyberg.

Il faisait preuve, en amour, d'imagination, d'érotisme et de tendresse. Bien que ne comprenant pas tout ce qu'il me disait (ou peut-être justement parce que je ne comprenais pas), ses murmures me semblaient des messages envoyés d'une autre planète. Mais si le sexe était important entre nous, il y avait autre chose que je trouvais formidable en lui : la façon dont il s'occupait de Nathalie. *Ce doit être un type bien, pour aimer autant sa fille.*

Il ne fait aucun doute que son mode de vie, si différent de l'atmosphère réservée dans laquelle j'avais été élevée, joua en sa faveur. Il avait une espèce de dignité intérieure qui démentait sa réputation. Et quelle réputation ! Au début, lorsque nous descendions ensemble les Champs-Elysées, les gens se retournaient sur lui comme sur une grande star. Ce qu'il avait vécu m'intriguait. Il avait traversé la guerre, risqué sa vie, rencontré des tas de gens intéressants, et était différent de tous les hommes que j'avais connus. Il se réveillait tous les matins en chantant !

Il était probablement normal de ma part de ne pas m'inquiéter des heures que nous passions dans son club, où nous buvions, et où il allait parier dans des courses de petites voitures électriques, ni du fait que nous étions toujours conduits par un chauffeur. Et même lorsqu'il me raconta avoir écopé d'un an de suspension de permis de conduire pour avoir provoqué un accident en état d'ivresse, je ne me suis pas dit : fais gaffe. Pas plus que je n'ai réfléchi quand il m'a dit ensuite qu'au moment de l'accident Catherine Deneuve était à côté de lui et qu'elle avait failli perdre l'enfant qu'elle attendait. Je n'ai pas accordé la moindre attention aux nombreux drapeaux rouges agités devant mes yeux dès ces premiers mois – l'alcool, le jeu. Et je ne me suis pas demandé ensuite, avant de me lier à lui « pour le meilleur et pour le pire, dans la maladie et la santé », si nos faiblesses et nos forces respectives pourraient se compenser, si, alliés à mon obstination combative (supporte tout, arrange les choses), ses vices ne nous feraient pas souffrir tous les deux, si mon handicap affectif pourrait soutenir ses « charmantes » habitudes. Si j'avais été capable de me poser ces questions, j'aurais peut-être su y répondre ou bien chercher de l'aide. Mais ce n'était pas le cas.

Il ne m'est certainement jamais venu à l'esprit que cet homme ne pourrait pas m'apprendre à vivre à deux et en accord profond, car je ne savais pas que j'avais besoin de l'apprendre. On ne peut pas chercher ce dont on ne soupçonne même pas l'existence. Etre en accord profond avec quelqu'un est une chose qui se ressent, et si vous ne l'avez jamais connue, vous ne pouvez pas savoir qu'elle vous manque. Pire, lorsque cela vous arrive pour la première fois, il y a des chances pour que vous soyez affreusement mal à l'aise, et capable de fuir.

Mais franchement, si c'était à refaire, sachant ce que je sais maintenant, je recommencerais, et plutôt deux fois qu'une. Je tenterais peut-être de l'entraîner chez les Alcooliques Anonymes et voudrais le convaincre de soigner sa folie du jeu. En bon Français, il refuserait (il n'y a que les Américains pour croire à la guérison), et je serais quand même accro, mais le quitterais probablement au moins un an plus tôt. Et encore... Je ne regrette rien. Enfin presque.

Parce que je voulais rester à Paris avec lui, j'ai accepté de jouer dans *La Ronde* – et au diable mon premier télégramme. Pendant la préparation du film, nous nous sommes installés dans un petit appartement romantique non loin de mon hôtel, rue Séguier. Je savais qu'en plus de Nathalie, née de son second mariage, il avait eu un fils avec Catherine Deneuve, alors à peine âgée de vingt ans. Mais je me disais que, lorsque les gens choisissent de mettre un enfant au monde sans fonder une famille, c'est qu'ils choisissent un mode de relation libre, sans engagement, ni d'un côté ni de l'autre.

Pour la première fois, je vivais vraiment avec un homme – je m'occupais des courses, de la maison, des repas : tout en français (je le parlais de mieux en mieux). J'aime jouer les fées du logis.

Mais malheureusement, je ne savais pas faire la cuisine, et je continuais à souffrir de troubles alimentaires, à l'insu de Vadim.

Je passais mon temps à lire des recettes (être obsédée par la nourriture peut faire partie de la maladie), des plus classiques à celles du *Livre de cuisine d'Alice B. Toklas*, qui contenait le secret d'un célèbre gâteau au hash. N'étant pas du genre à faire les choses à moitié, je me lançais toujours dans les plats les plus compliqués, soupe de poulet sénégalaise ou omelette norvégienne. Il n'y avait pas encore de supermarchés en France, les légumes s'achetaient dans le magasin de primeurs, le poisson chez le poissonnier, le pain chez le boulanger, les produits laitiers chez la crémière, etc.

Pour l'un de nos premiers dîners à la maison, j'ai fait des steaks. J'avais vu Susan en préparer quand elle vivait avec mon père et ça n'avait pas l'air trop difficile. Nous avions à peine commencé à manger, quand Vadim s'est arrêté de mâcher, m'a lancé un regard étonné et demandé : « Où as-tu acheté cette viande ?

— Chez le boucher, ai-je répondu.

— Est-ce qu'il y avait une tête de cheval au-dessus de la porte ?

— Eh bien, en y repensant je crois que... » Oh, mon Dieu, mais qu'est-ce que j'avais fait ! C'était du cheval ! Mon animal préféré !

Et un jour il m'annonça qu'il avait invité Bardot. Ouaou ! Je ne l'avais encore jamais rencontrée. C'était déjà assez difficile comme ça de savoir qu'il l'avait épousée et tenue, elle, si belle, entre ses bras. Et maintenant j'allais devoir être dans la même pièce, assise à la même table ! J'ai erré de marché en marché jusqu'à ce que je trouve ce qui me semblait le plus approprié pour une telle occasion : du boudin noir, boyau farci de sang et de gras de porc, en forme de saucisse. Je n'en avais jamais vu de ma vie, et encore moins fait cuire, mais je trouvais que c'était une bonne idée... Peut-être qu'elle s'étranglerait. En fait nous nous sommes très bien entendues. Elle était drôle, pragmatique et franche. Elle m'a même félicitée de ma cuisine – elle était dans ce domaine aussi nulle que moi.

CHAPITRE DOUZE

L'ASSISTANTE DU MAGICIEN

L'assistante du magicien se repère facilement
à la façon dont son bras se courbe comme le cou d'un cygne,
vers un meuble favori pour que nous l'inspections.
Son sourire charmeur fait croire en la magie,
qu'est-ce qui autrement peut la couper en deux ?
Mais où le magicien trouve-t-il son assistante,
cette femme si belle (et que pourtant nous remarquons à peine !)
souriant à ses côtés et ne révélant rien ?
Nous la soupçonnons de savoir, évidemment, imaginons derrière
ses dents parfaites, son esprit hanté par un royaume secret
où la colombe se niche avec le lièvre
au cœur battant dans la garenne sombre,
attendant de retrouver pigeonnier et clapier.
Dans ce pays de portefeuilles voyageurs, suite infinie de foulards colorés
et billets de cent dollars déchirés qui se recollent tout seuls,
les femmes, coupées en deux, semblent vivre ensorcelées,
jouent leurs cartes biseautées ou s'alanguissent, comme en apesanteur,
seulement portées par notre désir de croire en elles.

Charles DARLING,
« On Being Introduced at a Neighborhood Party
to a Magician's Assistant ».

Le tournage de *La Ronde* fut une période heureuse pour nous deux. J'appréciais la façon dont nos forces créatrices s'unissaient et je découvris combien il était excitant de laisser Vadim me manipuler devant la caméra, mais aussi d'anticiper ses désirs. J'ai toujours aimé être dirigée, ne pas avoir à prendre de décisions fondamentales, travailler dans un cadre prédéfini puis injecter de la vie dans la pensée d'un cinéaste.

Pour une Américaine, je parlais français avec un assez bon accent, ce qui veut dire que les gens me prenaient pour une Suédoise ! D'une certaine manière, je me servais de cette langue comme d'un masque qui m'apportait une liberté plus grande. Le français me ralentissait, m'adoucissait, rendait ma voix plus profonde, plus nuancée.

Annette Stroyberg était au Maroc, et la petite Nathalie vivait avec nous. Grâce au souvenir de Susan, j'essayais de me montrer aussi responsable que possible vis-à-vis de cette enfant que je connaissais à peine.

L'appartement de la rue Séguier était trop petit pour nous quatre (Vadim, moi, Nathalie et sa nounou). Comme il n'avait pas les moyens d'en louer un plus grand, Vadim s'est tourné vers son vieil ami le commandant Paul-Louis Weiller, propriétaire, entre autres, de l'ancien hôtel des Ambassadeurs de Hollande, où il accueillait amis, artistes, et jolies filles (pour qui il avait un penchant). Nous nous sommes donc installés dans ce magnifique bâtiment du XVIe siècle, rue Vieille-du-Temple, en plein cœur du Marais. J'ai eu beaucoup de chance de vivre là-bas à cette époque, quand ce quartier, un des plus vieux de Paris, n'était pas encore le coin branché qu'il est devenu.

La rue étroite et pavée descendait vers la Seine entre deux rangées d'immeubles plusieurs fois centenaires qui se penchaient en avant comme pour s'appuyer les uns aux autres. Nous vivions au grenier – dans des pièces mansardées aux murs et aux plafonds couverts de cartes du monde peintes par des artistes de la Renaissance. Il y avait en face une école de musique et, parce que les sommets des immeubles cherchaient à se toucher, nous entendions les élèves chanter comme s'ils avaient été dans notre chambre. La danseuse étoile Zizi Jeanmaire et Roland Petit, alors directeur des ballets de Paris, avaient élu domicile au rez-de-chaussée. Il y avait aussi un appartement réservé à Charlie Chaplin, mais je ne me souviens pas de l'y avoir vu. Cette ruche est devenue notre maison familiale.

Vadim a souvent raconté que je me suis plainte plus tard de ce qu'il m'avait « transformée en esclave au foyer », comme si j'avais trahi la cause des femmes. Je dois admettre avoir prononcé à cette époque quelques déclarations extrêmes, mais je ne crois pas avoir fait référence aux tâches ménagères. En vérité, j'ai toujours aimé construire mon nid, et celui des miens. Mon environnement compte beaucoup. Je ne peux pas réfléchir au milieu du désordre ou de la saleté, et quand nous n'avions pas assez d'argent pour payer une femme de ménage, je préférais nettoyer et ranger que vivre dans la crasse. Pendant toutes ces années, il ne m'est jamais venu à l'esprit que je pouvais lui demander de m'aider dans la maison. Je considérais que c'était le rôle des femmes, même si cela signifiait des journées doubles, car je partais souvent aux studios avant l'aube et rentrais après la nuit, pendant qu'il restait chez nous à écrire – ou qu'il partait à la pêche.

Ma soumission était due en partie au conditionnement dont nous avions tous fait l'objet ; mais ce n'était pas tout : je croyais aussi, exactement comme ma mère avant moi, qu'il suffisait d'agir en épouse parfaite et dénuée d'égoïsme, pour n'être pas quittée. C'est quand même dingue, dès qu'il est question d'égalité au foyer, on parle d'égoïsme. Vadim n'était pas méchant, il n'avait aucune intention de me mener la vie dure. Mais il ne remarquait rien. Il pouvait vivre avec un évier où la vaisselle s'empilait pendant des semaines. Et au fond, c'était peut-être ça qui me faisait râler, le fait qu'il ne le remarque même pas.

Mais nous avions d'autres problèmes, plus graves, et dont il est plus difficile de parler. Vadim avait adopté une règle de vie que tous ses amis partageaient : le sens de l'économie, la jalousie, le besoin d'organisation et de structures étaient des attitudes bourgeoises, horreur suprême. « Bourgeois », voilà exactement ce qu'il ne fallait pas être, pas plus qu'on ne pouvait trahir, ni agir malhonnêtement. Il arrivait même que l'on soupçonne le parti communiste d'avoir des tendances bourgeoises.

J'avais hérité de ma mère 150 000 dollars. C'était à l'époque une jolie somme, qui assurerait mes arrières si je ne la jetais pas par les fenêtres. Quand j'ai hésité à y puiser pour l'aider à payer un ami qui venait en vacances avec nous travailler sur un de ses scénarios, Vadim n'a pas compris. J'étais furieuse, et je le lui ai dit. Puis, je me suis sentie radine, minable. Et j'ai accepté. J'ai appris des années plus tard qu'il jouait, que les lieux de tournage ou les maisons de vacances devaient généralement se trouver près d'un champ de courses ou d'un casino. Je ne savais pas que le jeu est une dépendance dont on se sort aussi difficilement que de l'alcoolisme, l'anorexie ou la boulimie. Une grande partie de l'argent de ma mère s'est envolée dans des paris.

La jalousie était un autre interdit fondamental. Pourquoi les femmes faisaient-elles tant d'histoires à propos d'une simple pulsion physique ? Ce n'était pas parce qu'un homme ou une femme (toujours un homme) avait une « histoire de cul » avec quelqu'un d'autre qu'il trahissait – « c'est toi que j'aime ». Vadim parlait pendant des heures avec ses amis de la révolution sexuelle grâce à laquelle les gens commençaient enfin, dans les années 60, à comprendre ce que eux, ils avaient toujours su : que la moralité des classes moyennes devait faire place à la liberté, dans le mariage comme dans toute relation. (Nous n'étions pas mariés. Trop bourgeois !) Peut-être a-t-il tout de suite senti quand nous nous sommes rencontrés que j'étais malléable, et très peu sûre de moi sur le plan sexuel. Il m'a influencée, et j'ai pensé que pour le garder et être une bonne épouse, je devais me révéler la reine de l'anticonformisme, gagnante du prix de la femme la plus déjantée, la plus généreuse et la plus tolérante.

Bientôt, Vadim n'est plus rentré tous les soirs à la maison. Je préparais le dîner, mais il n'arrivait pas. Souvent il n'appelait même pas. Je mangeais alors tout ce que j'avais cuisiné, sortait m'acheter des gâteaux et des glaces (moins crémeuses et sucrées que nos ice-creams nationaux), dévorais le tout, vomissais et m'effondrais sur le lit, épuisée et furieuse. Il rentrait parfois vers minuit et s'écroulait, complètement ivre, à côté de moi. Parfois aussi, il restait toute la nuit dehors. Je ravalais ma colère (et vomissais la glace), mais je ne lui posais pas de question. Je ne voulais pas avoir l'air bourgeoise. Et je ne croyais pas mériter autre chose.

Puis, un soir, il a amené à la maison et mis dans notre lit une magnifique jeune femme aux cheveux roux. C'était une call-girl qui travaillait pour Madame Claude. Je n'ai pas pensé un instant à refuser. J'ai donné la réplique à Vadim et je me suis jetée dans cette partouze avec l'habileté et l'enthousiasme de l'actrice que j'étais. Puisque c'était ce qu'il voulait, je le lui donnerais – en abondance. Comme l'a écrit la poétesse féministe Robin Morgan dans *Saturday's Chill* : « S'il était question de ne pas me laisser distancer, eh bien, ils allaient voir de quoi j'étais capable... »

Nous étions quelquefois trois, quelquefois plus. Quelquefois, c'était même moi qui lançais l'idée. Je savais tellement bien enterrer mes sentiments réels et me couper en deux que j'avais fini par me convaincre que j'aimais ça.

Je vais vous dire ce que j'aimais : les lendemains matin, quand Vadim partait et que l'autre femme et moi traînions ensemble à bavarder devant une tasse de café. C'était une façon d'apporter un peu d'humanité à ces échanges, un antidote à la position d'objet dans laquelle ils nous mettaient. Je lui demandais d'où elle venait, ce qui s'était passé dans sa vie et pourquoi elle avait accepté de partager notre lit (question que je ne me posais pas à moi-même !) et, s'il s'agissait d'une professionnelle, comment elle en était arrivée là. J'étais bouleversée par la cruauté et les mauvais traitements dont elles avaient souvent souffert et je compris que les violences subies leur faisaient voir le sexe comme la seule chose qu'elles eussent à offrir. Elles étaient pourtant souvent intelligentes et auraient pu réussir dans d'autres métiers. Ces conversations ont nourri la façon dont j'ai interprété le rôle de Bree Daniel, la call-girl de *Klute*, qui me valut un oscar. Bon nombre de ces femmes sont mortes depuis, ont fait une overdose ou se sont suicidées. Quelques-unes ont épousé des hommes d'affaires, d'autres des notables. L'une d'elles, avec qui je suis restée amie, m'a récemment raconté que Vadim était jaloux de notre amitié et qu'il lui avait dit un jour : « Tu te fais des illusions sur Jane. Elle n'a rien dans la tête, crois-moi. » Il avait souvent besoin de dénigrer mes capacités intellectuelles, comme si elles risquaient d'empiéter sur son espace. Un homme ne devrait-il pas préférer que l'on prenne sa femme pour une fille intelligente ? Si, sauf s'il doute de lui-même dans ce domaine. Ou bien s'il ne l'aime pas vraiment.

De la même façon que je croyais être la seule à souffrir de troubles alimentaires, je pensais qu'aucune autre que moi ne se trahissait en acceptant, alors qu'elle ne le voulait pas, d'autres femmes dans son lit, et ce, sans aucune nécessité financière. (J'en connais beaucoup qui, parce qu'elle n'ont ni argent ni qualification professionnelle, font pour survivre, et surtout pour nourrir leurs enfants, des tas de choses qu'elles préfèreraient ne pas faire). Puis en 2001, j'ai lu *Saturday's Child*, l'autobiographie de Robin Morgan, grande figure du féminisme contemporain, créatrice de son symbole et auteur de *Sisterhood is Powerful, Sisterhood is Global* et *Sisterhood is Forever*. Elle raconte dans ses mémoires comment elle s'est trahie, elle aussi, alors qu'elle était mariée, comment elle a « marché dans tous les mythes que les mecs brandissaient – Bloomsburry, la libération sexuelle, l'antipuritanisme, le continue-de-faire-ce-que-tu-n'aimes-pas-parce-que-plus-tu-le-feras-plus-tu-aimeras-ça, le quatuor idéal de D.H. Lawrence (deux femmes et deux hommes dans toutes les permutations possibles). Je ne me suis jamais demandé aux besoins de qui, à l'intérêt de qui, ces modèles répondaient... Mon moi était scindé, seule façon de survivre, de mettre à part, et sous scellés, l'expérience de la profanation ».

Jusque-là, je n'avais jamais pensé à écrire sur ce sujet. Je me disais qu'il y avait suffisamment de gens comme ça qui ne m'aimaient pas, que ce n'était pas la peine de leur donner des armes pour me battre. Mais si une femme comme Robin avait connu des expériences similaires et n'avait pas eu peur de les raconter, quoique sans jamais tomber dans l'obscénité, je devais pouvoir trouver le courage de le faire. Et si je voulais que mon récit apporte vraiment quelque chose aux autres, il me faudrait moi aussi avouer en toute honnêteté jusqu'où je suis allée, et ce que ça signifiait.

Mon amie Gloria Steinem m'a donné l'adresse e-mail de Robin et je lui ai écrit, en lui disant combien sa franchise m'avait aidée. Puis je lui ai demandé : « Comment se fait-il que des femmes par ailleurs fortes et indépendantes agissent ainsi ? » Elle m'a répondu : « Tu serais surprise de savoir le nombre de "femmes par ailleurs fortes et indépendantes" qui sont passées par là. »

Dans ma vie publique, je suis solide, capable. Pourquoi alors, dès que les portes de la maison se refermaient, pourquoi dans l'intimité, me trahissais-je volontairement ? Je crois pouvoir répondre : quand une femme s'est désincarnée parce qu'elle a perdu confiance en elle – *je ne vaux rien* – ou été violentée, elle n'écoute pas la voix de son propre désir, elle n'entend que celle de l'homme. Ce qui nécessite, comme l'a écrit Robin, une conscience scindée – tête d'un côté et cœur de l'autre, corps par ici et âme par là. Ajoutez à son silence le fait que l'homme croit être dans son droit et qu'il est incapable (ou refuse) de lire les subtils signaux corporels que lui envoie sa partenaire, et vous obtenez une femme en colère qui enterre sa rage pour les mêmes raisons qu'elle fait taire sa véritable sensualité.

Vadim était le premier homme que j'aimais réellement et, malgré la complexité de notre relation (ou peut-être à cause d'elle), cet amour était suffisamment vrai pour que pendant longtemps ma colère se réduise à un lointain murmure. Cet homme était un kaléidoscope à travers lequel le monde m'apparaissait. Il m'a permis à redécouvrir ma sexualité (et celle d'autres femmes en même temps), m'a redonné confiance en moi, je-ne-dois-pas-être-si-nulle-que-ça-puisqu'il-m'aime, et m'a aidée à sortir de l'ombre de mon père. J'étais devenue quelqu'un. Je vivais avec un « homme, un vrai ». Je m'occupais de sa maison, de sa fille et de son fils, Christian, quand Catherine Deneuve le laissait venir chez nous. Les amis de Vadim semblaient m'aimer. Pourquoi ne l'auraient-ils pas fait ? Je ne me plaignais jamais, ne leur reprochais rien, travaillais dur, gagnais de l'argent, servais le whisky quand ils venaient le soir, préparais le petit déjeuner quand ils avaient la gueule de bois, et ils savaient que j'accompagnais Vadim dans son libertinage. Je me souviens que l'un d'eux a dit un jour, pendant que j'emportais les verres pour les resservir : « C'est vraiment quelqu'un, cette Jane, très différente de la plupart des femmes, plutôt comme nous. » J'ai failli ronronner de plaisir, comme quand j'avais dix ans et que l'on me demandait si j'étais une fille ou un garçon.

Contrairement à l'assistante du magicien que décrit le poème de Charles Darling, je ne savais pas, quand j'agissais ainsi, distinguer le réel de l'irréel, je ne me doutais pas qu'il y avait une autre façon d'être, un « royaume secret » du moi incarné, authentique et entier, qu'un coup de baguette magique pouvait me rendre. Ce moi que j'avais abandonné depuis si longtemps. Que j'avais absolument besoin de nier pour rester dans la relation. Le magicien m'a transformée en parfaite épouse des années soixante. Et pas parce que j'avais besoin d'argent. Mais parce que j'avais peur de rompre ce lien qui me faisait exister. Si quelqu'un m'avait alors demandé qui j'étais, j'aurais eu du mal à lui répondre. Mais comme le critique de cinéma Philip Lopate l'a écrit : « Quand l'acteur n'a pas d'identité déterminée, jouer est une ancre flottante. » Et pour jouer, je jouais ! Donnant au faux l'apparence du vrai, à la tristesse l'apparence du bonheur, j'espérais qu'un jour tout s'arrangerait, que je découvrirais qui j'étais. En attendant, je m'accrochais à l'ancre flottante.

Je parlais souvent à Vadim de mon sentiment d'insécurité, mais, bien qu'essayant à sa façon de me donner confiance en moi, il ne comprenait pas. Il ne reconnaissait que ce que j'étais en apparence, et cette façade semblait impeccable, pourquoi, alors, aller chercher plus loin ? Pourquoi aurais-je voulu être plus ferme, plus décidée, plus qui j'étais ? Comme il l'a dit lui-même de façon publique (après que je l'eus quitté et fus devenue plus... moi), il préférait qu'une femme soit douce. Si c'était vraiment ce qu'il voulait, je lui en ai donné pour son argent.

J'ai un jour énuméré mes plus gros défauts : égoïsme, avarice et intolérance étaient en haut de la liste. J'ai alors pensé que si je me montrais généreuse et indulgente pendant assez longtemps, je finirais par le devenir. Je me suis souvenue d'une phrase d'Aristote entendue dans un cours de philo à Vassar : « Nous devenons justes en agissant de façon juste, modérés en agissant de façon modérée, courageux en agissant avec courage. » Je pensais que l'on devenait ce que l'on faisait. Voilà pourquoi je m'inquiétais quand je jouais des personnages de jeune écervelée comme dans *La Tête à l'envers* ou *Chaque mercredi*. Lorsque l'on ne développe qu'un seul aspect de sa personnalité, il envahit tout le reste et l'on finit par ne plus pouvoir atteindre ce qu'il y a derrière.

Vadim était en quelque sorte un spécialiste des vacances. Il aimait la nature, savait en jouir et m'en faisait profiter. Il adorait la mer et ses rivages. Bien sûr, il y avait Saint-Tropez, mais aussi la côte déchiquetée de la Bretagne ou le bassin d'Arcachon. Nous nous entassions dans un hors-bord avec Nathalie, Christian et la « grande » Nathalie (nièce de Vadim, fille de sa sœur Hélène), partions pique-niquer sur les plages à marée basse. La « grande »

Nathalie avait presque dix ans de plus que la « petite » et elle passait souvent une partie de l'été avec nous.

La « petite » Nathalie grandissait, magnifique mélange de sang danois et franco-russe, avec les yeux bridés et les cheveux noirs de son père, et des jambes interminables. C'était une enfant décidée. Qui ne cachait ni son entêtement ni ses accès de mauvaise humeur, mais gardait le reste pour elle, et je n'ai jamais vraiment su ce qu'elle ressentait – si ce n'est qu'elle adorait son père. Nous nous opposions continuellement sur des histoires de dents à brosser et de leçons à apprendre, et j'imagine qu'elle devait me trouver casse-pieds. Mais quarante ans plus tard, elle fait toujours partie de ma famille.

Nous allions souvent à Saint-Tropez pendant l'hiver, qui était là-bas ma saison préférée. Nous descendions dans un petit hôtel-restaurant, le Tahiti, sur la plage de Pampelonne où les gens faisaient du nudisme pendant l'été (une des raisons pour lesquelles je préférais l'hiver). J'adorais les tempêtes en Méditerranée – le mistral qui courbait les palmiers et faisait déferler d'énormes vagues sur la plage. Assis au coin du feu, nous jouions aux échecs et regardions les éléments se déchaîner.

Vadim aimait aussi la montagne. Excellent skieur, il passait souvent Noël à Megève ou Chamonix. Mais, de même que je préférais Saint-Tropez en hiver, c'était l'été que Chamonix me plaisait le plus. Nous descendions de Paris en voiture, avec Nathalie qui chantait et jouait sur la banquette arrière. Puis nous arrivions dans le chalet loué à Argentière.

Le soleil brillait, l'air était pur et frais, les prairies commençaient à fleurir. Les Alpes s'élevaient, majestueuses, étincelantes, de chaque côté de la vallée surplombée, au sud, par le mont Blanc. De temps en temps, l'écho d'une avalanche grondait dans la montagne. J'ai vu une aurore boréale et, quand ils étaient éclairés sous le bon angle, aperçu plusieurs fois le bleu pâle des glaciers. Je faisais de longues promenades le long des torrents, regardais s'ouvrir les roses de carême, en me disant que je n'avais jamais été aussi heureuse, j'avais l'impression que mon cœur allait éclater. J'ai appris ce printemps-là que je suis physiquement construite pour les hautes altitudes. Je ne suis montée qu'à 4 000 mètres, mais dans cette atmosphère raréfiée et stridente, où la végétation se réduit aux mousses et aux lichens, je me transcende.

Pendant l'un de ces séjours, Vadim est parti chercher son fils Christian à Rome. Je n'ai jamais su, avant qu'il publie *D'une étoile à l'autre*, qu'il avait alors passé une nuit merveilleuse avec Catherine, et « cru que tout allait s'arranger, que l'aventure avec Jane n'allait être qu'un rêve, que Christian allait grandir entre un père et une mère qui s'aimaient ». Lorsque j'ai lu ça, je n'ai pas eu mal, je me suis simplement demandé comment j'avais pu être assez naïve pour penser qu'il voulait vraiment faire sa vie avec moi.

Je n'avais aucune expérience en matière de bébés, mais je me suis lancée avec enthousiasme dans ce nouveau rôle dès que Vadim est revenu de Rome. Très à l'aise avec les problèmes de biberons et de couches, il s'occupait beaucoup de son fils. Nathalie, Christian et moi prenions nos bains ensemble dans une baignoire trop petite pour nous tous. Je n'étais pas certaine d'être la belle-mère idéale, mais j'aimais la compagnie des enfants, et l'idée que nous formions une famille. Dans ces moments-là, c'était toujours à Susan que je pensais.

Il y a des choses que vous n'êtes pas supposée faire alors que vous commencez à être connue et désirez survivre dans la jungle de Hollywood. Vous n'allez pas, par exemple, vivre dans un grenier avec un réalisateur français et refuser de rentrer, sauf en cas d'absolue nécessité. Mais je n'ai jamais suivi de plan de carrière. Que ce soit bien ou mal, je ne me suis jamais considérée comme une star de cinéma. Je n'ai jamais totalement endossé la célébrité. J'avais l'impression d'être entrée dans ce monde par défaut, et si j'en sortais, toujours par défaut, je n'en mourrais pas. J'aimais mon travail, il me structurait, j'aimais les défis à relever avec chaque nouveau rôle, et le plaisir que l'on ressent parfois en donnant vie à un personnage. J'appréciais aussi l'indépendance financière qu'il me procurait. Mais j'ai toujours choisi mes films en fonction de ce qui m'arrivait sur le plan personnel, et, plus tard, de mes idées politiques.

A la fin du printemps, on m'a proposé le rôle principal de *Cat Ballou*, avec Lee Marvin. Cela m'obligeait à retourner à Hollywood. Vadim m'a encouragée à le faire et promis de venir me voir dès qu'il pourrait. Je ne me rappelle pas pourquoi, mais j'étais sous contrat avec les studios de la Columbia où *Cat Ballou* devait être tourné, et ce rôle me permettrait de m'acquitter d'une part de mes engagements. C'était un scénario assez particulier, dont je ne savais que penser. Et je crois que Lee Marvin non plus. Il m'a, pendant les répétitions, chuchoté un jour à l'oreille que si nous nous retrouvions là c'était uniquement parce que nous étions sous contrat et qu'ils pouvaient nous avoir pour pas cher.

Cat Ballou était un film à relativement petit budget. On ne tournait pratiquement jamais deux fois la même scène, à moins que la caméra s'enraye. Les producteurs nous faisaient faire des heures supplémentaires tous les jours, puis un matin, Lee Marvin me prit à part.

« Jane, me dit-il, nous sommes les vedettes de ce film. Si nous laissons les patrons nous marcher sur les pieds, si nous ne nous défendons pas, c'est surtout le reste l'équipe qui va en pâtir. Ceux qui n'ont pas comme nous le pouvoir de dire : “Et merde, trop, c'est trop.” Tu dois redresser la tête, petite. Apprendre à refuser quand ils te demandent de continuer. »

Je n'oublierai jamais Lee, et ce qu'il m'a appris ce jour-là. Au moins dans ma vie professionnelle, j'allais maintenant savoir dire non.

Je dois reconnaître qu'avant d'avoir vu la version définitive de *Cat Ballou*, je ne m'imaginais pas que ce serait une telle réussite. Je n'étais pas là le jour où ils avaient filmé le cheval de Lee appuyé les jambes croisées contre la grange, dans ce qui est devenu une image classique du cinéma américain, ni la scène où Lee tente de faire sauter ce mur. Je ne savais pas qu'Elliot Silverstein, le réalisateur, utiliserait les deux « troubadours » Nat King Cole et Stubby Kaye comme un chœur de tragédie grecque. Ce serait mon premier grand succès, et je n'y étais pas pour grand-chose. Nat King Cole, à propos, se révéla aussi merveilleux que lorsqu'il venait aux réceptions de mes parents après la guerre.

Pendant le tournage de *Cat Ballou* et du film que j'ai fait dans la foulée pour Columbia, *La Poursuite impitoyable*, je vivais avec Vadim et Nathalie face à la mer, à Malibu. Comme mon père, Vadim aimait pêcher. Il partait à la plage avec ses cannes, nous rapportait des perches, quelquefois des flétans, que nous dégustions le soir. Aujourd'hui, bien sûr, personne ne se risquerait à manger un poisson attrapé dans la baie de Santa Monica (encore faudrait-il qu'il en reste). J'avais loué une maison claire et accueillante qui avait appartenu autrefois à Merle Oberon. Le loyer était de deux cents dollars par mois et je me souviens d'avoir été stupéfaite quand il est passé à cinq cents. *Non mais qu'est-ce qu'ils croient !* Il atteindrait maintenant dix mille dollars, ou plus. A l'époque, les gens qui habitaient là depuis toujours, même sans beaucoup d'argent, pouvaient rester au milieu des millionnaires. Les célébrités qui s'étaient installées dans le coin (il s'agissait la plupart du temps pour eux de résidences secondaires) faisaient partie de ce qu'on appelait l'avant-garde artistique et bohème.

Nous étions entourés d'amis, Marlon Brando, Brooke Hayward et son nouveau mari Dennis Hopper, mon frère et sa femme Susan, Yvette Mimieux, qui avait une liaison avec un jeune réalisateur français, Mia Farrow, qui était alors avec Frank Sinatra, Julie Newmar, Viva, qui allait souvent tourner avec Andy Warhol, Sally Kellerman ou Jack Nicholson. Le dimanche Larry Hagman enfilait un costume de gorille et défilait sur la plage suivi d'une petite foule d'amis armés de bannières.

Il y avait dans l'air une certaine *désinvolture*[1]. Réunions informelles où les gens se retrouvaient, repas, conversations soutenues, une atmosphère qui m'avait toujours attirée, mais que ma timidité m'avait jusque-là empêchée de créer. J'apprenais à le faire, à accueillir les autres. Nous recevions beaucoup, tous les Français qui allaient à Los Angeles s'arrêtaient chez nous. « Contrairement à moi, elle est extravertie, disait alors mon père à un journaliste... Regardez sa maison, la vie qu'ils mènent à Malibu. Tous ces gens qui passent chez eux, à n'importe quelle heure, ils tiennent table ouverte, et Jane se débrouille magnifiquement pour que chacun se sente à l'aise... »

J'en étais fière.

Papa avait alors rencontré celle qui serait sa dernière épouse, la ravissante, gaie et mutine Shirlee Adams, à peine plus âgée que moi. Ils étaient installés à côté de chez nous. Nathalie allait à

1. En français dans le texte (*NdT*).

l'école voisine, elle avait appris l'anglais, et moi le français. Nous formions une famille assez heureuse. Papa et Vadim partageaient la passion de la pêche. Et mon père n'était pas insensible au charme slave de mon compagnon.

Le producteur Sam Spiegel m'a ensuite proposé un rôle dans *La Poursuite impitoyable*, adapté d'un roman de Horton Foote, sous la direction d'Arthur Penn et avec Marlon Brando, Angie Dickinson, E. G. Marshall, Robert Duvall, et un nouveau venu, ou presque, Robert Redford, qui jouerait mon mari. Quelle affiche ! Mais, comme je devais l'apprendre à cette occasion, l'accumulation de la célébrité et des talents ne fait pas forcément le succès. Le film fut assez bien reçu en Europe, mais fit un flop en Amérique. Et ma prestation n'a certainement pas joué en sa faveur. Cela donnait quelque chose comme « Barbarella chez les ploucs du Texas ». Je jouais les utilités derrière une crinière qui me vengeait d'années de cheveux tristes et aurait mérité, comme une amie me l'a dit récemment, d'être citée au générique.

Deux événements importants ont marqué pour moi cet été 1965. Deux fêtes.

Comme j'avais beaucoup de temps libre pendant le tournage de *La Poursuite impitoyable*, je décidai de célébrer le 4 juillet sur la plage avec tous nos amis. Je n'avais encore jamais donné de grande réception à Hollywood, mais je me suis lancée à fond dans cette nouvelle aventure. J'ai demandé à mon frère qui, contrairement à moi, connaissait bien la scène musicale, qui je devais prendre comme musiciens. Les Byrds, a-t-il répondu sans une seconde d'hésitation. David Crosby et Roger McGuinn en faisaient partie, et ils avaient une bande de groupies, les Byrd Heads, qui les suivaient de concert en concert. Ils allaient bientôt connaître un immense succès avec leur nouvelle version de « Mr Tambourine Man » de Bob Dylan. Son instinct n'avait pas trompé Peter : ils furent parfaits. Nous avons monté sur le sable une immense tente qui abritait une piste de danse. J'ai invité la vieille garde de Hollywood, et Peter pour être sûr qu'il y aurait de bons danseurs, a fait passer le mot aux Byrd Heads. Imaginez : « Big Sur face à Jules Stein », « Dreadlocks contre coupe en brosse ». Papa a installé un barbecue devant lequel il a passé la soirée à faire griller un cochon, rayonnant de l'attention que lui valaient ses imprévisibles talents culinaires. Un grand progrès pour ce grand timide.

Ce fut la « Fête de la décennie », dont on allait parler longtemps. La première rencontre entre les vieux piliers du cinéma et la contre-culture. Je me rappelle avoir regardé une jeune hippy qui donnait le sein à son bébé devant le buffet, à côté de George Cukor. C'était de toute évidence une première pour Cukor. Il ne savait pas où poser les yeux. A côté de lui, Danny Kaye, qui jouait au bébé, réclamait sa tétée. Darryl Zanuck, qui n'était jamais le dernier à apprécier la beauté des femmes, semblait au bord de l'apoplexie. Sam Spiegel, Jack Lemmon, Paul Newman, Tuesday Weld, Romain Gary et sa femme Jean Seberg, Peggy Lipton, Lauren Bacall, William Wyler, Gene Kelly, Sidney Poitier, Jules et Doris Stein, Ray Stark, Sharon Tate, Warren Beatty, Natalie Wood, Dennis Hopper, Brooke Hayward, Terry Southern et les groupies des Byrds flottaient sur la piste de danse. A l'aube, lorsque l'on démonta les tentes, Vadim me prit dans ses bras et murmura : « Tu as réussi, Fonda. Un point pour toi. »

C'était beaucoup plus que ça, pour moi.

Mon deuxième grand événement de l'été fut une collecte de fonds pour le Comité de coordination non violente, organisée par Marlon Brando et Arthur Penn dans la maison de ce dernier. C'était la première fois que j'assistais à ce genre de réunion et il y avait un nombre impressionnant de gens importants dans l'assemblée. Deux jeunes représentants du comité nous racontèrent les efforts que déployait leur organisation pour faire inscrire les Noirs sur les listes électorales du Mississippi. La loi les y autorisant venait de passer, mais les ségrégationnistes continuaient de s'y opposer férocement et, quand on avait la peau foncée, se rendre aux urnes restait dangereux. Ils nous décrivirent les séances secrètes, les attaques de chiens, les arrosages, les passages à tabac et les exécutions par balles. Ils expliquèrent les raisons de la non-violence de leur engagement, évoquèrent le courage des Noirs qui travaillaient avec eux. Il y avait eu beaucoup de morts, parmi les Blancs comme parmi les Noirs.

Ce n'était pas tant ce qu'ils disaient qui me frappa, mais ce qu'ils étaient. Le calme et la concentration dont font preuve ceux qui vivent pour autre chose qu'eux-mêmes. Je ne me sentais pas honteuse, mais différente – comme Ralph Waldo Emerson avait dû se sentir lorsqu'il était allé voir Henry David Thoreau emprisonné pour avoir refusé des impôts à un Etat qui soutenait l'esclavage.

« Mais qu'est-ce que tu fais là-dedans, Henry ? demanda Emerson.

— Et toi, que fais-tu dehors, Ralph ? » répliqua Thoreau.

Que faisais-je dehors ?

Une graine était semée. On nous a demandé de l'argent. Personne ne m'avait encore jamais sollicitée pour soutenir une cause. J'ai donné ce que je pouvais, et je me suis inscrite dans la section locale du comité. J'envoyais des lettres, je cherchais de l'argent. J'étais infatigable. Peut-être pas très efficace et certainement très naïve, mais j'avais appris quelque chose d'important : ne sous-estimez jamais ce qui se cache sous le chignon d'une blonde à faux cils. Elle n'attend souvent qu'une chose, qu'on lui demande son aide.

Il y eut dans l'été une autre collecte. Tout ce dont je me souviens, c'est que Vanessa Redgrave était là, et que, lorsque le moment est arrivé pour l'assistance de poser des questions, elle a levé la main et contrairement à tous les autres, elle s'est mise debout et elle s'est retournée, créant son propre espace de parole. Je n'oublierai jamais le respect que j'ai ressenti pour elle : voilà une femme qui tenait sa destinée en main !

Tout de suite après *La Poursuite impitoyable*, j'ai tourné *Chaque mercredi*, le premier des trois films que j'allais faire avec Jason Robards. Vadim était rentré travailler à Paris, j'étais presque tout le temps toute seule. Mon frère passait me voir le soir, et je me suis rendu compte que pendant que je m'essayais à la vie de famille, il avait fait son trou ici, et était en train de devenir, pour la nouvelle génération, l'image du rebelle. C'était un étrange contraste : je revenais du tournage du très conventionnel *Chaque mercredi*, et lui de celui des *Anges sauvages*, film à petit budget de Roger Corman. Quand il me raconta la scène d'orgie à l'intérieur de l'église où sa bande était entrée à moto, je l'écoutais abasourdie. J'étais devenue une étrangère qui regardait la nouvelle contre-culture américaine à travers les yeux de Peter. En général, à la fin de la soirée, il sortait sa guitare et nous chantions ensemble des chansons des Everly Brothers.

Trois ans plus tard, en 1969, mon père, Vadim et moi avons assisté avant sa sortie à la projection privée du film de Peter, *Easy Rider*. Papa ne savait pas quoi penser, mais que Peter l'ai coécrit et produit l'impressionnait. J'en adorais certains passages, celui, par exemple, où Jack Nicholson prend sa première défonce en fumant de l'herbe autour d'un feu de bois, et le périple à moto à travers l'Amérique. Les kilos de cocaïne transportés et le trip d'acide dans le cimetière me semblaient des idées formidablement audacieuses. Mais je craignais, sans le dire, que les spectateurs ne se sentent pas concernés ou soient choqués. Seul Vadim a compris que nous étions en face d'une ouverture, d'une liberté cinématographique qui trouverait immédiatement un public, puis deviendrait un classique.

CHAPITRE TREIZE

PRENDRE RACINE

Je pouvais être tout ce que les autres – n'importe qui sauf moi – voulaient que je sois. Je ne faisais même par partie de ceux qui définissaient cette dernière version de Galatée que je représenterais.

Robin MORGAN,
Saturday's Child.

J'étais citoyenne des Etats-Unis, en possession d'un passeport américain, et résidente en France – mais sans véritable lieu de résidence. Je n'étais pas mariée avec Vadim, pourtant nous vivions ensemble depuis presque trois ans. Nous passions avec Nathalie d'un appartement à l'autre, utilisant les meubles qu'avaient laissés derrière elles ses premières femmes. Ce nomadisme convenait à Vadim, mais je sentais que Nathalie réclamait de la stabilité et j'avais envie de construire un nid. Je trouvais que Vadim et moi avions besoin d'un endroit vraiment à nous. J'ai trouvé une ferme abandonnée à une vingtaine de kilomètres de Paris, près de Houdan. Il fallait, pour y arriver, prendre de petites routes sillonnant la campagne, tortueuses et étroites, traverser des villages cachés derrière des murs de pierres couverts de mousse, longer des cours de fermes et des champs d'avoine et d'orge ondulant doucement dans le vent, passer Saint-Ouen-Marchefroy. Je ne sais pas pourquoi j'ai atterri dans ce bout de terrain couvert de bâtiments en ruine. Peut-être l'idée de vivre à côté d'un hameau me plaisait-elle ; ou peut-être étaient-ce les murs de pierres et la proximité des bois qui me rappelaient la campagne de Greenwich.

Il y avait dix minutes de marche de la maison au village, une promenade que j'aimais faire à midi, lorsque les gens du pays s'arrêtaient de travailler, cela me permettait de les rencontrer. Ils ne savaient pas que j'étais une actrice de cinéma, ni, je pense, Vadim un réalisateur. Je me suis liée d'amitié avec notre voisine la plus proche. Lorsque j'allais la voir, elle était toujours devant son évier ou sa cuisinière, les mains mouillées ou grasses, aussi pour dire bonjour, tendait-elle son poignet, les doigts repliés vers l'intérieur, un geste commun à toutes les femmes du hameau : le salut de l'épouse du fermier (dont je n'ai malheureusement jamais eu l'occasion de me servir au cinéma). J'aimais les moments que je passais avec elle. Je m'asseyais dans sa cuisine, buvais le café noir qu'elle m'offrait et repartais généralement avec une tarte qu'elle venait de faire cuire et tenait à m'offrir. Je savais que j'avais de la chance, que mes amis, en Amérique, ne connaîtraient probablement jamais de tels instants.

Je suis rentrée à Hollywood, sans enthousiasme, tourner *Chaque mercredi*. Une fois là-bas, j'ai décidé que Vadim et moi devions nous marier – il me semble bien que c'était mon idée. Comme notre installation à la ferme, le mariage renforcerait nos liens, normaliserait notre situation et ferait du bien à Nathalie. Je crois aussi avoir voulu prouver que moi, j'y arriverais, que je réussirais là où mon père avait échoué.

Nous avons choisi de le faire à Las Vegas, dans la plus stricte intimité. Vadim est parti en premier s'occuper des papiers. Puis le vendredi soir, après le tournage, j'ai pris l'avion avec mon frère et sa femme Susan, Brooke Hayward et Dennis Hopper, mon amie la journaliste Oriana Fallaci (à qui nous avions fait jurer de ne rien écrire sur nous), la maman de Vadim, Propi, son meilleur ami Christian Marquand et sa femme, Tina Aumont. Lorsque nous avons survolé Los Angeles, le ghetto de Watts brûlait. S'il fallait y voir un présage, à l'époque, je ne l'ai pas compris.

La cérémonie s'est déroulée dans notre suite de l'hôtel Dunes. L'officiant était très déçu que nous ayons oublié les alliances car, nous a-t-il expliqué, elles jouaient un rôle fondamental dans son allocution. Christian et Tina nous ont prêté les leurs. Celle de Tina était beaucoup trop grande pour moi, et j'étais obligée de tenir mon doigt en l'air, comme si j'avais voulu envoyer tout le monde se faire voir. Mais quand nous avons été déclarés mari et femme, j'ai pleuré. Nous nous aimions depuis trois ans, et je ne m'étais pas rendu compte combien cette officialisation de notre relation pouvait, pour moi, être importante.

Une fois la cérémonie terminée, certains d'entre nous ont resserré leurs liens avec le Chivas Regal, et à l'heure du dîner, les choses ont commencé à se gâter. Nous avons mangé dans une salle où un buffet surmonté d'un énorme cygne en verre taillé nous séparait d'une scène où des stripteaseuses interprétaient la Révolution française à leur manière. Quand une femme aux seins nus fut décapitée sur l'air du *Boléro* de Ravel, j'ai proposé que nous remontions dans notre chambre. Mais Vadim a disparu quelque part dans le casino et j'ai fini par dormir avec sa mère. Je ne savais rien des problèmes qu'ont les joueurs, et de toute façon cela n'aurait rien changé. J'étais blessée et furieuse, et lorsque j'ai repris l'avion le lendemain, je me rappelle avoir pensé : « Mon Dieu, qu'est-ce que j'ai fait ? » Mais, j'avais depuis longtemps appris à étouffer ma voix intérieure, à cacher la blessure et à continuer comme si de rien n'était.

L'année suivante, nous avons tourné *La Curée*, notre second film ensemble, et ce fut cette fois encore une expérience heureuse. Partager un but commun et des journées organisées autour du travail donnait à notre union un sens qui semblait lui manquer. Le producteur italien Dino De Laurentiis m'a proposé le rôle de *Barbarella*, héroïne de la bande dessinée du Français Jean-Claude Forest. Contactées avant moi, Brigitte Bardot et Sophia Loren avaient toutes les deux refusé et je voulais en faire autant. Mais Vadim a insisté, la science-fiction était l'avenir du cinéma, il s'agissait d'une formidable comédie, il fallait absolument que j'accepte ce film, et qu'il le réalise.

Vadim était depuis longtemps amateur de science-fiction, et le côté satirique et sexy de cette BD lui correspondait bien. Il a défendu ce projet avec tant de passion que j'ai fini par accepter. Dès que *La Curée* a été bouclée, il s'est mis à travailler au scénario de *Barbarella* avec l'humoriste Terry Southern. Pendant ce temps, je suis allée aux Etats-Unis faire *Que vienne la nuit* d'Otto Preminger avec Michael Caine, Burgess Meredith, Beah Richards, Faye Dunaway, Robert Hooks, Diahann Carroll, Rex Ingram, Madeleine Sherwood et John Phillip Law. Nous tournions en Louisiane, à Baton Rouge et dans ses environs, et si ce film n'est pas très réussi, ce qui s'est passé là-bas m'a profondément marquée.

Tous les acteurs, les Noirs comme les Blancs, étaient logés dans un motel de Baton Rouge, petite ville située à environ trente-cinq kilomètres de La Nouvelle-Orléans. Aucun Noir n'avait jamais été accepté dans ce motel, et le soir de notre arrivée, une croix brûlait sur la pelouse. Les chambres donnaient sur une piscine centrale et, quand Robert Hooks y a plongé, le personnel l'épiait, persuadé que l'eau allait changer de couleur. Je suis certaine qu'on en a parlé dans tout l'Etat. Diahann Carroll, qui était new-yorkaise, s'inquiétait de ne pas savoir comment elle devait se conduire « au pays du Ku Klux Klan ». Ce qui était normal dans le Nord pour une femme noire pouvait dans le Sud se révéler dangereux.

Un jour que nous tournions dans la petite bourgade de Francis-Ville, devant le tribunal, j'ai vu parmi les badauds un petit garçon d'environ huit ans, à la peau sombre, qui nous regardait timidement. Je me suis baissée pour lui parler, puis j'ai été rappelée pour la scène suivante, et je l'ai embrassé avant de le quitter. *Clic-clac !* Quelqu'un a pris une photo qui a été publiée le lendemain en première page du journal local.

Ce fut l'enfer. Coups de feu tirés sur nos camions, appels téléphoniques avisant les « amateurs de nègres » de ce qui leur arriverait s'ils ne s'en allaient pas. Et nous avons dû partir. J'étais assommée. Je n'imaginais pas que nous fussions encore si loin de la déségrégation. J'avais assisté à la collecte du Comité de coordination non violente et vu le ghetto de Watts en flammes, mais je n'y avais pas accordé suffisamment d'attention. J'utilisais le mot « Nègres », alors que les acteurs afro-américains du film se disaient « Noirs ». Après qu'on eut tiré sur nos camions, j'écoutais ce que disaient Robert Hooks, Beah Richards et les autres. Ils parlaient d'un nouveau « nationalisme noir », de Stokely Carmichael qui en appelait au « Black Power », de l'impression qu'avaient leurs frères de ne pouvoir compter que sur eux-mêmes. Je me taisais, mais je me sentais troublée, et blessée – pauvre petite fille riche et blanche prête à bien faire, à qui il fallait expliquer que la nouvelle révolte ne voulait pas de son aide.

Pour mieux comprendre, je me suis tournée vers Madeleine Sherwood, avec qui j'étais amie depuis l'Actors Studio. Nous avions joué ensemble dans *Invitation to a March*. Elle vivait depuis longtemps avec un Noir et m'avait à l'époque demandé de soutenir les marches pour la liberté. Mais au lieu de cela j'étais partie à Big Sur. Elle m'a expliqué que depuis que je vivais en Europe, le mouvement pour les droits civiques avait profondément changé. La stratégie non violente qui l'avait étayé reposait sur l'idée qu'il existait aux Etats-Unis une conscience latente qui, lorsque l'on ferait appel à elle, se réveillerait pour mettre fin à la ségrégation. Puis il était devenu évident à tous ceux, Noirs et Blancs, qui se battaient pour les droits civiques, que ni les ségrégationnistes du Sud, ni la classe dominante du Nord, n'étaient prêts à réaliser l'intégration. Oui, les lois avaient changé. Seulement elles ne pesaient pas lourd face au refus pathologique de l'intégration. Le pouvoir libéral, à quelques exceptions près, semblait soutenir le mouvement, mais ne prenait pas les mesures nécessaires pour imposer la loi et protéger ses défenseurs. Le parti démocrate dépendait apparemment trop des maîtres racistes de Dixieland pour agir efficacement. Or il s'en était trop passé, et trop de sang avait été versé pour que les militants se contentent de gestes symboliques. A quoi bon voter de nouvelles lois si les terribles réalités quotidiennes perduraient ? Les Noirs en avaient déduit qu'ils devaient agir seuls. L'espoir avait fait place au doute. Les manifestations pacifiques cédaient le pas à la violence.

Consciente d'être restée à l'écart des luttes et d'avoir eu une vie privilégiée, je ne me sentais pas le droit de critiquer la montée du nationalisme noir, mais j'avais du mal à croire que le séparatisme et la violence pouvaient améliorer quoi que ce soit. Je pensais à mon père et au lynchage auquel il avait assisté dans son enfance à Omaha, et à son héros, Abraham Lincoln, et je me demandais comment notre démocratie en était encore là.

Parce qu'il était plongé dans les préparatifs de *Barbarella*, Vadim ne vint me rejoindre qu'une semaine. Mais lors de ce bref séjour, il vit sortir de la piscine John Phillip Law, statue vivante aux yeux bleus, à la peau hâlée et au corps mince, et décida sur-le-champ de lui confier le rôle de Pygar, l'ange aveugle qui retrouve son envie de voler après avoir fait l'amour avec Barbarella.

Une fois terminé *Que vienne la nuit*, j'ai presque immédiatement enchaîné avec *Pieds nus dans le parc*, qui allait être ma première véritable réussite. Enfin. Je me demande encore comment j'ai survécu à tant de mauvais films. Charles Bluhdorn, P-DG de Gulf Western, venait d'acquérir Paramount Pictures, lançant une série de rachats qui allaient faire passer le cinéma des mains d'individus visionnaires et passionnés comme Irving Thalberg, Jack Warner, Samuel Goldwyn, Harry Cohn et Louis B. Mayer à celles de trusts anonymes. On m'a raconté que Bluhdorn avait menacé de sauter par la fenêtre de son gratte-ciel si je jouais le rôle principal de *Pieds nus dans le parc*. Je ne sais pas ce qui l'a fait changer d'avis, mais quand le tournage a commencé, nous nous sommes très bien entendus. J'étais très heureuse de retrouver Robert Redford et impatiente de jouer avec lui à nous-nous-réchauffons-dans-les-bras-l'un-de-l'autre-malgré-le-froid-qui-règne-dans-l'appartement, ce que *La Poursuite impitoyable* ne m'avait pas donné l'occasion de faire.

Il y a en Robert quelque chose d'irrésistible. Nous avons tourné trois films ensemble et j'ai été chaque fois sous le charme, surexcitée, heureuse de partir travailler le matin et même pas énervée par ses systématiques retards d'une à deux heures. Il ne l'a jamais su, bien sûr. Il ne s'est rien passé entre nous. Si ce n'est que nous avons eu beaucoup de plaisir à travailler côte à côte. Je me souviens que le jour de notre arrivée dans l'immeuble de la Paramount, les secrétaires tendaient le cou pour le regarder passer. J'ai compris qu'il allait devenir une star. Loin de gonfler son ego, cela le mettait affreusement mal à l'aise, et il n'en était que plus attendrissant. Je n'ai jamais vu aucun homme avoir un tel effet sur la gent féminine. Un jour, à Las Vegas où nous tournions *Le Cavalier électrique*, une femme s'est carrément jetée à ses pieds. Et dans ces moments-là, il semblait toujours avoir envie de disparaître.

De tous les grands acteurs avec qui j'ai joué dans quelque cinquante films, Robert est le seul à propos de qui on me demande :

C'est en voyant cette photo d'elle que mon grand-père tomba amoureux de ma grand-mère. Il avait trente-cinq ans et elle dix-neuf.

Ma mère dans le sud de la France, 1935.

Ma mère, dans les années 1930.

Moi, juste après ma naissance,
dans les bras de l'infirmière masquée.

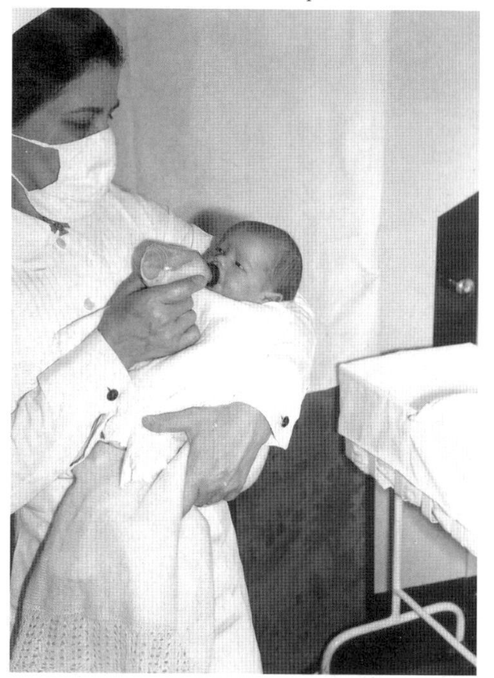

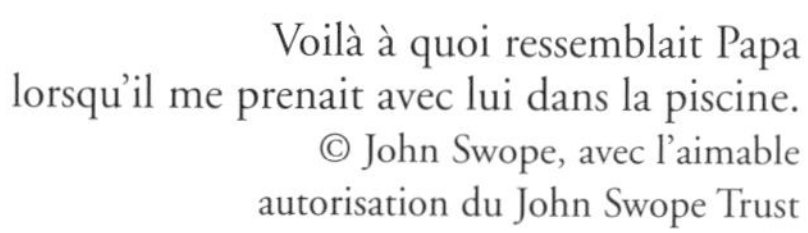

Voilà à quoi ressemblait Papa
lorsqu'il me prenait avec lui dans la piscine.
© John Swope, avec l'aimable
autorisation du John Swope Trust

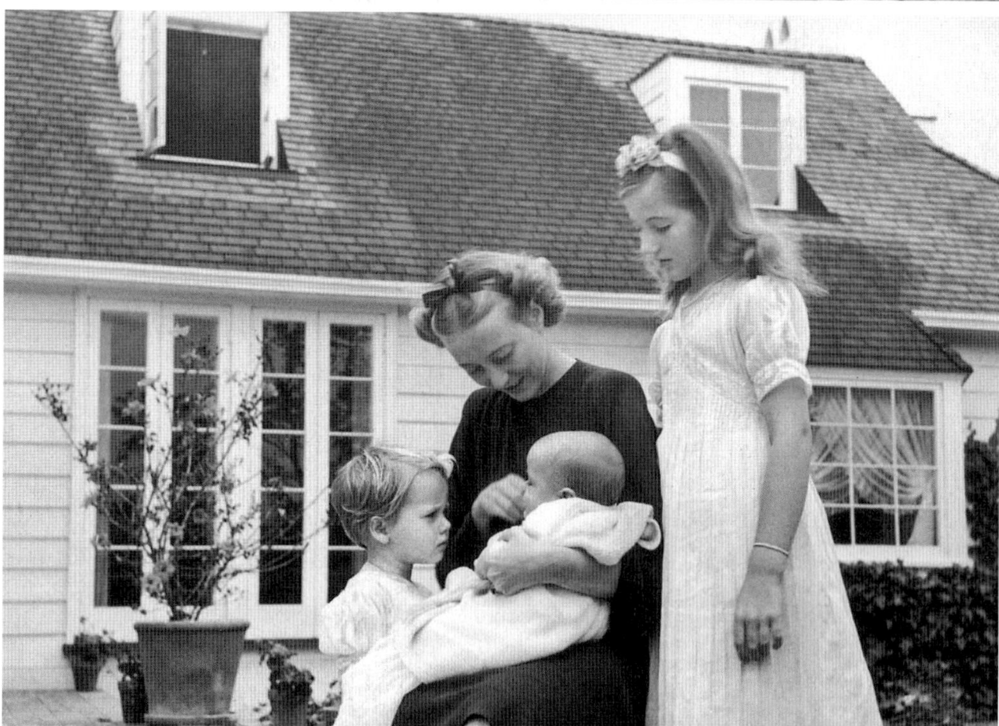

Peter vient de rentrer à la maison, et je ne suis vraiment pas enthousiasmée.
Pan se tient derrière Maman.

Je sais qu'il m'aimait lorsque j'étais petite.

A deux ans, très concentrée.

Une photo de notre mère, Peter et moi, envoyée à Papa pendant la Seconde Guerre mondiale.

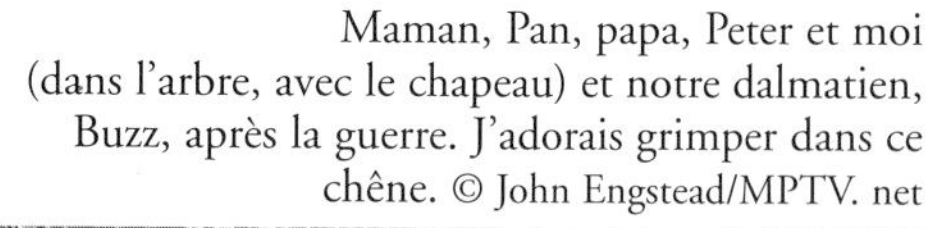

Maman, Pan, papa, Peter et moi (dans l'arbre, avec le chapeau) et notre dalmatien, Buzz, après la guerre. J'adorais grimper dans ce chêne. © John Engstead/MPTV. net

Pique-nique en famille mis en scène pour le magazine *Harper's Bazaar*. Maman est assise loin derrière nous. © Genevieve Naylor/Corbis

Sue Sally à dix ans, avant que nous partions vivre dans l'Est. Nous étions toutes les deux le plus souvent possible habillées en Indiennes. Plus tard, Sue a joué au polo dans une équipe professionnelle, déguisée en homme car les femmes n'avaient pas le droit de pratiquer ce sport. Elle fut la première à briser cette barrière entre les sexes. Je garde cette photo sur mon bureau pour ne jamais oublier son courage.

En CM1,
les cheveux nattés.

Au camp de vacances, après la mort de ma maman, avec mes camarades de chambre : Brooke Hayward (*au premier plan, sur le lit du haut*) et Susan Turbell. C'est nous qui avions peint les chevaux.

Jane au physique ingrat et aux cheveux mal coupés.

Brève apparition dans le jet set. Je devais avoir à peu près dix-neuf ans.
© Joel Yale/Time&Life Pictures/Getty Images

Peter, Susan tenant Amy (que Susan et Papa avait adoptée à sa naissance), moi et Papa, en route pour Rome où il tournait *Guerre et Paix*. © Bettmann/Corbis

Susan sur la plage à Ocean House.

Goey et moi près de la piscine de notre maison de Villefranche.

Carol Bentley et moi le jour de la remise des diplômes à Emma Willard, 1955.

Pour payer le loyer et les cours d'art dramatique, je faisais des photos de mode. © Ladies' Home Journal, octobre 1959, avec l'aimable autorisation de la Meredith Corporation, photo de Roger Prigent

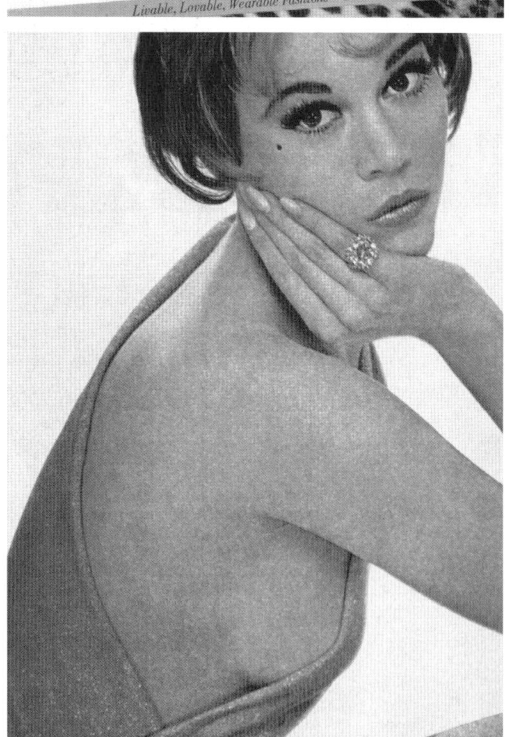

Mon portrait signé Richard Avedon pour le magazine *Harper's Bazaar*, 1960. © 1960 by the Richard Avedon Foundation

Dans *There Was a Little Girl*, ma première pièce de théâtre à Broadway. © Leonard McCombe/Time&Life Pictures/Getty Images

Dans le rôle de Kitty Twist, avec Laurence Harvey, dans *La Rue chaude.* © William Read Woodfield/Cpi

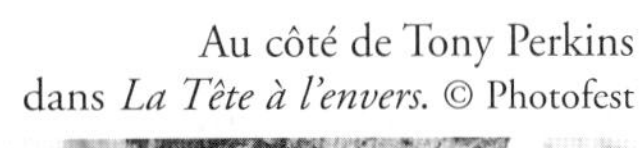

Au côté de Tony Perkins dans *La Tête à l'envers.* © Photofest

Papa et Peter venus me voir sur le tournage d'*Un dimanche à New York.* © Photofest

Paris, 1963. © Everett Collection

Vadim en train de me diriger dans *La Ronde.*

La Poursuite impitoyable. © Photofest

Cat Ballou. © Photofest

Au côté de Jason Robards et avec Dean Jones dans *Chaque mercredi.* © Photofest

Avec Vadim, à la pêche en haute mer en Californie.

Dans la cour de la ferme à retaper que nous avons achetée près de Paris, 1966.

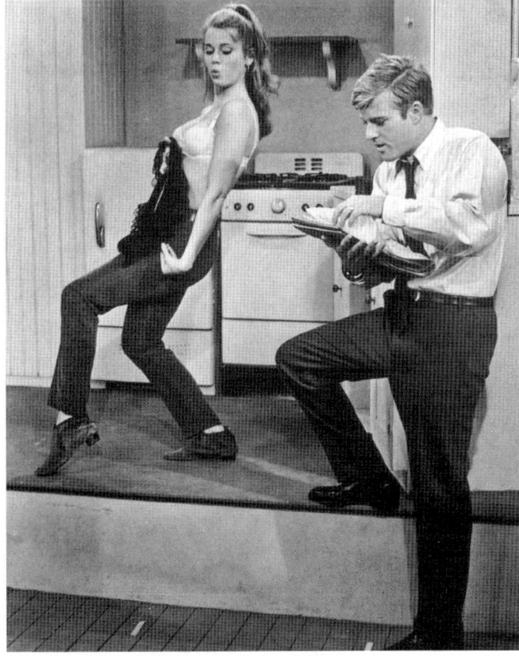

Robert Redford et moi en train de faire les idiots entre deux prises et dans une scène de *Pieds nus dans le parc*. © Photofest

Barbarella entre deux prises.

Vadim s'assure que les déchirures sont aux bons endroits.
© David Hurn/Magnum Photos

Pygar approche de son nid, où nous allons faire l'amour ; il retrouvera ainsi le pouvoir de voler.
© David Hurn/Magnum Photos

John Phillip Law dans le rôle de Pygar, l'ange aveugle, portant Barbarella. Personne ne peut voir à quel point nous souffrons. © Carlo Bavagnoli/Time&Life Pictures/Getty Images

A la clinique, en France, où
Vanessa vient de naître. © Gamma

Retour à la ferme avec Vanessa,
âgée d'une semaine.

Sur l'*Ile-de-France*, en 1969.
Je porte une perruque; Dot est juste
derrière Vadim. © AFP/Getty Images

Dans le rôle de Gloria, l'héroïne d'*On achève bien les chevaux.* © Photofest

Papa en visite chez nous à Malibu pendant le tournage d'*On achève bien les chevaux.* Dot, à l'arrière-plan, surveille la scène. © Bob Willoughby/MPTV.net

Sydney Pollack met en scène *On achève bien les chevaux.* Derrière lui, de gauche à droite : moi, Red Buttons et Susannah York dans le coin en bas à droite.

Je passais mon temps dans des meetings.

En train de manifester pour les droits sociaux à Las Vegas en 1970.
© Bill Ray/Time & Life Pictures/Getty Images

Manifestation des Indiens à Fort Lawton, près de Tacoma, dans l'Etat de Wahington. Janet McCloud marche à mes côtés. Je vais être arrêtée pour la première fois. © Richard Heyza/Seattle Times

Je représente le mouvement des GI lors d'un énorme rassemblement à Washington, en mai 1970. © Keystone/Getty Images

1971. En quête de sens. © Bill Ray/Time&Life Pictures/Getty Images

Meeting étudiant pendant notre tournée. © Bill Ray/Time&Life Pictures/Getty Images

Lors de mon arrestation à la base militaire de Fort Bragg, avec Mark Lane et Elisabeth. © AP/Wide World Photos

Photo d'identité judiciaire.
© AP/Wide World Photos

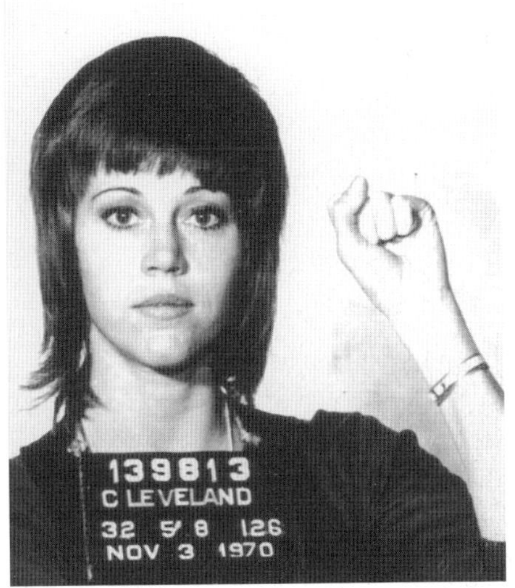

Le FTA show. De gauche à droite : Rita Martinson, moi, Donald Sutherland, Michael Alaimo, Len Chandler.

Arrêtée à l'aéroport de Cleveland pour « trafic de drogue » – en fait de drogue, il s'agissait de vitamines. © Reuters/Corbis

Moi en 1970.

Je viens de recevoir
mon oscar pour *Klute*.
© Bettmann/Corbis

Au Vietnam, en train d'avancer précautionneusement dans des ruines.
© G. Guillaume/Magnum Photos

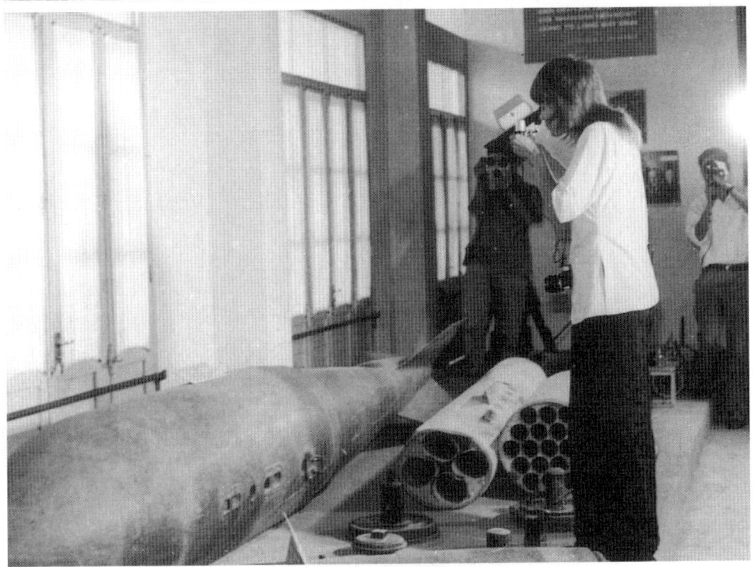

Au musée des Crimes de guerre, à Hanoi, je photographie une bombe « mère ».

Devant des photos qui montrent les effets des armes antipersonnelles et des défoliants utilisés par les Américains.
© G. Guillaume/Magnum Photos

J'applaudis des soldats qui viennent de chanter pour moi devant le canon antiaérien près de Hanoi.
© Tony Korody/Time&Life Pictures/Getty Images

Postée près du canon antiaérien, je leur chante à mon tour une chanson vietnamienne, après quoi je vais m'asseoir dans le siège du canonnier.
© AP/Wide World Photos

Je parlais… je n'arrêtais pas de parler pour mettre fin à la guerre.

Je chante avec Holly Near (*à gauche*) et une organisatrice locale pendant la première tournée nationale de la Campagne pour la paix en Indochine.

Juste après notre mariage, assis devant la cheminée. *De gauche à droite* : Holly Near, Peter, moi, Tom et le révérend York. © AP/Wide World Photos

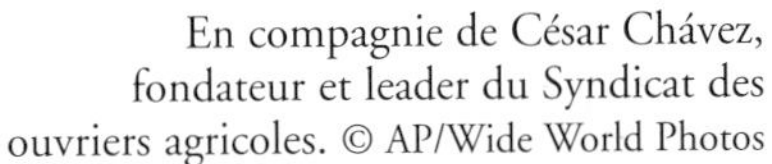

En compagnie de César Chávez, fondateur et leader du Syndicat des ouvriers agricoles. © AP/Wide World Photos

Enceinte dans mon poncho violet lors d'un rassemblement contre la guerre au Claremont College, avec Ron Kovic, en février 1973. C'est là que j'ai entendu Ron dire : « J'ai peut-être perdu mon corps, mais j'ai retrouvé mes esprits. »

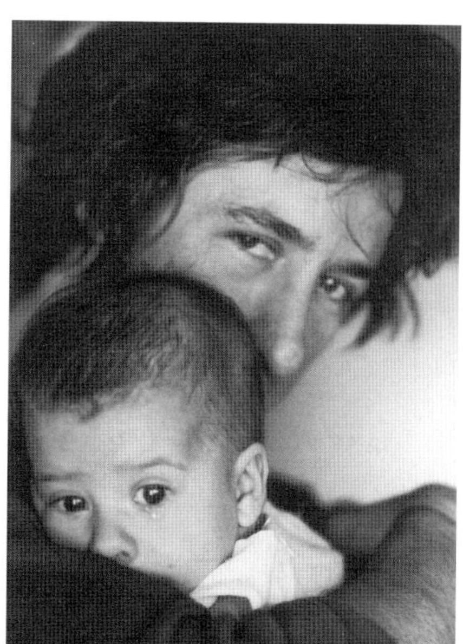
Tom tenant Troy dans ses bras.

Sur notre porche, avec Troy. © John Rose

Nathalie nous conduit, Christian et moi, sur son poney, Gamin. Vadim nous suit. Derrière nous, le mur de pierres que j'ai construit. © David Hurn/Magnum Photos

Dans le rôle de Lillian Hellman, héroïne de *Julia*. © Eva Sereny/Camera Press/Retna Ltd.

Avec Vanessa Redgrave dans une scène de *Julia*. © Photofest

Pendant le tournage de *Touche pas à mon gazon*, je profite de la pause déjeuner pour m'occuper de la campagne de Tom aux élections sénatoriales. © Michael Dobo/ www.dobophoto.com

A Laurel Springs, avec Tom, Troy, Vanessa et son chien, Manila. © Steve Schapiro

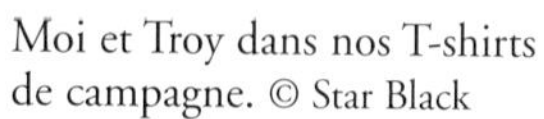

Moi et Troy dans nos T-shirts de campagne. © Star Black

En campagne avec Tom. © Anne Marie Staas

Avec Jon Voight dans une scène du *Retour*. © Steve Schapiro

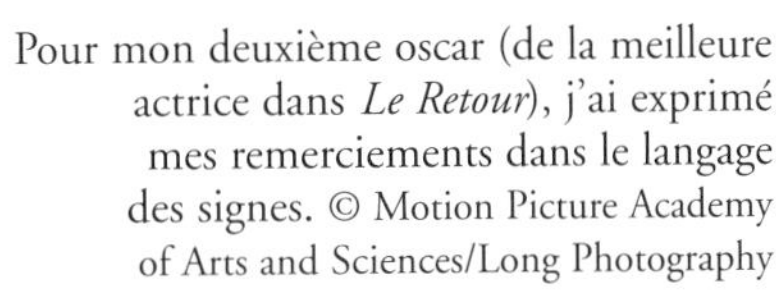

Pour mon deuxième oscar (de la meilleure actrice dans *Le Retour*), j'ai exprimé mes remerciements dans le langage des signes. © Motion Picture Academy of Arts and Sciences/Long Photography

J'ai appris, pour mon rôle dans *Le Souffle de la tempête*, à lancer le lasso et à attacher les pattes d'un veau, ce que je fais ici avec James Caan. © Steve Schapiro

Au ranch de Laurel Springs : Tom, moi, Troy et Geronimo, notre berger allemand. © Steve Schapiro

Premier camp d'été à Laurel Spring. Au second rang, derrière le petit garçon qui tient la pancarte, Vanessa regarde droit vers l'objectif. Troy est tout en bas, au premier rang à droite, et Tom porte un chapeau, au dernier rang à droite.

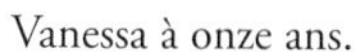

Vanessa à onze ans.

Lulu, à treize ans.

Troy, à six ans.

Le Workout
© Kelvin Jones

Afin de réunir des fonds pour les campagnes de Tom, j'ai parcouru le pays en donnant des cours auxquels assistaient vraiment autant d'élèves que vous en voyez sur ces photos.

A droite, Julie Lafond, directrice du Jane Fonda Workout, et entre nous Jeanne Ernst, un de nos meilleurs professeurs.
© Lynn Houston Photography

Le Workout.
© Harry Langdon

Sur la plage de Malibu entre deux prises de *California Hotel*, au côté de Herbert Ross, le metteur en scène. © Photofest

Avec Jack Lemmon dans *Le Syndrome chinois*.

Vanessa, venue me rendre visite sur le tournage du *Syndrome chinois*.

Face à nos adversaires avec Vanessa, à l'aéroport de Los Angeles pendant la tournée de la Campagne pour la paix en Indochine.

Je serre Bruce dans mes bras sur le tournage de *Comment se débarrasser de son patron.*

Dolly a invité toutes les femmes qui travaillaient dans *Comment se débarrasser de son patron* à enregistrer avec elle le refrain de la chanson titre. A sa gauche, Lilly. Au bout à droite, Dot, l'ancienne nounou de Vanessa qui fut mon habilleuse sur ce tournage.

Nous avons beaucoup ri en faisant ce film.

Chelsea, Norman et Ethel Thayer dans *La Maison du lac.* © Steve Schapiro

Ethel conseille à Chelsea de parler à son père. © Steve Schapiro

Je viens de donner son oscar à Papa. *De gauche à droite*: Bridget Fonda, Amy Fonda, Tom, moi, Vanessa, Shirlee et Troy de dos. © John Bryson, 1982

Papa souffle ses soixante-dix-sept bougies à la maison. *De gauche à droite*: moi, Tom, Shirlee, Troy et Vanessa.
© Suzanne Tenner

Papa adorait que je lui masse les pieds.
© Suzanne Tenner

La dernière réunion de famille des Fonda, à Denver. Mon père est le quatrième en partant de la gauche, au premier rang, à côté de Shirley, puis il y a Tante Harriet et sa fille Prudence. Au dernier rang, *de gauche à droite*: Peter, Amy, Becky, Bridget et une cousine, Lisa Walker Duke.

Les visages de mon père que j'aime le plus : *ci-contre*, dans le rôle de Norman Thayer, puis *de gauche à droite et de haut en bas* : Abraham Lincoln (*Vers sa destinée*), Tom Joad (*Les Raisins de la colère*), Gil Carter (*L'Etrange Incident*), M. Roberts (*Permission jusqu'à l'aube*), le juré n° 8 (*Douze hommes en colère*), Clarence Darrow (dans la pièce du même nom). ©Photofest

Dans le rôle de Gertie Nevels, l'héroïne de *The Dollmaker*. © Steve Schapiro

« Quel effet ça fait de l'embrasser ? » Je réponds chaque fois : « C'est merveilleux. » Et c'est vrai, en ce qui me concerne. Mais pas pour lui. Il déteste tourner les scènes d'amour. Il donne l'impression de vouloir en finir le plus vite possible. Une vraie corvée ! Mais comme il a le sens de l'humour, il se débrouille pour en plaisanter, ce qui fait tout passer. Robert est un vrai pitre. Il me rappelle Katharine Hepburn, en ce sens qu'il donne l'impression d'être meilleur que la plupart des autres êtres humains. Alors vous voulez qu'il vous aime, vous détesteriez faire ou dire quoi que ce soit qui puisse vous abaisser à ses yeux. Et il n'est pas de ceux à propos de qui l'on a envie d'échanger des ragots. Peut-être est-ce pour cela que dans cette ville de commères notoires, personne n'essaye de se mêler de ses affaires.

Lors du tournage de *Pieds nus dans le parc*, nous parlions pendant les pauses de notre enfance à Hollywood dans les années 40, de l'Europe, où il était lui aussi allé étudier la peinture dans les années 50 (et contrairement à moi l'avait fait sérieusement), de notre amour pour les chevaux. Et il était capable d'évoquer pendant des heures la propriété qu'il avait achetée à côté de Provo, dans l'Utah, d'où était originaire sa femme Lola, et la maison en forme de A qu'ils y faisaient construire. Ni lui ni personne ne se doutait alors que cet endroit deviendrait un jour une station de ski (où mon fils Troy a appris à skier) et abriterait ensuite le Sundance Institute qui a soutenu le cinéma indépendant américain.

Tourner *Pieds nus dans le parc* fut un bonheur. Il y avait Robert, un scénario parfait signé Neil Simon, et un formidable réalisateur de comédie, Gene Sacks. Les acteurs étaient impeccables, tout le temps drôles, même en dehors du plateau, en particulier Mildred Natwick, qui avait fait du théâtre pour enfants puis joué avec mon père à l'époque des University Players.

Ce n'est pas souvent qu'une comédie survit à son époque, mais j'ai revu *Pieds nus dans le parc* un nombre de fois incalculable et je crois pouvoir dire que ce film échappe au temps. Comme Robert.

CHAPITRE QUATORZE

BARBARELLA

Mais vous savez bien que les apparences sont trompeuses.

MADONNA.

Dès que *Pieds nus dans le parc* a été fini, je suis allée avec Vadim à Rome où nous devions tourner *Barbarella* dans les studios de De Laurentiis. Nous avons loué une maison aux environs de la ville, moitié château, moitié geôle. Notre chambre se trouvait contre une tour qui datait du IIe siècle *avant* Jésus-Christ et, la nuit, nous entendions des frottements, et des sortes de miaulements. Un soir, alors que nous donnions un dîner dans la salle voûtée du rez-de-chaussée, il y a eu un grand bruit, du plâtre est tombé du plafond et un volatile vivant a atterri dans l'assiette de Gore Vidal. Une famille de chouettes avait élu domicile avant nous dans ces vieilles pierres.

Les techniques optiques et effets spéciaux qui nous paraissent tout à fait banals aujourd'hui n'existaient pas en 1967. Vadim et ses collaborateurs ont dû tout bricoler, et quelquefois cela marchait, quelquefois pas. Dans la séquence qui ouvre le film, on voit Barbarella se débarrasser de sa combinaison d'astronaute alors qu'elle flotte par moments tête en bas au milieu de sa capsule tapissée de fourrure. On a beaucoup glosé sur cette étrange scène, premier (et peut-être dernier) strip-tease en apesanteur de l'histoire du cinéma. C'est le merveilleux chef opérateur Claude Renoir, neveu du réalisateur Jean Renoir, qui a trouvé comment faire, un soir dans sa salle de bains, à l'hôtel : le décor de la capsule, au lieu d'être installé comme une pièce où l'on peut entrer et sortir normalement, était retourné face au plafond de l'immense studio. Une épaisse plaque de verre était posée devant lui et la caméra était accrochée directement au-dessus d'elle. Je grimpais sur une échelle et lorsque j'avançais sur le verre, par rapport à la caméra, la capsule se retrouvait derrière moi et je semblais suspendue dans l'espace. Puis je commençais à me déshabiller lentement et une soufflerie se mettait en action, faisant flotter autour de moi mes cheveux et les vêtements que j'enlevais. J'avais peur que le verre casse, peur d'être ballottée comme ça dans tous les sens, peur de ne pas être parfaite. Une fois encore, il ne m'est pas venu à l'esprit que je pouvais dire non. Mais Vadim m'a promis que les lettres du générique seraient placées de façon à cacher ce qu'il faudrait cacher, ce qui fut fait.

Les séquences où Pygar, l'ange aveugle, vole à travers l'espace en portant Barbarella posaient énormément de problèmes. Un spécialiste des commandes à distance mit au point un énorme bras d'acier qui sortait à l'horizontale d'un écran cycloramique gris, et auquel étaient accrochés deux corsets métalliques. Un pour John Phillip Law, l'autre pour moi, tous deux très serrés car nous devions enfiler nos costumes par-dessus sans que cela se voie.

Nous mettions nos corsets glacés contre la peau, puis nos costumes, et quelqu'un fixait au dos de John les ailes de l'ange, qui étaient reliées par de longs fils électriques aux commandes à distance. Une grue nous hissait jusqu'à une plate-forme, le corset de John était vissé au bout du bras d'acier. Le mien était ensuite placé devant le sien de façon à faire croire qu'il me porte. Le moment de vérité arrivait. La grue s'écartait, nous restions suspendus, le poids de notre corps reposant dans les corsets métalliques sur nos hanches et nos entrejambes.

C'était atrocement douloureux. Et nous devions malgré tout nous souvenir de notre texte, avoir l'air de rêver et parfois aussi faire rire. En entendant les gémissements étouffés de John (qui devait supporter en plus le poids de ses ailes), je compris que sa souffrance était encore pire que la mienne, pourtant déjà insupportable. Personne n'avait pensé à nos entrejambes ! John était persuadé que sa vie sexuelle allait connaître une fin prématurée.

Tandis que nous restions suspendus, un technicien caché quelque part dans l'ombre du studio actionnait les commandes qui faisaient tourner le bras d'acier sur lui-même, dans un sens puis dans l'autre, et battre les ailes de John. En même temps, le film d'un ciel traversé de nuages (qui avait été tourné d'avion) était projeté sur l'écran gris derrière nous, ce dont on ne voyait rien pendant le tournage et n'apparaissait qu'au développement. Cela donnait l'impression que nous avancions dans l'espace, alors que nous ne bougions pas d'un pouce. Ce genre de projection est monnaie courante aujourd'hui, mais à l'époque c'était une première. John et moi servions de cobayes. Il fallut des jours et des jours pour réussir à tout faire marcher, le bras d'acier, les commandes à distance, la projection. Et pendant ce temps nous restions suspendus, l'entrejambe engourdi de douleur.

Je n'oublierai jamais le jour où nous avons enfin pu visionner les rushes. Nous étions tous surexcités et inquiets. Les gens que l'on voyait voler dans les films avaient toujours été jusque-là pendus à des câbles, et le destin de *Barbarella* dépendait en grande partie de la crédibilité de ces scènes, en particulier de la bataille aérienne. Les lumières de la salle de projection s'éteignirent, la bobine commença à tourner et... *Oh mon Dieu !... Nous volions à reculons !* C'était trop drôle pour ne pas en rire. La chose la plus évidente, à savoir le sens de la marche des nuages et du paysage, avait été oubliée. Mais nous vîmes aussi tout de suite qu'une fois ce problème réglé, tout irait bien. L'ange volait, il m'emportait contre lui, nous avions tous les deux l'air extatique, les nuages et les montagnes défilaient... dans le mauvais sens.

Ce fut un tournage très dur. Je récoltais bleus et blessures. Des poupées mécaniques m'attaquaient. Je me retrouvais enfermée dans une boîte en plastique avec des centaines d'oiseaux autour de moi, qui me piquaient, fonçaient dans mes cheveux, m'attaquaient le visage. Je devais glisser dans des tubes transparents, rester au milieu de nuages de fumée toxique. Mais quand je vois ce que les acteurs font aujourd'hui dans les films d'action, cela ne me semble plus si terrible.

Selon les critères actuels, *Barbarella* est un film lent (et semblait déjà lent à beaucoup de critiques de l'époque). Mais ses effets bricolés et son humour décalé lui donnent un charme exceptionnel. Pauline Kael, alors critique de cinéma pour le *New Yorker*, écrivit à mon sujet : « Son innocence de gentille petite Américaine fait d'elle une merveilleuse héroïne de comédie porno... Elle est mutine et délicieusement consciente d'être une vilaine fille, et ce sens naïf du péché, de la chute, l'empêche de n'être qu'une actrice de plus qu'on voit nue à l'écran. » « Qu'une actrice de plus qu'on voit nue à l'écran », vraiment ! Si j'en ris aujourd'hui, les tensions et le sentiment d'insécurité qui m'ont assaillie pendant ce tournage ont alors pratiquement eu raison de moi. Jeune femme qui détestait son corps et souffrait de boulimie, je jouais un sex-symbol très légèrement vêtue – quand je l'étais. Chaque matin, je me disais que Vadim allait se réveiller et comprendre qu'il avait commis une terrible erreur, que je n'étais pas Bardot !

En même temps, parce que je voulais que personne ne s'aperçoive de ce que je ressentais, en bonne scout toujours prête, j'avalais une amphétamine et reprenais le collier. Derrière mon « innocence de gentille petite Américaine », il y avait encore le cow-boy solitaire désireux de tout arranger.

Vadim s'était mis à boire. Il était ce qu'on appelle un buveur occasionnel. Il passait des semaines, parfois des mois sans toucher une goutte d'alcool (malheureusement, car cela lui permettait de penser qu'il contrôlait le problème), puis replongeait de plus belle. Au milieu du tournage de *Barbarella*, il commençait dès l'heure du déjeuner, et nous ne savions jamais ce qui allait se passer. Il ne s'écroulait pas, non, mais son élocution se brouillait et il semblait faire n'importe quoi. Je ne peux revoir certaines scènes du film sans me souvenir de l'inquiétude dans laquelle je vivais. Et de ma colère naissante.

J'avais l'impression de m'éloigner, de me retrouver seule sur une branche (ou au bout d'un bras d'acier), tandis que personne ne s'inquiétait de ce qui me paraissait normal de faire, arriver à l'heure et sobre sur le plateau, se préserver une bonne nuit de sommeil pour être en forme et donner le lendemain le meilleur de soi-même. Mais je manquais encore trop de confiance en moi pour prendre les commandes quand Vadim les lâchait.

Ce que *Barbarella* a coûté semblerait aujourd'hui dérisoire ; pourtant, à l'époque, c'était énorme. Equipe nombreuse et internationale, défis techniques redoutables, manque de travail préparatoire, y compris sur le scénario, en augmentèrent le budget. Il me fallut plusieurs fois prétendre que j'étais malade pour que l'assurance couvre les vingt-quatre ou quarante-huit heures d'interruption du tournage pendant lesquelles Vadim, Terry Southern et d'autres reprenaient le projet initial. Une chose est certaine, je n'aurais jamais imaginé que cela deviendrait un film culte, qui nous vaudrait parfois plus de reconnaissance qu'aucun autre, à Vadim comme à moi. Il m'a fallu des dizaines d'années pour en arriver là où j'en suis maintenant, devenir capable de comprendre ce succès, et goûter à mon tour le charme de *Barbarella*.

Un autre sentiment naissait en moi. Quelque chose d'à peine perceptible, sur quoi je n'arrivais pas à mettre de mots – cette vieille sensation de ne pas être au bon endroit. Il ne s'agissait pourtant pas, cette fois, d'un problème d'exclusion. Au contraire. Ma vie était une fête sans fin, mais à laquelle je n'avais pas vraiment envie de participer. J'avais l'impression que quelque chose d'important se déroulait ailleurs, et que je me perdais à des vétilles. Il y avait aux Etats-Unis les luttes des Noirs, dont je venais de prendre conscience. Il y avait la contestation de la guerre du Viêtnam. Mais je n'avais pas suivi les événements de près, et lorsque Vadim et ses amis critiquaient la politique américaine, je me retrouvais généralement sur la défensive. Je n'arrivais tout simplement pas à croire que nous pouvions nous être engagés dans une mauvaise cause, et je ne supportais pas que des étrangers nous jugent. Et il y avait le mouvement de libération des femmes, mais j'en ignorais complètement l'existence, et si cela n'avait pas été le cas, je l'aurais alors certainement ressenti comme une menace.

Je ne rêvais pas précisément d'une autre vie. Pourtant, un malaise grandissant m'envahissait. Je me laissais porter, participante passive, jouant à faire comme si : comme si mon couple était solide, comme si j'étais heureuse et totalement impliquée. J'essayais aussi de ne pas tout prendre trop au sérieux, ce qui aurait été bourgeois et aurait révélé un manque d'humour. « Ne pas prendre les choses trop au sérieux » était un diktat de la tyrannie vadimienne, surtout en ce qui concernait les femmes.

A l'automne 1967, lorsque prit fin le tournage de *Barbarella*, je me suis dit que je pourrais peut-être me dégager de ce malaise et remplir le vide qui se creusait en ayant un bébé. *Arrange-moi ça.*

J'aimais beaucoup le père qu'était Vadim. Il semblait merveilleusement capable de pénétrer dans le monde des enfants, peut-être parce qu'il n'était jamais vraiment devenu adulte. Son manque de ponctualité et de sens des obligations était un atout auprès des plus petits. Le soir, quand je m'étais bagarrée avec Nathalie pour qu'elle se brosse les dents et aille se coucher, Vadim reprenait le fil du conte qu'il inventait pour elle. L'histoire pouvait durer des semaines. Il y était parfois question de science-fiction, toujours de rêve, de petits êtres qui se révélaient détenteurs d'incroyables pouvoirs. Et il y avait ses peintures, primitives, colorées, sensuelles, à bien des égards comparables à celles d'un enfant. Et enfin sa patience et la générosité avec laquelle il accordait son temps – deux des caractéristiques fondamentales d'un bon père ou d'une bonne mère : Vadim pouvait passer des heures à parler avec ses enfants de l'origine du monde, de la vie après la mort, de la pesanteur, des pourquoi et comment de la vie, en faisant preuve à la fois d'une attention et d'une drôlerie qui m'émouvaient profondément. Il était totalement là, en tout cas pour ses filles, et en tout cas lorsqu'elles étaient petites. Et, pour notre Vanessa, toujours.

Comme beaucoup de gens qui sentent leur couple se défaire, je me suis dit qu'un enfant nous rapprocherait. Pourtant mon désir de maternité ne cherchait pas seulement à sauver notre mariage, mais moi-même. Je pensais que cette expérience me rendrait en quelque sorte « normale », que la douleur de l'accouchement me délivrerait de ce que j'étais : déficiente, incapable d'ouvrir mon cœur et d'aimer assez pour connaître le vrai bonheur.

Vadim trouvait que c'était une idée formidable. J'ai fait enlever mon stérilet et j'ai conçu un mois plus tard, pendant les vacances de Noël à Megève, une semaine après mon trentième anniversaire, le 28 décembre 1967. Je savais exactement quand c'était arrivé et je l'ai dit à Vadim – l'amour que nous avions fait ce jour-là avait une autre dimension.

J'avais un an devant moi avec pour seul travail celui qui m'attendait à la campagne, où je voulais finir de réhabiliter notre ferme, l'entourer d'un jardin et d'un bois. Je ne m'en souviens pas, mais on m'a raconté que, dans les années 40, mon père avait planté à Tigertail des pins et des fruitiers. Je suppose que c'est ce qui m'a donné le virus du reboisement. Je ne suis pas très portée sur les bijoux ou la mode, mais je suis capable de dépenser des fortunes en arbres déjà grands. Et j'ai maintenant un bon prétexte, je prétends être trop vieille pour les jeunes pousses.

Erables, peupliers, bouleaux, catalpas ou liquidambars, j'avais choisi, pour le devant de la maison, des feuillus imposants. Je me suis promenée dans toute la France, allant dans les plus grandes pépinières chercher les exemplaires les plus développés que je pouvais trouver, souvent déjà si hauts qu'il fallait les transporter de nuit et descendre sur leur passage les fils téléphoniques. Une amie nous avait donné une Panhard-Levasseur de 1937, véritable pièce de collection, mais qui ne marchait plus. Je l'ai transformée en sculpture ornementale, fait couper en deux puis ressouder autour d'un boulcau que je venais de planter.

C'est dans une pépinière que j'ai eu ma première nausée. Je me suis immobilisée. Je savais exactement ce qui m'arrivait, je n'avais pas besoin de test de grossesse pour me l'annoncer. Prise de sueurs froides, je suis allée m'asseoir dans la voiture. J'étais absolument terrifiée ! Je savais qu'il fallait que je réunisse toutes mes forces pour résister à la peur. *Mais pourquoi est-ce que je panique ? Je l'ai tellement voulu !* Puis les larmes sont arrivées, et les sanglots. *Qu'est-ce qui se passe ? Ce n'est pas comme ça que je devrais réagir !*

Alors j'ai su : la grossesse prouvait définitivement que j'étais une femme – c'est-à-dire une victime qui allait être détruite, comme ma mère. C'était un de ces instants étranges où je ressentais ce que je ressentais tout en étant en même temps à l'extérieur de moi-même, analysant ce que je ressentais – et bouleversée de ce que cela signifiait.

A un peu plus d'un mois de grossesse, j'ai commencé à saigner. Pour éviter une fausse couche, je devais rester couchée et le médecin m'a prescrit du DES (diethylstillbestrol), médicament, comment on l'a découvert plus tard, qui provoque des cancers de l'utérus chez les filles de celles qui en ont pris. Puis j'ai attrapé les oreillons.

Je voyais dans ces complications le signe que je n'étais pas faite pour être mère, et y trouvais une bonne raison de renoncer. Pourtant, lorsque le gynécologue m'a conseillé d'avorter, car les oreillons pouvaient provoquer de graves problèmes chez l'enfant, je n'ai pas un instant pensé pouvoir le faire (mais je trouvais bien qu'on me le propose). Vadim et moi étions inquiets, croyez-moi. Seulement je savais que, si j'avortais maintenant, mon rapport à la maternité était si compliqué que je n'aurais jamais d'enfant. Ce fut un des moments les plus difficiles de ma vie. Je venais d'avoir trente ans, j'étais enceinte, clouée au lit, risquant une fausse couche, le visage enflé comme une boule de bowling, et de l'autre côté de l'Atlantique, Faye Dunaway faisait un tabac avec *Bonnie and Clyde*. Mais non, je n'étais pas jalouse.

Le deuxième acte venait de commencer. J'étais persuadée d'avoir grimpé aussi haut que je pouvais et de me retrouver sur la pente descendante.

ACTE DEUX

LA QUÊTE

Ces centaines se débattent et se noient dans les brisants. Un seul découvre le nouveau monde. Mais il vaut mieux, mille fois mieux mourir dans l'écume en ouvrant la voie que rester sur la côte à ne rien faire !

Florence NIGHTINGALE,
Cassandra.

Peut-être que je peux faire quelque chose. Peut-être que je pourrais trouver une réponse, en furetant partout. Peut-être que je trouverais ce qui ne va pas. Et puis voir s'il y a quelque chose à faire pour ça.

Tom JOAD,
dans le film *Les Raisins de la colère.*

CHAPITRE UN

1968

Le battement d'ailes d'un papillon au Brésil peut provoquer un cyclone sur le Texas. Aussi étrange que cela paraisse, les minuscules courants créés autour de l'insecte parcourent des milliers de kilomètres, se joignent à d'autres brises et finissent par changer le temps.

Edward LORENZ.

BON D'ACCORD, JE ME SUIS TROMPÉE. Je n'avais pas atteint le sommet, je n'étais pas sur la pente descendante. Mais le monde changeait, et j'allais le faire aussi. Est-ce par hasard que mon second acte a commencé en 1968, année peut-être la plus agitée, la plus tumultueuse de cette seconde partie du XXe siècle ? J'avais trente ans, j'étais enceinte, et prête. Je me sentais en suspens, comme un coureur sur la ligne de départ, qui se contracte avant de bondir.

Le feu couvait depuis quelque temps : j'avais besoin de donner un sens à ma vie, d'avoir un but. Tourner *Barbarella* à un moment où la société se transformait de façon aussi radicale augmenta mon malaise. Qui étais-je ? Qu'est-ce que j'attendais de l'existence ? J'allais bientôt avoir un enfant, qu'est-ce que ça signifiait pour moi ?

C'est toujours au moins en partie par intérêt personnel que l'on prend un nouveau chemin. Et ce qui m'intéressait alors, c'était de devenir quelqu'un de meilleur. Pour employer une métaphore de jardinière, je dirais que les graines de ce que j'appelais quelqu'un de meilleur avaient été semées à travers les films de mon père – *Les Raisins de la colère*, *L'Etrange Incident*, *Vers sa destinée* – et qu'elles allaient maintenant germer. Ma grossesse ainsi que l'air du temps enrichissaient le terrain.

Ce qu'être enceinte avait d'abord signifié pour moi (preuve d'une féminité à laquelle j'associais le destin tragique de ma mère) m'avait d'abord terrifiée, mais avec le temps, l'angoisse a fait place à une étrange paix. Une sensation qui m'était inhabituelle. Peut-être les hormones qui s'emparaient de mon corps écartaient-elles ma tendance à la dépression. Mais je crois qu'il y avait autre chose. Affronter et reconnaître ce qui me faisait peur avait mis en route un processus de guérison – la somatisation de ma normalité. Mon éternellement problématique « là en bas » réalisait ce que les « là en bas » des femmes faisaient depuis des millénaires. J'avais conçu. D'une certaine manière, j'étais enceinte non seulement de mon enfant mais aussi de moi-même, comme reliée par un cordon ombilical élémentaire aux autres femmes, à celles du passé, du présent et de l'avenir, et à leur esprit, recherchant pour la première fois depuis mon adolescence leur compagnie plutôt que celle des hommes. Et pour la première fois depuis ma pré-adolescence, je vivais à nouveau dans mon corps. Malheureusement cette réincarnation n'a duré que le temps de ma grossesse, et il m'a fallu attendre le troisième acte pour me retrouver définitivement.

Je n'avais jamais passé beaucoup de temps devant la télévision et je ne faisais pas partie de ces Américains qui suivaient la guerre du Viêtnam sur leur petit écran. L'attention que j'accordais à son déroulement me permettait de croire qu'il ne s'agissait peut-être pas d'une « bonne » guerre, comme celle que mon père avait faite, mais d'une cause acceptable bien que difficile à comprendre, comme cela avait déjà été le cas pour la Corée. Tout changea lorsque le risque de fausse couche me cloua au lit pendant trois mois. Je vis, à la télévision française, comment, quand ils rentraient vers leurs porte-avions, les bombardiers américains lâchaient n'importe où les bombes qu'ils n'avaient pas utilisées, parfois sur des écoles, des hôpitaux ou des églises. J'étais frappée de stupeur.

Début janvier, pendant la célébration du Têt, nouvel an vietnamien, le Viêt-công lança une série d'attaques sur les principales villes du Sud-Viêtnam. Ce fut une révélation. Si cette offensive avait pu être organisée et réalisée sans que l'armée américaine et ses alliés s'en soient doutés, cela voulait dire que notre ennemi était le peuple vietnamien lui-même. Lorsque je vis les bombes faire trembler les murs de l'ambassade américaine, je compris que beaucoup de gens, dans Saigon, avaient participé, boutiquiers, colporteurs, paysans, blanchisseurs. On apprit plus tard que fusils, munitions et grenades étaient arrivés cachés dans des paniers de linge et de fleurs. Ces images rendaient grotesques les paroles du général William Westmorland, commandant des forces armées américaines au Viêtnam, qui prétendait mettre bientôt fin à cette guerre et voir « la lumière au bout du tunnel ». Après quatre ans de combats, la première puissance militaire mondiale avait perdu tant de terrain que l'ennemi pouvait s'en prendre directement à son ambassade.

Ce que l'on voyait sur le petit écran avait un impact psychologique dévastateur. Tout s'inversait. Où était la « force » ? Que signifiaient les mots « puissance militaire » ? *Qui étions-nous* ? Couchée devant la télévision, je me suis alors rappelé un matin à Saint-Tropez. Nous prenions tranquillement le petit déjeuner sur notre balcon de l'hôtel Tahiti, quand Vadim avait ouvert le journal.

« *Ce pas possible ! Mais ils sont fous ou quoi*[1] *?* avait-il explosé en balayant la première page d'un geste sec. Ecoute ça. Les parlementaires américains ont vraiment perdu la tête ! » C'était le 8 août 1964, et le Congrès venait de voter la Résolution du golfe du Tonkin qui permettait au président Johnson de faire bombarder de Nord-Viêtnam.

« Personne ne peut gagner une guerre dans ce pays ! » avait continué Vadim avec une fureur inhabituelle.

J'aurais voulu demander : « Où est le Viêtnam ? », mais j'avais honte de mon ignorance. J'aurais aussi bien aimé savoir pourquoi Vadim était tellement certain que les Etats-Unis ne pouvaient pas

1 En français dans le texte (*NdT*).

gagner, et cela m'agaçait. Quelle amertume, avais-je pensé. Ce n'est pas parce que les Français ont perdu que...

Et maintenant, face à la sombre réalité de l'offensive du Têt, je me disais que Vadim avait peut-être eu raison. Mais comment l'Amérique pouvait-elle être vaincue par un si petit pays ? Et si un cinéaste français savait en 1964 que nous n'avions aucune chance, pourquoi notre gouvernement ne s'en était-il pas rendu compte ? Il allait me falloir encore quatre ans pour comprendre ce qui avait permis à Vadim d'être si sûr de lui, et encore quelques autres pour commencer à saisir ce qu'il y avait de plus troublant : de Truman à Nixon, cette guerre avait été menée par cinq gouvernements qui savaient très bien ne pas pouvoir gagner.

Lorsque le risque de fausse couche fut passé, Simone Signoret, qui jouait parfois encore son rôle de mentor, m'emmena à une grande manifestation organisée contre la guerre du Viêtnam. Jean-Paul Sartre et Simone de Beauvoir prirent la parole. C'était la première fois que j'avais honte pour mon pays. Et en même temps, j'avais envie d'y retourner. Rester en France et entendre ces critiques sans rien faire était trop douloureux.

Mais que faire ? Je n'avais pas envie de dénigrer les Etats-Unis alors que je vivais en France. Je voulais être efficace. Si je devais m'opposer à notre intervention en Asie du Sud-Est, ce serait dans les rues américaines, avec mes compatriotes qui, je le voyais à la télévision française, étaient de plus en plus nombreux à manifester. La seule chose que je me demandais, c'était comment je pouvais y arriver alors que je vivais avec Vadim. (Dans les années suivantes, il allait publiquement ironiser à mon sujet, me surnommant « Jane d'Arc ».) Bien que trouvant cette guerre idiote, il était trop cynique pour militer sérieusement contre elle. Et je savais que si je me jetais corps et âme dans la lutte, l'existence indolente et permissive que je menais avec lui ne serait plus pensable.

Il s'est alors passé une chose qui ne me serait jamais arrivée si ma chère Susan, mon ex-belle-mère, n'était pas venue à Paris me soutenir pendant ma grossesse. Un soir dans un dîner, un de ses amis me présenta un jeune Américain au visage presque enfantin. Il s'appelait Dick Perrin. Il avait dix-neuf ans et était objecteur de conscience dans le premier bataillon de la soixante-quatrième brigade blindée qui se trouvait alors stationnée en Allemagne de l'Ouest. C'était la première fois que je voyais un appelé qui militait contre la guerre, et cette rencontre allait me propulser en deux ans dans ce qui deviendrait un des aspects principaux de mon activisme : le mouvement des GI.

Dick nous parla d'une organisation qu'il venait de créer avec d'autres soldats américains, la RITA (les résistants au sein de l'armée) dont le but était de faire passer aux troupes des messages antiguerre. Il disait qu'un militaire avait le droit, et même le devoir, de se désolidariser de sa hiérarchie s'il pensait que cette dernière menait une guerre injuste.

Il semblait y avoir en Europe un réseau de plus en plus important d'opposants à la guerre et d'objecteurs de conscience américains. Ils avaient besoin de travail et de soutien financier. Dick raconte dans son livre *GI Resister* qu'ils avaient une planque à côté de Tours, une ferme où il allait y chercher des camarades et en déposer d'autres. Chaque fois qu'il passait, ils mangeaient à une table immense avec le propriétaire, un Américain grand et gentil, toujours vêtu d'une combinaison. Dick l'appelait Sandy. Dans le jardin, il y avait des « constructions folles qui se balançaient dans le vent, bougeaient dans tous les sens ». Et Dick ajoute : « Je ne savais comment les appeler, je n'avais encore jamais vu de mobile, jamais entendu ce mot. »

C'est seulement à la mort de « Sandy » que Dick apprit la véritable identité de leur bienfaiteur : c'était le merveilleux sculpteur Alexandre Calder.

J'étais souvent allée dans cette ferme avec Sandy et sa femme, mais ils ne m'avaient jamais dit qu'ils aidaient les opposants à la guerre, et je n'en avais jamais croisé chez eux.

A la suite de ce dîner, j'ai revu de temps en temps Dick Perrin et d'autres GI antiguerre. Je les aidais à se faire soigner les dents, je leur donnais des vieux vêtements de Vadim. Je les ai même invités à une projection privée de *Barbarella*, qui allait bientôt sortir. Ils disaient que leur engagement était humanitaire, plus que politique, et évoquaient la façon dont les anciens du Viêtnam plaisantaient des tortures qu'ils faisaient subir à leurs prisonniers vietnamiens. Pourtant, ils étaient sur la défensive dès qu'un Français critiquait l'Amérique, comme moi. Un jour, Dick m'apporta un livre, *The Village of Ben Suc* de Jonathan Schell. « Tiens, m'a-t-il dit, tu vas tout comprendre. » Je suis rentrée et je l'ai lu d'une traite.

C'était un ouvrage assez court où Schell décrivait ce qui s'est passé en janvier 1967 pendant la plus grande offensive menée jusque-là par les Américains au Viêtnam, l'Opération Cedar Falls. N'ayant, malgré plusieurs tentatives, pas réussi à « pacifier » le village de Ben Suc et ses environs, connus sous le nom de Triangle de Fer, le haut commandement américain avait mis au point une nouvelle stratégie : bombarder la région (y compris avec des B-52) pendant plusieurs jours d'affilée, puis faire venir l'infanterie, américaine et sud-vietnamienne afin d'encercler les villageois et de les emmener en camion dans des camps de réfugiés. Puis les bulldozers rasèrent le village et la jungle qui l'entourait, et l'on bombarda à nouveau jusqu'à ce qu'il ne reste absolument plus rien de ce qui avait été autrefois une région prospère.

Peut-être était-ce la simplicité de son écriture qui rendait ce livre si fort. J'y ai appris que les Viêt-côngs étaient intimement mêlés à la vie du village. Ils l'organisaient, le protégeaient et tous ses habitants participaient au combat, mais les paysans capturés laissèrent volontairement les Américains continuer à croire qu'il ne s'agissait que de « bandes errantes de guérilleros » qui sortaient par moments de la jungle pour vite y retourner. Prétendre vouloir « gagner le cœur et l'esprit » des réfugiés de Ben Suc n'était donc qu'une vaste plaisanterie. Et cela n'empêcha pas le lieutenant colonel Kenneth J. White, alors à la tête du Bureau des opérations civiles de la région, de s'exclamer la première fois qu'il visita le camp : « Magnifique ! Je n'ai jamais rien vu de pareil. C'est ce que nous avons réalisé de mieux pour les civils jusqu'ici... vous savez, par moments, on a vraiment l'impression de faire ce qu'il faut. »

L'autosatisfaction des hauts responsables américains était effrayante. Pour eux, l'opération Cedar Falls était uniquement dirigée contre la force militaire ennemie, qu'elle avait détruite. Aux questions de Shell sur les pertes civiles, un officier répondit : « Quelle importance ? Ce ne sont que des Vietnamiens. »

J'ai refermé le livre. Quelque chose de fondamental venait d'exploser quelque part au fond de moi. Je ne comprends pas comment, bien qu'opposée par principe à la guerre, j'avais jusque-là évité d'en apprendre plus sur celle que nous menions en Asie du Sud-Est.

J'en avais la nausée. Je pensais appartenir à une nation qui, malgré ses contradictions internes, représentait l'intégrité morale, la justice et le désir de paix. Mon père s'était battu dans le Pacifique et quand il en était revenu décoré, j'étais pleine de fierté. Il m'arrivait de pleurer en chantant *The Star-Spangled Banner*. J'avais été Miss Army Recruiter en 1959. J'avais eu foi en mon pays. A la lecture de Schell, je me sentis trahie en tant qu'Américaine, et ce d'autant plus que j'avais profondément cru au bien-fondé de chacune de nos missions. Je me suis mise à parler de ce livre à tous ceux que je connaissais. Mes interlocuteurs (y compris Vadim) répondaient en général : « Mais ça fait des années que nous le savons », ou « Pourquoi est-ce que ça te bouleverse tant ? », et je trouvais leur attitude incompréhensible. Pourquoi n'avaient-ils rien fait pour en finir avec ces horreurs ? Mais nous étions en France. Et les Français avaient déjà mené et perdu leur bataille en Indochine. Cette fois, c'était à nous, Américains, d'arrêter cette guerre.

Je lisais tout ce que je trouvais sur la question, y compris les rapports du Tribunal international contre les crimes de guerre. Mais pourquoi ne pas leur avoir accordé plus d'attention avant ? Ce n'était pas par paresse ou par manque de curiosité. Mais par confort moral. Celui qu'entretient l'ignorance. Quand vous prenez conscience de la douloureuse réalité d'une chose, vous en devenez partie prenante, et responsable. Il y a bien sûr des gens qui *voient* et choisissent de détourner la tête, mais agir ainsi, c'est être complice. Bertolt Brecht dit, dans *La Vie de Galilée* : « Celui qui ne sait pas est un ignare. Celui qui sait et qui se tait est une fripouille. » Je n'en suis pas une.

Maintenant que je savais, je voulais agir, mais comment ? Bien que refusant de le reconnaître, même intérieurement, je sentais que si je voulais militer, il faudrait que je quitte Vadim. Inconcevable. Que deviendrais-je sans lui ? Alors je suis allée voir Simone Signoret.

Lorsque je suis arrivée devant la maison de campagne qu'elle avait avec Yves Montand près de Paris, elle était devant la porte, prête à m'accueillir. J'ai vu sur son visage qu'elle avait attendu ce moment. Malgré toutes mes légèretés, elle n'avait pas cessé de croire que les idées incarnées à l'écran par mon père, et dont j'avais hérité, allaient un jour prendre le dessus, me lancer dans l'action. Je surprenais parfois dans ses yeux une attention si soutenue que j'avais envie de tourner la tête pour voir ce qu'elle regardait – ce ne pouvait pas être moi. Et parce qu'elle avait été si patiente, qu'elle n'avait jamais essayé de me pousser à agir ni de me persuader de quoi que ce soit, mais s'était contentée de m'aider à découvrir de nouvelles réalités, je savais que je pouvais lui faire confiance.

Elle m'a entraînée vers la véranda avec une bouteille de cabernet et une assiette de fromage, et dans ce havre nous avons jeté l'ancre.

« Je suis contente que tu aies découvert Schell, a-t-elle commencé. C'est un livre important. » Elle l'avait lu un an plus tôt, quand il était paru sous forme d'articles dans le *New Yorker*. Je lui ai demandé si elle avait été surprise de ce qu'elle y avait trouvé.

« Oui et non, a-t-elle répondu. Nous étions au courant de ce qui se passe dans ce que vous appelez les hameaux stratégiques et les *bombardements de saturation*[1] depuis pas mal de temps. Mais sans connaître les détails. Ce sont ces détails qui m'ont révoltée. Souviens-toi que nous avons été là-bas avant vous. Ce que décrit Schell – le mépris qui entraîne les Américains à traiter les Vietnamiens comme s'ils n'étaient même pas des êtres humains – est comparable à l'attitude des Français. La seule différence, c'est que nous, nous n'avions pas besoin de le cacher. A l'époque, on trouvait normal qu'un pays ait des colonies, alors que tes concitoyens ont besoin de croire qu'on leur demande de protéger une démocratie. » Elle a penché la tête avec un regard ironique.

« Comment ça ? ai-je demandé, honteuse d'admettre mon ignorance.

— Lorsque la France est entrée en guerre pour conserver l'Indochine dans son empire, ce sont les Etats-Unis qui ont financé la

1. En français dans le texte (*NdT*).

plus grande partie de ses dépenses militaires. *C'était monstrueux, n'est-ce pas*[1] *?* L'Amérique était censée défendre l'indépendance, et non le colonialisme.

— Je n'en avais pas la moindre idée, ai-je dit doucement.

— C'est comme ça. Sans votre aide, les Français n'avaient aucune chance, et le colonialisme est une chose horrible, Jane. » Elle m'a raconté que les Français avaient manipulé à leur avantage l'économie vietnamienne, laissé dans l'illettrisme la plus grande partie du peuple, ne faisant profiter de leurs écoles qu'une élite privilégiée, mis en place une bureaucratie profrançaise et favorisé les Vietnamiens convertis au catholicisme.

« Ceux qui soutiennent aujourd'hui votre soi-disant président Thieu, a-t-elle dit, sont ceux qui nous ont soutenus, parce que s'identifier aux colonialistes leur donnait du pouvoir et toutes sortes d'avantages. Ils savent, d'autre part, qu'il y a beaucoup d'argent à gagner avec les Américains. Tu vois, Jane, ce sont ces parasites qui vous font croire que les Vietnamiens veulent de vous et du président Thieu. Il y en a dans toutes les révolutions. Comment s'appelaient les vôtres, déjà ?

— Les Tories », ai-je répondu. Je commençais à voir les choses sous un angle nouveau.

« Bon. Donc, les Tories soutenaient les Britanniques. Est-ce pour autant qu'il s'est agi d'une guerre civile ?

— Non, c'était une révolution.

— Exact. Comment peut-il s'agir d'une guerre civile lorsque l'un des deux partis adverses est entièrement financé, entraîné et soutenu par une puissance étrangère ? » Elle s'enflammait. J'aimais la voir comme ça. « Sais-tu qui est le George Washington des révolutionnaires vietnamiens ? Ho Chi Minh. L'anticommunisme aveugle tellement les Américains qu'ils ne comprennent pas que presque tous les Vietnamiens, y compris ceux qui ne sont pas communistes, respectent en Ho Chi Minh le fondateur de leur pays. C'est lui qui a déclaré l'indépendance en 1945, bon sang ! Puis, lorsqu'ils ont dû combattre la France pour obtenir leur indépendance, Ho Chi Minh pensait pouvoir compter sur les Etats-Unis. Le pays qui défend les indépendances nationales. Comme

1. En français dans le texte (*NdT*).

ton père l'a fait pendant la Seconde guerre mondiale. Sais-tu que Ho Chi Minh s'est adressé au président Truman, qu'il l'a supplié de les aider à obtenir leur indépendance, et que personne n'a voulu l'écouter ? Or, si les Américains l'avaient soutenu, rien de tout cela ne serait arrivé. Il n'y aurait pas eu besoin de guerre. » Elle s'est arrêtée, a bu une gorgée de vin. Je prenais des notes.

« Quel imbécile, ce Johnson ! Il ne veut pas être le premier président américain à perdre une guerre, a-t-elle lancé d'une voix faussement macho. Mais cette fois, c'est perdu d'avance. Vous n'avez pas plus de chances de gagner que nous n'en avions. Pourquoi n'arrivent-ils pas à le comprendre ? »

Je lui ai parlé de la réaction qu'avait eue Vadim en 1964 quand il avait appris que le Congrès avait voté la Résolution du golfe du Tonkin. « Eh bien, il avait raison. Il n'y a rien à faire. Tous vos présidents ont cru combattre l'avancée de l'Union soviétique et de la Chine, alors qu'il s'agissait de révolutionnaires prêts à mourir pour défendre leur cause. Vous êtes en guerre contre des gens qui cherchent à se libérer depuis des siècles, et qui, un jour ou l'autre, y arriveront. Tandis que les GI et les soldats de Thieu, qui n'ont aucune cause à défendre, n'ont pas envie de se battre. » Elle s'est penchée et m'a lancé un regard intense.

« Mon père a voté pour Johnson, ai-je dit. Il croyait qu'il mettrait fin à la guerre.

— Je me suis souvent disputée avec lui à ce sujet. Je l'aime beaucoup, mais dès qu'il est question de vos dirigeants, il est bien trop crédule.

— Je ne pensais pas qu'on nous mentait autant. Je suis furieuse. Je me sens trahie.

— Et tu as raison, chérie. Ceux qui le gouvernent ont trahi ton pays. Qu'est-ce que tu vas faire ?

— Je ne sais pas, Simone. Je voudrais rentrer aux Etats-Unis, mais... »

J'ai dû m'arrêter. Je ne voulais pas pleurer. Elle a gardé le silence, au cas où j'aurais continué. Puis : « Agir tant que tu es ici n'est pas facile, je sais.

— Mais je ne peux pas demander à Vadim de repartir. Nous avons mis tant d'argent dans cette ferme, et il y a le bébé...

— Oui, ce n'est pas simple. » Elle s'est arrêtée. « Tu l'aimes ?

— Oui », ai-je répondu un peu trop vite, comme les femmes le font quand elles n'en sont pas certaines, mais ne le savent pas.

Le soleil s'était couché, il commençait à faire froid. Nous sommes rentrées dans la cuisine. « Tu restes dîner ? Je suis seule, ce soir.

— Non, Vadim m'attend à Paris. Excuse-moi. J'ai déjà abusé de ton temps. » Elle a passé le bras autour de mes épaules. « Je suis heureuse que tu sois venue. » Puis elle m'a éloignée d'elle et regardée droit dans les yeux. « Quand le moment sera venu, tu sauras ce qu'il faut faire. En attendant, pense à ton bébé. »

Quand je suis repartie, je l'ai vue derrière la voiture, debout sur le pas de la porte, agitant le bras. Je n'ai pas dit à Vadim que j'étais allée chez elle, et il ne m'a pas demandé d'où je venais.

En avril, Martin Luther King a été assassiné à Memphis. Tout espoir de résolution pacifique du problème de la ségrégation et de la misère s'est évanoui. Violences et émeutes éclataient partout dans le monde – de New York et Mexico à Prague et l'Allemagne de l'Ouest. En mai, mois préféré des Français quand il s'agit de manifester, les étudiants se regroupèrent dans le Quartier latin pour protester contre la réforme de l'enseignement supérieur. Ils se retrouvèrent face à la violence policière qui mit le feu aux poudres et une révolte inattendue se répandit dans Paris puis en province, lançant ce que l'on appela les Evénements de mai 68. Le 6, dix mille jeunes affrontèrent les forces de l'ordre pendant quatorze heures, faisant de la capitale française une ville assiégée. Les gens descendirent dans la rue, élevèrent des barricades, et les CRS réagirent avec une violence inouïe.

Vadim venait d'être élu président du syndicat des techniciens de cinéma, et il dut aller à Paris pour assister aux meetings. Ne voulant pas rester seule, enceinte et démunie, pendant que l'Histoire se faisait, j'ai tenu à l'accompagner. Ce que j'ai vu était incroyable. Voitures renversées, arbres abattus, barricades élevées, les rues étaient méconnaissables. Coups de matraques, gaz lacrymogènes et feux avaient fait des blessés. Certains de nos amis se retrouvèrent en prison, et tous les jours, la presse rapportait de nouvelles brutalités policières. Les réunions du syndicat attiraient un monde fou. Les discussions étaient passionnées, souvent antagonistes.

Puis ce fut la grève générale, qui immobilisa pratiquement la France. La population, moi comme les autres, fit des provisions. Les émeutiers incendièrent la Bourse. Afin d'apaiser les grévistes et d'éviter une guerre civile, de Gaulle organisa de nouvelles élections et augmenta le salaire minimum de 33,3 %. Malgré les violences, il y avait beaucoup d'enthousiasme et d'optimisme dans l'air. Cette alliance inattendue entre étudiants et travailleurs réussirait peut-être à renverser le gouvernement gaulliste et à réaliser les réformes espérées. Le changement semblait possible. Les gens ne se croyaient plus obligés de rester impuissants. La révolte était contagieuse. Elle semblait se répandre dans le monde entier.

Pendant ce temps, même les hommes d'affaires américains les plus patriotes commençaient à s'inquiéter publiquement du déficit entraîné par la guerre du Viêtnam et de l'effet que cette dernière avait sur le programme d'éradication de la pauvreté proposé par Johnson. Robert Kennedy avait déjà pris officiellement position pour la présence du Viêt-công à la table des négociations. La campagne présidentielle qu'il venait de lancer semblait apporter un nouvel espoir aux Noirs, aux travailleurs les plus démunis, aux jeunes et à tous ceux qui voulaient mettre fin à la guerre. Les élections primaires de Californie auraient un rôle crucial. J'écoutai les résultats à la radio avec Vadim. Robert Kennedy allait gagner. Puis vint l'affreuse nouvelle : il avait été tué, lui aussi. C'était l'apocalypse.

L'été arrivait, j'étais enceinte de six mois, Vadim a voulu que nous changions d'air et loué, avec un couple d'amis, une maison à Saint-Tropez. Je me sentais de plus en plus étrangère, et que le copain de Vadim soit un opiomane (et vienne accompagné à la fois de sa femme et de sa maîtresse) n'arrangeait pas les choses. Cela m'aurait probablement moins dérangé un ou deux ans plus tôt. J'aurais accepté cette situation d'un haussement d'épaules, considérant qu'elle faisait partie du côté sombre de la vie de Vadim. Mais je ne réagissais plus de la même façon. Je m'évadais dans mon monde intérieur, m'enfermais dans le cocon de ma grossesse. Je passais le plus clair de mon temps à flotter dans un bateau gonflable sur l'eau transparente de la Méditerranée, mon ventre pointant vers le soleil, lisant (drôle d'endroit pour le faire) *L'Autobiographie de Malcolm X*. Son histoire m'a atteinte au plus profond. Elle ouvrait une fenêtre sur une réalité dont je ne savais rien. Mais si ce livre fut une révélation, c'est surtout parce qu'il démontre qu'un être humain peut toujours changer. J'étais fascinée par le chemin que cet homme avait parcouru. Malcolm Little, qui se défonçait, pariait, battait les femmes, faisait le rabatteur et le maquereau, s'était transformé en Malcolm X, musulman, fier, propre, sachant lire et écrire, et selon qui tous les Blancs étaient l'incarnation du diable, puis était devenu un être spirituellement éclairé après avoir fait le pèlerinage à La Mecque. Il y avait rencontré des gens qui le reçurent comme leur frère et compris que ce qu'il entendait avant par « Blanc » n'était pas une question de couleur de peau, mais d'attitudes et de façons d'agir de *certains* Blancs face aux non-Blancs, et que tous n'étaient pas racistes. Lorsqu'il fut assassiné, il n'avait plus rien du prêcheur haineux décrit par la presse américaine. Il avait traversé des horreurs et était devenu un chef spirituel. Comment était-ce possible ?

J'ai profité de l'été pour fouiller ma conscience : à quelle catégorie de Blancs est-ce que j'appartenais ? En théorie, je n'étais pas raciste. Mais je n'avais jamais suffisamment côtoyé de Noirs pour en être certaine. Il fallait que ça change. Malcolm X m'a permis d'avoir pour la première fois idée de ce que le racisme signifiait pour les Afro-Américains. Mais il y a une chose que je n'étais pas encore capable de reconnaître, c'est l'inexistence, la soumission et le silence auxquels il a toujours réduit les femmes noires dans sa vie. Voir ce qui ne va pas dans ce à quoi l'on est habitué est toujours difficile.

Ces deux livres, *The Village of Ben Suc* et *L'Autobiographie de Malcolm X*, m'ont fait me poser de plus en plus de questions sur le monde de Vadim. Si quelqu'un comme Malcolm X pouvait changer, pourquoi pas moi ? Je ne voulais pas mourir sans avoir essayé. Pourtant, je n'arrivais pas à m'imaginer sans Vadim – et pas seulement parce que j'allais avoir un enfant, mais parce que je ne me sentais pas capable de survivre seule.

En juillet, j'ai reçu le scénario d'*On achève bien les chevaux*, inspiré du roman éponyme de Horace McCoy. Je ne l'avais pas lu, mais Vadim l'adorait. C'était un classique de la gauche intellectuelle française, qui le considérait comme le premier véritable roman existentiel américain. L'adaptation n'en était pas très bonne, mais Vadim pensait que ce film pourrait s'avérer très important, et il m'a poussée à accepter. Le tournage devait commencer trois mois après mon accouchement, prévu en septembre.

A notre retour à Paris, fin août, nous fûmes invités à l'ambassade américaine pour la retransmission de la Convention nationale des démocrates qui nommaient leur président. Quand on sut qu'ils avaient choisi Hubert Humphrey (qui n'avait pas pris position contre la guerre), l'ambassadeur Sargent Shriver murmura : « Ils viennent de mettre Richard Nixon à la Maison Blanche. » Puis les caméras de télévision nous emmenèrent dans les rues de Chicago, où des milliers de manifestants pour la plupart totalement pacifiques, se faisaient tabasser et aveugler de gaz lacrymogène par la police du maire, Richard Daley, qui arrêta ce jour-là 668 personnes.

J'étais loin de m'imaginer que l'un des meneurs de cette manifestation s'appelait Tom Hayden et qu'il allait un jour devenir mon mari.

Je devais accoucher un mois plus tard et comme je voulais que cela se passe naturellement, j'ai suivi, à Paris, des cours de la méthode Lamaze. Mais, doutant que le fait de respirer comme un petit chien allégerait les douleurs provoquées par les contractions, j'ai arrêté. A l'époque, on ne savait jamais jusqu'à sa naissance de quel sexe serait l'enfant. J'espérais une fille. J'avais trouvé un nom parfait, Vanessa. Vanessa Vadim. J'aimais l'allitération. Et c'était aussi pour Vanessa Redgrave, qui m'avait toujours fascinée – non seulement parce qu'elle est une actrice hors du commun, mais aussi une femme forte, sûre d'elle, et la seule comédienne que je connaissais à militer de façon active, ce que j'admirais, même sans connaître précisément ses idées politiques. J'avais lu dans un article qu'elle étudiait la théorie économique keynésienne chaque soir avant de s'endormir, j'étais impressionnée.

On m'avait réservé une chambre dans une clinique chic des environs de Paris, où Catherine Deneuve avait donné naissance à son fils Christian. Quelques jours avant la date prévue, je me suis réveillée un matin à cinq heures dans notre ferme, pensant que j'allais mourir. La douleur dépassait tout ce que j'avais imaginé. J'étais persuadée que quelque chose n'allait pas. On m'avait parlé de travail progressif, de rupture des eaux, de légères contractions, signes que le moment était venu de partir pour l'hôpital. Rien de tout cela n'était arrivé. Dans la voiture à côté de Vadim, qui fonçait vers la clinique, je me tordais de douleur et j'étais totalement terrifiée. Nous sommes tombés en panne d'essence à quatre cents mètres de la clinique et Vadim m'a portée dans ses bras jusqu'à la porte. A six heures, j'étais sur une table d'opération, un masque sur le visage, en train de m'endormir. Pour moi, cette anesthésie était un viol. Je me rappelle avoir pensé avant de perdre conscience : ce n'est pas comme ça que ça devrait se passer. On m'a mis les forceps, une voix d'homme m'est arrivée de très loin, me disant de pousser, et j'ai sombré dans le noir, tandis que mon enfant naissait.

Il était presque huit heures quand je suis revenue à moi, seule, dans la salle de réveil. J'étais complètement groggy, j'avais mal et je me demandais ce qui s'était passé. En tournant la tête, j'ai vu un bébé en langes couché dans un berceau à côté de moi. Etait-ce le mien ? Une fille ou un garçon ? Je me sentais comateuse, et je me suis rendormie. Puis le médecin est venu me voir et m'a annoncé que j'avais eu une fille. Vanessa. Il était en jodhpurs (il se préparait à partir à la chasse à courre quand on l'avait appelé de la clinique) et m'a montré son doigt. Je l'avais mordu pendant mon accouchement. Bien fait.

« Est-ce que le bébé est normal ?

— Oui, m'a-t-il rassurée.

— Pourquoi m'avez-vous anesthésiée ?

— Parce que vous souffriez trop, a-t-il répondu, sur la défensive.

— Mais... » J'aurais tellement voulu qu'on me demande mon avis, j'avais tellement désiré que les choses se passent de façon naturelle. D'autant que ce détestable médecin en jodhpurs m'avait blessée avec les forceps qui, selon les infirmières, n'étaient absolument pas nécessaires.

J'ai demandé à prendre ma fille contre moi et je suis restée un long moment à la contempler. J'étais épuisée, déprimée et furieuse. On m'a emmenée dans une belle chambre. On m'apportait le bébé quand il fallait la nourrir, puis on la remportait. J'ai demandé qu'on me la laisse. On m'a dit non. Pensant que ces gens en savaient plus que moi, je n'ai pas discuté.

Vadim est venu avec Nathalie, mais les enfants n'avaient pas le droit d'entrer, à cause des « microbes », et elle est restée dehors, son petit visage écrasé contre la vitre de ma fenêtre pour essayer d'apercevoir sa sœur.

Vanessa était née le 28 septembre, comme Brigitte Bardot, qui me l'avait prédit. Elle m'a envoyé un chou, avec un mot disant : « En France, ce ne sont pas les cigognes qui apportent les enfants, ils naissent dans les choux. » Des amis sont passés me voir, m'apportant les microbes que Nathalie ne m'avait pas transmis, et je suis tombée malade. Craignant la contagion, les infirmières m'ont empêchée d'allaiter Vanessa. J'aimais sentir le lait qui montait dans mes seins. J'aimais mes seins ! Pour une fois, quand je passais une porte, ce n'était pas mon nez qui arrivait le premier.

Quand j'ai pu me lever, comme je voulais maigrir pour le film à venir, je suis allée faire quelques pliés dans la salle de bains, ce qui a déclenché une hémorragie. Et j'ai dû rester une semaine de plus dans cette clinique, ne voyant Vanessa que pour la nourrir. *Enfermée. Malade. Comme Maman !* J'étais désespérée. J'avais encore un peu de lait, mais on donnait aussi des biberons à Vanessa (sans me demander mon avis), et j'en ai eu de moins en moins. J'étais déjà une mauvaise mère.

Enfin Vadim nous a ramenées à la maison. Il y avait des paparazzi devant la clinique, et j'ai gardé quelques-unes de leurs photos. Les yeux baissés vers le bébé que je tiens dans les bras, on lit sur mon visage l'incertitude qu'Adrienne Rich a décrite dans son livre sur la maternité, *Of Woman Born* : « Rien ne pouvait me préparer à comprendre que j'étais mère... puisque je savais que je n'étais rien. »

Un ami nous avait recommandé une nounou cockney qui s'appelait Dot Edwards. Déjà arrivée de Londres, elle nous attendait à la ferme. Elle s'est occupée de Vanessa, comme d'autres s'étaient occupées de Peter et moi. N'était-ce pas ainsi que les choses devaient se passer ? Je suis allée me coucher et j'ai pleuré pendant un mois (comme ma mère), sans savoir pourquoi. J'avais l'impression que le plancher s'était effondré sous mes pieds. Vanessa le savait, j'en jurerais. Elle savait que quelque chose n'allait pas et pleurait dès qu'elle se trouvait avec moi. Dot disait qu'elle avait des coliques, mais je n'en croyais rien.

En essayant de comprendre ma mère et comment l'état d'esprit qui avait été le sien après ma naissance pouvait m'avoir affectée, j'ai appris des tas de choses sur la dépression post-partum. Comment mettre au monde un enfant fait revenir les blessures d'autrefois, comment ces « souvenirs » s'engouffrent dans notre faille psychique la plus profonde, créant en nous une terrible souffrance. Peut-être ai-je revécu à la naissance de Vanessa la tristesse et la solitude que j'ai connues lorsque je n'étais qu'un nouveau-né. Mais personne, à cette époque, n'avait encore sérieusement abordé la dépression post-partum et, au lieu de considérer mon état comme une chose qui n'arrivait pas qu'à moi, j'avais l'impression d'avoir échoué. Rien ne se passait comme cela aurait dû, ni la naissance (et ses horribles forceps), ni l'allaitement, ni ma relation avec le bébé. Je me demande comme s'en sortent les femmes atteintes de cette dépression lorsqu'elles ne sont pas aidées comme je l'étais. Je crois que cette expérience fait partie des raisons qui m'ont poussée plus tard à travailler auprès de mères jeunes et pauvres, et de leurs enfants.

Incapable de nourrir moi-même mon bébé, je me suis tournée vers Adelle Davies (qui fut la première à aborder la notion d'aliments naturels).

Trois mois plus tard, nous sommes partis pour Hollywood pour préparer *On achève bien les chevaux*. Une fois là-bas, j'ai emmené Vanessa chez un pédiatre de Beverly Hills. Elle vomissait beaucoup, et cela m'inquiétait.

« Comment la nourrissez-vous ? m'a-t-il demandé.

— Je suis la méthode Adelle Davies, foie de veau lyophilisé, jus d'airelle concentré, levure et lait de chèvre. Il a fallu agrandir les trous des tétines... »

Il est resté un instant bouche bée, puis il a éclaté de rire.

J'ai adopté le lait maternisé, avec une fois de plus, le sentiment d'avoir échoué.

CHAPITRE DEUX

ON ACHÈVE BIEN LES CHEVAUX

Il est dur d'agir contre son inclination et de lutter contre les penchants naturels ; mais c'est possible, je le sais par expérience. Dieu nous a donné, dans une certaine mesure, le pouvoir de faire notre propre destinée.

Charlotte BRONTË,
Jane Eyre.

Le réalisateur qui devait, à l'origine du projet, tourner *On achève bien les chevaux*, avait été renvoyé et remplacé par le jeune Sydney Pollack, qui me téléphona peu après mon arrivée. Il voulait que nous parlions du film ensemble. Il est donc venu à la maison et, à peine assis, m'a demandé quels étaient, à mon avis, les problèmes posés par le scénario. Puis il m'a proposé de lire le roman un stylo à la main et de lui dire ensuite ce qui manquait dans l'adaptation existante. Cher Sydney, qui ne se doutait même pas du bien qu'il me faisait. J'avais évidemment déjà eu ce genre de discussion avec Vadim, mais là, c'était différent : un réalisateur venait me proposer de participer à la préparation de son film. Cette expérience fut cruciale. J'ai étudié le texte de McCoy comme jamais auparavant, soulignant les moments clés, non seulement de mon personnage, mais de l'histoire entière, m'assurant que tout ce que j'y ferais contribuerait au thème central. C'était la première fois de ma vie que je jouais dans un film traitant d'une importante question sociale et mon activité professionnelle, qui m'avait toujours semblé comme en périphérie de ma vie, prenait maintenant un sens.

On achève bien les chevaux utilisait les marathons de danse des années de la Grande Dépression comme métaphore de l'avidité et de l'art de la manipulation engendrée par la société de consommation américaine. L'histoire se déroulait dans un dancing construit sur la jetée de Santa Monica, qui faisait partie du paysage de mon enfance et où ce genre de concours avait effectivement eu lieu. Pendant la crise, des tas de gens avaient, dans l'espoir de remporter un prix, dansé jusqu'à n'en plus pouvoir tandis que, comme les Romains du Colisée devant les chrétiens jetés aux lions, la foule encourageait à grands cris ses favoris, frissonnant devant les concurrents qui s'écroulaient, hallucinaient de fatigue, devenaient fous. De temps à autre, une épuisante course de vitesse était organisée afin d'éliminer d'un seul coup plusieurs participants. Au bout de quelques heures, les danseurs se voyaient octroyer dix minutes de repos, puis retournaient en piste.

Le dancing avait été reconstruit en studio. Je jouais plusieurs scènes avec Red Buttons. Pour découvrir ce que l'on ressentait à danser jusqu'à épuisement, nous avons essayé de le faire avant le tournage. Les premières vingt-quatre heures furent supportables, puis la fatigue devint telle que nous devions nous soutenir l'un l'autre pour ne pas tomber. Nous ne comprenions pas comment des gens avaient pu résister des semaines d'affilée. Au bout de deux jours, j'ai commencé à avoir des hallucinations. Mon visage était tout contre celui de Red et lorsque j'ouvrais les yeux, je voyais tous les pores de sa peau, qui avait gardé une jeunesse incroyable malgré son âge.

Lorsque nous en avons eu assez, avant de le quitter, je lui ai dit qu'il avait un teint de jeune fille. Il m'a répondu qu'il le devait à un nutritionniste de San Fernando Valley, le Dr Walters.

J'ai immédiatement pris rendez-vous avec ce médecin, qui m'a examinée des pieds à la tête, et a pris quelques spécimens de mes cheveux et un échantillon de ma peau. Une semaine plus tard, il m'a prescrit une cure compliquée de suppléments vitaminiques, m'a donné des tas de petites boîtes en plastique sur lesquelles je devais inscrire les initiales de chaque repas. « B » comme Breakfast, « L » comme Lunch, et « D », comme Dinner. (Si je vous raconte ça, c'est parce ces petites boîtes en plastique vont revenir plus tard dans mon histoire et me causer de graves problèmes.)

Ce film marque un tournant, à la fois dans ma carrière et dans ma vie privée. Sydney, qui a été comédien, est un merveilleux directeur d'acteurs et, guidée par lui, je suis entrée dans mon personnage comme jamais je ne l'avais fait auparavant. Ce qui m'a donné un peu plus de confiance en moi sur le plan professionnel.

Mais, au fur et à mesure que je me sentais plus forte, mon mariage semblait se déliter. Mon insatisfaction grandissait de jour en jour, et j'étais de moins en moins prête à accepter la souffrance que m'infligeaient l'alcoolisme et la passion pour le jeu de Vadim – sans parler de nos coucheries à trois. Mais le quitter était impensable. Je ne voulais pas être seule. J'avais toujours l'impression que c'était ma relation avec lui, si douloureuse fût-elle, qui me faisait exister. Que serais-je sans lui ? Je n'aurais plus de vie. J'avais mis tant d'énergie à organiser notre quotidien, à correspondre à ce qu'il était, que je m'étais perdue en route. Mais je n'étais même pas certaine de savoir qui était ce « moi » que j'avais perdu. Et il y avait Vanessa, et Nathalie, et cette maison et tous ces arbres que j'avais plantés. De plus, divorcer était accepter l'échec. Hé oui ! Or en matière de mariage, je voulais faire mieux que mon père.

Un jour, en allant au studio, j'ai continué à rouler vers le nord pendant des heures, sans savoir ce que je faisais. Un moment de vide, de dépression passagère. Je me servais évidemment de mon angoisse personnelle pour nourrir mon personnage de Gloria, la jeune femme suicidaire du film qui demande à son partenaire de la tuer, comme on achève les chevaux quand ils se cassent une jambe.

Au lieu de rentrer dans notre maison de Malibu, je restais nuit et jour au studio, en partie pour mieux m'identifier au désespoir de Gloria, mais aussi parce que je n'avais tout simplement pas envie de retrouver Vadim. J'avais installé un parc à bébé dans ma loge. Dot m'amenait Vanessa, je lui donnais le biberon, lui chantais des berceuses. Comme je n'en connaissais qu'une, j'ai acheté un disque et appris de nouvelles chansons pour elle (qu'elle chante maintenant à ses enfants). Malgré mon sentiment d'échec face à la maternité, avoir mis quelqu'un au monde – surtout une fille – me reliait à la vie et à la féminité d'une manière qui était la mienne, et non un reflet des fantasmes masculins de mon mari. Même mon corps semblait se mouler dans des formes nouvelles, plus gracieuses.

L'acteur Al Lewis, qui jouait lui aussi dans le film, et devint le célèbre grand-père de la série télévisée *The Munsters*, passait des heures dans ma loge à me parler de problèmes sociaux, et en particulier des Black Panthers. Marlon Brando soutenait leur cause et Al trouvait que, moi aussi, j'aurais dû le faire. Cela m'a rappelé Baton Rouge et le tournage de *Que vienne la nuit* pendant lequel j'avais entendu parler pour la première fois du mouvement noir. Al m'apprit que certains d'entre eux avaient été tués à Oakland, d'autres arrêtés sur des accusations fabriquées de toutes pièces et emprisonnés avec des cautions ridiculement élevées, et que Marlon aidait à réunir l'argent nécessaire pour les faire libérer et pour payer leurs avocats.

J'écoutais, j'engrangeais. Mais je ne bougeais pas.

A la fin du tournage, nous sommes allés à New York, et je me suis précipitée chez le coiffeur de Vadim, Paul McGregor, qui avait son salon dans le Village. Ce fut ma première révolution capillaire. Depuis des années, je suivais la loi qu'on m'imposait en matière de coiffure. Peut-être pour me cacher. Les hommes de ma vie aimaient les cheveux longs et blonds, et j'étais blonde depuis si longtemps que je ne savais même plus quelle était ma couleur naturelle. J'ai dit à McGregor « Faites quelque chose », et il l'a fait. Ce fut la coupe qui devint célèbre grâce à *Klute*, un casque dégradé, châtain, comme je l'étais au naturel. Je ne semblais plus essayer d'imiter les autres femmes de Vadim – je ressemblais à... moi ! J'ai tout de suite su qu'avec ces cheveux je pourrais mener une autre vie.

Vadim a immédiatement compris en me voyant que je venais de franchir la première étape de mon chemin vers l'indépendance, mais il s'est contenté de grommeler. Alan Pakula m'avait déjà envoyé le scénario de *Klute* et proposé le merveilleux rôle de Bree Daniel. J'ai tout de suite accepté. Le tournage devait avoir lieu l'année suivante.

Mon nouveau moi aux cheveux courts est rentré en France avec Vadim et Vanessa. J'ai passé la plus grande partie de l'année à me balancer avec ma fille dans un hamac accroché entre deux grands arbres que j'avais plantés, essayant d'être une mère sans bien savoir comment. Devenir parent ne se fait pas toujours naturellement, je l'ai appris depuis. J'ai compris bien plus tard que je m'occupais de Vanessa comme on s'était occupé de moi : je veillais à ce qu'elle ne manque de rien, mais je ne tenais pas compte de l'individu qu'elle était. De toutes ces heures avec elle, un souvenir particulièrement fort me revient aujourd'hui. Il est tard. Je n'arrive pas à l'endormir. Je passe à cette époque par une phase de boulimie intense. Je suis couchée par terre sur le dos, Vanessa allongée contre ma poitrine. Elle relève la tête et plonge ses yeux dans les miens pendant ce qui me semble une éternité. J'ai l'impression qu'elle fouille mon âme, qu'elle sait, qu'elle est ma conscience. Cela me fait peur et je détourne la tête. Je ne veux pas que l'on sache.

J'étais ce soir-là à la campagne chez mon amie Valérie Lalonde. Moitié américaine moitié anglaise, de dix ans plus jeune que moi, Valérie était drôle et intelligente, et elle avait un rire magnifique. Elle restait souvent à se balancer dans le hamac avec Vanessa et moi, ce qui énervait Vadim, car elle était jolie et me préférait à lui. Nous sommes toujours amies et je lui ai demandé récemment ce qu'elle se rappelait de cette époque. Elle m'a d'abord répondu que j'étais souvent « en haut ». Oui, bien sûr, je montais à l'étage en prétextant que je ne me sentais pas bien alors que j'avais simplement envie d'être seule. Comme je viens de le dire, j'étais toujours boulimique, sans que personne le sache. Personne n'a jamais su. Ce n'était pas difficile à cacher – les autres ne faisaient pas attention : je quittais la table, j'allais dans la salle de bains, vomissais ce que je venais de manger, et redescendais de bonne humeur et en pleine forme. Etant donné le plaisir orgasmique que l'on ressent à se débarrasser ainsi de toute nourriture, revenir au milieu des autres avec le sourire n'était pas difficile. Mais ce qui se passait dans la demi-heure suivante l'était plus, car la baisse immédiate de sucre dans le sang que provoquait cette méthode m'envahissait d'une fatigue insurmontable. Je ne pouvais alors que m'isoler, physiquement et psychiquement.

La vie de Vanessa, qui, à chaque instant, découvrait quelque chose de nouveau, me rappelait mon enfance. Qu'avais-je fait de toutes ces années ? Le temps, ce bien si précieux, s'écoulait, et au lieu d'un raisin de la colère plein et juteux, je devenais un raisin sec de rage, racorni sur la vigne. Il fallait que je fasse quelque chose. Et j'ai fait ce que je fais toujours lorsque je ne sais plus où j'en suis mais sens que ma vie arrive à un tournant : je suis partie aussi loin que possible de ce que je connaissais, croyant que le pouvoir miraculeux des visages et des ciels étrangers me révèlerait à moi-même, m'obligerait à découvrir la part de problèmes que je portais en moi, où que je sois, et celle que je pouvais honnêtement attribuer à mon environnement habituel.

Beaucoup de gens, comme Mia Farrow ou les Beatles, qui cherchaient leur « vérité intérieure », allaient en Inde et en revenaient avec ce qui ressemblait à des réponses. Alors, un sac de toile sur l'épaule, je suis partie pour New Delhi.

Ce que j'ai vu m'a bouleversée. Jusque-là, la pauvreté n'avait été qu'un mot pour moi. Je n'avais encore jamais voyagé dans un pays du tiers-monde. Mais je me suis vite rendu compte que les autres ne voyaient pas forcément ce que je voyais. Lorsque je disais aux Américains que je croisais de temps à autre combien je trouvais cette misère horrible, ils me répondaient : « Tu ne comprends rien à l'Inde », ajoutant que je projetais mes idées bourgeoises (encore !) sur un pays où elles étaient inopérantes. Qu'en pensant que ces gens étaient des malheureux, je me trompais totalement. Que leur religion les élevait au-dessus de « ce genre de choses ». Jusqu'à ce que je rencontre des jeunes qui travaillaient pour l'Agence américaine d'aide au développement et creusaient des puits, aidaient les gens. Ils ne critiquèrent pas ma réaction, après tout c'était pour ça qu'ils étaient là, à cause de cette misère. J'ai un instant envisagé de me joindre à eux, mais j'avais dix ans de plus et ne pouvais imaginer de vivre avec Vanessa la vie que cela impliquait.

En fait, d'une certaine manière, ce voyage m'a bien « révélée à moi-même ». Il m'a appris que je n'étais pas une hippie ; que si j'avais à choisir, je préférerais creuser des puits plutôt que d'aller dans un ashram ou de me défoncer. Je n'ai jamais caché avoir fumé de la dope. J'ai essayé presque tout ce qui ne demande pas qu'on s'enfonce une aiguille dans le bras. Mais, en dehors de l'alcool, rien ne m'a jamais vraiment plu. Je crois que j'aime trop la vie telle qu'elle est. Et quand on plane tout le temps, *arranger les choses* ne devient plus possible.

Je suis directement rentrée de New Delhi à Los Angeles, où j'étais attendue pour le lancement d'*On achève bien les chevaux*. Il faisait nuit quand je suis arrivée dans la chambre d'hôtel que Vadim nous avait réservée au Beverly Wilshire Hotel. Une transition plutôt brutale !

Quand je me suis réveillée, j'entendais encore résonner la cacophonie de la ville indienne, je sentais toujours ses odeurs dans mes narines, et en ouvrant les rideaux de la fenêtre qui donnait sur les rues tranquilles de Beverly Hills, je me suis demandé : « Mais où sont passés les gens ? » Y avait-il eu une épidémie ? Tout était propre. Vide. J'ai dû faire un effort pour me rappeler qu'il en avait toujours été ainsi, et qu'avant je trouvais cela normal. Mais je regardais maintenant ce luxe avec des yeux nouveaux, et me sentais mal à l'aise. Comment pouvions-nous vivre dans de tels lieux, alors qu'il y avait New Delhi ?

Nous savions, Vadim et moi, que la femme qui était venue le rejoindre dans cette chambre n'était plus la sienne. Je l'avais déjà mentalement quitté. Et c'était pour de bon.

Les couples se défont par étapes, cela n'a rien à voir avec un morceau de papier. Le nôtre allait mal depuis des années, avant même que nous soyons mariés, mais je m'étais enfermée dans la dénégation. Refuser de prendre la réalité en compte peut être aussi bien pathologique qu'un simple mécanisme de survie – et parfois les deux. Je croyais avoir besoin de la vie conjugale pour ne pas... m'évaporer. *Je suis avec lui, donc j'existe.* Et cette expérience était si nouvelle pour moi qu'elle n'a pas empêché la passion. Puis je suis devenue inerte et j'ai abandonné mon corps. Pourtant continuer comme avant était encore la seule chose possible, si je ne voulais pas tomber dans le trou noir. Au bout de six ans, je commençais maintenant à apercevoir une vague possibilité de *moi* sans lui. Un phénomène induit par une période festive au cours de laquelle j'avais barboté dans les eaux incertaines de l'indépendance, m'étais coupé les cheveux, avais voyagé, eu une aventure amoureuse. (Dans un rare accès de discrétion, je ne dirais pas avec qui.) Mais quand tout cela était arrivé, ma relation avec Vadim n'était plus affectivement viable, en tout cas plus pour moi. Vadim aurait peut-être pu supporter le *statu quo*, j'en étais incapable. J'ai appris alors qu'il fallait se méfier des aventures extraconjugales. Vous êtes à vif, et généralement l'homme en question ne convient pas. Mais du fait qu'elle se juxtapose à ce qui est alors vécu quotidiennement, cette relation peut prendre dans un cœur solitaire une place importante et troublante. Environ quinze ans plus tard, quand Vadim m'a donné à lire le manuscrit d'*Une étoile à l'autre*, j'ai été sidérée de découvrir qu'il se présentait comme le mari fidèle que, moi, j'avais trompé dans les derniers temps de notre mariage. Je lui ai dit : « Ecoute, Vadim ! Comment peux-tu dire ça, avec ce que tu as fait dès le début de notre vie commune ? Quel hypocrite ! » Touché. Pour Vadim, être qualifié d'hypocrite était presque aussi horrible que d'être traité de bourgeois ! Il a apporté quelques corrections à son livre, reconnaissant (difficilement) qu'il avait régulièrement eu des aventures – mais je passais quand même pour celle qui avait transgressé les règles. Sachant qu'il n'a jamais admis la jalousie et qu'il aurait juré sur sa vie ne pas jouer double jeu, je trouve ça intéressant.

Vanessa n'avait qu'un an lorsque j'ai annoncé à Vadim que je ne pensais pas pouvoir continuer à essayer de sauver ce à quoi je ne croyais plus. Mon cœur s'était durci, peut-être pour se protéger de la souffrance que l'on ressent quand on se trahit soi-même, que l'on trahit son désir en participant à des partouzes pour faire plaisir et ne pas avoir l'air d'être bourgeoise, mais aussi son cœur en restant avec celui qu'on ne respecte plus. Et si mon amour pour lui s'était endormi, d'autres choses se réveillaient en moi, regardaient la lumière. De profonds instincts que je choisis de suivre.

On achève bien les chevaux sortit au cours de l'hiver 1969. Pauline Klein écrivit dans un article : « L'adorable petite Jane Fonda, rigolote et légèrement vêtue de ces dernières années, se voit offrir un rôle puissant [...] qu'elle endosse totalement, comme les actrices le font rarement une fois devenues stars... Elle pourrait bien incarner à l'avenir les contradictions de l'Amérique, et dominer notre cinéma. »

Il semblait y avoir, entre la transformation professionnelle qu'elle décrivait et les bouleversements de ma vie personnelle, une mystérieuse adéquation.

CHAPITRE TROIS

RETOUR AU BERCAIL

J'ai peut-être besoin de partir
pour me sentir satisfait, car après,
lorsque je rentre chez moi,
je m'y sens vraiment chez moi.

RUMI,
« A Bagdad, rêvant du Caire :
Au Caire, rêvant de Bagdad ».

Si la mesure apparaît, en fin de compte, le grand secret,
son adoption a priori entraîne une stérilité fatale.

E. M. FORSTER?,
Retour à Howards End.

Je me suis vite rendu compte que l'Amérique que je venais de retrouver n'avait rien à voir avec celle que je connaissais. Elle aussi avait changé.

Ce n'était pas seulement dans un pays que j'étais rentrée, mais *chez moi.* Je n'avais pas voulu d'une chambre d'hôtel ou d'une maison louée. Je m'étais installée avec Vanessa et Dot au premier étage du bâtiment autrefois réservé aux domestiques de la spacieuse résidence au style colonial que mon père possédait à Bel-Air. Sur le moment, je n'y ai vu qu'un moyen d'économiser de l'argent. Mais je sais aujourd'hui que c'était plus profond que ça. J'avais besoin d'un havre, d'un lieu de regroupement. Depuis des années, la famille de Vadim – sa fille Nathalie, sa mère, sa sœur, sa nièce – avait été la mienne. Et soudain je me retrouvais seule, alors que je n'avais pas encore la force de ne pas jeter l'ancre, de me passer de mes proches. Pendant un moment, vivre chez mon père me donna une assise, un nid d'où je pouvais m'envoler, et vers lequel je pouvais revenir. Un endroit où découvrir qui j'étais – l'après-Vadim.

La façon dont mon père se conduisait envers moi rendait pourtant les choses un petit peu compliquées. Quand j'étais mariée, il me traitait en adulte. Comme j'étais de nouveau célibataire, sans homme donc sans valeur, je redevenais la petite fille dont il se sentait responsable et qu'il ne pouvait pas prendre au sérieux. Pendant ces mois que j'ai passés chez lui, nous nous sommes côtoyés poliment, chacun cherchant à reconnaître le territoire de l'autre, y pénétrant à plus d'une occasion. Pourtant, ce fut parfait. Il était ce repère familier qui me permettait d'évaluer le chemin parcouru depuis mon départ.

Avec le temps, j'allais me découvrir une nouvelle « famille », des gens motivés par le désir de rendre le monde meilleur. Un groupe disparate : des Noirs radicaux, un ancien Béret vert, des avocats des droits de l'homme, des soldats et des Amérindiens. Je ne savais pas vraiment ce qu'ils pensaient de moi. Mais je voulais apprendre d'eux ce qui me permettrait d'avoir une histoire, des objectifs.

Il n'y avait que des hommes dans mon équipe. Bien entendu.

Shirlee m'a dit récemment que Papa avait été heureux de me voir devenir mère. « Peut-être va-t-elle maintenant comprendre à quel point il est dur d'élever des enfants et de travailler », lui a-t-il dit quand je vivais chez eux. Il espérait que cela m'aiderait à lui pardonner ses défaillances de père. Ce que j'ai fait, et plutôt deux fois qu'une.

Ce n'était pourtant pas ma vie professionnelle qui m'empêchait d'être une bonne mère. Si j'avais été une femme au foyer, cela aurait pu être pire : je n'avais pas en moi ce qu'il faut pour donner. Car on ne peut donner que ce qu'on a reçu. Je crois que mes parents non plus ne l'avaient pas reçu, et je n'ai su briser le cycle du vide affectif que bien plus tard dans la vie de mes enfants. Il y a pourtant une chose que j'ai réussi, j'ai épousé des hommes qui étaient de bons pères, des adultes qui ont comblé ce vide. Pour briser le cycle, il faut qu'il y ait quelqu'un – un des deux parents, une grand-mère, une nounou aimante, n'importe quelle figure parentale de substitution – capable d'aimer l'enfant quoi qu'il arrive, sans conditions. Celui qui aura, même un tout petit peu, connu ce genre de relation, trouvera toujours en lui de quoi faire un meilleur père ou une meilleure mère. Vanessa est une maman remarquable. Je pense qu'elle le doit à Vadim et à Catherine Schneider, qu'il a épousée après moi. Avec le temps, j'ai aussi appris un certain nombre de choses qui ont fait de moi une meilleure mère, et une meilleure grand-mère.

Il y a une autre façon de sortir de la répétition : quelqu'un peut vous apprendre comment on élève des enfants. Nos capacités relationnelles ne sont pas figées. Elles peuvent être développées, en particulier pendant ce moment d'extrême réceptivité qu'est la grossesse. Je le sais parce que je l'ai vu arriver. C'est ce qu'essaye de faire l'Organisation de prévention et d'aide aux jeunes mères en difficulté que j'ai fondée en 1995 en Georgie. J'ai vu comment ce savoir peut transformer une adolescente, lui donner une force nouvelle ainsi qu'à son enfant. *Je suis la preuve vivante que l'on n'enseigne jamais que ce que l'on a besoin d'apprendre.*

Après avoir vécu si longtemps à l'étranger, je n'avais pas beaucoup d'amis proches en Californie, et aucun n'avait d'enfant de l'âge de Vanessa. Je nageais avec elle dans la piscine de mon père ou je l'emmenais à la plage chez Vadim, qui avait loué une maison face à la mer, et nous jouions sur le sable. Lorsque je partais (ce que le militantisme allait m'entraîner à faire de plus en plus souvent), elle vivait avec Dot chez son père. Pendant les week-ends, je la mettais dans son porte-bébé sur mon dos et nous faisions avec Vadim de longues promenades au bord de l'océan. Il y avait de nouveau quelqu'un dans la vie de Vadim, mais nous voulions rester amis, ce qui ne fut pas difficile. J'étais heureuse de passer du temps en sa compagnie, il se montrait presque toujours agréable, et sa présence me donnait une impression de stabilité.

Ce n'était pourtant pas seulement parce que je l'avais quitté que j'étais rentrée chez moi. J'étais venue rejoindre ceux qui luttaient contre la guerre. Mais je fis un détour. Des Indiens américains occupaient depuis peu l'île d'Alcatraz, prison désaffectée de la baie de San Francisco. Ils voulaient en faire un centre culturel et attirer l'attention du monde entier sur leurs conditions de vie : taux de chômage élevé, bas revenus, mortalité due à la malnutrition et à un nombre important de suicides parmi les jeunes, espérance de vie très inférieure à la moyenne nationale.

Moi qui avais, dans mon enfance, constamment joué au cow-boys et aux Indiens, et prié Dieu de me donner un frère indien, je n'avais plus jamais pensé depuis à ceux qui avaient peuplé l'Amérique bien avant nous. Il fallait que je me rattrape. Dès que j'ai été mise au courant de ce qui se passait à Alcatraz, je suis partie là-bas. J'y ai trouvé en tout et pour tout une centaine de représentants des différentes tribus. Il y avait parmi eux des anciens qui arrivaient de leurs réserves et des militants étudiants venus de grandes villes. C'est là que j'ai connu La Nada Means Boyer, une étudiante Bannock âgée de vingt-deux ans avec qui je suis devenue amie et qui m'a fait découvrir ce que vivait son peuple. Elle est ensuite souvent venue me voir chez mon père où Daynon, son fils de deux ans, jouait avec Vanessa, et je l'ai emmenée faire une tournée de conférences. Je voulais que les gens apprennent ce que je venais de découvrir.

La Nada et d'autres m'ont expliqué comment le gouvernement fédéral s'était débrouillé pour s'emparer de l'uranium, du charbon, du pétrole, du gaz naturel, du bois et de toutes les ressources naturelles qui gisaient dans les 200 000 kilomètres carrés de leurs réserves. Ce fut pour moi une importante découverte. Les Indiens quittaient leur statut de mythe ancien pour s'incarner dans un présent douloureux qui me permettait de remettre en question l'action de nos dirigeants – comme deux ans plus tôt, *The Village of Ben Suc*.

Alcatraz constitua également une expérience révélatrice pour les Indiens eux-mêmes. Les plus jeunes apprirent auprès des anciens la valeur de leurs traditions et purent replacer ce qu'ils vivaient dans un contexte historique (ce qui, comme je l'ai découvert ensuite, radicalise toujours les oppressés). *Ce n'est pas seulement moi. C'est le système.* Ce fut, par exemple, un moment clé dans la vie de Wilma Mankiller. Les meneurs « exprimaient des idées et des principes qui étaient déjà les miens mais sur lesquels je n'arrivais pas à mettre de mots », raconte-t-elle. Un tournant qui la rapprocha de son peuple, les Cherokees, dont elle fut élue première femme chef de tribu pendant trois mandats successifs [1].

Leur attachement à la terre est un des traits qui me fascinent le plus chez les Amérindiens. La planète est leur mère, le ciel leur père. Un schéma qui s'est inscrit dans la mémoire collective grâce à leur tradition orale. Wilma Mankiller m'a raconté l'histoire d'un Navajo qui avait travaillé au chiffre pendant la Deuxième Guerre mondiale. Lorsqu'on lui demanda ensuite comment il avait pu aider une nation qui avait si mal traité son peuple, il répondit : « Pour la terre. C'est aussi la nôtre. »

Dans les semaines qui suivirent mon voyage à Alcatraz, j'engageai ma première action de protestation publique. Plusieurs Indiens me demandèrent de les rejoindre dans l'Etat de Washington au Fort Lawton, qu'ils voulaient occuper. Ce lieu lui aussi devait être fermé et transformé en parc. Comme à Alcatraz, mes amis voulaient y implanter un centre culturel. Je ne pouvais pas dire non. Je défilai au milieu de cent cinquante autres manifestants et fus arrêtée pour la première fois.

Ce n'était pas encore les marches contre la guerre du Viêtnam, mais Alcatraz et Fort Lawton avaient fait de moi un sujet actif. Je n'étais plus seulement un nom.

Pendant ces premiers mois en Californie, j'ai eu aussi envie de satisfaire la curiosité qu'avait éveillé en moi Al Lewis pendant le tournage d'*On achève bien les chevaux* à propos des Black Panthers. Je rencontrai certains de leurs leaders, visitai leurs cliniques gratuites et les lieux de distribution de petits déjeuners chauds aux enfants. (Sans me douter que la fille d'un membre de la section d'Oakland ferait un jour partie de ma famille). J'essayai de comprendre pourquoi ils avaient choisi la lutte armée. Je me suis

1. Avec une population de plus de 350 000 âmes, la nation cherokee est la tribu la plus importante des Etats-Unis.

rappelée que dans le Sud, les jeunes Noirs ne pouvaient aller à l'école sans escorte policière, j'ai repensé au lynchage auquel mon père avait assisté, aux coups de feu que des ségrégationnistes avaient tiré sur nous parce que j'avais embrassé un petit garçon à la peau noire. On m'avait expliqué alors que le mouvement pour les droits civiques s'était transformé parce que les formes non violentes de combat s'étaient révélées inefficaces. Et je me suis souvenue des paroles de John Kennedy : « Ceux qui rendent les révolutions pacifiques impossibles rendent la violence inévitable. » Nous récoltions ce que nous avions semé.

Bien que de nature à soutenir les oppressés contre leurs oppresseurs, je ne pouvais adhérer à la lutte armée. Opposer à la violence étatique celle des citoyens me semblait sans issue.

C'est mon engagement aux côtés des Black Panthers qui me valut les foudres du FBI, et pourtant il dura bien peu de temps et consista seulement à réunir de l'argent pour payer des cautions. Les documents du FBI concernant les Black Panthers auxquels j'ai eu accès en vertu de la loi pour la liberté de l'information, montraient que le parti avait été infiltré par de nombreux agents du bureau fédéral. Je me suis dit que si je devais être continuellement suivie ou même emprisonnée, je préférais que ce soit pour défendre des gens en qui j'aurais confiance plutôt que pour aider des représentants du gouvernement à faire leur travail. Cela dit, comme le mouvement des Amérindiens l'a fait pour son peuple, les Black Panthers ont aidé beaucoup d'Afro-Américains à se situer dans un contexte politique et non comme simples victimes individuelles. (Ce n'est pas moi, c'est le système.)

Je me suis bientôt retrouvée plongée jusqu'au cou dans ce qui allait être au centre de mon militantisme : le mouvement des GI contre l'intervention américaine au Viêtnam. J'avais rencontré à Paris certains de ses membres, mais sans prendre conscience du nombre d'appelés qui ne voulaient pas de cette guerre. Comme je devais traverser le pays en voiture, quelqu'un me suggéra de me rendre dans les cafétérias des GI et d'y rencontrer des opposants. Ces cafétérias étaient gérées par des militants civils et les conscrits qui les fréquentaient pouvaient s'y renseigner sur leurs droits et sur l'histoire du Viêtnam.

Je me suis mise à voir des gens qui pouvaient en peu de temps m'apprendre ce que j'avais besoin de savoir sur l'armée. Ken Cloke, professeur de droit et d'histoire spécialisé en droit militaire, vint chez mon père m'apporter des renseignements sur le code pénal militaire. Je vis aussi, et pour les mêmes raisons, le commandant Donald Duncan, membre plusieurs fois décoré des forces spéciales, premier engagé au Viêtnam à être proposé pour la croix du mérite. Ken et Donald me remirent des coupures de presse concernant les GI dissidents et me racontèrent comment les appelés se voyaient dépouillés de leurs droits constitutionnels.

Prenons par exemple le code pénal militaire. Il fut créé à l'époque de George Washington et semble aujourd'hui moyenâgeux : il permet à un officier supérieur de réunir des accusations contre un soldat, de nommer son conseiller militaire, de choisir un « jury » de cour martiale et même d'approuver ou non le verdict et la sentence de ce dernier. Un des slogans préférés du mouvement des GI des années 70 était une citation attribuée à Clemenceau : « La justice militaire est à la justice ce que la musique militaire est à la musique. » Les hommes se demandaient pourquoi, dès qu'ils avaient revêtu l'uniforme, ils se retrouvaient privés des droits que l'armée américaine était censée défendre – liberté de parole, de pétition, de rassemblement et de publication – et subissaient, quand ils les réclamaient, des punitions injustes contre lesquelles ils étaient sans recours.

L'avocat Mark Lane et sa collaboratrice Carolyn Mugar tournaient alors un documentaire grâce auquel j'ai pu comprendre la dimension sociale du mouvement. Si les militants civils étaient pour la plupart des Blancs appartenant aux classes moyennes, le mouvement des GI était constitué d'enfants défavorisés, fils et filles (il y avait alors dans l'armée dix mille femmes) de fermiers et d'ouvriers qui ne pouvaient se payer d'études, en grande partie issus des milieux les plus pauvres des villes et des campagnes, donc souvent Noirs, ou Latinos.

J'ai appris que la dissidence datait du milieu des années 60, qu'elle avait longtemps été l'objet d'actions individuelles et désorganisées, mais que les choses avaient commencé à changer après l'offensive du Têt. Afin de mettre fin à la solitude des opposants, des GI s'étaient regroupés, non seulement contre la guerre mais pour répondre à la nature antidémocratique du système militaire.

Les dissidents ne représentaient qu'une minorité de l'ensemble des troupes engagées au Viêtnam. En 1971, pourtant, cette minorité était suffisamment importante pour que l'armée fasse état d'une augmentation de quatre cents pour cent de déserteurs en cinq ans et que l'historien militaire et ancien colonel des marines Robert D. Heinl Jr. écrive en juin dans le journal des forces armées : « Selon tous les indicateurs possibles et imaginables, ce qui reste de notre armée au Viêtnam est au bord de l'effondrement : éléments individuels qui évitent ou refusent le combat, assassinent leurs officiers et leurs sous-officiers, s'adonnent à la drogue et sont dans un état de démoralisation proche de la mutinerie... »

Comment blâmer ces soldats ? Demander à des hommes de combattre et mourir dans une guerre à laquelle ils ne croient plus ne peut, de toute évidence, qu'avoir des conséquences terribles. Or il leur aurait été difficile de continuer d'adhérer à une intervention que, dès 1970, les journaux et magazines américains même les plus modérés, comme le *Wall Street Journal* ou le *Saturday Evening Post*, considéraient comme déraisonnable. Lorsque le journaliste de CBS Walter Cronkite commença à réclamer le retrait de nos troupes du Viêtnam, le président Johnson aurait dit à son chargé de presse : « Si j'ai perdu Walter, j'ai perdu l'Amérique profonde. » Les GI et leurs familles *étaient* l'Amérique profonde.

La première cafétéria où je me suis arrêtée se trouvait à côté de Ford Ord, énorme base d'infanterie située à Monterey, en Californie. Je ne savais ni ce qu'on attendait de moi ni ce que je devais attendre. Je craignais que ma nomination à l'oscar de la meilleure actrice pour *On achève bien les chevaux* réduise cette rencontre à une bruyante séance d'autographes. En fait, l'atmosphère fut amicale, mais grave – aucune demande de signature ni de photo. Ces gens avaient en tête des choses plus importantes. Nous nous sommes tous assis par terre et les soldats se sont mis à me parler de leur vie dans l'armée et de ce qu'ils pensaient de la guerre. Ceux qui avaient déjà combattu au Viêtnam étaient les plus silencieux. J'ai surtout écouté. Au moment où je partais, un garçon d'à peine vingt ans, et qui en paraissait quinze, s'est approché pour me dire quelque chose, mais sans y arriver. J'ai attendu, légèrement penchée vers lui.

« Jjje... J'ai... tt... j'ai-ai. » J'ai dû pour l'entendre mettre mon oreille contre sa bouche. Il frissonnait, son front ruisselait de sueur.

« Je... J'ai... j'ai... j'ai tué...un... »

— Tout va bien, tu peux tout me dire, ai-je murmuré en posant la main sur son bras.

— J'ai... t-tué un petit... un petit ga... », a-t-il chuchoté. Et il s'est mis à pleurer en silence.

Jusque-là, je n'avais pensé qu'à ce que nous faisions aux Vietnamiens. La souffrance de ce soldat m'a fait entrevoir qu'il s'agissait aussi d'une tragédie américaine. *Qu'avons-nous fait à ces jeunes gens ?*

Pauvre papa. Il me regardait aller et venir, exaspéré. J'aurais aimé pouvoir lui parler de ce que j'étais en train de découvrir et des questions que je me posais, mais les rares fois où je l'ai fait, il a explosé, se raccrochant à des généralités pour m'expliquer que tout cela ne me regardait pas. Peut-être aurais-je dû lui demander de se remettre, pour me parler, dans la peau de Clarence Darrow ou de Tom Joad.

Nous nous sommes disputés un jour à propos d'Angela Davis, jeune professeure noire de l'Université de Californie de Los Angeles qui avait perdu son poste parce qu'elle appartenait au parti communiste. Je trouvais que les responsables d'UCLA n'auraient jamais dû faire ça. Mon père était furieux contre moi. Le doigt vengeur, il s'exclama : « Si jamais j'apprends que tu es communiste, Jane, je serai le premier à te dénoncer.

— Mais je ne le suis pas, Papa ! » ai-je crié en courant me réfugier dans ma chambre, cow-boy solitaire non communiste qui sauta dans son lit et tira ses draps sur sa tête. Les mots que mon père venait de prononcer étaient désespérants. *Il me dénoncerait ? Il dénoncerait sa fille ?* Je savais qu'il n'avait pas oublié le temps de la Commission de contrôle des activités antiaméricaines ni la façon dont Joseph McCarthy avait anéanti la vie et la carrière de ses amis. Je savais qu'il avait peur pour moi. Mais où étaient passés Tom Joad, Clarence Darrow et Abraham Lincoln ? Je n'arrivais pas à faire coïncider celui que je croyais connaître et le conservateur qu'il était devenu.

Mais je peux imaginer l'angoisse qu'a dû éveiller en lui la façon dont je me transformais, la confusion qu'il a probablement ressentie devant ces choses qu'il ne comprenait pas, et je me sens pleine d'amour pour lui à la pensée qu'il a, même maladroitement, tenté de garder un lien avec moi, si ténu soit-il. Avec le temps, je lui ai pardonné l'absence de courage politique que j'aurais voulu voir en lui. Choisir d'incarner à l'écran tel ou tel personnage traduit les rêves de l'acteur, pas forcément la réalité de sa vie.

UN APARTÉ

Le militantisme a transformé à jamais ma façon de voir le monde et la place que j'y occupais. Si je reste au plus profond de moi-même celle qui s'est construite alors, j'agis différemment – et heureusement, car pendant les années qui ont suivi mon retour il n'y a pratiquement pas eu une seule erreur que je n'ai pas commise lors de mes interventions publiques.

Ce que j'entendais et lisais remettait en question la foi que j'avais eue en mon pays. Mais que faire ? Je n'en savais rien, j'avais seulement l'impression de ne pas pouvoir rester inactive alors que les droits les plus élémentaires étaient violés, que des gens étaient tués, que la guerre continuait. Tant que l'on n'y aurait pas mis fin, tout, y compris ma carrière, pouvait attendre.

Au lieu de réfléchir, je parlais – tout le temps, partout, encore et encore, d'une voix de fille de bonne famille surexcitée. Les conférences de presse se succédaient à un rythme pratiquement bihebdomadaire. Je me rends compte aujourd'hui que je n'étais pas du tout préparée à affronter les médias de cette façon. Ce que j'apprenais au sujet du Viêtnam me mettait en colère. Et comme si cela n'avait pas suffi, les journalistes cherchaient à me prendre en défaut, s'interrogeaient sur les véritables motifs de mon militantisme, et je devenais agressive. Je perdais pendant les interviews tout sens de l'humour, répondais avec un débit trop rapide, sur le ton de celle qui arrive d'une autre planète, bien mieux que la nôtre, et qui réussit difficilement à cacher sa fureur. J'ai commencé à utiliser un jargon idéologique qui sonnait faux. *Tu veux prouver ce dont tu n'es pas sûre.* Je facilitais la tâche de ceux qui voulaient donner de moi une image douteuse, pour ne pas dire complètement négative. Imaginez-moi, debout sur une caisse criant à la révolution, alors qu'on donnait *Barbarella* au cinéma du coin.

J'aurais dû écouter davantage, parler moins, prendre mon temps. Emmener Vanessa avec moi dans ces voyages à travers le pays. Cela aurait été mieux pour elle, pour moi, pour nous. J'aurais dû, j'aurais pu, mieux fait de. Quand j'y repense, cela me serre le cœur.

En regardant des années plus tard avec mon fils Troy (vers qui je me tourne toujours lorsque j'ai besoin d'aide) des interviews que j'ai données alors, j'ai eu envie de crier : « Mais faites-la taire ! » Troy, âme sage et généreuse, m'a dit : « Ecoute, maman, quand il apprend quelque chose de nouveau, le sage taoïste s'isole le temps qu'il faut, jusqu'à l'illumination qui lui permettra d'enseigner ce qu'il a découvert. Mais toi... » Il a secoué la tête et ri. « Tu t'es retrouvée sur le devant de la scène avant d'avoir intégré toutes ces questions. Même ta voix n'était pas la tienne. Tu n'étais plus un individu humain dans sa complexité. Tu n'étais plus toi. »

Ce qui suit est une explication et n'excuse donc rien. Généralement, mon instinct ne me trompe pas, mais je ne suis pas quelqu'un de la lenteur. Je pige vite, et si quelque chose entre dans ma vie, m'émeut et me semble faire sens, je fonce droit dans le tas et je vais *jusqu'au bout*[1]. J'ai passé mon existence à bondir d'une croyance à l'autre, me fiant presque toujours à mon intuition et à mes émotions, plutôt qu'au calcul, à l'intérêt personnel – ou à l'idéologie. Comme l'a dit le dramaturge anglais David Hare : « J'arrive là où je veux être avant d'avoir pris la peine de parcourir le chemin nécessaire. »

Et il y avait l'air du temps. Je suis rentrée dans une Amérique en guerre contre elle-même, à un point dont je n'avais pas idée. Tout semblait prêt à exploser, une révolution aurait pu être possible, je le sentais de façon viscérale. Après ce que j'avais vu à Paris l'année précédente, il ne me paraissait pas inconcevable

1. En français dans le texte (*NdT*).

qu'étudiants, Noirs, ouvriers et autres opprimés réussissent à faire tomber notre gouvernement. Je n'avais pas la moindre idée de ce que cela voulait dire. Qu'un tel processus puisse (comme cela avait fini par le faire en France) provoquer une réaction aboutissant à une situation encore plus répressive ne me vint pas à l'esprit. Une chose était certaine, personne, autour de moi, n'avait à proposer un système plus transparent, plus démocratique que celui dans lequel nous vivions.

Je voulais qu'on me prenne au sérieux, et je pensais, à tort, que plus je militerais ouvertement, plus on me prendrait au sérieux. J'ai compris bien plus tard que seul comptait ce que j'étais : une nouvelle venue qui voyait défiler à toute vitesse de quoi ne plus croire en tout ce en quoi elle avait cru, qui essayait de donner une cohérence à ce qu'elle découvrait, et était en même temps, et surtout, une actrice de cinéma que les hommes et les femmes de l'armée avaient envie de rencontrer, à qui ils étaient heureux de parler et de raconter ce qu'à mon avis, tous les Américains auraient dû savoir.

Je voulais changer en mieux. Et changer les choses en mieux. Je ne pensais pas assez à la façon dont mon attitude pouvait être perçue. J'étais submergée par ce que j'apprenais et je cherchais à comprendre ces drames quotidiens. J'aurais eu moins de problèmes si je m'étais plus préoccupée de moi, de ce que je donnais à voir, de la manière dont ce que je disais ou ce que je faisais pouvait être interprété ou risquait d'affecter ma carrière. Bien ou mal, je ne m'en préoccupe toujours pas. Ce n'est que lorsque j'ai tourné *La Maison du lac* avec Katharine Hepburn, femme par essence consciente de son image, que j'ai bien été obligée de réaliser à quel point j'avais ignoré la mienne.

Je voulais être un relais, comme ces antennes géantes sur les montagnes qui interceptent les signaux les plus ténus et les transmettent de l'autre côté de la vallée. Après coup, et ayant survécu suffisamment longtemps pour pouvoir le raconter dans ce livre, je ne regrette pas d'avoir foncé dans le tas. Plus prudente, je n'aurais peut-être été qu'un observateur concerné parmi tant d'autres. Un personnage de *Howards End* de E. M. Forster dit que l'on ne trouve la vérité qu'en explorant les situations extrêmes et que « si la mesure apparaît, en fin de compte, le grand secret, son adoption *a priori* entraîne une stérilité fatale ».

On m'a souvent qualifiée de marionnette prête à se laisser manipuler. Ce n'est pas tout à fait faux. Jusqu'à soixante ans, je n'ai jamais eu assez confiance en moi pour ne pas avoir besoin d'un homme à mes côtés, et ceux avec qui j'ai vécu incarnaient quelque chose qui me faisait me sentir quelqu'un de mieux que ce que je croyais être. Chaque nouvelle relation m'apportait le sentiment d'une nouvelle profondeur, pourtant je finissais toujours par me dire : « Il manque quelque chose. Ça ne va plus. » Je passais quelque temps toute seule (jamais plus de quelques années) et commençais à reconnaître ce qui m'avait manqué. Inévitablement un nouvel homme extraordinaire, celui qui allait m'aider à combler ce manque, entrait alors dans ma vie. Un pantin n'existe pas quand personne ne tire les ficelles qui l'animent. Svengali fait de Trilby celle qu'il désire qu'elle soit, ou qui correspond à ses besoins, sans tenir compte de ce qu'elle est[1]. Alors que, chaque fois que je me suis engagée dans une nouvelle relation, j'étais déjà en route vers ce que je voulais atteindre, et mon nouveau compagnon allait me conduire jusqu'au bout du voyage. C'est important. Cela montre que j'ai toujours été, au moins, copilote de l'avion.

Cet aparté répond à un certain nombre de choses que l'on a dites sur moi. Je reviendrai par la suite à la controverse politique qui m'a concernée. Si vous ne l'avez pas déjà fait, attachez vos ceintures. Nous allons traverser de nouvelles perturbations.

1. Personnage de *Trilby*, de George Du Maurier (*NdT*).

CHAPITRE QUATRE

PHOTOS DE VOYAGE

Il se passe quelque chose ici
Quoi exactement on ne le sait pas
Il y a là-bas un homme armé
Qui me dit de me méfier
Je crois qu'il est temps, les enfants, de nous arrêter,
qu'est-ce que c'est que ce bruit
Regardez tous ce qui se passe.

Stephen STILLS,
« For What It's Worth », 1966.

En avril 1970, je suis partie explorer l'Amérique. Tout me semblait nouveau. C'est de là que date mon besoin de juger par moi-même. Je peux lire et apprendre, mais pour vraiment « comprendre », je dois aller chez les gens, m'asseoir parmi eux, les regarder, les écouter raconter leur histoire, découvrir à quoi leur vie ressemble. Je voulais mettre des visages sur les faits troublants dont j'entendais parler depuis trois mois – des visages d'Indiens, des visages de Noirs, d'hommes en uniforme, d'Américains moyens. Ayant toujours vécu sur la côte est ou ouest, je ne connaissais rien de ce qu'il y avait entre les deux – mon idée de ce pays ressemblait à un sandwich fait de deux tranches de pain sans rien entre elles. En France, je m'étais sentie très américaine. Je voulais maintenant savoir ce que cela voulait dire – et non pas seulement à travers les lieux privilégiés que je connaissais, mais l'Amérique profonde, de la même façon que je cherchais à savoir qui j'étais au fond de moi.

Le réalisateur Alan Pakula a dit un jour : « Jane semble avoir terriblement besoin d'être au cœur de la vie. Elle est le genre de dame qui, il y a cent ans, aurait traversé la Prairie dans un chariot. » Au lieu de ça, j'ai loué une voiture et fait à l'envers le chemin des pionniers, roulé vers l'est.

Je suis partie avec Elisabeth Vailland, une amie française, dans un break rempli jusqu'au plafond : sacs de couchage, appareils photo, livres, guitare (David Crosby m'avait donné des leçons) et une glacière qui contenait un assortiment d'aliments pour le moins étrange. Je passais par la phase anorexique de mes troubles alimentaires, et ne m'autorisais à avaler que des œufs durs, des épis de maïs crus et des épinards. L'idée de manquer deux mois de danse classique m'inquiétait – je n'avais jamais arrêté mes cours aussi longtemps d'affilée depuis l'âge de vingt ans. Si je ne voulais pas grossir, je devais, pensais-je, contrôler sévèrement ce que j'avalais.

Nous avons été emportées presque dès le départ dans la tourmente des événements de 1970 : invasion du Cambodge, étudiants tués à Kent State University, Ohio, et à Jackson State University, Mississippi, soulèvement des campus. J'ai de ce périple quelques souvenirs précis, des instantanés qui me reviennent et que je vais partager avec vous. Mais une grande partie de ce à quoi nous avons assisté et de ce que nous avons vécu se voile dans un brouillard tragique et inquiétant. Heureusement nous tenions toutes les deux un journal. Moins heureusement, il y a les milliers de pages de rapports du FBI me concernant, dont les premiers datent apparemment de quelques semaines après le début du voyage (j'en ai pris connaissance plus tard grâce à la loi sur la liberté d'information qui fut votée après le scandale du Watergate).

Elisabeth était belle, dans le genre Georgia O'Keeffe. La presse la présentait comme ma coiffeuse, ou mon attachée de presse, ou encore une danseuse russe. En sous-entendant évidemment parfois que nous étions amantes. Nous ne l'étions pas.

Elle avait avec son mari l'écrivain Roger Vailland, qui était mort depuis, partagé le penchant de Vadim pour le whisky et les ménages à trois, et Vadim espérait qu'impressionnée par leur intelligence, j'adhérerais à sa vision du sexe. Dans *D'une étoile à l'autre*, il écrivit à propos de Vailland : « Il rejetait avec la même rigueur le puritanisme judéo-chrétien et l'hypocrisie communiste en ce qui concernait le sexe et le droit de l'homme au plaisir. » Vous remarquerez qu'il s'agit du droit de l'*homme.* Roger Vailland et Roger Vadim partageaient cette idée qu'il ne pouvait y avoir de véritable amour qui ne soit libéré de la jalousie et de la possessivité. Elisabeth était non seulement d'accord avec eux, mais c'était souvent elle qui présentait à Roger Vailland des femmes dont elle pensait qu'elles pourraient lui plaire. « Et si Elisabeth couchait avec un autre, avais-je demandé un jour à Roger Vailland, est-ce que tu serais jaloux ?

— Il est hors de question qu'elle le fasse, avait-il répondu.

— Pourquoi ?

— Parce qu'elle arrêterait de m'aimer.

— C'est vrai, avait ajouté Elisabeth. S'il me laissait passer ne serait-ce que quelques heures dans les bras d'un autre, je n'aurais plus aucun respect pour lui.

— Et c'est ce que vous appelez de la liberté ? Je trouve ça plutôt hypocrite.

— La liberté n'obéit pas à des règles arithmétiques, tu sais », avait-elle répondu avec cette logique des intellectuels européens qui me donnait toujours l'impression d'être à côté de la plaque. J'espérais maintenant découvrir pendant ce voyage ce qu'elle pensait vraiment du libertinage de son mari, et avais l'intention de lui parler en toute honnêteté de mes propres expériences. Elle était la seule personne avec qui je croyais pouvoir aborder ce sujet. Mais à la vérité, elle n'a jamais été très claire sur ses sentiments, alors que j'avais lancé la conversation là-dessus assez vite, puisque nous traversions à ce moment-là le parc national du Yosemite.

« Est-ce que ça t'était vraiment égal, que Roger ait des maîtresses ? » lui ai-je demandé. Elle s'en est tenue à ce qu'elle m'avait déjà dit, que faire plaisir à son mari de cette manière-là l'excitait, intellectuellement et physiquement. « Je savais qu'il m'aimait et que les autres ne représentaient pas la même chose pour lui.

— J'imagine que je n'avais pas assez confiance en moi pour ne pas me sentir diminuée par les infidélités de Vadim, ai-je répondu. J'aurais voulu qu'il soit monogame, mais je n'ai jamais osé lui dire, j'avais trop peur de paraître bourgeoise. Je pensais que si je participais, cela ne se passerait pas derrière mon dos.

— Est-ce que faire l'amour avec d'autres femmes t'a plu ? m'a-t-elle demandé.

— Je ne sais pas. A l'époque j'ai pensé que oui, parce que j'arrive toujours à me calquer exactement sur ce que les hommes veulent que ce soit. Je peux me convaincre d'à peu près n'importe quoi pour plaire. Mais maintenant que nous ne sommes plus ensemble, j'ai essayé de comprendre ce qui se passait vraiment en moi. Je crois que d'une certaine manière ça me plaisait. J'aimais voir comment les femmes exprimaient leur désir et leur plaisir. Seulement pour le faire, j'avais toujours besoin d'être ivre. J'avais peur, je me sentais en rivalité, ce qui n'est pas le meilleur état d'esprit pour faire l'amour. Et j'ai toujours été en colère après, mais jamais envers ces femmes... envers Vadim. En général nous devenions copines. C'était la seule façon de me sentir humaine dans une situation qui me donnait l'impression d'être utilisée, minable, piétinée pour le plaisir de Vadim. Et toi ? ai-je demandé à Elisabeth. Est-ce que tu aimais ça ? »

Elle a répondu à ma question sans y répondre vraiment. (A la fin de notre voyage, je ne savais toujours pas ce qu'il en était de son plaisir.) Je me souviens d'avoir souhaité pouvoir être plus... européenne, moins transparente. Vadim disait souvent que je manquais de mystère.

Avoir couché avec Vadim et d'autres filles était un des symptômes de ma désincarnation, de la perte de ma voix. Ce n'est pas comme s'il m'avait forcée à le faire. J'aurais pu refuser. Il l'aurait accepté. J'ai appris que les femmes avec qui il a vécu ensuite ne l'ont pas fait. Encore une fois, si j'en parle ici, c'est parce que je sais que cela arrive assez souvent, que pour garder un homme, bien des filles en acceptent une autre dans leur lit.

Revenons à notre voyage. Je trouvais merveilleux de ne pas avoir d'itinéraire fixé. Nous nous arrêtions quand nous voulions, dans les motels les moins chers possible (en moyenne huit dollars la nuit pour une chambre à deux), car j'avais été obligée d'emprunter à mon manager de quoi faire ce voyage. Vadim avait depuis longtemps dilapidé à des tables de jeu ce que ma mère m'avait laissé, et ce que j'avais gagné avait été dépensé dans notre ferme près de Paris, qui était maintenant à vendre.

Personne ne me reconnaissait. Je ne ressemblais plus à l'image qu'on me prêtait. Trois mois plus tôt, je portais encore des mini-jupes ultracourtes, des hauts transparents ou décolletés et le lourd maquillage qui avaient été mon uniforme pendant les années Vadim – et n'avaient qu'un but : attirer l'attention des hommes. Il ne m'avait pas fallu longtemps pour comprendre que mon apparence poussait les gens à me mettre en position d'objet et créait un fossé entre moi et les autres femmes. Aussi avait-je décidé de ne plus m'habiller pour les hommes, mais de façon à ce que les femmes se sentent à l'aise en ma compagnie. Ma garde-robe se réduisait à quelques jeans, quelques chemises infroissables, des bottes militaires et une grosse veste de marin. Je ne me maquillais plus. J'ai souvent été surprise de la *colère* que cela suscitait chez certains, presque toujours des hommes, comme s'ils y avaient vu une trahison. Des articles parurent sur la « nouvelle Jane », et William Buckley écrivit : « Elle ne doit plus jamais se regarder dans une glace. » Exact. Je l'avais trop fait.

Quand une amie de New York m'a appris un jour au téléphone que cinq mille femmes manifestaient pour la légalisation de l'avortement, j'ai écrit dans mon journal : « Je ne comprends pas ce mouvement de libération. Il y a, je trouve, des choses plus importantes à défendre. Ce genre de problèmes détourne l'attention de toutes les horreurs qui se passent dans le monde. Chacune doit se débrouiller pour se libérer elle-même et montrer à son homme ce que cela veut dire. »

Oui, j'ai écrit ça. Oui, j'ai beaucoup évolué. Il me semble avoir abondamment démontré que je ne m'étais pas libérée et n'avais rien du tout montré à Vadim. Je ne savais pas encore, que lorsqu'une partie de la population est moins considérée que l'autre, que ce soit sur le plan culturel, économique, historique, politique ou psychologique, les individus pris séparément ne peuvent rien faire. Il faut les efforts conjoints d'un grand nombre de gens pour changer le système.

Mais même après avoir commencé à m'associer aux féministes, je n'ai pendant longtemps toujours pas eu le courage de regarder en moi et d'analyser la façon dont j'avais intériorisé le sexisme – mon incapacité à dire ce que je pensais, la trahison de mon corps et de mon âme, le silence auquel je m'obligeais parce que exprimer ce que je ressentais vraiment pouvait me faire perdre celui avec qui je vivais.

Nous sommes allées chez les Indiens Paiutes, à environ quarante-cinq minutes de Reno, Nevada, participer à une manifestation qu'ils avaient organisée contre l'administration chargée de la mise en valeur des terres. Cette dernière détournait, avec l'autorisation du Bureau des affaires indiennes, l'eau de la Truckee River et du lac Pyramid, qui appartenaient à la réserve, afin d'irriguer les champs des fermiers blancs. Nous étions à peu près une vingtaine, rassemblés sur la rive occidentale du lac. Des Indiens avaient apporté de petits flacons qu'ils vidaient dans les vagues, en un geste symbolique.

Ma présence parmi ces êtres pacifiques fait l'objet du premier rapport du FBI me concernant : « Le groupe réuni autour de Fonda comprenait deux cents personnes, dont quarante appartenaient à son entourage personnel. Ces quarante-là ont déversé dans le lac cent litres d'eau apportée de Californie. Une manifestation très tranquille, sans aucun incident à signaler. »

... Et dire qu'en anglais les services de renseignements s'appellent Intelligence Service.

Alors que nous attendions le serveur dans le seul restaurant de la réserve, des hommes sont entrés et nous ont invitées à leur table. L'un d'eux, un costaud à lunettes noires, répétait qu'il fallait faire sauter à la bombe le barrage que les fermiers blancs avaient construit, et qui risquait d'assécher le lac Pyramid. Mes antennes se sont mises à vibrer : il s'agissait d'un *agent provocateur*[1]. Les

1. En français dans le texte (*NdT*).

Black Panthers m'avaient assez parlé de ce genre de types. Nous sommes parties tout de suite.

A la réserve shoshone de Fort Hall, Idaho, nous avons retrouvé La Nada, que j'avais rencontrée à Alcatraz, et elle nous a emmenées dans sa famille. C'était la première fois que j'entrais dans une maison indienne. Son père nous a parlé des actions qu'il avait menées contre le gouvernement américain au nom de la nation shoshone, dont on volait constamment les terres et l'eau. Il a sorti des cartons à chaussures remplis de papiers et nous a montré, plein de respect, les lettres et les documents qui attestaient de ses démarches. Il prenait ces feuilles entre ses mains, comme si elles étaient sacrées, sans jamais élever la voix ni se mettre en colère et racontait l'une après l'autre ses histoires de trahisons et de batailles perdues. Comme tous les Indiens, ces gens appartenaient à un peuple de tradition orale. Mais l'expérience leur avait enseigné qu'en matière de preuve, l'homme blanc a besoin d'écrits. Alors ils avaient gardé ces papiers. Et rien n'avait changé.

Après avoir quitté l'Idaho, j'ai noté dans mon journal que les indigènes américains semblaient avoir toutes les caractéristiques d'un peuple colonisé : pas de pouvoir, pas d'indépendance, pas de contrôle sur leurs ressources naturelles, et une tendance, que leurs colonisateurs avaient soigneusement instillée et entretenue, à penser que tout cela était de leur faute.

Des années plus tard, j'ai appris dans les dossiers du FBI que la femme qui nous avait accueillies dans la réserve de Shoshones était un indicateur. Elle raconta dans son rapport qu'Elisabeth et moi étions venues « organiser et endoctriner » les Indiens. Est-ce que le Bureau lui donnait de l'argent ? Et dans ce cas, est-ce que les contribuables américains pensaient qu'utiliser les impôts pour payer une femme à nous regarder en train de regarder un vieil homme fouiller dans de vieux cartons à chaussures était vraiment utile ? Je me souviens d'elle : elle avait eu l'air déçu que je ne ressemble pas plus à une star. Elle avait même dit avoir eu envie d'annoncer que j'étais Jane Fonda et s'était montrée furieuse que je n'accepte pas.

J'ai fait un rapide aller et retour en Californie pour avancer au bras de Vadim sur le tapis rouge de l'Academy Awards. J'avais à peine eu le temps de penser à ma nomination à l'oscar de la meilleure actrice pour *On achève bien les chevaux*. Beaucoup de mes amis disaient que j'allais gagner, mais je ne le croyais pas, et j'avais raison. Ce fut Maggie Smith qui l'emporta grâce à sa remarquable prestation dans *L'Orgueil de Miss Brodie*. J'avais, en dix ans de carrière, assisté plusieurs fois à cette cérémonie, mais ce soir-là, c'était différent – et pas seulement parce que j'étais nominée, mais parce que la vie que je menais en dehors du cinéma commençait à m'intéresser plus que mon existence d'actrice.

Ma première action publique contre la guerre consista à jeûner pendant deux jours sur la place des Nations Unies à Denver, un des nombreux événements organisés par le collectif MOBE, qui militait pour l'arrêt de l'intervention américaine au Viêtnam. Plus de mille personnes étaient rassemblées là, des gens de tous âges, des vétérans et des Indiens. Compter dans leurs rangs une célébrité semblait leur redonner courage, et malgré le froid et la pluie, la foule restait compacte, unie dans son engagement. Le dernier jour de jeûne, des ouvriers qui travaillaient sur un chantier de l'autre côté de la place nous saluèrent en s'en allant le soir avec le signe de la paix, eux qui étaient censés défendre la guerre, comme les activistes antiguerre étaient censés être de mauvais patriotes. Les stéréotypes en prenaient un coup, tant mieux.

Au Home Front, une cafétéria de GI qui se trouvait près de Fort Carson, à Colorado Springs, une trentaine de soldats nous attendaient. Un avocat avait convaincu leur commandant de venir discuter avec nous de ce qui s'était passé à la base : une centaine de conscrits s'étaient installés devant l'infirmerie en faisant le signe de la paix et en disant avoir des nausées, parce que la guerre les écœurait. Ils avaient tous été emprisonnés, et la rumeur courait qu'on les avait tabassés. Etant donné l'impact que ma visite pouvait avoir sur les médias, nous avions espéré que le commandant déciderait de les relâcher.

A notre grand étonnement, il nous emmena voir les manifestants dans leurs cellules et nous autorisa à leur parler. S'il espérait nous montrer que ces hommes étaient bien traités, ce fut un échec. Ils semblaient catatoniques. L'un d'eux avait même l'air en pleine crise de schizophrénie. Certains, qui se présentèrent comme appartenant aux Black Panthers, déclarèrent avoir été battus, et cela paraissait vrai. Peut-être le commandant n'était-il jamais entré dans cette prison auparavant ; peut-être avait-il mal évalué l'effet que produirait ce qu'il me montrerait. Quoi qu'il en soit, il mit soudainement fin à la visite et nous nous retrouvâmes dehors avant que j'aie eu le temps de savoir quels étaient, parmi ces prisonniers, ceux qui avaient manifesté en faveur de la paix.

Elisabeth souligna ce paradoxe de notre démocratie : des hommes étaient punis pour s'être opposés à la guerre, mais nous avions eu le droit d'aller les voir dans leur prison.

J'ai appris que le psychiatre d'une école militaire voisine voulait me rencontrer. On m'a emmenée dans un motel où le jeune médecin m'a parlé de l'entraînement que l'on faisait suivre aux nouvelles recrues, disant que c'était horrible, qu'on cherchait à transformer ces jeunes gens « en robots dénués de toute humanité, prêts à tuer n'importe qui ».

J'avais emporté des piles de livres à distribuer aux GI. Des exemplaires de *The Village of Ben Suc*, la version abrégée du livre de Bertrand Russell *Against the Crime of Silence : Proceedings of the International War Crimes Tribunal* et celui de Robert Sherill, *Military Justice Is to Justice as Military Music Is to Music*, et toute une collection de journaux publiés par le mouvement des GI. Après ma visite à la prison, je n'obtins pas le droit de retourner à la base, mais des soldats nous proposèrent de nous y faire entrer en fraude. Ils voulaient que je voie la cafétéria que les autorités avaient installée et où elles organisaient des spectacles où dansaient des filles très légèrement vêtues, afin de garder les hommes sur la base et les empêcher de fréquenter le mouvement antiguerre.

Nous sommes passées à l'intérieur enfermées dans un coffre de voiture. La salle était plutôt glacée, avec aux murs des affiches de pin-up, et une petite scène, sur laquelle nous nous sommes vite retrouvées en train de distribuer nos livres aux quelques GI qui étaient là (nous n'avions pas le temps d'aller jusqu'à la prison).

Je leur ai parlé de l'autre cafétéria, celle des opposants, et leur ai expliqué pourquoi je leur apportais ces livres. Mais à peine avais-je fini que la police militaire est arrivée et nous a expulsées. Des soldats m'ont dit ensuite que le commandant avait fait comme si rien ne s'était passé, de peur d'attirer l'attention des médias, car les hommes grâce à qui nous étions entrées n'étaient pas des appelés, mais des militaires de carrière. La hiérarchie craignait que cela se sache et renforce les sentiments antiguerre des soldats.

J'ai appris ensuite que c'est pendant mon séjour à Denver que le FBI a commencé à sérieusement s'intéresser à moi, et ne s'est plus contenté de renseignements donnés par des indics, mais a cherché à m'accuser de sédition, crime pour lequel est puni quiconque « conseille, soutient, pousse, entraîne ou essaye d'entraîner de quelque façon que ce soit tout membre des forces armées américaines à l'insubordination, à la trahison, à la mutinerie ou au refus d'accomplir son devoir ». Le FBI n'a le droit d'enquêter sur quelqu'un qu'en vertu du code pénal, c'est pourquoi il a, avec les services secrets de l'armée, et l'Agence nationale de sécurité, décidé d'alléguer la sédition puis de faire ce qu'il fallait pour la prouver. C'est ainsi que ses agents ont interrogé neuf des personnes qui avaient été présentes lors de mon passage à la base de Fort Carson.

Les réponses qu'ils obtinrent ressemblaient à toutes celles qu'ils reçurent de leurs informateurs au cours de trois années d'enquête. Selon le rapport de leur agent, les témoins racontèrent m'avoir entendue déclarer clairement que déserter ne ferait pas avancer la cause de la paix, il nota aussi que rien de ce que j'avais dit ne pouvait être considéré comme une attaque contre le gouvernement, et que j'avais plus écouté que parlé.

Je me suis aperçue que j'étais constamment suivie et fis attention à ne jamais dépasser la limitation de vitesse. Malgré cela, nous fûmes souvent arrêtées, sous un prétexte ou un autre, et je devais chaque fois montrer mon permis et les papiers de la voiture. J'y voyais une forme de harcèlement et compris que, pour la première fois, j'avais passé la ligne qui permet à la haute société blanche, et en particulier aux célébrités, de ne jamais avoir à vivre ce que les autres, surtout les gens de couleur, doivent affronter continuellement, et en bien pire. J'avais le ventre serré, je ne savais jamais ce qui allait arriver. Je savais que l'on pouvait me piéger, mais j'étais de plus en plus décidée à continuer.

Ils croient me faire peur. Ils ne savent pas que je suis le cowboy solitaire, à pied, à cheval ou en voiture.

Un matin quand je suis sortie du motel, la Monument Valley s'étendait face à moi jusqu'à l'horizon, rouge, vaste et hors du temps, imposante d'immensité. Les monolithes qui la surplombaient semblaient avoir été placés là par une main divine, comme les voûtes des grandes cathédrales qui entraînent nos yeux et nos pensées vers le ciel, afin de nous rappeler l'insignifiance humaine. Je suis restée bouche bée. Le cœur débordant d'amour pour ce pays que je découvrais. Je me suis juré à cet instant de faire tout ce que je pourrais pour que la fibre morale de l'Amérique reste aussi forte que sa beauté.

Alors que nous roulions vers Santa Fe, nous avons appris par la radio que les Etats-Unis avaient envahi le Cambodge. La situation était grave.

Le motel où nous sommes descendues a dû appeler les journaux et les avertir de ma présence. Des reporters sont venus demander ce que je pensais de l'invasion. J'étais furieuse. Nixon, qui venait d'être élu en promettant de mettre fin à la guerre, l'étendait à un autre pays ! Nous ne savions pas encore que l'armée américaine bombardait secrètement le Cambodge depuis mars 1969. Ni que nos bombardiers avaient, entre 1964 et 1969, fait disparaître un pan entier de civilisation dans la plaine des Jarres, au nord du Laos. Les événements de mai 1970 nous ouvrirent les yeux. Les jeunes se lancèrent de plus en plus nombreux dans le militantisme.

Il avait été jusque-là possible d'envisager la guerre comme une « erreur » de Johnson dont Nixon aurait hérité. Après le Cambodge, nous fûmes obligés de comprendre qu'il ne s'agissait pas d'une méprise. Nixon élargissait le conflit sous prétexte d'y mettre fin et malgré l'opposition d'au moins la moitié du Sénat et d'une majorité d'Américains. Il ne pouvait le faire que de façon délibérée. Quelques dizaines d'années plus tard, j'ai compris que tout cela était lié au système patriarcal, à la peur de se retirer trop tôt, de ne pas se montrer assez viril.

Un leader du mouvement étudiant m'invita à prendre la parole sur le campus de l'université du Nouveau-Mexique à Albuquerque. Il disait que ses camarades restaient indifférents au problème du Viêtnam et espérait que je déclencherais une réaction. Je n'avais encore jamais parlé en public de la guerre, mais j'acceptais, malgré mon trac. J'ai appelé Donald Duncan pour lui demander conseil. Il était allé au Cambodge quand il faisait partie des Bérets verts, et connaissait bien la situation. J'ai noté tout ce qu'il me disait et préparé un discours soigneusement écrit.

A notre grande surprise, l'auditorium de l'université était plein, les gens s'asseyaient sur les marches et se pressaient jusque dans les couloirs. Je me suis sentie importante. Puis j'ai récité mon texte devant un public attentif mais calme.

Quand j'ai eu fini, un poète ivre est monté en titubant sur l'estrade et m'a demandé pourquoi je n'avais pas dit un mot à propos des quatre étudiants qui venaient d'être tués par la garde nationale à Kent State University. Oh, Seigneur ! Je n'étais pas au courant. Voilà pourquoi tant de gens étaient venus. La nouvelle m'a bouleversée, et en même temps je me suis sentie idiote. Puis nous avons été emportés par la foule qui s'est dirigée vers la maison du doyen à qui les manifestants demandaient de fermer l'université en signe de deuil.

Le reste du voyage se noie dans un brouillard de discours, de conférences de presse et d'arrestations, à Fort Hood, à Fort Bragg, à Fort Meade, où je distribuais des tracts contre la guerre. Quelques incidents se détachent. Quand je suis intervenue à Los Angeles avec Donald Duncan pour annoncer une manifestation organisée par les mouvements des GI le 16 mai, jour des Forces armées – qu'ils appelaient jour des Farces armées –, un journaliste m'a crié : « Miss Fonda, pourquoi êtes-vous allée à Albuquerque inciter les étudiants à l'émeute ? » J'aurais dû répondre qu'il m'accordait trop de crédit, et lui demander s'il ne croyait pas plutôt que c'étaient les meurtres des étudiants de Kent State University qui avaient provoqué cette manifestation. Au lieu de ça, malheureusement, je me suis mise sur la défensive, et je lui ai répondu d'un ton furieux.

Donald voulait ouvrir une Agence de GI à Washington pour y représenter les soldats, un endroit où les hommes pourraient téléphoner ou écrire, raconter ce qu'ils vivaient, où les injustices de l'armée pourraient être enregistrées, où des médecins et des avocats pourraient vérifier leurs plaintes et faire passer ces renseignements à la Chambre et au Sénat afin de déclencher des poursuites. Il fut décidé que Donald partirait immédiatement s'en occuper, pendant que je réunissais des fonds.

J'avais vu Paris dans la tourmente en 1968, et la même chose se passait maintenant d'un bout à l'autre de l'Amérique. En mai, trente-cinq mille hommes de la garde nationale sont intervenus dans seize Etats. Plus d'une centaine de manifestants ont été blessés ou tués. Un tiers des universités ont fermé. Il y eut d'abord les meurtres de Kent State, au début du mois. Puis, le 14, la police surgit dans un dortoir de Jackson State University, blessa douze étudiants et en tua deux. Plus de cinq cents GI désertaient chaque jour.

A Albuquerque, parce que les journaux avaient rapporté mes critiques contre l'invasion du Cambodge, deux motels refusèrent de me donner une chambre.

J'ai rencontré Terry Davis, un belle femme aux cheveux bruns qui s'occupait d'une autre cafétéria du mouvement des GI, l'Oleo Strut, à Killeen, Texas, près de Fort Wood. C'était la première fois que je croisais une femme chargée de telles responsabilités. Une expérience si importante que lorsque je me rappelle ce voyage, c'est toujours à Terry que je repense d'abord. Elle ne m'a jamais traitée en star, mais en égale. Elle voulait connaître les raisons qui m'avaient poussée à militer et en particulier dans le mouvement des GI. Elle me demandait mon avis, me faisait participer aux décisions, s'assurait que je me sentais à l'aise. Et elle montrait la même sensibilité et la même compassion quand elle s'adressait aux soldats. Avec elle, il n'y avait pas de hiérarchie, mais un cercle de gens où chacun était écouté, considéré. Elle permettait de croire à un monde nouveau, authentique. C'était aussi la première fois que je voyais un responsable incarner si parfaitement ses idées, avoir avec les autres des échanges aussi démocratiques.

C'est à l'Oleo Strut que j'ai assisté à ma première conférence sur le Mouvement de libération des femmes. Terry avait invité une féministe à parler devant les GI. J'étais impressionnée. Je n'avais jusque-là jamais bien compris leurs revendications. On me demandait souvent ce que j'avais ressenti lorsque j'avais tourné *Barbarella,* si je n'avais pas eu l'impression d'être exploitée. Je savais que j'étais censée répondre oui, mais pensais en secret : *Personne ne m'a forcée à faire ce film. Pour des tas de raisons, le tournage m'a été pénible, mais à aucun moment je n'ai eu l'impression qu'on se servait de moi.* (Je pense aujourd'hui qu'il n'aurait manqué pas grand-chose à *Barbarella* pour être un film féministe – et tout aussi sexy.) Ce soir-là, la conférencière expliqua que s'il existait une véritable égalité entre les hommes et les femmes, ce serait profitable aux deux sexes. Les hommes n'auraient plus à porter seuls le fardeau que le système patriarcal fait reposer sur leurs épaules. « Il n'est pas question que les femmes vous enlèvent votre part de gâteau, déclara-t-elle aux soldats qui l'écoutaient, attentifs, mais que nous en partagions un plus gros. »

A partir de ce jour, je me suis toujours, en public, déclarée féministe, même s'il me fallut de nombreuses années pour savoir exactement ce que ce mot recouvrait sur un plan personnel et politique. Il m'était beaucoup plus facile de travailler pour les autres – Vétérans, Indiens, Noirs ou GI – que de penser à la question des rapports entre hommes et femmes. Une telle réflexion remettait en cause la base sur laquelle reposait mon identité : une femme est faite pour plaire. Elle peut remuer ciel et terre à l'extérieur, mais une fois à la maison, elle doit se débrouiller pour rendre celui qu'elle aime heureux.

A l'Oleo Strut, Elisabeth et moi avons partagé un grand matelas posé à même le sol et une couverture en patchwork. C'était pour moi une expérience nouvelle, mais j'allais bientôt découvrir que les militants dormaient presque toujours comme ça. Un mode de vie que les difficultés financières m'ont fait adopter à mon tour.

C'est là aussi que j'ai appris à utiliser comme tables des bobines de câbles.

A Washington, cent mille personnes manifestaient contre la guerre. Des Blancs martelaient « Libérez Bobby Seale[1] ! Libérez Bobby Seale ! » Des vétérans défilaient en casquettes marquées du signe de la paix. Al Hubbard, un Noir qui appartenait au groupe de Vétérans du Viêtnam contre la guerre, parla avec une éloquence impressionnante. Puis ce fut le tour de Shirley MacLaine, seule autre représentante de Hollywood ce jour-là, et bien plus habituée que moi à prendre la parole devant un tel public.

Se retrouver debout en face d'un micro devant un océan de visages levés vers vous, avec l'écho de votre voix qui vous revient quand vous en êtes déjà à la phrase suivante, demande une certaine pratique. Je devais évoquer le mouvement des GI et expliquer pourquoi les militants antiguerre ne devaient pas systématiquement considérer ceux qui portaient l'uniforme comme des ennemis. Je tendis la main vers des soldats qui étaient derrière la foule en disant : « Ces hommes ont peut-être combattu au Viêtnam, ils savent mieux que nous à quoi la guerre ressemble. Ne croyez pas qu'ils sont contre nous lorsque nous nous y opposons. » Il y eut des applaudissements bruyants, et l'un de ceux que je venais de désigner m'adressa le signe de la paix.

Dans le Maryland, je discutai avec un autre psychiatre de l'armée des problèmes de santé mentale dont souffraient les vétérans du Viêtnam. Il me fit écouter une cassette sur laquelle il avait enregistré certains de ses patients, des voix semblables à celle que j'avais entendue à Ford Ord, murmure tremblant du traumatisme.

Ce médecin insista sur le fait que ces hommes avaient agi en présence de leurs officiers, parfois même sur leur ordre. Craignant ce qui pourrait lui arriver si les autorités apprenaient notre rencontre, il m'a demandé de ne pas révéler son nom. Je sentais peser sur moi une lourde responsabilité. Mais bien que physiquement et émotionnellement épuisée, il n'était pas question que j'arrête.

1. Fondateur des Black Panthers (*NdT*).

A Washington, Mark Lane et Carolyn Mugar se sont joints à nous pour chercher qui, parmi nos législateurs, pourrait s'intéresser aux renseignements réunis par l'Agence des GI que nous allions bientôt ouvrir. Je n'avais encore jamais mis les pieds au Congrès, ni bien entendu fait de lobbying. Les sols de marbre des couloirs et les salles chargées d'histoire m'intimidaient, et me donnaient l'impression d'être plus que jamais une petite fille qui demande quelque chose à son papa. Mais ma présence eut son effet. Tout le monde se montra très amical. Certains me demandèrent même un autographe. James Fulbright, sénateur de l'Arkansas, trouva notre idée d'agence excellente, et le sénateur de Californie, Alan Cranston, nous apprit qu'il recevait huit mille lettres par jour contre la guerre. Cette expérience me rendit plus optimiste que je ne l'avais été depuis quelque temps.

Juste après la grande manifestation du Memorial Day, qui se déroula dans Central Park et où je pris la parole, Elisabeth repartit en France. J'étais arrivée chez moi. Je me sentais plus américaine que jamais. Avant de partir, Elisabeth me dit : « L'Amériquc cst vivante, ouverte. Les jeunes n'y sont pas cyniques comme en Europe. » J'étais d'accord. Pendant ces deux mois de voyage, j'avais connu le meilleur et le pire des Etats-Unis, et je croyais maintenant que le meilleur l'emporterait.

Je suis toujours stupéfaite quand on prétend que critiquer l'Amérique est antipatriotique, opinion qui s'est répandue depuis le 11 septembre et rend suspect ce qui a toujours été pour nous un droit. Une citoyenneté active, courageuse, franche (et écoutée) est essentielle à la démocratie.

CHAPITRE CINQ

KLUTE

J'ai essayé de fuir le monde que je connaissais, il n'était pas très bon pour moi... et je me suis retrouvée en train de lui reluquer le cul... mais je crois qu'en fait je m'en fous, que ce que j'aimerais vraiment, c'est ne plus avoir ni visage ni corps... et qu'on me laisse tranquille.

Bree DANIEL,
mon personnage dans *Klute*.

En 1970, avant de quitter la Californie pour partir tourner *Klute* à New York, j'ai cherché un endroit où m'installer avec Vanessa à l'automne, une fois le film fini. J'étais restée assez longtemps chez mon père, il fallait que je m'en aille, d'autant plus que mon téléphone était sur écoute. Puisque réunir des fonds semblait devoir devenir ma fonction principale, il me fallait un lieu qui ne soit pas trop cher, mais suffisamment grand pour y accueillir des collaborateurs. J'ai trouvé une maison à louer en haut d'une colline surplombant Hollywood, au-dessus du brouillard. Puis je me suis mise encore une fois en route vers l'est, mais seule. Et alors que je traversais les montagnes Rocheuses en direction de Denver, j'ai eu une révélation. Je ne voulais pas vivre au sommet de la montagne et donner de l'argent à ceux qui habitaient en dessous. Je voulais être avec eux, comprendre qui ils étaient, savoir à quoi leur vie ressemblait. Ce sentiment a pris la force d'une certitude.

En même temps, j'avais peur, car cela voulait dire que je devrais changer, renoncer à certaines choses. Le confort et les privilèges sont évidemment relatifs. Ce qui représentait pour moi un renoncement correspondait pour d'autres à un certain bien-être. De même qu'avoir une révélation seule au volant de sa voiture est une chose, la vivre en est une autre. *Est-ce que j'en suis vraiment capable, ou n'est-ce qu'un vœu pieux ? Puis-je être une star et ne pas rester à l'écart des autres ?* Puis, quand j'ai passé le col, deux arcs-en-ciel se sont dessinés avec une netteté absolue en face de moi, au-dessus de Denver. Je l'ai pris comme un signe du destin. J'ai appelé l'agence immobilière et résilié mon contrat de location.

Du haut de la colline, je ne pouvais être que charitable. Je voulais autre chose.

Quand je suis arrivée à New York, j'avais quinze jours devant moi pour approfondir le personnage de Bree Daniel, la call-girl de *Klute*. J'ai demandé au réalisateur, Alan Pakula, de pouvoir rencontrer des professionnelles. Je n'avais pas encore beaucoup réfléchi à ce rôle, et maintenant je commençais à m'inquiéter. Je m'étais, pendant le voyage, demandé s'il était politiquement correct d'interpréter une femme qui vendait son corps. Est-ce qu'une vraie féministe le ferait ? *Une vraie féministe n'aurait pas besoin de se poser la question.*

Avant de prendre une décision, j'ai préféré faire lire le scénario à mon amie Barbara Dane. Chanteuse de blues talentueuse, intelligente et chaleureuse, qui se produisait surtout à l'époque lors de soirées consacrées au mouvement des GI, Barbara était après tout elle aussi une militante qui appartenait au monde du spectacle. Elle me dit : « Si tu crois pouvoir, à partir de cette histoire, construire un personnage complexe, à facettes multiples, alors fais-le. Qu'il s'agisse d'une call-girl n'a aucune importance, à condition qu'elle soit vraie. » Barbara m'a avoué récemment qu'elle n'était à l'époque pas du tout certaine que le scénario puisse laisser place à la complexité, mais elle ne connaissait pas Alan Pakula, et elle ne savait pas à quel point la complexité correspondait alors à mon état d'esprit.

J'ai rencontré des filles et leurs employeuses tous les soirs pendant environ une semaine. Des putes de luxe, d'autres qui faisaient le trottoir. Les entremetteuses étaient des femmes plutôt chic, quoique probablement pas du même niveau que Madame Claude à Paris (je ne l'ai jamais vue, mais j'en ai beaucoup entendu parler). Je suis allée un après-midi dans un appartement crasseux où une fille a acheté de la cocaïne. J'ai regardé le dealer lui préparer une ligne sur un miroir avec une lame de rasoir, je l'ai regardée sniffer à la paille, avec une avidité glaçante. Je n'avais encore jamais vu personne faire ça, et son impuissance me dégoûtait, mais cela m'a permis de comprendre le personnage de l'amie de Bree Daniel, la call-girl junkie qui disparaît.

« Il y a une scène où je suis supposée me déshabiller en racontant une histoire coquine à un vieil homme qui ne me touche jamais. Est-ce que ça arrive vraiment ? » ai-je demandé à une « Madame ».

« Vous plaisantez ? » m'a-t-elle répondu en s'étranglant de rire. Et elle m'a parlé de son client préféré. « Il restait derrière la porte et me regardait par le trou de la serrure me caresser en lui disant des cochonneries. C'est le genre d'habitué dont les filles rêvent. Personne ne touche personne. »

Elles m'ont expliqué que ces messieurs passaient à toute heure du jour et de la nuit. Le matin, après avoir pris le petit déjeuner chez eux et avant d'aller au bureau. Pendant la pause du déjeuner (ceux qu'elles appelaient les « clients de midi »). Avant le dîner, pendant, après. « Vous seriez étonnée de voir le genre d'hommes que je fournis en filles, m'a dit une proxénète. Sénateurs, présidents-directeurs généraux des plus grandes compagnies de ce pays, diplomates. Et plus ils sont haut placés, plus ils ont d'étranges perversions. »

Il y avait un cadre supérieur sur la poitrine de qui il fallait faire couler des gouttes de cire chaude pendant l'amour. Un autre demandait à un groupe de filles de lui enfoncer des épingles dans le corps. Un prêtre tenait à ce que la call-girl s'accroupisse au-dessus de la caisse du chat. Un politicien, qui élevait un boa constricteur dans sa salle de bains, ne pouvait jouir qu'en entendant une fille pousser des hurlements de terreur et sortir en courant. (J'ai perdu pas mal de temps à essayer de comprendre cette dernière histoire.)

Je suis allée plusieurs fois dans des boîtes où les call-girls vont retrouver leurs employeurs et où les macs amènent leurs nouvelles recrues. Aucun d'entre eux ne m'a jamais sollicitée. Du coup, je me suis dit que je ne correspondais pas au personnage de Bree Daniel. Et j'avais beau savoir qu'il existait des « putes au cœur d'or » comme on en trouve dans les livres et les films, celles que je rencontrais étaient devenues dures, et il y avait de quoi. Je savais que si je faisais de Bree une femme aussi cynique qu'elles semblaient toutes être, sans rien laisser voir d'autre, le film serait raté. Mais comment trahir la réalité ? C'était foutu. Je suis allée voir Alan.

« Tu t'es trompé, lui ai-je dit. Je ne suis pas du tout celle qu'il faut pour ce rôle. Même les macs voient bien que je n'ai pas de quoi faire une bonne call-girl. » Et je lui ai énuméré des noms d'actrices qui s'en sortiraient beaucoup mieux que moi, à commencer par mon amie Faye Dunaway.

« Faye sera parfaite, Alan ! Rends-moi mon contrat, je t'en supplie. Je n'y arriverai jamais. »

Il s'est contenté de rire et m'a répondu que j'étais idiote. Une histoire qu'il allait raconter souvent dans les années suivantes devant des auditoires d'apprentis comédiens. Probablement pour montrer à quel point leur manque de confiance en eux peut aveugler les acteurs. Mon amie Sally Field m'a dit un jour que l'angoisse et l'émotivité qui vous envahissent chaque fois que vous allez incarner un nouveau rôle font partie du processus qui vous met à nu et vous rend poreux, afin que le personnage s'infiltre en vous. Vu sous cet angle, le malaise est une étape nécessaire de la transformation, un moment où vous n'êtes plus tout à fait vous et pas encore quelqu'un d'autre.

Vanessa et Dot étaient venues me rejoindre et le week-end, nous prîmes l'habitude d'aller au zoo de Central Park et de faire un tour de manège. Vanessa était une belle et courageuse enfant. Elle avait une étonnante voix rauque et les yeux en amande de Vadim. Bien qu'âgée de deux ans seulement, elle était tout à fait capable de me faire comprendre qu'elle préférait son père. Comme cela avait été aussi mon cas, je ne pouvais lui en vouloir. Et j'ai le regret de devoir avouer que je ne me sentais pas une meilleure mère qu'avant. Cela n'avait rien à voir avec mon travail, mais lorsque j'étais à la maison, je n'étais pas vraiment là. Je reprenais à mon compte l'attitude de mes parents, pourtant il ne tenait qu'à moi de changer, malheureusement je n'avais pas encore appris à laisser mes autres préoccupations devant la porte de notre appartement.

Puisque, quoi qu'il arrive, j'allais devoir jouer ce rôle, je me suis mise à chercher comment l'interpréter autrement : avec la même colère, la même force, mais pas la même dureté. Et c'est là que je me suis inspirée de certaines call-girls que j'avais connues à Paris avec Vadim. Celles chez qui j'avais deviné une lueur de talent et d'espoir. Voilà ! Bree Daniel ne serait pas une de ces call-girls qui rêvent de faire du cinéma ou de devenir mannequin. Elle serait une vraie actrice, que sa vie, ses expériences, en particulier les sévices sexuels dont elle avait été victime enfant, et le besoin de tout contrôler qui en découlait, avaient conduite à choisir la prostitution pour payer ses cours de théâtre et son loyer. J'avais franchi une nouvelle étape. Le tournage se déroula sans heurts. Alan et moi étions tellement en phase que faire ce film fut comme danser une valse avec le partenaire idéal. Je l'aimais tendrement.

Et j'avais aussi beaucoup d'affection pour Donald Sutherland, qui tenait le premier rôle masculin du film. Sa silhouette de chien efflanqué et ses yeux bleu pâle aux paupières tombantes le rendaient très attirant. Il y avait aussi en lui quelque chose d'un gentleman d'autrefois. Et pour ne rien gâcher, nous étions devenus amis des mois plus tôt alors que nous cherchions tous deux à réunir des fonds pour le mouvement des GI. L'appartement de Bree fut entièrement construit en studio et Alan se débrouilla pour que je puisse y dormir. (Il alla même jusqu'à y faire installer des toilettes qui fonctionnaient.) Allongée la nuit dans le silence étrange du plateau déserté, j'imaginais les uns après les autres les objets dont Bree se serait entourée. Je n'avais vu ni livres, ni animaux de compagnie chez les call-girls et les entremetteuses que je connaissais. Mais je décidai que Bree lirait, peut-être pas Dostoïevski, mais des romans d'amour, des manuels, un best-seller d'astrologie intitulé *Les Signes du soleil*. Et qu'elle aurait un chat, animal aussi solitaire qu'elle. Je me suis souvenue d'une actrice qui suivait les cours privés de Lee Strasberg et qui se rendait de temps en temps à Washington pour le bon plaisir de John Kennedy et j'ai pensé que Bree, elle aussi, aurait pu le faire, alors j'ai mis sur le frigidaire une photo dédicacée de l'ancien président. Les drogues dures n'étaient pas pour elle – l'herbe, à la rigueur –, le besoin qu'elle avait de tout contrôler ne s'en accommodait pas.

Dans le scénario original, le psychiatre de Bree était un homme. Me rendant compte que ça ne pouvait pas marcher, qu'elle ne se confierait qu'à une femme, j'ai proposé à Alan de remplacer l'acteur par une actrice. Il a accepté tout de suite. Je lui ai aussi demandé de garder les scènes avec la psy pour la fin du tournage, car j'aurais alors complètement intériorisé mon personnage. Et quand le moment est arrivé, j'ai voulu improviser. Alan m'avait fait lire plusieurs ouvrages de psychologie traitant de la prostitution, et nous avions longuement discuté des questions de pouvoir et de contrôle qui accompagnent les rapports hommes/femmes, et de la difficulté à vivre des relations intimes et à accorder leur confiance que rencontrent les filles qui ont été victimes de sévices sexuels dans leur enfance (généralement par des amis de leur famille ou des parents). Tant qu'elle était dans son rôle de call-girl, Bree contrôlait la situation, c'était une chose que je pouvais comprendre.

Dans une des scènes que je me suis le plus amusée à tourner, Bree est avec un client et semble vraiment atteindre l'orgasme, puis, discrètement, elle regarde sa montre par-dessus l'épaule de l'homme. Dans la salle, les femmes riaient toujours lorsque l'on en arrivait à cet instant du film. Il y en a une autre où elle demande à l'inspecteur Klute de l'accompagner à la morgue pour vérifier que la photo de son amie disparue ne figure pas parmi celle des femmes assassinées. J'ai voulu d'abord le faire en vrai. Alan m'a obtenu l'autorisation nécessaire. Ce que j'ai vu dans ces fichiers de la morgue restera toujours en moi. Des centaines et des centaines d'images en couleur de visages et de corps frappés, cognés, avant d'avoir été définitivement privés de vie par un mari, un amant ou un client. J'ai été obligée de m'excuser et je suis allée vomir dans les toilettes. Non que je n'aie pas su alors à quel point la violence contre les femmes était courante, mais je n'ai véritablement pris conscience de la réalité que cette idée recouvrait qu'en regardant ces photos, les unes après les autres. Et cette expérience a également nourri une des dernières scènes du film, où Bree se retrouve en face du tueur.

Un homme d'affaires élégant, auquel Charles Cioffi donne une dimension véritablement effrayante, est assis en face de Bree et passe une cassette sur laquelle elle entend son amie disparue parler avec la voix aguichante qu'ont les call-girls lorsqu'elles donnent un rendez-vous. Puis la conversation prend un tour angoissant. Bree entend la peur monter dans la voix de son amie, et comprend que l'homme a enregistré ça juste avant de la tuer et qu'il lui réserve le même sort.

Je n'avais pas voulu préparer cette scène, il fallait au contraire que je me laisse emporter par l'impact qu'elle aurait sur moi. Je devais rester silencieuse, écouter. Je sais écouter, et je pensais réussir à exprimer de façon convaincante la peur que Bree doit ressentir à cet instant (bien que ce soit l'émotion que j'ai le plus de mal à traduire). Mais lorsque la caméra s'est mise en route et que j'ai entendu cette voix angoissée, une tristesse fondamentale m'a submergée, ne laissant aucune place à la crainte. J'étais triste pour mon amie, triste pour toutes les femmes victimes de la rage des hommes, triste de notre vulnérabilité. Cela semblait... inévitable. Je me suis mise à pleurer, pour nous toutes. Les larmes inondaient mon visage, mon nez coulait. La raison de ce chagrin n'avait pas d'importance pour le public. C'était le caractère inattendu de ma réaction qui comptait, une réalité imprévue qui donnait à la scène une tension qu'elle n'aurait jamais eue si j'avais été simplement effrayée. Comme disait Lee Strasberg : « Ne prévois pas. Sois. »

J'ai su, quand la scène a été tournée, que je n'aurais pas réagi ainsi sans mon voyage avec Elisabeth Vailland, sans ce début de conscience féministe qui apparaissait en moi, cette nouvelle empathie envers les femmes. J'ai compris alors que l'ouverture d'esprit que m'apportait le militantisme me permettait de mieux comprendre les gens et leurs raisons d'agir, enrichissant (de façon rhétorique mais vraie) une perspective purement freudienne et individuelle de facteurs historiques, sociétaux, économiques et liés au genre, ce qui, à son tour, me permettait de faire preuve de plus de compassion, d'agir plus intelligemment.

Même aujourd'hui, chaque fois que je revois *Klute*, je suis émerveillée. En ces temps de méga-effets spéciaux où ce que nous trouvions autrefois effrayant nous trouble à peine, la musique de Michael Small garde une puissance qui vous coupe le souffle. Les images de Gordon Willis, qui lui ont valu le surnom de « Prince des ténèbres », ont un pouvoir de séduction dont il profite ensuite pour mieux frapper le spectateur de terreur. La réalisation d'Alan Pakula traduit son sens de la nuance et la façon dont il le faisait passer chez les acteurs. C'est ce qui m'a valu mon premier oscar.

En y repensant, je me dis souvent que j'avais beaucoup en commun avec Bree Daniel, cette femme qui avait moins peur de la prostitution que d'une relation intime.

Je n'étais pas encore habituée à être détestée. Non que tout le monde m'ait aimée. Et de toute façon, qu'y avait-il à aimer – ou à détester ? Mes paroles avaient quelquefois dépassé ma pensée, mais d'une manière générale, j'avais été considérée comme une célébrité plutôt populaire, peu dangereuse quoique un peu vive. Je ne m'attendais pas à la haine que j'allais déchaîner. Et je ne m'attendais surtout pas à ce qu'elle s'exprime jusque sur le plateau où nous tournions alors.

J'ai toujours fait tout mon possible pour arriver à l'heure, connaître mon texte, bref ne pas me conduire en diva. (J'avais joué à ce jeu pendant le tournage de *La Rue chaude*, demandant qu'on me remaquille plusieurs fois et retardant le moment de tourner une scène que je redoutais particulièrement, comme si des sourcils plus arqués ou des joues plus rouges allaient y changer quelque chose. Et lorsque j'étais enfin arrivée sur le plateau, j'avais perçu l'énervement des autres et je m'étais sentie glacée. J'ai appris ce jour-là que travailler au milieu de vibrations négatives était pour moi très difficile.) J'avais besoin d'être respectée par l'équipe, soutenue par elle pour les scènes les plus dures. Aussi me suis-je sentie complètement déstabilisée quand, en arrivant un matin de bonne heure dans le studio où nous tournions *Klute*, j'ai vu un immense drapeau américain accroché au-dessus de la porte de l'appartement de Bree Daniel. Je n'ai rien dit, à personne, pas même à Alan Pakula. Si ceux qui avaient fait ça voulaient laisser entendre que je n'étais pas une bonne patriote, je ne voulais pas montrer que cela me blessait. Je suis allée me faire maquiller et, une fois assise, j'ai eu vraiment envie de pleurer. Mais l'heure des préparatifs qui précédait le tournage m'a donné le temps de réagir, de reléguer mes sentiments derrière un grand mur qui, pendant de nombreuses années, me protégerait de la douleur que l'on ressent devant les démonstrations d'hostilité.

Je savais que militer était juste, qu'il fallait arrêter la machine à tuer, et que je devais utiliser mon statut de star pour aider des gens qui étaient mal traités et mis en danger, sans aucune possibilité de choix. J'en avais besoin. Aussi, suis-je ressortie de cette loge prête à affronter une nouvelle journée de tournage dans un tout autre état d'esprit. « Allez vous faire foutre, qui que vous soyez », pensais-je. Et étant donné que « Allez vous faire foutre » aurait pu être la devise de Bree Daniel, tout a marché comme sur des roulettes. Je savais que les gens qui travaillaient à mes côtés – Alan, Donald, Gordon Willis et Michael Chapman, le chef opérateur – m'appréciaient. Les sentiments que j'éveillais allaient désormais être très disparates. Bien sûr, il y avait la haine viscérale, mais aussi quelque chose de totalement nouveau : l'admiration. Je n'avais pas l'habitude qu'on fasse le signe de la paix et qu'on lève le pouce sur mon passage. Je recevais depuis longtemps des lettres de fans, mais maintenant les gens me remerciaient de prendre position, et lorsque j'étais invitée à la télévision, le public était différent, comme s'il m'avait soutenue. Ce qui est toujours agréable.

Sans le savoir, je faisais partie des gens visés par un projet de contre-espionnage intitulé COINTELPRO, création d'Edgar Hoover ayant pour but de briser et discréditer les activistes antiguerre ou pro-Noirs. Le FBI infiltrait, sabotait, menaçait, assassinait (directement ou en commanditant des meurtres à des groupes rivaux), mettait sur le dos des militants des crimes qu'il commettait, envoyait aux journalistes des lettres inventées de toutes pièces et de faux tracts diffamant ceux qu'il ciblait. Après avoir examiné attentivement ce projet, le sénateur Frank Church, qui faisait partie de la Commission d'étude des activités de renseignement national, le qualifia de « système élaboré et efficace, ouvertement destiné à empêcher les droits d'association et d'expression prévus par le premier amendement ». Comme si le gouvernement avait besoin de détruire la démocratie pour la sauver. Ce qui nous a menés au Watergate, et à la première démission d'un président américain.

Richard Wallace Held, qui dirigeait la section COINTELPRO de Los Angeles, se spécialisa dans la propagande mensongère. Dans son livre *The Last Editor*, publié en 2002, Jim Bellows raconte qu'au printemps 1979, alors qu'il était rédacteur en chef du *Los Angeles Times*, Richard Held fit, avec l'autorisation d'Edgar Hoover, publier dans la rubrique mondaine de Joyce Haber, un article disant qu'une actrice qui venait de jouer dans une grande comédie musicale, était enceinte d'un membre des Black Panthers. (Jean Seberg, qui soutenait ce parti, venait de tourner la comédie musicale *Paint your Wagon* et était bien enceinte, mais de son mari, le romancier français Romain Gary.)

En août, *Newsweek* reprit la nouvelle, en précisant le nom de Jean. Enceinte de sept mois, elle tenta de se suicider et perdit son enfant. Sa famille et ses amis défilent à Paris devant un cercueil ouvert montrant que la petite fille mort-née, qu'elle appela Nina, était blanche. A chaque anniversaire de sa mort, Jean fit une nouvelle tentative de suicide jusqu'au 8 septembre 1979, date à laquelle elle fut retrouvée sans vie dans sa voiture. Ce même mois de septembre, le FBI avoua ce qu'il avait fait. Romain Gary se tua quelque temps plus tard. Beau travail, et avec l'argent du contribuable !

En juin, peu après la parution de l'article sur Jean Seberg, le même Richard Wallace Held reçut une note d'Edgar Hoover l'autorisant à envoyer à Army Archerd, du *Daily Variety*, une lettre à mon sujet. « On peut espérer, lit-on dans les instructions données par Hoover à Held, que si Fonda semble, grâce aux colonnes consacrées aux potins de Hollywood, impliquée aux côtés des Black Panthers, elle perdra de son influence sur le public... Assurez-vous que cette missive ne puisse en aucun cas être attribuée au Bureau (le FBI). » Voici la lettre de Held :

> « Cher Army,
>
> « J'ai lu votre article sur Jane Fonda dans le *Daily Variety* de jeudi dernier. Or il se trouve que j'ai été voir le *Jeanne d'Arc* de Vadim donné pour les Black Panthers samedi soir. Je n'avais encore jamais été confronté au phénomène Panther (*sic*). Nous

avons été fouillés à l'entrée de l'auditorium de l'ambassade, encouragés par de véritables prêches à apporter une contribution pour la défense des leaders noirs emprisonnés et l'achat d'armes destinées à la "future révolution" et entraînés par Jane et un des Black Panthers à scander "Mort à Nixon et autres f... de p... qui nous barrent le passage". Je pense que Jane ne sait plus ce qu'elle fait, car tout cela rappelle trop l'atmosphère des années 30 à Munich. »

Army Arched me connaissait et, ce qui est tout à son honneur, il refusa de publier cette lettre. Mais la campagne allait continuer. Un article qui cherchait à donner de moi l'image d'une riche hypocrite (je n'arrive pas à me souvenir qui le publia) racontait qu'invitée à l'université du Nouveau-Mexique, j'avais exigé une limousine et la présence de ma secrétaire et coiffeuse. (Pauvre Elisabeth, accommodée à toutes les sauces.) Un autre disait que j'avais surgi dans une réunion destinée à réunir des fonds pour la campagne de Nixon, que j'étais montée sur une table, avais arraché ma blouse et crié des obscénités.

A partir de mai 1970, le FBI, la CIA et les services de contre-espionnage m'ont fait continuellement suivre, et ont constitué sur moi un dossier de vingt mille pages. J'ai appris en 1975 que mes coups de téléphone de 1970 avaient été enregistrés, et leur retranscription envoyée à Nixon, à Kissinger et plusieurs autres hauts responsables politiques. Comme l'a dit un agent du FBI « Brejnev et Fonda ont bénéficié de la même attention ». Que Dieu nous aide !

Grâce au journaliste Jack Anderson qui en a informé mes avocats, j'ai su que deux banques, la Morgan Guaranty Trust Company of New York et la City National Bank of Los Angeles avaient communiqué mes relevés de compte au FBI – sans y avoir été obligées par la justice. Il se trouve que je faisais partie du Groupe 1, ce qui signifiait que les documents me concernant ne pouvaient pas être automatiquement rendus publics et que beaucoup d'entre eux restèrent top secrets. Mon « affaire » fut enregistrée sous le nom de code « Gamma Series » et je suis souvent qualifiée de « subversive » ou d'« anarchiste » dans ces dossiers qui, par ailleurs, ne démontrent pas en quoi je pouvais être dangereuse.

En dehors de ces tracasseries administratives, il n'était pas facile, à cette époque, de débarquer sur la scène de l'activisme. La gauche se déchirait, n'arrivait pas à tomber d'accord sur les positions à adopter. Pour l'extrême gauche, la question était moins de mettre fin à la guerre du Viêtnam que d'anéantir l'impérialisme américain. Ayant été confrontées dans le mouvement antiguerre à un sexisme rampant, de nombreuses femmes adoptèrent des priorités féministes. Et puis il y avait les yippies – dont je n'étais pas certaine de comprendre les objectifs, bien qu'ayant passé un après-midi très agréable au zoo de Central Park avec Abie Hoffman.

J'étais troublée. Etait-ce politiquement trop réformiste, trop mou, que de s'intéresser à « tous ces soldats américains et vietnamiens en train de mourir... pour un mensonge » ? Je commençais à me dire que je n'aurais jamais le temps d'en apprendre assez pour comprendre les raisons de ces dissensions ou les discours des extrémistes.

Ce fut pour moi une période de solitude. Mais même si j'avais su que j'allais provoquer tant de haine, tant de mépris et entendre tant de mensonges, j'aurais continué. J'étais trop impliquée pour faire demi-tour. Une chose me manquait, je l'ai compris plus tard : être entourée de camarades et d'amis avec qui travailler. Je ne voulais plus être un cow-boy solitaire.

Puis le hasard a voulu que je tombe sur un article de *Ramparts* écrit par celui qui, deux ans plus tard, m'apporterait l'environnement affectif qui me manquait alors : Tom Hayden. Dans ce papier, intitulé « Tous pour le Viêtnam », qui me permit d'éclaircir mes pensées, Hayden écrivait : « Les militants et activistes de la paix pensent pour la plupart que le Viêtnam est un faux pas, un énorme faux pas de l'impérialisme américain. Nous devrions y voir non pas une tragédie, mais une lutte où l'humanité se dresse de façon si héroïque qu'elle ébranle le cynisme le plus absolu. »

Cet article me confirma dans mon désir de continuer à combattre la guerre, et me redonna de l'énergie. Je savais que travailler pour les soldats opposants était pour moi la meilleure façon de faire. Le mouvement des appelés et des vétérans était puissant, car il réunissait des hommes et des femmes appartenant à l'Amérique profonde. Ils avaient endossé l'uniforme parce qu'ils étaient de bons patriotes et revenaient tout aussi patriotes. Ils avaient été *là-bas*, les Américains moyens pouvaient avoir confiance en eux. Et c'étaient des GI dissidents, qui m'avaient attirée vers l'action militante. Je suis donc allée vers ces nouveaux héros, ces nouveaux combattants.

CHAPITRE SIX

RÉDEMPTION

Beaucoup de gens disent : « Je connais des vétérans du Viêtnam et ils ne pensent pas comme vous. » J'ai immédiatement envie de répondre : « Attendez de voir. Avec un peu de chance, ils y arriveront, avec un peu de chance, ils se libéreront. »

Arthur EGENDORF,
pour l'Association américaine d'orthopsychiatrie,
lors d'un meeting à Washington, DC, avril 1971.

A mon sens, nous avons non seulement le droit, mais l'impératif devoir, de savoir ce qui est bien et mal pour pouvoir assumer la responsabilité de notre vie et de celle de nos enfants. Pour pouvoir enfin grandir, nous délivrer de la peur qui hante l'enfant culpabilisé et puni, de la fatale peur du péché de désobéissance qui a détruit la vie de tant de gens et les enchaîne,
aujourd'hui encore, à leur enfance.

Alice MILLER,
Libres de savoir.

Il s'agissait de récolter des témoignages de soldats à propos de crimes de guerres. Cet événement s'appela l'audience Winter Soldier. Un nom qui reprenait le terme utilisé par Tom Paine pour parler des soldats révolutionnaires qui, pendant le terrible hiver 1777-1778, décidèrent de rester à Valley Forge. Des vétérans du Viêtnam témoigneraient des atrocités qu'ils avaient commises ou auxquelles ils avaient assisté au Viêtnam, afin de permettre aux Américains de savoir quel genre de guerre nous y menions. Comme tout ce qui touche aux GI et aux vétérans qui se sont opposés à la guerre (Vietnam Veterans Against War, VVAW), cet événement a disparu des annales comme par la magie de Rambo et l'histoire a été réécrite. Je veux ici en rappeler l'existence.

C'est le massacre de My Laï qui fut à l'origine de l'audience. Lorsque le *New York Times* de novembre 1969 révéla ce qui s'était passé dans le village de My Laï, les Américains furent frappés de stupeur. Mais les vétérans ne purent accepter la façon dont le gouvernement fit porter le chapeau au lieutenant William Calley et à ses hommes, et qualifia cette affaire d'« incident isolé correspondant à un comportement aberrant ». Pour les membres du VVAW, qui réunissait entre vingt-cinq et trente mille hommes, ce qui différentiait le massacre de My Laï des autres n'était que le nombre de victimes qu'il avait faites et l'écho médiatique qu'on lui avait donné.

Les vétérans savaient que la politique que nous menions au Viêtnam s'accompagnait inévitablement d'atrocités et que si justice devait être rendue, les *architectes* de cette politique – en commençant par le président – devaient en être tenus responsables, comme cela avait été fait à Nuremberg après la Seconde Guerre mondiale.

Avant l'audience Winter Soldier, qui devait avoir lieu au début de 1971, le VVAW avait organisé sous la direction d'Al Hubbard une marche de cinquante kilomètres de Morristown, New Jersey, à Valley Forge, Pennsylvanie, où se déroulait la fête du travail. Une manifestation au cours de laquelle Donald Sutherland et moi avons pris la parole.

Je ne l'oublierai jamais. Après trois jours de marche, des centaines de vétérans montèrent à l'assaut de la colline en brandissant des mitraillettes de plastique et en criant : « Nous voulons la paix ! » Des milliers de gens s'étaient réunis pour les accueillir. L'orateur le plus marquant de la journée s'appelait John Kerry, un jeune lieutenant du Massachusetts qui avait été décoré de la Silver Star. Il avait le charisme et l'éloquence qui font les leaders nés. Je ne lui ai pas été présentée ce jour-là, et pourtant, lors de la campagne présidentielle de 2004, les supporters de George Bush ont, pour porter tort à leur adversaire, publié des photos où l'on aurait pu croire que John Kerry était, à cette occasion, juste à côté moi.

Pour que l'audience Winter Soldier puisse exister, nous devions trouver de l'argent, une tâche qui n'était déjà pas évidente, et qu'en plus il fallait accomplir rapidement. Toujours prête à relever un défi, j'ai proposé de m'en occuper et Al Hubbard m'a nommée coordinatrice nationale honoraire des VVAW.

Dès l'instant où le tournage de *Klute* a été terminé, je me suis lancée dans la course. Je suis allée voir ceux qui nous avaient aidés à monter l'agence de GI. J'ai convaincu mes amis David Crosby et Graham Nash de donner un concert au bénéfice de notre cause. Et j'ai fait une tournée de six semaines éreintante, qui m'a amenée à prendre la parole dans cinquante-quatre universités.

De toutes les avanies que j'avais subies jusque-là, rien n'avait jamais été comparable à ce qui m'est arrivé le 2 novembre 1970 quand, après ma première conférence à Ontario, Canada, j'ai pris l'avion pour les Etats-Unis. En arrivant à l'aéroport de Cleveland, j'ai été arrêtée par deux agents des douanes qui ont ouvert et ont fouillé ma valise et mon sac. Et que croyez-vous qu'ils y aient trouvé ? Des petits flacons de plastique, cent cinq exactement, marqués d'un « B », d'un « L » ou d'un « D » : mes vitamines.

Excellente prise. Ils se sont emparés des flacons, de mon carnet d'adresses, de mes livres et de mes papiers. J'ai été emmenée dans une pièce puis retenue pendant trois heures sans avoir le droit de téléphoner à mon avocat. Chaque fois que j'essayais de me lever deux grands costauds appartenant au FBI me faisaient rasseoir. Je leur ai dit : « S'il existe une loi qui vous permet de me garder ici sans raison, qui vous autorise à m'empêcher d'appeler mon avocat, montrez-la-moi et je ne bougerais plus. » Un agent m'a répondu : « Ferme-la ! C'est moi qui commande, ici. Alors fais ce que je te dis, je reçois mes ordres de Washington ! » Je ne savais encore rien de COINTELPRO, mais ses mots montraient que c'était sérieux. *Washington !*

Je venais d'avoir mes règles, et après quelques heures il a fallu que j'aille aux toilettes. Un de mes deux gardiens a voulu m'empêcher de passer et s'est montré grossier. J'ai essayé de l'écarter de mon chemin, ce qui m'a valu d'être ensuite accusée non seulement de trafic de drogue mais de voies de fait contre un représentant de l'ordre public. Charges dont je n'avais pas encore la moindre idée.

Tôt le matin, je fus emmenée, menottes aux mains, à la prison du comté de Cuyahoga, où l'on me photographia et où l'on prit mes empreintes. A mon arrivée, un homme qui venait d'être arrêté me demanda ce que j'avais fait. Je lui répondis que j'étais ce que l'on pouvait appeler une prisonnière politique.

« Alors j'espère qu'ils vont vous mettre au trou, dit-il. On n'a pas besoin de cocos dans ce pays.

— Et vous, pourquoi est-ce que vous êtes là ? ai-je voulu savoir.

— Pour meurtre », a-t-il répondu.

Je suis restée en cellule pendant dix heures. Quand je suis sortie, le lendemain, toujours menottée, une foule de journalistes et de photographes m'attendaient. Comme j'avais des mains fines et souples, j'ai pu facilement en glisser une hors de son anneau de métal et brandir un poing en l'air, au grand dam de mes gardes. Laissant les caméras derrière nous, nous sommes partis au tribunal, où, à ma grande surprise, Mark Lane m'attendait. Il avait appris mon arrestation (toutes les chaînes de télévision et les journaux en parlaient) et sauté dans le premier avion pour venir assurer ma défense.

Parce que j'avais l'impression que le « système » s'était retourné contre moi, je me suis tournée dos au juge.

Mark a cherché à m'expliquer que ce n'était pas une bonne idée, mais je n'ai rien voulu entendre. J'ai été relâchée contre une caution de cinq mille dollars pour le trafic de drogue et une autre de cinq cents dollars pour les voies de faits contre agent de l'ordre public. Je devais être jugée une semaine plus tard.

D'un bout à l'autre du pays, mon arrestation et les accusations qui pesaient contre moi firent la une des journaux. Des mois plus tard, un article discret des dernières pages du *New York Times* rapporta : « Il a été prouvé que les cachets qu'elle transportait n'étaient que des vitamines, comme elle l'avait dit », et toutes les charges furent abandonnées. Mais cette nouvelle-là ne fit pas les gros titres.

Le lendemain de ma parution au tribunal, je reprenais ma tournée. Où que j'aille, j'étais sous étroite surveillance. Dans chaque aéroport, au moins deux individus en costume sombre et lunettes noires attendaient mon arrivée (est-ce qu'ils travaillent toujours par deux ?), montrant ouvertement qu'ils étaient là non seulement pour m'observer mais aussi m'intimider. Le stress et la fatigue commençaient à avoir raison de moi, mais je ne voulais pas me laisser impressionner.

Je me déplaçais trop. J'étais en pleine phase de boulimie. Et déprimée. Je ne voyais pas Vanessa, et cela m'angoissait. Je ne lisais plus. J'avais à peine le temps de penser. Mais je continuais. Il ne m'est jamais venu à l'esprit de m'arrêter. Je vivais dans l'urgence. Des soldats américains voulaient attester de ce qu'ils avaient vécu au Viêtnam – ce qui n'était pas sans risque pour eux – et je devais faire tout ce que je pouvais pour rendre ces témoignages possibles.

Les affiches ou les tracts annonçant mes conférences disaient parfois : VENEZ ÉCOUTER BARBARELLA. Je me sentais comme une artiste de foire et me demandais si, dans tout ce tintouin, ce que j'avais à dire de la guerre pouvait être entendu.

Je voyageais la plupart du temps seule, un sac sur l'épaule. J'arrivais à l'aéroport, l'étudiant responsable des conférences venait me chercher. Une fois dans la voiture, j'essayais de savoir ce qui m'attendait. A chaque étape, l'atmosphère semblait plus tendue. Ce qui signifiait qu'il y avait de plus en plus de monde, souvent plusieurs centaines de personnes, et parfois des milliers. Je parlais de la guerre et de la future audience Winter Soldier et j'expliquais que l'argent que je récolterais permettrait d'inviter à témoigner le plus grand nombre possible de soldats. A la fin, je proposais aux vétérans que cela intéressait de me donner leur nom et leur adresse, et dès que je pouvais mettre la main sur un téléphone je communiquais ma nouvelle liste aux VVAW de Detroit.

Jusqu'à la dernière minute, en janvier 1971, des vétérans vinrent demander s'ils pouvaient témoigner, ou au moins assister à l'audience. Ils n'avaient, pour la plupart, jamais participé à une action organisée contre la guerre. Beaucoup n'avaient même jamais parlé à qui que ce soit de leurs expériences.

Seuls pourraient prendre la parole ceux qui possédaient les papiers attestant qu'ils avaient quitté l'armée et qui pouvaient prouver avoir été là où ils disaient être allés. Les organisateurs accomplirent à ce sujet un travail remarquable, et heureusement, car l'administration Nixon fit ensuite tout ce qu'elle put pour prouver que ces hommes n'étaient pas de véritables vétérans, et, n'y arrivant pas, continua de les appeler des « soi-disant vétérans » pour les discréditer.

Le 31 janvier, des centaines de personnes venues du pays entier s'entassèrent dans la salle de conférence d'un hôtel Howard Johnson pour assister à cet événement sans précédent. Barbara Dane et Ken Cloke étaient là. Ken vérifiait les papiers des témoins et leur proposait de les aider sur le plan juridique, s'ils en avaient besoin. Et il y avait aussi dans le public Tom Hayden, auteur de l'article de *Ramparts* qui m'avait tant marquée.

Je ne l'avais jamais rencontré. Il m'invita à boire un café dans le hall du motel. Il était une figure de proue dans le mouvement et je me sentais face à lui totalement intimidée. Il m'a surtout parlé du collectif Red Family de Berkeley, Californie, dont il faisait partie. Dans les années 70, ce genre de communautés apparaissaient un peu partout. Elles permettaient à de vieux militants de compenser le côté impersonnel des mouvements de masse en créant des structures de soutien étroit de type familial, modèles d'un nouveau mode de vie.

Dans son éloquente présentation de l'audience Winter Soldier, le lieutenant William Crandell, de la division Americal et représentant des VVAW, expliqua qu'il ne s'agissait pas d'un faux procès. « Il n'y aura pas de charges fabriquées », précisa-t-il. Les participants allaient au contraire témoigner d'actes « qui sont reconnus comme crimes de guerre par les lois internationales, et que ces hommes ont commis ou auxquels ils ont assisté »... Des experts civils furent appelés à la barre. Pour la première fois, Bert Pfeiffer, docteur de l'université du Montana, parla des effets toxiques de l'herbicide à la dioxine connu sous le nom d'agent orange, que les Etats-Unis déversaient pour détruire la jungle vietnamienne dans laquelle se cachaient les soldats de la guérilla. Quelqu'un vint lire le message de soutien que nous avaient envoyé les parents et les épouses des prisonniers américains.

Le sergent George Smith, qui avait servi dans la cinquième division des Forces spéciales et été détenu par le Front national de libération du Sud-Viêtnam (Viêt-công) de 1963 à 1965, était le premier prisonnier de guerre américain au Viêtnam que je rencontrais. Nous avons, par la suite, participé tous les deux à une même tournée à travers les Etats-Unis.

Le moment clé de l'audience était celui des témoignages des vétérans. Ils représentaient toutes les branches de l'armée américaine, des appelés aux officiers de carrière. Assis solennellement derrière leurs micros à une longue table couverte de drap blanc, ils formaient, avec leurs uniformes, leurs médailles, leurs cheveux longs et leurs barbes, un étrange tableau. Les uns après les autres, ils déclinèrent leur identité, leurs états de service et énoncèrent la catégorie à laquelle appartenait le crime de guerre dont ils témoigneraient.

D'une voix souvent enrouée par l'émotion, ces hommes expliquèrent comment ils avaient, eux et d'autres, tué sans raison des civils vietnamiens et torturé leurs prisonniers. Ils racontèrent avoir violé et mutilé des femmes et des petites filles, coupé des oreilles et des têtes, transformé des villages en camps de concentration (appelés « hameaux de nouvelle vie » dans le langage de guerre obscène qui était utilisé pour masquer la réalité). Ils parlèrent des bombardements des B-52 qui rasaient tout sur leur passage, des Vietnamiens suspects qu'ils avaient jetés d'hélicoptère, et l'un d'eux (Willie Peter) évoqua l'usage qu'ils faisaient du phosphore blanc, qui brûle lentement les corps vivants. Un pilote déclara : « Le Nord-Viêtnam constituait dans son ensemble une zone de tir libre. Il n'y avait pas de cibles interdites. Lorsqu'il n'y avait rien de spécial à démolir, on continuait en lâchant nos bombes où on voulait. »

Tout cela, répétaient-ils, avait lieu en présence d'officiers qui ne disaient ni ne faisaient rien pour les en empêcher. Certains hommes déclarèrent qu'ils s'étaient anesthésiés à coups de drogue pour ne plus rien ressentir devant ce qu'ils faisaient.

Un des nombreux mensonges du gouvernement américain apparut au grand jour quand cinq anciens de la troisième division de marines révélèrent avoir été engagés dans des opérations secrètes au Laos en 1969. Ils précisèrent que l'armée américaine refusait d'en évacuer les morts et les blessés, de peur que la presse apprenne l'existence de ces combats.

Au fur et à mesure que les vétérans décrivaient ces atrocités, mes sens s'émoussaient. J'entendais ce qui se disait, mais je n'arrivais pas à en saisir toute la portée. C'était dû en partie à l'état d'épuisement dans lequel je me trouvais. J'avais les nerfs à vif. Je ne dormais plus. Des gens défilaient devant l'hôtel Howard Johnson en brandissant des pancartes me traitant de communiste. Mon père ne me parlait pas, et ayant lu des articles sur mon arrestation, il devait être persuadé que j'avais transporté de la drogue. Mes amis de Hollywood craignaient que je ne travaille plus. J'avais l'impression que ma vie m'échappait.

Et pourtant, j'ai pleuré en entendant l'« histoire du lapin » telle que la raconta le Sergent Joe Bangert de la première division aéroportée. Cela se passait lors de sa dernière journée au camp de Pendleton :

« C'est la dernière leçon, elle s'appelle la leçon du lapin. Le commandant arrive avec ce joli petit animal dans les mains et... alors qu'on est tous là à le trouver trop mignon... il lui brise le cou, le dépiaute, le vide... et il jette les boyaux sur les types qui le regardent. Quoi que vous en déduisiez, c'est la dernière chose que vous apprenez avant de partir au Viêtnam. »

Cela recoupait ce que m'avaient dit les psychiatres de l'armée sur les camps d'entraînement.

Les partisans de George W. Bush, comme ceux de Nixon à l'époque, ont essayé de faire croire que l'audience Winter Soldier était une pure fabrication. Pourtant, ces soldats disaient la vérité. Aucune preuve n'a jamais été apportée du contraire. Seul Al Hubbard avait falsifié son rang militaire (et il ne témoigna pas). Il n'avait jamais été capitaine dans l'aviation mais sergent d'état-major E-5. En 1971, au cours d'une émission de télévision, il admit avoir menti « parce que je sais que dans ce pays, avoir une image est important ».

Environ un mois plus tard, alors que je regardais dans la salle de projection de Francis Ford Coppola à San Francisco un premier montage du documentaire *Winter Soldier* avec ses autres producteurs, je me suis effondrée. Une fois les larmes là, je n'ai plus pu les arrêter. J'avais toujours pensé que l'important était d'accuser le gouvernement américain d'envoyer des hommes faire une guerre dont la nature même rendait les atrocités inévitables. Mais quelque chose de beaucoup plus profond ressortait de ces trois jours d'audience.

Il s'était produit un changement d'état d'esprit qui laissait entrevoir l'espoir. Ces hommes, en témoignant, se débarrassaient de la vieille éthique guerrière qui avait détruit leur âme, émergeaient du néant, connaissaient une nouvelle naissance. Ils nous montraient le chemin. Si eux, qui avaient accompli et vu l'inimaginable, pouvaient être transformés en disant la vérité à voix haute, pourquoi pas nous tous ? Nous desservons aujourd'hui terriblement ceux qui ont combattu au Viêtnam en feignant d'être outragés par ce qui a été dit ce jour-là et en niant les atrocités commises par les Américains ou en les en blâmant. Ces hommes ne furent pas les seuls à révéler les horreurs de cette guerre. En 2004, *The Blade* (de Toledo) reçu le prix Pulitzer pour sa série d'octobre 2003 intitulée *Burried Secrets, Brutal Truths*, qui traite de la façon dont la section Tiger Force appartenant à la cent unième division aéroportée a, en 1967, détruit en sept mois quarante villages des montagnes du centre du Viêtnam, tuant sur son passage d'innombrables hommes, femmes et enfants désarmés. Le Pentagone ouvrit une enquête qui dura jusqu'en 1975. Mais ses résultats semblent s'être « perdus » aussi bien dans ses propres bureaux qu'à la Maison Blanche à l'époque où Richard Cheney était chef d'état-major et Donald Rusfeld secrétaire à la Défense.

Trop de gens n'arrivèrent pas (et n'arrivent toujours pas) à admettre ce qui s'était passé, à en comprendre le contexte et à faire en sorte que les circonstances ayant provoqué ces exactions ne se reproduisent pas. Les vétérans nous ont montré que seule la vérité permet la rédemption.

Rien ne change tant que ce qui est n'est pas reconnu – je l'ai appris avec le temps.

CHAPITRE SEPT

RÉVOLTE ET SEXUALITÉ

Nixon ne veut pas être le premier président américain à perdre une guerre, mais il sera peut-être le premier à perdre une armée.

Dick GREGORY.

Etre l'objet du désir masculin, du regard masculin : une reconnaissance de notre existence que, dans le monde conventionnel, seul homme peut apporter.

Carolyn HEILBRUN.

Début 1971, un an après la sortie d'*On achève bien les chevaux*, j'ai sérieusement pensé, pendant que se déroulait l'audience Winter Soldier, à quitter le monde du cinéma. Je ne voulais plus être une célébrité. Je ne voulais plus être différente. Je voulais rejoindre un collectif cinématographique quelque part et m'y faire oublier.

C'était dû en partie à un désir d'anonymat, et en partie à un besoin de retrouver un « chez moi », un entourage structuré, une « famille ». Alors qu'à soixante-sept ans, je traverse maintenant sans problème les changements toute seule, à trente-trois ans, je me sentais totalement à la dérive. Il fallait jeter l'ancre.

J'étais devenue amie avec Ken Cacheral, un avocat noir de Detroit au charisme étonnant qui défendait, entre autres, la Ligue des travailleurs noirs. Quand je lui confiai mon envie de renoncer à mon métier d'actrice il me répondit, à ma grande surprise : « Il y aura toujours des gens qui voudront faire partie de groupes, Jane. Mais il n'y a dans le mouvement aucun véritable militant qui soit une star. Continue de l'être, c'est ce qu'il nous faut. Approprie-toi ta place de leader. »

M'approprier ma place de leader ? Quelle place de leader ? Je ne me voyais pas diriger quoi que ce soit. Je me voyais comme un fidèle lieutenant – donnez-moi des ordres et je n'aurais de cesse que de les exécuter. Mais cette remarque me fit réfléchir. Cela signifiait que mon travail avait des conséquences plus larges que mes échecs ou succès personnels. Que la réussite professionnelle donnerait plus de poids, ouvrirait plus de portes à ce que je voulais transmettre. Peut-être même pourrais-je trouver une façon de faire des films qui aient quelque chose de valable à dire. Mais pour être honnête, bouleverser le cinéma et considérer ma carrière de façon aussi grave semblait au-dessus de mes forces.

Je suis retournée à Los Angeles et j'ai trouvé un endroit où m'installer. C'était une location dans le centre, juste à la sortie de Hollywood Freeway, au bout d'une impasse noyée dans un perpétuel brouillard. Vanessa et Dot vivaient avec moi, nous allions rester là pendant les huit mois où j'ai travaillé avec Donald Sutherland à une comédie intitulée *Steelyard Blues*.

J'avais vendu tout ce que je possédais, ces biens précieux achetés en France quand les prix le permettaient encore : un ensemble Biedermeier de bois clair, les deux chaises Ruhlmann en laque rouge des années 30, la tapisserie de Roy Lichenstein, tout était parti. J'aimerais aujourd'hui les avoir gardés, mais j'avais besoin d'argent. J'ai remplacé objets d'art et beaux meubles par le décor qui était alors celui de tous les activistes : bobines de câbles en guise de tables, matelas à même le sol en guise de divans et de lits. Avec les cotonnades colorées que j'avais rapportées d'Inde, c'était plutôt joli. Quelques lampes et quelques pouf trouvés à l'Armée du salut complétaient mon mobilier, et j'étais, en vérité, parfaitement heureuse. La différence entre ma façon de vivre et celle de ceux avec qui je militais commençait à disparaître, et j'étais maintenant capable de répondre à l'une des questions que je m'étais posées dans les montagnes Rocheuses : Oui, je pouvais renoncer aux biens matériels. Mon désir de descendre de la montagne n'était pas un caprice passager.

Craignant que l'argent de la ferme française et de mes meubles disparaisse dans les coffres d'une organisation quelconque, mon agent m'a conseillé d'engager quelqu'un qui vivrait avec moi, surveillerait mes dépenses. Elle s'appelait Ellen Lustbader, elle était blonde, mesurait un mètre quatre-vingts, avait le sens de l'humour et de la repartie. Nous l'avions surnommée Ruby Ellen, elle fut un soutien sûr et une compagne agréable pendant ces difficiles années de l'entre-deux-maris.

J'accompagnais tous les matins Vanessa à la crèche parentale où je prenais mon tour de garde une fois par semaine. Comme je souffrais toujours de boulimie, mon attitude devait laisser à désirer. J'étais continuellement fatiguée.

Pour les trois ans de Vanessa, j'ai préparé un gâteau en suivant une recette de *Let's Cook it Right* d'Adelle Davis. Quand je l'ai apporté dans le salon où ses amis et elle l'attendaient impatiemment, le gâteau a glissé du plat et s'est brisé en petits morceaux sur le plancher comme de la faïence, ce qui les a tous fait hurler de rire. Et Vanessa a pris son air « Qu'est-ce qu'un enfant peut faire, avec une maman comme ça ? ».

J'avais l'impression de n'arriver à rien en tant que mère. Pendant un moment, Vanessa a suivi à UCLA des cours de danse où elle tournoyait avec les autres sur la pointe des pieds en agitant au-dessus de sa tête des rubans de couleur. Elle voulait souvent s'entraîner à la maison, mais n'acceptait de danser que si je promettais de garder les yeux fermés. Elle était drôle, pleine d'imagination, festive, étonnamment intelligente et belle, dans le genre teint mat aux allures de garçon manqué.

J'aimais et détestais en même temps la distance qui existait entre nous. Elle était beaucoup plus proche de Vadim (avec qui j'étais toujours officiellement mariée). Chaque fois qu'on nous prenait toutes les deux en photo, son magnifique petit visage exprimait une véritable envie de ne pas être là. Comme moi avec Maman. Il aurait fallu, pour être une meilleure mère, que je pardonne à la mienne et apprenne à m'aimer.

Pendant que je vivais dans cette maison ordinaire au fond de l'impasse, j'ai, avec Donald Sutherland, monté à Hollywood une nouvelle organisation destinée à mieux faire entendre la voix de ceux qui, dans le métier, s'opposaient à la guerre. Nous l'avons appelée Industrie du spectacle pour la paix et la justice (EIPJ), et organisé une soirée de lancement. Six cents personnes représentant toutes les branches du cinéma se sont retrouvées dans la salle de bal du Beverly Wilshire Hotel, parmi lesquelles Barbara Streisand, Burt Lancaster, Tuesday Weld, Jennifer Jones, Richard Widmark, Don Johnson ou Kent McCord. Un nombre incroyable de stars. Malheureusement, parce que c'était notre première tentative dans ce domaine, ni Donald ni moi n'étions capables de diriger une assemblée aussi houleuse.

L'EIPJ aurait dû changer le cours des événements, mais au lieu de nous concentrer sur la façon dont nous pouvions utiliser contre la guerre le talent et l'influence de tous ces gens, nous nous sommes perdus dans nos dissensions. Nous discutions pendant des heures de questions internes, du genre : les studios doivent-ils ou non être nationalisés ? Nos réunions duraient de plus en plus longtemps. Dans de telles conditions, il n'y avait rien d'étonnant à ce que nos amis de Hollywood désertent les uns après les autres.

J'arrive aujourd'hui à me pardonner mon échec à la tête de l'EIPJ. Diriger est compliqué, surtout pour une femme. Les hommes grandissent dans une culture qui leur attribue le commandement. Même à ceux qui ne seront jamais des chefs on apprend, plus ou moins explicitement, ce que c'est que d'être un meneur. Et cela, de génération en génération.

Les femmes n'ont généralement pas eu droit à cette transmission, et nous avons commencé à nous en rendre compte dans les années 70. Nous avons tâtonné et trébuché. Maintenant que le mouvement de libération a mûri, nous avons découvert avec délices que la façon dont les femmes dirigent est très différente de celle des hommes – plus inclusive et circulaire que hiérarchique et élitiste. Il ne s'agit pas pour les femmes d'avoir le dessus. Mais de faciliter un processus faisant apparaître les capacités de commandement inhérentes à chacun. Ce n'est pas parce que les femmes sont moralement meilleures que les hommes, mais simplement parce qu'elles n'ont pas à prouver leur masculinité. Il y a, bien sûr, des femmes (je ne citerai pas de noms) porte-parole ventriloques du patriarcat, qui veulent s'asseoir à la table des hommes et agir comme eux. Mais au cours des dernières décennies, nous avons découvert que malgré nos vagins et nos seins, si nous perpétuons le vieux système, nous obtiendrons toujours les mêmes résultats, qui font gagner aux uns ce que les autres perdent au lieu que tout le monde gagne.

J'étais à la tête de l'EIPJ, mais parce que je n'avais pas assez confiance en moi, je ne me suis pas approprié cette place de leader, et j'ai continué de regarder constamment par-dessus mon épaule pour voir si quelqu'un pouvait me remplacer.

Je suis toujours stupéfaite du nombre de femmes que je considère comme des dirigeantes capables et qui ont peur « d'occuper une place trop importante pendant les réunions », de se montrer trop « péremptoires » et redeviennent des petites filles devant tout représentant de l'autorité masculine. Le jour où les femmes se seront vraiment approprié leur position de chef, où elles auront incarné leur pouvoir (et elles sont de plus en plus nombreuses à le faire, même moi j'y arrive), le monde ne s'en trouvera que mieux.

En juin 1971, le *New York Times* a commencé à publier des articles basés sur des documents secrets appelés Papiers du Pentagone. Ce qu'on y apprenait a donné un nouvel élan au mouvement antiguerre. Daniel Ellsberg, ancien marine travaillant à la Défense avait passé, avec un chercheur de la Rand Corporation[1] appelé Anthony Russo, des mois à recopier ces documents et à les faire sortir de ses bureaux. Comme il l'a écrit dans son livre *Secrets*, sorti en 2002 : « J'avais accumulé dans mon coffre-fort sept mille pages de preuves démontrant comment quatre présidents et leurs administrations avaient menti pendant vingt-trois ans afin de cacher les massacres qu'ils avaient organisés. J'ai décidé de ne plus, moi aussi, garder tout ça caché, mais de le divulguer. » Même le secrétaire à la défense Robert McNamara reconnut après

1. Association américaine visant à améliorer la politique et le processus décisionnel (*NdT*).

avoir lu le rapport qu'il avait lui-même demandé : « On a pendu des gens pour moins que ça. »

Le département de la Justice prit peur et voulut interdire au *New York Times* la publication de ces documents. Mais la Cour suprême autorisa le journal à continuer. Nixon demanda ensuite à un Grand Jury fédéral de Los Angeles de juger Ellsberg et Russo pour vol de documents officiels et violation de la loi sur l'espionnage. Mais toutes les charges contre Ellsberg furent ensuite abandonnées car les juges considérèrent que c'était le gouvernement qui était en tort.

Personne ne le savait encore, mais c'est l'affaire des Papiers du Pentagone qui entraîna Nixon à former son équipe de « plombiers », surnommés ainsi parce que leur travail consistait à « arrêter les fuites ». Lors de leur première mission, ils furent chargés de cambrioler le bureau du psychiatre d'Ellsberg dans l'espoir d'y trouver de quoi le faire chanter. Le gouvernement, qui avait envisagé d'utiliser l'arme nucléaire contre le Nord-Viêtnam en 1969, craignait qu'Ellsberg en soit au courant et voulait le réduire au silence. Puis il y eut la mission Watergate. Vous connaissez la suite.

Pendant l'automne 1970, alors que je tournais *Klute* et préparais l'audience Winter Soldier, j'ai reçu, avec Donald Sutherland, la visite d'un dénommé Howard Levy. Célèbre dans le mouvement des GI, c'était un médecin qui avait fait de la prison pour avoir refusé d'entraîner les forces spéciales avant leur départ pour le Viêtnam. Il nous donna une idée : pourquoi ne pas monter un spectacle antiguerre afin de contrer celui de Bob Hope qui soutenait notre intervention en Asie du Sud-Est ? Il avait même un nom à nous proposer : le Show FTA.

Ces lettres formaient un sigle populaire chez les GI (Fuck The Army, merde à l'armée) mais pour nous (tout au moins officiellement) elles signifiaient Free The Army, libérez l'armée. Howard voulait que nous jouions dans les bases militaires des Etats-Unis et du Pacifique. Je trouvais cette idée formidable. Grâce à elle, je pouvais enfin soutenir les opposants GI – en qui je voyais de plus en plus le véritable moteur du mouvement de la paix – en utilisant mes capacités professionnelles : militer en montant sur les planches.

Il était déjà question, à l'époque, que Donald et moi tournions ensemble *Steelyard Blues* d'Alan Myerson, qui accepta de mettre en scène le Show FTA. Howard Hesseman, Gary Goodrow et Peter Boyle, qui jouaient eux aussi dans *Steelyard Blues*, se joignirent à nous. Le Show FTA était un vaudeville politique qui défendait les soldats révoltés par la guerre. Ecrit principalement par Jules Feiffer, Carl Gottlieb, Herb Gardner, Fred Gardner (qui n'était pas parent du précédent) et Barbara Garson, cette comédie ne cherchait pas seulement à soutenir le rejet de la guerre qui naissait chez les soldats, mais aussi à attirer l'attention sur la façon dont les hommes étaient déshumanisés par l'armée. Certains diront que cette dernière ne peut fonctionner qu'ainsi, mais si l'on ne peut faire de bons soldats qu'en enlevant à des jeunes gens leurs droits fondamentaux et leurs sentiments d'empathie, et en les rendant racistes et sexistes, alors nous avons un problème.

Certains officiers de haut rang le pensent aussi. J'ai par exemple entendu un jour le général Claudia Kennedy dire que les militaires devaient se pencher autant sur des problèmes d'éthique et d'intégrité que de technologie et d'armement.

Comme Ken Cloke me l'a un jour expliqué : « Une guerre défensive menée contre un régime oppressif n'a pas besoin que l'on déshumanise ceux qui la mènent. » Au Viêtnam, on ne pouvait effectivement pas faire autrement, car il s'agissait non pas d'une guerre défensive, mais d'une agression extérieure conduite (par nous) contre la volonté des habitants de ce pays.

Nous avons, Donald Sutherland, Dick Gregory, Barbara Dane et moi donné le Show FTA pour la première fois le 14 mars 1971 à la cafétéria de Haymarket Square, à côté de Fort Bragg à Fayetteville, Caroline du Nord.

LE SPECTACLE DE JANE FONDA CONTRE NOTRE INTERVENTION AU VIÊTNAM FAIT UN TABAC CHEZ LES MILITAIRES, titrait le *Los Angeles Times* du lendemain. L'article disait ensuite que les soldats avaient hurlé leur désir de mettre fin à la guerre.

Nous avons joué trois fois devant une salle comble, malgré les appareils à infrarouge avec lesquels la police pouvait, de loin, prendre en photo tous ceux qui entraient, et malgré une fausse alerte à la bombe dont nous n'avons pas tenu compte, ce qui a beaucoup amusé les soldats.

Nous pensions que le public serait composé d'hommes appartenant à l'infanterie et à la marine, mais ce printemps-là, alors que notre intervention au Viêtnam tournait à la guerre aérienne, la révolte se mit à gronder dans les rangs de l'US Air Force.

Le taux de désertion au sein de l'aviation doubla. En mai, la base de Travis, Californie, point de départ des vols en direction du Viêtnam, se retrouva en état de siège pendant quatre jours. Le quartier des officiers célibataires fut incendié, on compta un mort, des dizaines de blessés et cent trente-cinq arrestations.

En juin, une révolte éclata dans la base de Sheppard, Texas. En août, il y eut un violent soulèvement dans celle de Chanute, Illinois. Et ce printemps-là, les hommes et les femmes de l'aviation, aidés par des civils, firent d'un ancien théâtre la première cafétéria de l'US Air Force, le Covered Wagon. Lorsque nous y avons joué, un journaliste local m'a demandé si je poussais les militaires à la révolte. « Non, ai-je répondu. Ils ne nous ont pas attendus pour ça. »

Dès le début, nous avions l'intention d'emmener le Show FTA au Sud-Viêtnam pour contrebalancer l'effet testostérone de la tournée proguerre de Bob Hope. J'ai envoyé au président Nixon une lettre lui demandant de nous autoriser à nous rendre là-bas. Je n'attendais pas, haletante, qu'il me réponde Venez-chère-Jane-nous-serons-ravis-que-nos-troupes-vous-voient-Tendrement-Richard, mais je voulais au moins pouvoir dire que j'avais essayé. En cas d'échec, nous jouerions devant les GI stationnés dans le Pacifique. Nous avons aussi décidé de tourner un documentaire sur notre tournée. Quand l'été arriva, la distribution du Show FTA s'était étoffée : la chanteuse Holly Near, la poétesse Pamala Donegan, l'acteur Michael Alaimo, le chanteur Len Chandler, la chanteuse Rita Martinson et le comédien Paul Mooney avaient rejoint nos rangs et Francine Parker, productrice à Hollywood, dirigeait l'entreprise.

Lorsque je regarde ce film, je suis toujours impressionnée par l'ensemble cohérent que nous formions. Comme dans un orchestre, chacun prenait son solo, et personne ne se mettait particulièrement en avant. Mais parce qu'il jouait le rôle du président

Nixon, une grande partie de notre succès reposait évidemment sur les épaules de Donald Sutherland. J'étais son épouse, Pat :

(*Pat entre en courant*) « Monsieur le Président, monsieur le Président...

— Qu'y a-t-il, Pat ?

— Une énorme manifestation, monsieur le Président.

— Comme tous les jours, Pat.

— Mais celle-ci est en train de dégénérer !

— Que demandent-ils ?

— Que nous libérions Angela Davis et tous les prisonniers politiques, que nous quittions le Viêtnam et enrôlions dans l'armée les agents fédéraux.

— C'est bon, nous avons des responsables qui vont s'en occuper, Pat. Laissons-les faire leur travail et faisons le nôtre.

— (*Hystérique*) Mais tu ne comprends pas, Richard. Ils vont prendre d'assaut la Maison Blanche.

— Dans ce cas, je ferais mieux d'appeler l'armée.

— Impossible, Richard.

— Pourquoi ?

— Mais parce que c'est l'armée qui manifeste !

Nous avons tourné le spectacle tout l'automne, joué devant quinze mille hommes près de toutes les grandes bases militaires américaines et en novembre, après une séance au Philharmonic Hall de New York, nous sommes partis pour Hawaï où de nombreux GI revenaient en permission.

Nous avons donné en tout vingt-sept représentations en dehors des Etats-Unis, devant environ soixante-quatre mille soldats de l'infanterie, de l'aviation et de la marine. Tout était fait pour qu'il leur soit très difficile de venir. Ils étaient photographiés et risquaient d'en pâtir. Les autorités militaires donnaient de fausses informations sur le lieu et l'heure où nous jouions, pour empêcher les spectateurs d'arriver à temps (mais nous ne commencions jamais sans les attendre). Et ces soixante quatre mille hommes et femmes firent passer le mot aux autres. Ken Cloke me raconta que lorsqu'il alla aux Philippines et au Japon après notre passage, les cassettes pirates du Show FTA s'y vendaient comme des petits pains et qu'on en trouvait même au Viêtnam. Il me dit aussi que notre tournée avait fait incroyablement augmenter le nombre de clients des cafétérias.

Il s'est passé quelque chose de très important pendant que nous étions au Japon. Nous avons filmé un jour des hommes de la base marine d'Iwakuni que nous interviewions. Ils nous ont appris que, malgré l'accord signé après la Seconde Guerre mondiale entre le Japon et les Etats-Unis stipulant que les armes nucléaires étaient bannies de l'île, ils en transportaient secrètement et illégalement d'une base à l'autre. Ils nous ont demandé de faire ouvrir une enquête. Nous avons essayé. Sans succès.

Le 14 juillet 1972, le film du Show FTA est passé en salle à Washington, distribué par American International.

Certains GI étaient déçus de voir que je ne correspondais pas à l'image qu'ils avaient de moi. L'un d'eux avoua à Holly Near qu'ils avaient déchiré, furieux, leur poster de Barbarella. Je n'étais pas encore assez sûre de moi pour rester indifférente devant cette réaction. Ce que ces hommes attendaient était lié en grande partie à ce que j'avais été ; leurs regards admiratifs constituaient une « reconnaissance ». Qu'allait-il arriver maintenant ? Pourrais-je jamais retravailler ? Allait-on encore vouloir de moi sur les écrans ? Mais tout en me posant ces questions, je savais ne plus pouvoir retourner en arrière.

Des années plus tard, à l'approche de la cinquantaine, j'allais redevenir cette femme qui avait besoin de satisfaire les fantasmes d'un homme. J'avais peur de ne jamais connaître cette relation fusionnelle dont j'avais tant rêvé et pensais ne pouvoir être aimée que dans ce rôle fantasmatique.

Pourquoi faut-il si longtemps pour guérir ?

Je voudrais pouvoir refaire cette tournée aujourd'hui, dans la peau de celle que je suis devenue. J'arriverais sur scène et dirais : « Oui, je sais que vous êtes déçus de me voir comme ça, au lieu de la très sexy Barbarella, une fille comme les autres, en jean, pas maquillée. Si je vous faisais Barbarella, ce serait pour le spectacle de Bob Hope. Attention, je peux comprendre tous les fantasmes, mais il faut que vous sachiez une chose. Incarner ceux des autres peut vous enlever toute votre humanité. Etre sexy, c'est super, tant que cela ne vous oblige pas à renoncer à ce que vous êtes vraiment, comme cela m'est arrivé. Je m'étais perdue. Maintenant, j'essaye d'être qui je suis, j'espère que vous le comprendrez. Et je vous adore. »

Peut-être saurais-je leur expliquer que le « syndrome Barbarella » me déshumanisait comme l'armée les déshumanisait. Cela ne me prendrait pas plus de cinq minutes. Je pourrais le faire avec humour. Je sais que ces hommes, pour la plupart, auraient compris et m'auraient soutenue dans cette démarche.

Quand j'entends aujourd'hui des gens dire que ceux qui militaient contre la guerre étaient contre les soldats, j'aimerais pouvoir leur montrer ce film. Certes, ce n'était pas une œuvre d'art – il n'avait pas besoin de l'être. Il montre que nous restions du côté de ces hommes, et cela seul est important. Il s'agit d'un travail brut, qui n'avait jamais été fait, choquant, et, aujourd'hui totalement impensable. Nous y sommes arrivés parce que les hommes étaient prêts, qu'ils n'en pouvaient plus de cette guerre.

Le 25 décembre 1971, alors que nous venions de finir la tournée du Show FTA, j'ai pris l'avion pour Paris où je devais jouer avec Yves Montand dans *Tout va bien*, un film que je ne voulais pas faire. Je n'avais plus de chez-moi, j'étais déstructurée, sans amour, boulimique. Une combinaison perdante. Ma vie ressemblait à un nuage de brouillard en train de s'effilocher. L'escalade guerrière continuait. Vanessa avait de terribles cauchemars et hurlait toutes les nuits. J'étais pétrie de culpabilité et ne savais pas quoi faire. Dès que j'avais une journée de libre, je jouais avec elle dans l'appartement prétentieux que Vadim avait loué avenue du Trocadéro ou je l'emmenais au jardin des Tuileries faire du manège et se promener sur les petits ânes.

Tout va bien était réalisé par Jean-Luc Godard, dont le film *A bout de souffle*, avec Jean Seberg et Jean-Paul Belmondo, avait connu, dans les années 60, un succès international. Quand Godard m'avait proposé ce rôle l'été précédent sans me montrer de scénario, j'avais immédiatement accepté. Il était après tout considéré comme un cinéaste engagé, et il n'y en avait alors pas tant que ça. Mais lorsque j'avais reçu le script, je l'avais trouvé incompréhensible. Je n'y voyais qu'une longue polémique. Godard, ai-je appris, était alors maoïste. Je me suis maudite d'avoir dit oui sans en savoir plus et j'ai demandé à mon agent d'annoncer que je me rétractais. Je ne voulais pas qu'on se serve de moi pour financer un projet dont la teneur politique me semblait aussi obscure que sectaire.

Mais l'argent du film devait dépendre de ma présence, et Godard n'était pas prêt à accepter un refus. Ce fut la tempête.

Alors que j'étais allée voir Vanessa à Megève où l'avait emmenée Vadim, un proche de Jean-Luc Godard est venu me menacer à la porte du chalet. Vadim eut une réaction étonnante : « Sortez, calviniste ! Vous êtes un sale calviniste[1] ! » *Calviniste* ? Je n'avais encore jamais entendu ça, et je ne comprenais pas très bien comment on pouvait qualifier un maoïste de calviniste, mais je trouvais ça génial et j'adorais Vadim d'être aussi direct. Quoi qu'il en soit, j'ai fini par accepter et tourner le redoutable *Tout va bien*. Je n'étais même pas contente de travailler avec Yves Montand. Tout le monde savait maintenant qu'il trompait Simone (je devais avoir été la dernière à le découvrir) et elle était malheureuse. Je la voyais le plus souvent que je pouvais, je détestais la sentir aussi mal.

Pendant tout le tournage, j'ai gardé le profil bas, faisant ce qu'on me disait sans discuter, arrivant à l'heure et restant à l'écart sur le plateau afin d'éviter toute confrontation directe avec Jean-Luc Godard.

Fin février 1972, quand je suis rentrée en Californie, j'ai appris que *Klute* m'avait valu d'être nominée pour l'oscar de la meilleure actrice. J'ai vécu comme une nomade pendant des semaines, allant chez les uns chez les autres, dormant sur les canapés de mes amis. Parce que je voulais désespérément avoir un endroit où vivre avec Vanessa, j'ai emprunté quarante mille dollars à mon père et acheté une maison au-dessus de Studio City dans San Fernando Valley. Mon père savait que j'y trouverais un minimum de stabilité et il a fallu que j'insiste pour lui signer une reconnaissance de dette (je

1. En français dans le texte (*NdT*).

l'ai remboursé dans l'année). Il a toujours eu sa façon à lui, distante, de me laisser savoir que je pouvais compter sur son soutien.

Alors que la date de remise des oscars approchait, tout le monde me disait que j'allais gagner, et cette fois, je le croyais. C'était dans l'air. Mais il me faudrait alors prendre la parole. Devais-je évoquer la guerre ? Serait-ce irresponsable de ne pas le faire ? Je suis allée demander à mon père ce qu'il en pensait – à lui qui ne croyait pas du tout dans ce système de prix (« Comment peut-on choisir entre Laurence Olivier et Jack Lemmon ? Entre le jour et la nuit ? »). Mais il a trouvé. Son sens de l'économie en matière de mots me sortit d'affaire : « Dis-leur que tu aurais beaucoup de choses à leur dire, mais que le moment serait mal choisi », m'a-t-il conseillé, et j'ai tout de suite su que c'était exactement ce qu'il fallait faire.

J'avais la grippe, le soir de la remise des oscars. Je suis arrivée au bras de Donald Sutherland, habillée d'un strict costume pantalon de laine noire d'Yves Saint Laurent acheté à Paris en 1968 après la naissance de Vanessa. J'avais toujours la coupe dégradée de Bree Daniel et je devais peser au plus quarante-cinq kilos.

La catégorie meilleure actrice est toujours gardée pour la fin, avant celle du meilleur acteur, puis du meilleur film. Lorsque mon nom a été prononcé derrière les mots « La gagnante est... », j'ai réussi à parcourir sans tomber la distance infinie qui me séparait de la scène et une fois devant le micro, j'ai été abasourdie de sentir dans le public un tel élan d'amour et de complicité. Je me souviens du silence retentissant. Ils attendaient que je parle. J'avais peur de m'évanouir. Je me sentais minuscule face à la salle qui s'ouvrait devant moi comme une profonde caverne, face aux visages levés des premiers rangs, les seuls que je voyais, aux souffles suspendus, au flux d'énergie qui se dirigeait vers moi. Je me suis entendue remercier ceux qui avaient voté en ma faveur et ajouter : « J'aurais beaucoup à dire, mais le moment serait mal choisi. Merci », exactement comme mon père me l'avait soufflé. La tension se relâcha visiblement ; ils m'étaient reconnaissants de ne pas m'être lancée dans une grande déclaration. Je suis repartie avec mon oscar sous les applaudissements et me suis réfugiée dans un coin où j'ai éclaté en sanglots, débordante de gratitude. *Je fais toujours partie du monde du cinéma !* Puis, incrédule, *Comment cela a-t-il pu m'arriver alors que Papa n'y a jamais eu droit ?* J'ai évité toutes les réceptions qui suivaient pour rentrer à la maison et m'apercevoir que je brûlais de fièvre.

Gagner cet oscar fut très important pour l'actrice que j'étais. Quoi qu'il arrive, j'aurais au moins eu ça. Mais rien n'a vraiment changé dans ma vie, et de toute façon je n'attendais rien de tel. On a pourtant toujours un vague espoir que ce genre de récompense arrangera tout. Cela n'arrive jamais.

Personnage à facettes, célébrité, actrice, mère, militante, leader, qui étais-je donc ?

Le groupe Industrie du spectacle pour la paix et la justice que Donald et moi avions formé l'année précédente était moribond. Autant pour moi et mes capacités de dirigeante. Je voulais toujours aider à mettre fin à la guerre mais ne savais plus comment travailler avec les vétérans, car ils se divisaient en différentes factions, ni avec le mouvement des GI, car les troupes de l'armée de terre étaient maintenant pour la plupart rentrées.

J'arrivais à accompagner Vanessa à l'école tous les matins, mais je marchais au radar.

CHAPITRE HUIT

TOM

Au moment où je pensais que ça suffisait comme ça
que j'avais versé toutes mes larmes,
vu toutes les promesses brisées,
entendu tous les mots qui font mal –
tu es arrivé et m'as montré
comment tout oublier.
Tu as réouvert mon cœur
Et une surprise m'attendait :
J'y ai trouvé de l'amour – il était encore temps.

Bonnie RAITT,
« Nick of Time ».

Il est sorti de l'ombre, étrange silhouette aux cheveux longs nattés, à la tête entourée d'un bandeau brodé de perles, habillé d'un large pantalon kaki et de sandales en caoutchouc qu'on m'avait dites fabriquées par les Vietnamiens avec les pneus de véhicules américains abandonnés.

« Salut ! Je m'appelle Tom Hayden... tu te souviens de moi ? »

Je n'en revenais pas. Ce type-là n'avait rien à voir avec le Tom Hayden que j'avais croisé à Detroit l'année précédente pendant l'audience Winter Soldier.

Grâce à Dieu, je ne savais pas qu'il viendrait assister à ma projection de diapositives sur l'escalade de la guerre aérienne ;

cela m'aurait paralysée. Tom était une icône du mouvement, intelligent, courageux et charismatique. Un des fondateurs du groupe SDS (Etudiants pour une société démocratique), coauteur de la remarquable Déclaration de Port Huron, et de l'article de *Rampart* qui m'avait aidée à continuer de militer.

Le jour où nous nous étions rencontrés à Detroit, nous l'avions raccompagné à l'aéroport. J'étais assise à l'avant de la voiture, il était derrière moi. Il avait dit quelque chose qui m'avait fait rire, une remarque impertinente. Parce que j'avais perdu l'habitude de rire, je m'étais retournée. Sous sa casquette en laine de voyou irlandais, ses yeux brillaient. Nos regards s'étaient brièvement croisés, et il avait posé sa casquette sur ma tête. Un instant agréable, de séduction sans conséquences. Je ne l'avais pas revu depuis.

Et voilà que je le retrouvais un an plus tard, plein d'énergie, l'allure décidée, et qu'il disait vouloir me parler. Tom Hayden était venu me parler, à moi ! Nous avons trouvé un coin où nous asseoir dans la pénombre des coulisses et je lui ai dit mon regret de ne pas l'avoir vu l'été précédent lorsque j'avais retrouvé le collectif Red Family à Berkeley pendant le tournage de *Steelyard Blues*. Je l'ai senti se contracter un instant. Je ne savais pas qu'il en avait été exclu. Il vivait maintenant à Venice et donnait un cours sur le Viêtnam au Pizer College de Claremont.

« Tu as changé de look, lui dis-je. Pourquoi cette natte et ce bandeau de perles ? »

Il m'expliqua qu'il venait d'écrire un livre dans lequel il avait démontré le parallèle qui existait entre la guerre du Viêtnam et le génocide des Indiens d'Amérique, et qu'il se sentait, grâce à ses recherches, maintenant très proche de ces derniers. *Oh ! Seigneur* ! Il voulait défendre les Indiens ! Mais c'était du Viêtnam qu'il était venu me parler. Il me demanda de l'aider à monter une exposition d'affiches et de sérigraphies sur ce pays et ses habitants. Il voulait se servir de l'art pour montrer que les Vietnamiens étaient des êtres humains, faire comprendre ce qui, dans leur culture, les rendait capables de combattre comme ils le faisaient notre superpuissance militaire.

Tout en posant sa main sur mon genou, il m'a dit qu'il venait de finir un diaporama. « J'aimerais bien que tu le voies », a-t-il dit. Enfin, je crois. Une décharge électrique m'a traversée. A cet instant je ne pensais qu'à sa main sur mon genou. *Diaporama ?* « Oui, bien sûr, viens quand tu veux », ai-je répondu en lui donnant mon numéro de téléphone. C'était logique. Je lui avais montré mon truc, il allait me montrer le sien...

Quand je suis rentrée à la maison ce soir-là, j'ai annoncé à Ruby que je venais de rencontrer l'homme avec qui j'allais passer le reste de ma vie. J'étais surexcitée, j'en avais la tête qui tournait. Je voulais un homme à aimer, mais ce devait être quelqu'un qui m'inspire, m'apprenne des choses, me conduise, et n'ait pas peur de moi. Qui mieux que Tom Hayden correspondait à ce portrait ? Leader respecté, organisateur passionné, stratège exceptionnel, *et s'intéressant au sort des Indiens d'Amérique.* Avec, par-dessus tout ça, quelque chose de tellement... stable. J'avais besoin de stabilité.

Il arriva peu après, par un soir de printemps, son projecteur de diapos à la main. Vanessa dormait déjà, mais je l'ai présenté à Ruby et je lui ai fait visiter la maison, montré la piscine et les arbres fruitiers que j'avais plantés. Il restait silencieux. Quelques jours plus tard, pendant que nous buvions le café, il a dit : « C'est une véritable entreprise que tu as ici », et j'ai compris qu'il n'était pas d'accord. Pas d'accord avec la propriété, la piscine, l'employée. Et évidemment, je me suis tout de suite sentie coupable, regrettant de ne plus vivre dans la petite maison de l'impasse noyée dans le brouillard. Alors il aurait su que je n'étais pas élitiste.

Après avoir fait le tour du jardin, ce premier soir, au moment de rentrer, Tom m'a demandé si je vivais avec quelqu'un. J'ai répondu d'un ton outré : « Oh non, jamais ! Je ne veux plus jamais vivre avec un homme ! »

Il a ri et dit « Oh ! », mais une expression curieuse est passée sur son visage, qui signifiait : « *Tiens, tiens ! Pourquoi te mets-tu sur la défensive ?* » Bonne question. Mon Dieu, faites qu'il ne voit pas à quel point je suis seule.

Nous sommes revenus à l'intérieur pour qu'il fasse ce qu'il était venu faire : me montrer son diaporama. Nous nous sommes assis par terre et là, sur le mur lambrissé, ont défilé des images incroyables : des enfants à cheval sur des buffles d'eau, des femmes minces et souples comme des roseaux, si gracieuses dans leurs *ao daïs* aux couleurs pastel, des temples bouddhistes aux toits dont les coins remontaient comme des sourires, et des rizières, encore et encore, s'étendant à perte de vue, ponctuées de chapeau de paille pointus, de silhouettes enfoncées jusqu'à la taille dans une immensité couleur d'émeraude.

Tandis que les photos passaient, Tom me parlait de choses que les yeux ne pouvaient pas voir. Il m'expliquait que, pour les Vietnamiens, cultiver du riz ne servait pas seulement à avoir de quoi manger, mais faisait partie de rites collectifs qui les unissaient à la nature : ils enterraient leurs morts dans les rizières, leurs os fertilisaient le riz qui nourrissait leur famille, ce qui leur permettait de croire en une continuité physique et spirituelle grâce à laquelle les enfants héritaient de la force de leurs ancêtres. Il n'eut pas besoin de me dire que nos bombardements intensifs ne détruisaient pas que des récoltes et de la terre, mais toutes les mailles d'un tissu culturel. C'était plus clair, et plus horrible, que n'importe quelle statistique.

J'étais prise de court. Je ne sais pas si c'était le ton sec de Tom qui contrastait avec le lyrisme des images et l'atmosphère de spiritualité qui rendait l'ensemble aussi frappant, tout ce que je sais, c'est que j'ai senti en moi quelque chose s'effondrer.

A ce portrait étonnant et rafraîchissant de la culture vietnamienne, Tom avait choisi d'associer des citations extraites des Papiers du Pentagone afin de souligner les faits tels qu'ils étaient, par exemple que le Viêtnam avait été, à la fin de la guerre d'indépendance contre la France, en 1954, artificiellement divisé en deux pays, Nord et Sud, qui auraient dû être réunis deux ans plus tard[1].

1. Lorsque le 17e parallèle fut choisi comme ligne de démarcation, lors de la conférence de Genève de 1954, il était explicitement stipulé que : « cette ligne est **provisoire** et ne saurait **en aucun cas être considérée comme une frontière territoriale ou politique** [PP Doc 15]. La démarcation ne devait rester en place que pendant deux ans, jusqu'aux élections qui désigneraient le gouvernement du pays réunifié. Les Etats-Unis prétendirent adhérer à cet accord tout en essayant immédiatement de déstabiliser la situation, y compris en annulant les élections. Le président Dwight Eisenhower a écrit dans ses mémoires, que si elles avaient eu lieu, Ho Chi Minh aurait probablement remporté 80 % des suffrages. Ainsi la ligne de démarcation temporaire du 17e parallèle devint petit à petit une « frontière internationale » et la traverser était considéré comme une « agression externe ». Cette vision des choses, exprimée à de nombreuses reprises par nos dirigeants, finit par être considérée comme normale. Lorsque j'ai commencé à militer contre la guerre, en 1970, tout le monde croyait que le Nord-Viêtnam et le Sud-Viêtnam étaient deux pays différents et les Nord-Vietna-

Le diaporama se terminait sur des images atroces montrant ce que la présence américaine avait fait du Sud-Viêtnam. GI dans les bordels de Saigon avec des Vietnamiennes en minijupes, gros seins et soutiens-gorge à balconnets. Réfugiés affamés aux yeux enfoncés dans les orbites vivant dans des taudis fétides, résultats de notre « programme d'urbanisation » destiné à écarter les paysans des terres contrôlées par le Viêt-công en les attirant dans les villes contrôlées par les Américains et le gouvernement du président Thieu, que nous avions mis au pouvoir. Grande affiche vantant les services d'un médecin américain, chirurgien esthétique qui débridait les yeux et gonflait les poitrines. Tom me dit que des milliers de femmes étaient passées par là.

J'étais sans voix. Il avait ranimé devant mes yeux une culture ayant survécu aux invasions, au colonialisme et à la guerre, puis il m'avait montré comment les Etats-Unis essayaient de l'éradiquer pour la remplacer non pas par la démocratie, mais par une société de consommation à l'occidentale et une culture *Playboy* qui donnait tellement honte aux femmes de leurs délicates silhouettes asiatiques qu'elles acceptaient de se faire mutiler pour s'occidentaliser.

Je me suis mise à pleurer – pour elles, et pour moi. Dans son livre *Reunion*, Tom a écrit à propos de cet instant : « Je parlais de cette image de femme sexy qu'elle avait longtemps représentée et dont elle tentait maintenant de se dégager. Je l'ai regardée avec des yeux nouveaux. Peut-être pourrais-je aimer quelqu'un comme ça. » Je n'aurais jamais imaginé alors que j'allais un jour m'en prendre moi aussi à mon corps en me faisant siliconer les seins, trahissant ce que Tom avait vu en moi ce jour-là, et me trahissant moi-même.

Si Tom eut l'impression qu'il pourrait peut-être tomber amoureux de moi, en ce qui me concernait, c'était chose faite – je l'aimais déjà follement. Je sais, ça fait très années 70, séduite par

miens qui arrivaient dans le Sud, même s'ils y étaient nés et y avaient de la famille (ce qui était souvent le cas), étaient vus comme des agresseurs étrangers. Imaginez que les Britanniques aient créé une frontière le long du Mississippi, en disant tout d'abord qu'elle était temporaire, puis l'aient officialisée et appelé « ennemi » quiconque cherchait à la traverser, que ce soit pour rendre visite à sa famille, ou pour lutter afin que la nation soit enfin réunifiée.

un diaporama au contenu politique. Mais c'était évidemment de Tom, de son histoire de militant et de sa sensibilité, telle que je l'avais perçue de mes propres yeux, que je tombai amoureuse. J'étais certaine qu'il était un être d'une profondeur d'esprit que je n'avais encore jamais rencontrée chez un homme.

Nous étions en train de faire l'amour sur le sol du salon quand nous avons entendu Vanessa. Tom s'est relevé avec l'agilité d'un léopard et rhabillé avant qu'elle entre, titubante de sommeil. Il s'est agenouillé devant elle, s'est présenté, lui a demandé comment elle s'appelait et quel âge elle avait. Il ne lui parlait pas sur ce ton mielleux et paternaliste que prennent beaucoup d'adultes avec les enfants pour essayer de les séduire, mais d'une voix teintée d'un intérêt sincère. Autre bon point pour lui.

Nous avons passé de plus en plus de temps ensemble. Je suivais ses cours. Brillant professeur, adoré de ses étudiants, il était aussi un éminent stratège. Il considérait la plupart des choses, et pas seulement la guerre, d'un point de vue historique. Ses talents d'orateur lui permettaient de capter l'attention des gens et de donner à leurs sentiments confus et isolés, une cohésion à laquelle ils pouvaient adhérer. Lorsque nous parlions avec ses vieux amis militants, je découvrais les nuances d'un monde politique difficile à comprendre. C'était un peu comme discuter avec Vadim à l'époque où je ne maîtrisais pas encore le français.

Au-delà de l'admiration que j'éprouvais pour ses capacités intellectuelles, j'aimais sa gaieté, sa truculence irlandaise qui apportait de la douceur de vivre à la sévérité de mes origines protestantes. Comment aurais-je pu résister à son humour espiègle, à son corps souple, ou à l'étrange façon dont ses pieds chaussés de sandales de caoutchouc glissaient sur le sol tandis que son buste se penchait en avant comme s'il avait porté le poids du monde sur ses épaules ? Et j'avais l'impression qu'il désirait vraiment me connaître. Il faisait toujours cet effet-là aux femmes : voici enfin celui qui va fouiller ton âme et te comprendre. Je sais évidemment que, aussi sûrement qu'il avait projeté ses diapositives sur le mur de mon salon, je projetais sur lui une image de héros impossible à incarner. Il était le prince charmant qui arrivait dans ma vie, allait tout arranger, me sauver du chaos – il était encore temps.

Pauvre Tom. Ce genre de projection est toujours injuste. Comment attendre d'un être humain qu'il incarne un fantasme ?

Mais il y avait autre chose qui me fascinait : du côté de son père, comme du côté de sa mère, on comptait avec lui trois générations de cols blancs d'origine irlandaise vivant dans le Middle West, un monde qui m'était jusqu'alors inconnu. Il n'a jamais été marxiste, ni maoïste, comme certains l'ont prétendu. Il suffit de lire la Déclaration de Port Huron, le document fondateur du SDS, dont il était un des auteurs, pour comprendre que son système de pensée reposait sur les valeurs démocratiques.

Sa mère, Gene, qui ressemblait à un petit oiseau, avait été bibliothécaire pendant vingt-cinq ans sans jamais manquer une journée de travail. Son père, Jack, travaillait comme comptable chez Chrysler. Ils étaient tous les deux nés dans le Wisconsin et s'étaient installés pendant la Dépression dans la banlieue de Detroit, à Royal Oak, où Tom fréquenta huit ans la chapelle de Little Flower Church et l'école paroissiale.

Tout ne fut cependant pas rose dans l'enfance de Tom. Après la Seconde Guerre mondiale, son père se mit à boire et ses parents finirent par divorcer. Gene consacra sa vie à son fils, ne se remaria jamais, ne fréquenta jamais d'autre homme. Puis, quand, au début des années 60, Tom se mit à militer pour les droits civiques, son père, républicain conservateur, rompit tout lien avec lui, son unique enfant, pendant treize ans. Je m'étais souvent demandé comment mon grand-père avait pu refuser de parler à mon père pendant un mois et demi parce qu'il voulait devenir acteur, mais treize ans... Tom me raconta cette rupture de façon dégagée, comme s'il ne s'en émouvait pas. Mais j'imagine qu'il ne doit pas être facile de grandir aux côtés d'un père renfermé, incapable de communiquer, et qui met fin ensuite à toute relation avec vous, et d'une mère qui bien que démocrate et plutôt libérale, n'éprouve que peur et incompréhension devant l'activisme de son fils et jette sur la vie un regard d'une amertume qui me semblait incompréhensible.

Peut-être était-ce pour cela que, comme Vadim, Tom pleurait facilement à propos d'enfants, de guerre ou d'animaux mais était incapable de montrer la moindre émotion dans l'intimité, que ce soit devant l'amour, l'abandon ou la trahison. Il ne pouvait se permettre une telle vulnérabilité. La sensibilité qui apparaissait dans son diaporama cachait ce manque d'ouverture affective. Mais j'étais tellement habituée à ce genre d'attitude chez les hommes que Tom me paraissait l'être le plus émotif que j'aie jamais rencontré – et j'ai ensuite pensé, chaque fois que nous avions un problème à ce sujet, que c'était de ma faute. (Il est certain que, s'il avait été véritablement capable de nouer des liens profonds à cette époque, je serais partie en courant sans savoir pourquoi. Il est tellement plus facile de s'accommoder de ce qu'on connaît déjà.)

D'autres le voyaient sous un jour différent. Peu après que nous fûmes devenus amants, une femme appelée Carol Kurtz vint sonner chez moi et me demanda s'il était là. Je sentais qu'elle avait besoin d'être seule avec lui. Je la connaissais vaguement, son mari et elle faisaient partie de la Red Family. Je dis à Tom qu'elle voulait lui parler, mais au lieu de l'inviter à entrer, il resta avec elle sur le pas de la porte quelques minutes et revint à l'intérieur, furieux. Je suis sortie dire au revoir à Carol et je l'ai trouvée en larmes. Pour combler le vide qui s'était creusé entre eux depuis que Tom avait été expulsé du collectif, elle lui avait proposé son amitié et il l'avait refusée. « Il n'a pas de cœur. Pas de sentiments », me dit-elle. Parlait-elle vraiment de l'homme que je connaissais ? Tom n'a jamais fait allusion à ce qui s'était passé entre eux à ce moment-là, mais les mots de Carol m'ont profondément troublée, et je ne les ai pas oubliés.

J'ai appris petit à petit qu'après avoir quitté la Red Family, Tom avait déménagé de Berkeley à Santa Monica pour y écrire tranquillement son livre sur les Indiens et le Viêtnam. Quand il avait réapparu dans ma vie ce printemps-là, il partageait avec Leonard Weinglass, avocat brillant au ton de voix posé et doux qui l'avait défendu pendant le procès des Sept de Chicago, un petit appartement au rez-de-chaussée d'une maison de Venice, coin pittoresque situé au sud de Santa Monica. J'avais l'impression d'avoir trouvé, avec Tom et son cercle d'amis, un havre où m'abriter. Je croyais qu'il m'apporterait la cohérence, les structures, la sécurité dont j'avais besoin... et il l'a fait sur certains plans. Pas sur d'autres.

Et si je pensais que les tempêtes précédentes avaient été violentes, je n'avais encore rien vu.

Le 8 mai, le président Nixon donna l'ordre de placer des mines sous-marines dans le port de Haiphong, ce que les gouvernements précédents avaient refusé de faire. Dans les semaines suivantes, nous apprîmes grâce à des diplomates et scientifiques européens, que les avions de l'US Air Force prenaient pour cibles les digues du fleuve Rouge. Jean-Christophe Oberg, ambassadeur de la Suède au Viêtnam, expliqua à une délégation américaine à Hanoi avoir tout d'abord cru que ces bombardements étaient accidentels, mais, qu'après avoir vu les lieux de ses propres yeux, il était maintenant convaincu qu'il s'agissait d'une attaque délibérée.

Je n'aurais peut-être pas saisi toute la portée de ces événements si Tom, avec qui j'étais maintenant depuis un mois, ne m'avait pas fait lire les passages des Papiers du Pentagone concernant ce sujet. En 1966, alors qu'il cherchait comment mettre Hanoi à genoux, le sous-secrétaire à la défense John McNaughton avait proposé de détruire le système de barrages et d'écluses du Nord-Viêtnam, ce qui, disait-il, « pouvait... si c'était fait comme il le fallait... ne pas provoquer de morts immédiates parmi la population. Mais les inondations finiraient par affamer les gens (et peut-être tuer plus d'un million de personnes), à moins que les Nord-Vietnamiens ne trouvent de la nourriture ailleurs – ce que nous pourrions leur offrir autour d'une table de négociations ». Le président Johnson, c'est tout à son honneur, n'avait pas choisi cette tactique. Et maintenant, six ans plus tard, Richard Nixon semblait avoir donné l'ordre de viser les digues – pour les détruire vraiment ou pour faire peser la menace d'une telle destruction, personne ne le savait.

Tom m'expliqua que le fleuve Rouge était le plus grand cours d'eau du Nord-Viêtnam. Son delta se trouvait au-dessous du niveau de la mer. Depuis des siècles, le peuple avait construit – à la main – un réseau complexe de 4 000 kilomètres de barrages et de digues en terre pour retenir la mer. Tous les ans, lorsque la mousson approchait, il fallait les consolider et réparer les dommages causés par l'usure du temps et les terriers que les animaux creusaient. Nous étions en juin et ce n'étaient ni les bêtes, ni l'eau ni le vent qui étaient à redouter. Le fleuve Rouge commencerait à monter en juillet. En cas d'inondation, les mines placées dans le port de Haiphong empêcheraient toute importation de nourriture.

Les bombardements ne semblaient pas s'arrêter. Il fallait absolument faire quelque chose.

L'administration Nixon et l'ambassadeur américain à l'Onu, George Herbert Walker Bush, allaient nier formellement ce qui se passait, mais voici ce que l'on trouve dans les retranscriptions de conversations d'avril-mai 1972 entre Nixon et les représentants les plus haut placés de son gouvernement :

25 avril 1972

LE PRÉSIDENT NIXON : « ... Nous devons penser en terme d'attaque aérienne générale [du Nord-Viêtnam]... par attaque aérienne générale, je veux dire beaucoup plus que les bombardements habituels... je pense aux digues, aux voies ferrées, et, bien sûr, aux ports... »

KISSINGER : « ... Je suis d'accord avec vous. »

LE PRÉSIDENT NIXON : « ... Et je crois toujours que nous devrions faire sauter les digues tout de suite. Est-ce que cela noiera des gens ? »

KISSINGER : « Environ deux cent mille personnes. »

LE PRÉSIDENT NIXON : « ... Non, non, non... j'aimerais mieux une bombe atomique. Vous pensez que c'est possible Henry ? »

KISSINGER : « Là, je crois que ce serait trop. »

LE PRÉSIDENT NIXON : « L'arme nucléaire vous dérange ?... Pour l'amour de Dieu, Henry, je veux juste frapper fort. »

4 mai 1972

Le président Nixon à Kissinger, Al Haig, John Connally : « ... Le Viêtnam : les voilà, ces petits enculés, là, ici [il tape sur son bureau]. Et nous voilà. Ils veulent se battre avec nous. Eh bien, nous allons leur montrer, bon sang. Nous allons les écraser...

« Je veillerais à ce que les Etats-Unis ne perdent pas... le Sud-Viêtnam peut perdre. Pas les Etats-Unis. Tout ça pour vous dire que j'ai pris ma décision. Quoi qu'il arrive au Sud-Viêtnam, nous allons écraser le Nord...

« Pour une fois, nous devons utiliser toute notre puissance ... contre ce petit pays de merde : pour gagner la guerre. Nous ne pouvons pas utiliser le mot *gagner*. Mais les autres le peuvent. »

4 mai 1972

JOHN B. CONNALLY : « ... Bombarder pour de vrai, pas juste pour montrer de quoi on est capable. Les voies ferrées, les ports, les centrales électriques, les lignes de communication... et sans s'inquiéter de tuer des civils. Allons-y, tuons-les... Les gens croient qu'on le fait déjà. Allons-y, donnons-leur-en pour leur argent. »

RICHARD NIXON : « C'est ça. »

H. R. HALDEMAN : « On voit des morts tous les soirs aux infos . Un cadavre est un cadavre. Personne ne sait qui ils sont ni qui les a tués. »

RICHARD NIXON : « Henry [Kissinger] est trop timoré... de toute façon, on va nous accuser de le faire [tuer des civils]. »

[Plus loin lors de la même conversation]

RICHARD NIXON : « Nous devons gagner cette putain de guerre... et... ce que ce type [?] dit à propos des foutues digues, nous allons le faire, nous allons détruire ces foutues digues... Si Henry est d'accord, je suis à 100 % pour. »

H. R. HALDEMAN : « Je ne sais pas s'il est pour le bombardement des digues. »

RICHARD NIXON : « Non, je ne crois pas qu'il le soit, mais moi oui. Je vote pour le plan de Connally. »

[Plus loin encore lors de la même conversation]

RICHARD NIXON : « Je suis aussi d'accord avec Connally à propos des civils. Je ne vais pas m'en faire pour ça. »

Qui parlait de désescalade ? D'éviter les pertes civiles ? De soutenir nos alliés du Sud-Viêtnam ?

Ce même mois de mai, des Nord-Vietnamiens qui assistaient à la conférence de la paix organisée à Paris m'invitèrent à Hanoi. Tom soutint fermement ce projet. Ma célébrité d'actrice pourrait peut-être permettre d'attirer l'attention sur ce qui se passait. Et attirer l'attention du public américain – même si cela provoquait une controverse – était indispensable si l'on voulait sauver les digues. Je prendrais des photos afin de prouver (si nos informations se révélaient exactes) les dommages créés pas les bombardements dont nous avions entendu parler.

J'ai organisé le voyage avec la délégation vietnamienne à Paris, pris un billet d'avion et me suis arrêtée à New York. Depuis 1969, le courrier des prisonniers de guerre entrait et sortait du Nord-Viêtnam par l'intermédiaire des Américains qui s'y rendaient. Ce système était supervisé par les Comité de liaison des familles de détenus. J'ai emporté un paquet de lettres à distribuer.

CHAPITRE NEUF

HANOI

C'est ici que la compassion et la non-violence prennent leur véritable sens et toute leur valeur, en nous aidant à comprendre le point de vue de l'ennemi, à entendre ses questions, à savoir ce qu'il pense de nous. Car en empruntant ses vues, nous pouvons en vérité déceler les faiblesses inhérentes à notre position et, si nous sommes assez mûrs pour cela, tirer un enseignement et un profit des pensées de ce frère que nous appelons adversaire.

Martin Luther KING,
Riverside Church, New York, 1967.

Aime tes ennemis.
MATTHIEU, 5,44.

Je suis partie seule. Je ne sais pas très bien pourquoi. Ce n'est certainement pas parce que je ne pouvais pas payer le billet d'avion de Tom. De toute évidence, il ne trouvait pas nécessaire de m'accompagner. « C'est toi qu'ils avaient invitée, m'a-t-il répondu récemment quand je lui ai posé la question. D'autre part, a-t-il ajouté, nous n'étions pas, à l'époque, officiellement ensemble. »

Je ne savais pas combien il était inhabituel de pénétrer seule – surtout quand on était connu, surtout quand on était une femme –

dans une zone de combat. Malgré tout je ne regrette pas d'y être allée. Je ne regrette qu'une seule chose, avoir été photographiée assise à côté d'une batterie antiaérienne nord-vietnamienne. Ce que cette image laissait entendre n'avait rien à voir avec ce que je faisais, pensais ou ressentais alors, et j'espère que ce chapitre le montrera.

Depuis 1965, plus de deux cents citoyens américains étaient allés au Nord-Viêtnam, la plupart du temps en groupes, afin de témoigner de ce qu'ils y avaient vu. Ils représentaient des formations religieuses ou pacifistes, étaient vétérans, professeurs, avocats ou poètes. Médecins et biologistes de Harvard, de Yale et du Massachusetts Institute of Technology avaient évalué les besoins médicaux des Nord-Vietnamiens. Tom avait été un des premiers à s'y rendre, lors du voyage organisé par Herbert Aptheker en 1965 avec l'historien Staughton Lynd. Il y était retourné en 1967 et en était revenu avec les trois premiers prisonniers de guerre américains à être relâchés.

Tous avaient témoigné d'intenses bombardements de cibles civiles, y compris d'églises, d'hôpitaux et d'écoles. Tous disaient que cela n'entamait en rien la détermination des Nord-Vietnamiens, et ne réussirait pas à forcer le gouvernement d'Hanoi à se déclarer vaincu, qu'il n'accepterait de négocier que lorsque les Etats-Unis arrêteraient leurs attaques et retireraient leurs troupes.

Je traverse en courant l'aéroport d'Orly. Mon vol de New York a pris du retard et je vais rater l'avion de Moscou qui doit m'emmener à Vientiane, au Laos, et de là à Hanoi. En tournant dans un couloir, je glisse et je m'étale. Je sais immédiatement que je me suis recassé le pied que je m'étais déjà fracturé un an plus tôt. Les boulimiques ont les os fragiles. J'ai souffert de nombreuses fractures. Que faire ? J'ai quelques secondes devant moi pour choisir : dois-je me servir de cet accident comme excuse pour rentrer chez moi, ou dois-je continuer ? Je n'y peux rien, mais je ne sais pas faire demi-tour. Alors je clopine jusqu'à l'avion, monte au moment où les portes vont se refermer. Je mets de la glace dans une serviette sur mon pied. Le steward m'autorise à le poser sur le dossier du fauteuil qui est devant moi (et vide). J'aimerais que Tom soit là.

Quand nous atterrissons à Moscou, j'ai le pied enflé et bleu, et je sais que je dois le faire soigner. L'escale dure quatre heures, les responsables de l'aéroport m'appellent un taxi et lui disent de m'emmener à l'hôpital le plus proche. Après m'avoir fait une radio, le médecin confirme la fracture, me met un plâtre, me donne une paire de béquilles, et me renvoie à l'aéroport.

Que vont penser mes hôtes en me voyant arriver ? Il ne leur manque plus qu'à devoir s'occuper d'une Américaine handicapée ! Et comment vais-je grimper sur les digues que je suis venue photographier ?

Je décide de rester à bord pendant l'escale à Vientiane, à cause de mon pied, mais aussi parce que je me suis rendue compte qu'un espion américain a été envoyé pour m'intercepter.

J'ai trouvé depuis dans les dossiers confidentiels du FBI me concernant un télégramme que l'ambassade américaine de Vientiane a envoyé au conseiller à la Sécurité nationale Henry Kissinger à Washington, à la délégation américaine de la conférence de Paris, au commandant en chef des forces du Pacifique et à l'ambassade américaine de Saigon :

« L'actrice Jane Fonda est arrivée à Hanoi le 8 juillet dans un vol Aeroflot en provenance de Moscou. Elle n'a pas été signalée sur la liste des passagers déposée à Vientiane pendant le transit du 8 juillet au matin et n'a pas débarqué de l'avion. »

Nous repartons enfin vers Hanoi, après ce qui m'a semblé une escale interminable. L'avion est en partie vide et je suis la seule femme au milieu d'un groupe de grands costauds qui semblent russes, ou d'Europe de l'Est, avec un ou deux Français perdus au milieu d'eux.

Bientôt nous survolons le Viêtnam. Je me représente ce pays comme une femme enceinte, le dos cambré contre le Cambodge et le Laos, le ventre pointant au sud de la mer de Chine, si petite, si vulnérable que n'importe quelle superpuissance penserait pouvoir en venir à bout en moins de temps qu'il n'en faut pour le dire. Une bande de terre fine et élancée, comme ceux qui l'habitent.

Le vol ne devrait pas durer longtemps, mais alors que nous

approchons de Hanoi, je vois par le hublot les formes noires de huit Phantom américains qui tournent au-dessus de la ville. Je me raidis. Quelque chose en eux me dit à quoi ils servent avant même que j'aie le temps d'y réfléchir. Dans le journal de voyage que j'ai l'intention de tenir, je note qu'ils ressemblent à des vautours en train de survoler leur proie. Une voix sèche annonce dans les haut-parleurs qu'ils bombardent Hanoi, que nous faisons demi-tour vers Vientiane jusqu'à ce qu'ils aient terminé leur mission et que, au cas où nous manquerions de fuel, nous retournerons nous y poser. (J'ai lu ensuite quelque part que les bombardiers américains profitaient de ce que la défense antiaérienne nord-vietnamienne hésitait à tirer en présence d'avions civils.)

Je regarde, figée, disparaître les bombardiers. Les avions de mon pays qui viennent de jeter des bombes sur une ville dont je suis l'invitée. Je déteste l'idée que des soldats américains tuent et soient tués. Je sais que la seule façon de les aider est de mettre fin à cette guerre et de les laisser rentrer chez eux. Je sais que le peuple de cette terre couleur turquoise qui s'étend sous moi défend son pays contre des étrangers – et que ces étrangers, maintenant, ce sont nous.

Je pense à mon enfance, au jour où je suis allée avec ma mère dire au revoir à mon père à la base de Burbank, Californie, pendant la Seconde Guerre mondiale. Comme ces avions me paraissaient beaux, alignés sous le filet de camouflage ! Comme j'étais fière de savoir qu'ils étaient là pour nous protéger ! Et voilà qu'ils ne servent plus à nous défendre contre une autre puissance militaire, mais à détruire un petit peuple de paysans qui ne nous menace pas.

Nous arrivons à Hanoi. Combien de temps s'est-il écoulé ? Une heure ? Un jour ? Comme dans un rêve, j'ai perdu toute notion du temps. Lorsque nous entamons notre descente sur le petit aéroport civil de Gia Lam, je vois les cratères de bombes qui ponctuent le paysage. Une averse d'été vient de les transformer en mares rose et bleu où se reflète le crépuscule. Mort et beauté conjointes.

Je descends maladroitement les marches de la passerelle, encombrée par les béquilles, mon sac, l'appareil photo et le paquet de lettres pour les prisonniers de guerre. Cinq Vietnamiens se dirigent vers moi, des bouquets à la main. Ils représentent le Comité de solidarité avec les Américains, une appellation qui me semble pure propagande, mais dont je vais bientôt découvrir qu'elle correspond à une réalité profondément humaine. Comme on pouvait s'y attendre, ils me tendent les fleurs mais je n'ose pas lâcher mes béquilles. Debout sur le tarmac, ils se consultent en jetant des coups d'œil à mon plâtre. Je comprends qu'ils soient troublés : c'est eux qui sont chargés de rendre le plus agréable possible les quinze jours que je dois passer dans leur pays. Ils ont de quoi être inquiets. Je me demande s'il s'agit de cadres du parti chargés de me manipuler.

Ils semblent avoir pris une décision : les voici soudain tout sourires. Ils me conduisent dans une salle de réception à l'intérieur de l'aéroport où nous nous asseyons dans des fauteuils confortables. On m'offre du thé, de l'eau pétillante (qui a le goût de rouille) et du sucre candy. L'aérogare est en très mauvais état : peinture écaillée, toit qui fuit, taches sur les murs. Il fait une chaleur et une humidité suffocantes. Je leur tends le paquet de lettres, et leur assure que ma blessure ne m'empêchera pas de sortir de la ville pour photographier les digues. Je leur montre ma petite caméra 8 mm et mon appareil photo et leur rappelle le but précis de mon voyage, tel que je le leur avais notifié dans ma dernière lettre. Je ne sais pas très bien comment je vais pouvoir me déplacer dans la campagne, surtout sous les attaques aériennes, je me vois mal courir pour me mettre à l'abri. Mais je leur dis que je ne veux rien changer à nos projets, et tout le monde hoche la tête. Je vais vite découvrir que cela ne signifie pas forcément qu'ils sont d'accord. Je me sens soudain très vulnérable.

Si j'ai tenu à continuer, malgré l'épuisement et la douleur qui m'abrutissaient, je pense aujourd'hui que c'est parce que je ne pouvais pas faire autrement, je suis faite comme ça. Je ne peux pas supporter l'idée que la peur puisse me faire renoncer.

Quoc, mon interprète, passe brièvement en revue le programme qui m'attend. La visite d'un site de défense antiaérienne est toujours prévue pour le dernier jour, malgré le message que j'ai envoyé de Los Angeles disant que les installations militaires ne m'intéressaient pas. Je leur dis que je ne veux pas y aller. Ils semblent consternés. Tout a été préparé à l'avance, on ne peut rien y changer. Je suis trop fatiguée pour protester.

Une erreur que je regretterai toute ma vie.

Lorsque Quoc me propose de rejoindre l'hôtel, je suis soulagée. On me promet un bon repas, une nuit de sommeil, et d'aller le lendemain à l'hôpital faire examiner mon pied. (C'est aussi de ma tête qu'il aurait fallu prendre soin !)

Ce que j'aperçois pendant l'heure où nous roulons jusqu'à l'intérieur d'Hanoi me stupéfie. Je m'attendais au désespoir. Je vois des gens, beaucoup de gens, qui s'activent malgré les bombardements qui viennent d'avoir lieu. Jeeps et vieux camions militaires délabrés nous dépassent, couverts de branches de feuillages. Je vois d'innombrables soldats des deux sexes en uniforme kaki, avec eux aussi des branches sur leurs casques, et des civils, à pied, montés sur des bicyclettes vétustes ou les poussant dans les flaques et les ornières de cette route continuellement attaquée. Ils portent le costume traditionnel des paysans vietnamiens, chapeau de paille pointu, ample chemise blanche et pantalon noir et souple dont ils roulent le bas pour éviter que la boue et les chaînes de vélo les abîment, découvrant leurs jambes fines et leurs sandales de caoutchouc semblables à celles de Tom. Je vois çà et là des amas de décombres, des maisons sans toits et d'autres cratères de bombes.

Dans les conférences que j'ai données avant de partir, je disais combien je trouvais honteux d'utiliser la technologie moderne inégalée des USA contre ce pays non développé. Maintenant que j'y suis, et que je peux constater combien la vie ici est basique, je trouve cela encore pire. Sans les idées développées par Tom dans son diaporama – était-ce seulement trois mois plus tôt ? –, je ne pourrais pas comprendre comment ils peuvent nous résister.

Le pont Long Binh, qui traversait le fleuve Rouge, a été détruit, mais à côté de lui, une passerelle de bambous flottants permet à un flot ininterrompu de gens, de jeeps et de camions de soldats d'entrer et sortir de la ville. J'ai entendu parler de ces ponts légers que les Vietnamiens peuvent monter, démonter et cacher en quelques dizaines de minutes. Vue l'étroitesse de celui-ci, la circulation y est alternée. Nous avançons lentement, nous nous arrêtons souvent, je sens des balancements. Il y a tellement de monde, j'ai peur que tout s'effondre. Et si les bombardiers reviennent, nous formons une cible impossible à rater.

Assise dans la voiture, je suis incapable de parler, trop émue, envahie de tristesse et de honte à l'idée de ce que font ceux qui gouvernent mon pays, mais aussi d'admiration devant la façon dont les gens d'ici se débrouillent pour survivre, et enfin d'incrédulité : *ceci n'est pas un rêve, je suis vraiment là – toute seule.* C'est tellement énorme que je me sens assommée. Mes hôtes doivent comprendre ce qui m'arrive, car eux aussi restent silencieux. Je regarde par la vitre de la voiture le ravissant bouquet de fleurs que j'ai posé sur mes genoux, qui forme un contraste absurde avec la réalité qui nous entoure.

Refuser la définition donnée par nos dirigeants d'un « ennemi » abstrait est une chose. Me retrouver ici au milieu des militaires vietnamiens me fait comprendre que rien n'est simple. Je n'ai pas peur – non, ce n'est pas ça. Mais il est étrange de fouler le même sol que ces hommes et ces femmes chargés de nous combattre. J'ai beau savoir qu'ils luttent pour se défendre et que ce sont nous, les agresseurs, « ils » sont là tout près, et, à cet instant, « nous » c'est moi toute seule. Tout me semble sens dessus dessous, comme dans *Alice au pays des merveilles.*

La nuit tombe quand nous entrons dans Hanoi, ancienne grande ville coloniale conçue par des architectes français, avec de larges boulevards plantés d'arbres, des parcs et des lacs. On me dit que les huit avions que j'ai aperçus avant d'atterrir visaient, en pleine journée de travail, une fabrique de cigarettes, un hôpital et une briqueterie situés dans les faubourgs.

Nous entrons dans le vieil hôtel Thon Nhat par une porte tournante délabrée. Le salon où quelques Européens et deux journalistes américains sont assis a un plafond très haut. On me donne une chambre immense à un étage élevé, avec ventilateur et moustiquaire au-dessus du lit. Un lit ! Mon pied me lance horriblement et je ne veux plus qu'une chose : m'étendre. Thermos d'eau chaude, boîte de thé, théière, tasses, sucre et pile de feuilles d'épais papier de toilette brun pliées une par une sont mis à ma disposition et l'on me dit que je peux prendre un bain. Je suis trop fatiguée pour quoi que ce soit, mais j'apprécie ce luxe et je me sens soulagée d'être enfin arrivée.

Vers minuit, je suis réveillée en sursaut par le hurlement aigu des sirènes. Une femme de chambre vient m'apporter un casque. Elle doit m'accompagner jusqu'à l'abri, dans la cour de l'hôtel. Tout en claudiquant dans l'escalier de service puis la cour, j'aperçois les employés qui vaquent calmement à leurs occupations. On m'explique ensuite qu'ils font office de milice, que pendant les alertes ils prêtent leurs casques et montent sur les toits avec leurs fusils. On me conduit en bas d'un bunker de ciment dans un long couloir bordé de bancs. Une douzaine de personnes s'y trouvent déjà, toutes étrangères.

C'est plus facile d'être ici que de voir les bombardiers américains du haut du ciel, comme tout à l'heure. John Sullivan, directeur de l'American Friend Service Committe – organisation pacifiste des Quakers –, est là. Il ne me reconnaît pas – parce qu'il est toujours difficile de reconnaître quelqu'un hors du contexte dans lequel on s'attend à le voir, mais aussi parce que je ne me ressemble pas : démaquillée, échevelée, épuisée. Je suis tentée de lui dire : « Bonjour, j'ai été Jane Fonda. »

Il me demande quand je suis arrivée et pourquoi je suis venue. Dans son récit de voyage, il raconte que je lui ai dit trouver « indispensable, en tant qu'Américaine, de prendre position contre ces bombardements. Car si nous gardons le silence, ai-je expliqué, Nixon mentira sur les dommages provoqués, puisque son plan de paix ne donne même plus l'illusion de la victoire ». J'ai ajouté qu'à mon avis, Nixon n'accepterait jamais un gouvernement de coalition à Saigon et qu'Hanoi n'accepterait jamais un gouvernement Thieu après notre retrait. Pas mal pour une fille qui a un pied cassé et tombe de sommeil. Si je l'ai vraiment dit.

Il y a deux autres attaques aériennes cette nuit-là. A la troisième, blasée, je reste dans mon lit.

Debout et prête devant l'hôtel à cinq heures trente du matin, je suis frappée, comme hier soir, par l'agitation qui règne. Je me demande s'ils se dépêchent tous ainsi parce que les bombardements ne reprennent généralement pas avant neuf heures, où si c'est simplement chez eux une habitude (mais les bombardements sont eux aussi devenus une habitude). Aucune voiture ne passe (j'apprends que personne n'en possède) mais il y a partout une circulation très dense de piétons et de bicyclettes, et l'on sent que tous ces gens ont quelque chose à faire. En fond sonore, une douce voix de femme sort des haut-parleurs placés à chaque coin de rue. Impossible de savoir ce qu'elle dit. S'agit-il des informations du matin ? De slogans politiques ? D'histoires de héros et d'héroïnes d'antan ? Je vais découvrir qu'elle ne s'arrête qu'avec la nuit, faisant seulement place de temps à autre à une chanson. Au bout d'un moment, elle finit pas perdre de son charme – surtout lorsque je sais que les mots qu'elle prononce servent avant tout la propagande gouvernementale. J'apprends à ne pas en tenir compte.

L'aube pointe à peine lorsque nous traversons la ville en direction de l'hôpital de l'Amitié soviético-vietnamienne, où mon pied va être examiné. Des véhicules camouflés vont et viennent, tous phares éteints. A l'hôpital, deux médecins ont été prévenus de mon arrivée, mais au moment où ils m'installent sur la table pour la radio, les sirènes se remettent à hurler et je suis une fois de plus emmenée dans un abri, à peu près identique à celui de l'hôtel, quoique un peu plus grand, où affluent le personnel soignant et ceux des malades que l'on peut déplacer.

Il n'y a pas de panique : ces gens paraissent habitués à ces interruptions régulières de leur vie quotidienne. C'est la première fois que je me retrouve dans un abri avec des Vietnamiens, l'expérience semble irréelle. Je me sens silencieusement coupable de prendre de la place à cet endroit et d'occuper deux médecins alors que mon pays est en train d'attaquer le leur. Mon interprète du jour, Mme Chi, annonce que je suis américaine, et cela suscite une certaine agitation. Je cherche dans les regards des signes d'hostilité. Rien. Ces yeux dénués de haine m'accompagneront longtemps après la fin de la guerre.

L'alerte se termine et nous retournons dans la salle de radio – où nous sommes à nouveau interrompus par les sirènes. Une heure doit s'écouler avant que les médecins arrivent enfin à diriger sur mon pied les rayons X. Ils voient une légère fracture transversale. En enlevant le plâtre que m'ont posé les Soviétiques, ils se mettent à rire. Mme Chi traduit ce qu'ils disent. Apparemment les Russes ont oublié de poser de la gaze entre ma peau et le plâtre, qui, parce qu'il n'a pas été correctement préparé, ne s'est pas durci à l'intérieur... Dieu merci ! Sinon, ma peau serait partie avec lui.

Les médecins m'expliquent qu'ils vont me poser un cataplasme à base de racines de chrysanthème autour du pied et de la cheville. Une préparation qui a un effet réparateur et revigorant. Les Vietnamiennes enceintes boivent ces racines en infusion. « A cause de la guerre, me dit l'un des deux hommes, nous devons utiliser ce que nous avons pour soigner les gens, c'est-à-dire des choses simples. » (Je me demande si Adelle Davis le sait.)

Ça sent vraiment mauvais, mais le médecin m'assure que dans quelques jours mon pied sera désenflé et l'os ressoudé. Un truc qui pue autant est forcément efficace ! L'ironie de cette histoire ne m'échappe pas. Dans ce pays de paysans assiégés que les Etats-Unis accusent d'être à la solde de l'URSS, les gens me semblent, tout au moins en ce qui concerne la médecine, avoir gardé un remarquable esprit d'indépendance et très bien se débrouiller.

Nous retraversons Hanoi. Les rues sont impeccables. Pas dc papiers qui traînent, aucun signe de pauvreté, pas de mendiants, pas de sans-abris, et peu d'enfants. Mme Chi me dit que ces derniers ont été pour la plupart depuis longtemps évacués à la campagne, où la vie continue. « Nous avons déplacé nos écoles, l'université, des hôpitaux et des usines et les avons reconstruits, quelquefois sous terre ou dans des grottes », m'explique-t-elle. Les Vietnamiens ont dû exercer leur flexibilité et leur faculté d'adaptation pendant la guerre contre les Français – ou peut-être contre les Japonais, ou les Chinois, ou les Mongols.

Notre voiture attire l'attention. Je présume que c'est parce qu'il n'y en a pas beaucoup d'autres à regarder, et que celle-ci porte une plaque VIP. Les gens nous font des signes de la main, des adolescents courent à côté de nous, cherchent du regard qui se trouve à l'intérieur. Quand ils me voient, ils crient quelque chose au chauffeur. Mme Chi me dit qu'ils demandent d'où je viens – de Russie ? Le chauffeur leur crie : « C'est une Américaine ! » et ils applaudissent !

Incrédule, je demande à Mme Chi : « Comment se fait-il qu'ils soient contents de savoir que je suis américaine ?

— Vous ne trouverez pas de slogans “Us Go Home”, ici, me répond-elle. Notre peuple n’est pas antiaméricain. Lorsque nous passons dans un endroit où une bombe a explosé, nous accusons Nixon, ou Johnson, pas les Américains. »

Je trouve ça incompréhensible. J’aimerais que Tom soit là pour y réfléchir avec lui.

Je visite l’hôpital Bach Mai, neuf cents lits, le plus grand du Nord-Viêtnam. Bien qu’ayant été bombardé à plusieurs reprises ces dernières années, il continue de fonctionner. Des chirurgiens en blouse et masque bleus sortent pour me parler. Je leur demande comment ils font pour réussir à encore travailler. Ils me racontent que, pendant les alertes, ils descendent leurs patients dans les abris où a été installée une salle d’opération.

Cela ne fait que deux jours, pourtant je n’ai déjà plus besoin de béquilles et mon pied a presque désenflé. De retour aux Etats-Unis, je devrais peut-être me lancer dans la commercialisation de la bénéfique racine de chrysanthème.

Je vais au musée des Crimes de guerre américains au Viêtnam, dirigé par le colonel Ha Van Lau, qui sera plus tard nommé ambassadeur de son pays devant les Nations unies. Le colonel Lau me montre les armes exposées. Des bombes Daisy Cutter de six tonnes, des bombes guava, des grenades pineapple, des Willie Peters, des bombes-grappes, des bombes à billes – un armement décrit par les vétérans pendant l’audience Winter Soldiers. Posée sur le sol comme une sculpture métallique, la « mère » de toutes les bombes, pesant une tonne et demi, porteuse de ces minibombes particulièrement dangereuses pour les humains parce qu’elles se posent lentement et n’explosent que plus tard. Les plus petites armes sont disposées sur des étagères dans des vitrines, avec à côté d’elles des photos qui montrent leurs effets sur les gens, ou sur la forêt, quand il s’agit de défoliants.

C’est là le vrai visage de la vietnamisation, celui que Richard Nixon espère cacher aux Américains : nos soldats rentrent peut-être, mais l’escalade militaire se poursuit et les Vietnamiens continuent de mourir. Espère-t-il que nous soyons devenus insensibles au malheur des autres ? Je décide de garder l’esprit ouvert quoi qu'il arrive et d'apprendre en rentrant à mes compatriotes ce que je vois ici.

Le colonel Lau m'explique que depuis que Nixon est devenu président, les armes se sont sophistiquées et sont devenues de plus en plus dangereuses. « Avant, dit-il, nous pouvions retirer les éclats. Mais ils sont maintenant fabriqués de telle façon qu'on fait plus de mal que de bien en les enlevant. Il y en a même qui grossissent à l'intérieur des chairs. » Et il me montre une radio. Je lui suis reconnaissante du ton neutre qu'il garde. S'il exprimait de la colère, je voudrais disparaître.

Après avoir visité le musée des Crimes de guerre, je vais à l'hôpital Viêt Duc. J'y parle avec le docteur Ton That Tung qui poursuit des recherches sur les liens entre l'agent orange et les malformations des enfants nés dans les régions du Sud-Viêtnam où ce défoliant chimique a été répandu.

« Ces malformations sont de plus en plus nombreuses », me dit-il. Puis, comme s'il lisait dans mon esprit, il ajoute : « Et vos soldats non plus n'ont pas été épargnés. »

Je sais ce que je dois faire.

CHAPITRE DIX

BAMBOU

Les Américains, en regardant les photos du Nord, y voyaient un pays pauvre où la vie semblait morne et enrégimentée, et en déduisaient que le régime était détesté. Il est vrai qu'il y avait de la haine et de l'opposition, mais rien de comparable à ce qui existait au Sud. La majorité de la population du Nord était loyale à l'égard de son gouvernement. Sur les photos, un indice révélait le comportement des Vietnamiens du Nord [...] : l'absence de fils de fer barbelés. [...] Les communistes vietnamiens n'avaient pas peur de leur peuple.

Neil SHEENAN,
L'Innocence perdue.

Lorsque nous sortons de l'hôpital Viêt Duc et que nous nous retrouvons dans la lumière du jour, j'ai pris ma décision.

« Je veux parler à la radio, dis-je à mes hôtes. Je voudrais raconter aux pilotes américains ce que je vois ici. »

J'ai l'habitude de discuter avec des soldats, mon travail auprès des vétérans et la tournée du Show FTA m'ont permis de mieux comprendre ce qu'ils vivent. Je sais que dans l'US Air Force, de plus en plus d'hommes s'opposent à notre intervention et je me souviens avoir entendu dire que les noms des cibles qu'ils doivent atteindre ne figurent pas sur les cartes, mais sont remplacés par des nombres, sans signification, sans poids humain. Ces hommes ne sont jamais allés au Viêtnam, ils n'ont jamais vu les visages de leurs victimes. Je crois devoir partager avec eux l'expérience que je vis ici, afin qu'ils comprennent ce que l'armée de terre a déjà appris. Je suis venue témoigner, bien que n'ayant pas prévu de le faire de cette manière, cela m'apparaît maintenant comme une obligation morale. Je ne m'arrête pas sur les conséquences que ce geste peut avoir – je sais que d'autres Américains qui sont déjà venus ici ont parlé sur Radio Hanoi. On m'accusera plus tard de trahison, d'avoir poussé les soldats à déserter. Je ne l'ai pas fait.

La première émission est en direct. Les autres seront enregistrées tout au long de la semaine[1]. J'ai griffonné quelques notes, mais dans l'ensemble, ce que je dis est improvisé, vient du cœur. Je raconte ce que j'ai vu et ce que je ressens. (Un employé contractuel de la CIA, Edward Hunter, fut appelé à témoigner devant la Commission de sécurité intérieure en tant que spécialiste des techniques communistes de lavage de cerveau. Il affirma que mes interventions à la radio étaient « si concises et si professionnelles » qu'il avait du mal à croire que je les aie écrites moi-même. Il ajoutait : « Elle a dû travailler avec l'ennemi. » Le président de la commission, Richard Ichord, le pensait aussi. Il aurait dit que j'utilisais de nombreux termes militaires que je ne pouvais connaître. De toute évidence, ils ne savaient pas combien d'heures j'avais passées à discuter avec des soldats.)

Tout en parlant, j'imagine les visages des pilotes que j'ai rencontrés. J'ai l'impression de m'adresser à des hommes que je

1. Pour retrouver les retranscriptions de ces émissions, consulter US Congress House Comittee on Internal Security, Travel to Hostile Areas, HR 16742. Il existe en fait deux sortes de retranscriptions HR 16742. Les premières (et les plus courantes) ont été réalisées directement à partir de ce que j'ai dit en anglais. Rien n'a été traduit. On en trouve des exemples dans les pages 7645, 7646, etc. Mais HR 16742 en contient d'autres qui peuvent porter à confusion. On trouve, par exemple, en haut de la page 7653 : « La camarade Fonda s'est indignée de ce que [deux phrases de moi en anglais disparaissent derrière l'enregistrement de la traduction en vietnamien] Melvin Laird a dit l'autre jour que les digues allaient peut-être être bombardées... », etc. Dans ces retranscriptions, ce que j'ai dit a d'abord été traduit en vietnamien, répété à l'antenne par un journaliste vietnamien, intercepté par les agents de la CIA et retraduit en anglais. Ce genre de double traduction peut déformer les propos originaux et ne devrait pas servir de preuve.

connais, et éternelle optimiste, j'espère que lorsqu'ils sauront ce que je vois, ils ressentiront ce que je ressens.

« Selon un récent sondage, quatre-vingts pour cent des Américains ont arrêté de croire en cette guerre et pensent que nous devrions nous retirer, vous faire tous rentrer chez vous. Nous vous attendons impatiemment, leur dis-je.

« Ce soir, quand vous serez seul, demandez-vous : qu'est-ce que je suis en train de faire ? N'acceptez aucune réponse toute prête, apprise mécaniquement lors de votre entraînement, mais essayez de voir si en tant qu'homme, en tant qu'être humain, vous pouvez justifier ce que vous faites. Savez-vous pourquoi vous exécutez ces missions, pourquoi vous touchez une prime quand vous sortez le dimanche ?

« Ces gens ne nous ont fait aucun mal. Ils veulent vivre en paix. Reconstruire leur pays... Savez-vous que les mines antipersonnel qui tombent de certains de vos avions ont été interdites en 1907 par la Convention de La Haye, que les Etats-Unis ont signée ? Je pense que, si vous étiez au courant de ce que font ces bombes, vous seriez furieux contre ceux qui les ont inventées. Elles ne peuvent détruire ni un pont ni une usine. Elles n'attaquent ni l'acier ni le ciment. Elles ne visent que la chair humaine. Elles contiennent des billes de plastique à surface dentelée et vos chefs, dont les cerveaux fonctionnent en termes de statistiques et non de vies humaines, sont fiers de ces perfectionnements. Ces billes ne se voient pas aux rayons X et ne peuvent être enlevées. Les hôpitaux d'ici sont pleins d'enfants, de femmes et de vieillards qui garderont toute leur vie ces bouts de plastique à l'intérieur de leur corps.

« Pouvons-nous continuer à mener ce genre de guerre et nous dire américains ? Est-ce que ces gens sont si différents de nos enfants, de nos mères ou de nos grands-mères ? Je ne le crois pas, sauf peut-être qu'ils savent mieux que nous ce pour quoi ils vivent et ce pour quoi ils sont prêts à mourir.

« Je sais que si vous aviez rencontrés ces Vietnamiens en temps de paix, vous haïriez les hommes qui vous envoient les bombarder. Je crois qu'en ces temps de guerre où l'on tue en appuyant sur la touche d'une commande à distance nous devons tous essayer de rester humains, quel que soit l'effort que cela demande. »

Quelques jours plus tard, on m'emmène au sud de Hanoi. Dans la voiture qui suit la mienne, se trouve le réalisateur français Gérard Guillaume, accompagné de son équipe. Il est venu à Hanoi faire un documentaire et a décidé de filmer une partie de mon voyage. Comme mon but est de témoigner auprès du plus grand nombre possible de gens, je suis heureuse de sa présence.

Il ne reste de Phu Ly, autrefois riche centre industriel, qu'un pan de mur çà et là, un encadrement de porte, un clocher d'église couché sur le côté. La ville a été rasée. Je vois ce que les dirigeants américains responsables de cette guerre pensent que nos concitoyens ne verront jamais.

En rentrant, alors que nous traversons la commune de Duc Giang, les sirènes nous annoncent qu'il faut nous arrêter. Nous sortons précipitamment de la voiture et courrons vers un abri en forme de A à moitié enterré où s'entassent des Vietnamiens. L'équipe du film descend derrière nous. Soudain, les canons antiaériens se mettent à gronder, couvrant le bruit des avions américains. Un bruit au-delà du bruit. Est-ce que les GI entendent le son de leurs armes ? Comment le supportent-ils ? Je n'arrive pas à imaginer que quiconque puisse s'habituer à ce bruit dévastateur. Pourtant, en dehors de la curiosité que j'éveille, les gens restent calmes. Quelqu'un demande encore si je suis russe, et quand Quoc leur dit que je suis une actrice américaine, ils s'animent, semblent étonnamment contents. Pourquoi ? Pourquoi est-ce qu'ils ne s'en prennent pas à moi ? J'ai envie de crier : « Mais vous ne comprenez donc pas que c'est mon pays qui vous bombarde ? » J'ai un accès de claustrophobie, je veux sortir, voir de mes propres yeux ce qui se passe, filmer les avions qui jettent leurs bombes. Quoc n'a pas le temps de m'arrêter, j'attrape ma caméra et je sors en courant.

(Trente ans plus tard, pendant que nous déjeunons ensemble en Californie, Quoc me rappellera qu'il a voulu me convaincre de redescendre et que j'ai refusé. Pauvre Quoc. J'aurais dû lui obéir. Il était, après tout, responsable de ma sécurité.)

Le raid se termine. Un silence assourdissant s'installe. Tout est allé très vite. Les avions sont partis, personne n'a été touché, et, du moins autour de nous, je ne vois pas de dégât. Quoc me conduit vers un groupe de soldats de la défense antiaérienne. Je suis surprise de voir qu'il s'agit de jeunes femmes, et que l'une d'elle est enceinte. Elle porte la vie en elle et elle tire au canon. Je me dis que si elle a gardé espoir, alors je le peux moi aussi. Je décide à cet instant d'avoir un enfant avec Tom, legs à l'avenir de *notre* pays.

Les vêtements que j'ai apportés – un jean, un pantalon de toile kaki – sont trop chauds pour les journées que je passe dehors. Mme Chi m'emmène dans une petite boutique à côté de l'hôtel où j'achète un large pantalon noir et des sandales de caoutchouc.

Je vais visiter des écoles en zone rurale. Quand je demande si la guerre a posé des problèmes au niveau de l'éducation, on me répond qu'au contraire, les enfants du Nord savent presque tous lire et écrire. Pour un peuple qui est directement passé du régime colonial (où seuls avaient accès à l'enseignement quelques privilégiés) à la guerre, ces résultats démontrent une volonté étonnante d'alphabétisation.

Dans les studios de cinéma d'Hanoi, je rencontre un réalisateur et regarde la plus célèbre des actrices vietnamiennes, Tra Giang, jouer une héroïne de guerre. Qu'ils continuent à tourner sous les bombardements me paraît incroyable. Tra Giang vient du Sud-Viêtnam, elle a à peu près mon âge, des yeux tristes et profonds, une beauté exquise. Elle aussi est enceinte. Je n'oublierai pas son visage.

Nguyen Dinh Thi est un écrivain célèbre, et comme il parle couramment français, nous bavardons sans interprète dans les jardins de l'hôtel. Il se trouve qu'il est aussi très beau, une sorte de mélange vietnamien entre l'historien Howard Zinn et Henry Fonda : grand, mince et souple, avec des mains expressives et des cheveux noirs qui lui tombent sur le front comme ceux de mon père dans *Vers sa destinée.* C'est mon interlocuteur préféré, à cause de son physique bien sûr, mais aussi des brèves métaphores qu'il utilise pour décrire le combat de son pays et qu'il offre en riant comme des cadeaux, s'en amusant autant que celui qui l'écoute. Il me dit : « Nous autres Vietnamiens avons, du fait de circonstances uniques, développé notre patience. » Il me regarde fixement, s'assure que ses mots ont porté, continue : « Dans nos montagnes, ici au nord, se trouvent d'immenses grottes de calcaire. Nous savons qu'elles n'ont pas été creusées par des géants mais qu'elles ont été faites par de petites gouttes d'eau. » Son sourire s'étire d'une oreille à l'autre : c'est le long terme, l'effet accumulé de choses apparemment sans force qui réalise l'impossible.

Il est trois heures du matin. Nous quittons l'hôtel dans une voiture couverte de camouflage en direction de Nam Sach, à soixante kilomètres à l'est de Hanoi. Nous roulons de nuit pour éviter les bombardements. Hier, vingt correspondants étrangers venus examiner les dégâts subis par les digues il y a trois jours ont assisté à une nouvelle attaque. Douze Phantom et A-7 ont plongé vers l'endroit où se trouvaient les journalistes et ils ont lâché des bombes et des rockets. Le reporter de l'Agence France-Presse a écrit le 11 juillet qu'ils avaient tous « eu l'impression que l'attaque était clairement dirigée contre les barrages qui retiennent les eaux ».

C'est ce que nient les Etats-Unis. C'est ce que je suis venue vérifier.

Quand nous arrivons, le ciel commence à pâlir. Beaucoup de gens sont déjà dans les champs. Ils travaillent souvent la nuit, quand ils risquent moins d'être bombardés. La région est protégée des inondations par un réseau complexe de digues qui s'entrecroisent.

L'équipe du film nous accompagne. Nous marchons le long d'étroits sentiers tracés entre les rizières. Mon cataplasme s'enfonce dans la boue, je ne peux pas faire autrement, mais au moins n'ai-je plus besoin de béquilles. Le soleil est haut. La sueur ruisselle le long de mon corps. Une troupe d'oiseaux qui ressemblent à des étourneaux tourbillonne au-dessus de nous. Je vois au loin ma première digue, qui s'élève progressivement à huit ou dix mètres au-dessus des champs, toute en terre. Des hommes et des femmes à bicyclettes, ou dans des charrettes tirées par des buffles, défilent sur la crête. Est-ce qu'ils souffrent autant que moi de la chaleur, ou, avec le temps, finit-on par s'y habituer ? De l'autre côté, coule le Thai Binh.

L'endroit qui a été attaqué hier matin est un point stratégique, celui où la digue contient l'eau de six confluents. Ces rivières vont dévaler les pentes des montagnes dans environ quinze jours. Nam Sachs, me dit-on, a subi huit attaques américaines depuis le 10 mai et les digues ont été touchées quatre fois. Bien que de nouveaux raids soient prévus, il y a des gens partout, coudes et genoux dans la boue, en train de planter du riz ou de porter d'énormes paniers de terre pour réparer les dégâts provoqués par les bombardements.

Un des membres du comité annonce que je suis une actrice américaine. Ils me sourient, me font signe de la main. *Pourquoi ?* Si j'étais eux, je me mettrais à crier, le poing tendu. Leur manque d'agressivité me donne envie de leur faire comprendre, de les secouer en leur disant : *Mais mettez-vous en colère, bon sang !*

Debout sur la digue, je regarde dans toutes les directions. Je ne vois apparaître aucune cible militaire, ni usine ni voie de communication – uniquement des rizières. Puis j'aperçois des cratères de bombes de chaque côté des murs, trous béants d'environ huit mètres de diamètre et dix de profondeur. J'apprends que leur fond se trouve à deux mètres en dessous du niveau de la mer. Là où la digue a été directement endommagée, le trou est maintenant presque comblé. Mais plus loin de l'impact, les secousses ont ébranlé les fondations et provoqué des fissures qui remontent en zigzaguant jusqu'à la crête. Des mines antipersonnel ont aussi été lâchées. Elles pénètrent en biais, se logent sous la terre pour exploser plus tard. Sur les photos de reconnaissance aérienne, elles restent invisibles. Si les fissures ne sont pas réparées à temps, la pression de l'eau, qui va bientôt monter à six ou sept mètres au-dessus du niveau des champs, fera céder les digues et mettra en péril la partie orientale du delta du fleuve Rouge.

On me conduit ensuite vers une autre grande digue de Nam Sach qui s'est rompue quelques jours plus tôt sous les bombardements. Les mines antipersonnel rendent les travaux très risqués. Les habitants de la province se préparent au pire. Ils ont tous des bateaux. Les étages supérieurs et les toits des maisons ont été renforcés, et des agronomes étudient la possibilité de faire pousser le riz sous l'eau. Un papillon jaune soufre se pose au bord d'un cratère. La force du petit.

Une fois rentrée à Hanoi, je parle à la radio de ce que j'ai vu :

« Hier matin, je suis allée dans le district de Nam Sach constater les dégâts créés sur les digues de cette province... il faut savoir que sans elles, les vies de quinze millions de personnes seraient menacées, qu'elles les protègent de la noyade et de la famine... Je vous en supplie, réfléchissez à ce que vous faites. Il est facile de voir qu'il n'y a là-bas aucune cible militaire, aucune route importante, aucun réseau de communication, aucune industrie lourde. Ce ne sont que des paysans. Ils cultivent le riz et élèvent des cochons... Ils sont comme les anciens fermiers du Middle West. Peut-être vos grands-parents leur ressemblent-ils... Je vous en prie, réfléchissez. Ces gens sont-ils vos ennemis ? Qu'allez-vous dire à vos enfants quand ils vous demanderont pourquoi vous avez fait cette guerre ? Comment pourrez-vous leur répondre ?

On me conduit au village de Nam Dinh, où sont tombées cinquante bombes le 18 juin, un raid qui a détruit environ soixante pour cent des habitations. Les gens travaillent à reconstruire leurs maisons, mais Quoc m'apprend que la région est bombardée presque quotidiennement. L'ambassadeur de Cuba à Hanoi m'a raconté qu'une dizaine de Cubains habitués à travailler dans les rizières avec les Vietnamiens s'étaient écroulés après avoir passé trois heures à remblayer une digue. Ils devraient essayer la racine de chrysanthème en infusion.

Nous roulons vers Hanoi sur une route de campagne plantée d'arbres au milieu des rizières, traversons des hameaux. Le chauffeur s'arrête brusquement et, sur un débit très rapide, il dit quelque chose en vietnamien à Quoc. « Vite, me lance ce dernier. Les bombardiers arrivent ! » Je n'entends rien, mais mes oreilles ne sont pas entraînées comme les leurs aux bruits d'une guerre sans fin.

Quoc me fait sortir de la voiture et me dit de me coucher dans un des « terriers humains » qui bordent la route. Il y en a dans tout le Nord-Viêtnam, creusés environ tous les quinze mètres, juste assez grand pour une personne. Dans les villes, ils sont cimentés et ont des couvercles de béton. A la campagne, ils sont simplement recouverts d'épais tapis de paille tressée qui protègent les gens des redoutables bombes à fragmentation.

Je n'arrive pas encore à courir très vite, mais je fais de mon mieux, quand une jeune Vietnamienne qui porte sur son épaule des livres tenus par une lanière de caoutchouc m'attrape par-derrière. Elle m'entraîne en bas de la route avec elle et me pousse dans un trou juste devant une maison au toit de chaume. A peine y suis-je installée qu'elle s'y glisse elle aussi et referme vite sur nous le couvercle de paille. Ce terrier humain est fait pour une personne, et qui plus est vietnamienne, c'est-à-dire mince. Mais nous y tenons pourtant toutes les deux, écrasées l'une contre l'autre, elle, un bras autour de ma taille, moi, les mains sur ses épaules, les coudes enfoncés dans les côtes. A peine quelques secondes plus tard, le bruit des bombardiers fait vibrer la terre, il y a un grand *boum*, puis un autre, et de fortes secousses que j'attribue aux bombes. On dirait qu'elles sont tombées tout près, mais comment savoir ? Puis c'est le silence. La fille a sa joue pressée contre la mienne. Je sens ses cils, son souffle tiède. *Cela ne peut pas être vrai. Je ne suis pas coincée dans un trou avec une jeune Vietnamienne qui m'a aidée à échapper aux bombes américaines. Je vais me réveiller, je le sais, et découvrir que j'ai rêvé.*

Mais au lieu de cela, j'entends Quoc me crier que je peux sortir (il n'y a pas de sirènes dans les campagnes). Je sens la chaleur du soleil sur ma tête : la fille a poussé le couvercle, elle se relève. Je vois la pile de livres entourée de la lanière noire au bord du trou, où elle l'a laissée tomber. Quoc m'aide à sortir. Des volutes de fumée s'élèvent au loin. Les bombes ne sont pas tombées aussi près de nous que je le croyais.

Je me mets à pleurer en répétant : « Je suis désolée, je suis tellement désolée, je vous demande pardon. » Elle m'interrompt et me répond en vietnamien d'un ton calme, sans colère. Quoc traduit : « Ne pleurez pas pour nous. Nous savons pourquoi nous combattons. Pleurez pour votre pays, pour vos soldats. Ils ne savent pas pourquoi ils nous font ça. » Je la regarde fixement. Elle me regarde à son tour, droit dans les yeux. Solide. Sûre.

J'ai souvent repensé, depuis trente ans, à ce qui s'était passé ce jour-là. Une écolière m'explique tout d'un coup que cette guerre est notre problème, pas le leur. Aussi incroyable que cela semble, c'est vraiment arrivé – et ça n'a pas pu être mis en scène. Personne ne pouvait savoir que notre voiture allait devoir s'arrêter là à cause du raid aérien, il est impossible d'avoir envoyé cette fille à ma rencontre à cet instant.

Sur le chemin du retour, je me demande si le Viêtnam n'est pas une éprouvette dans laquelle Dieu met au point une nouvelle espèce humaine plus évoluée. Je suis, comme l'a dit un jour de lui-même et de tous les résistants Daniel Berrigan, affligée sans espoir de guérison de la maladie de l'idéalisme, et ça me plaît. Mais je vais bientôt découvrir que Dieu n'est pour rien dans les extraordinaires expériences que je suis en train de vivre.

C'est un de mes derniers jours ici. Je suis invitée à une représentation spéciale de la pièce d'Arthur Miller, *All My Sons*, donnée par la troupe du théâtre d'Hanoi. Apparemment, parce que je suis actrice, ils ont envie que je leur donne mon avis sur la mise en scène. C'est l'histoire d'un industriel américain (appelé le « Capitaliste ») dont les usines fabriquent, pendant la Seconde Guerre mondiale, des pièces de bombardier. Il s'aperçoit que ces pièces sont défectueuses et que les avions risquent de s'écraser, mais n'en dit rien afin de ne pas perdre le contrat lucratif qui le lie à l'armée. Cela lui coûtera cher : son fils pilote meurt dans un accident provoqué par un problème mécanique. Son autre fils, qui connaît la vérité et sait qu'il a gardé le silence par pure avidité, le rend responsable de la mort de son frère.

J'apprends que le théâtre de Hanoi a joué cette pièce dans des villages récemment attaqués par nos avions. Je reste perplexe : Arthur Miller ? Dans des villages vietnamiens bombardés ?

La représentation a lieu en plein air. Je n'ai pas envie de la regarder d'un œil critique, cela ne m'intéresse pas. Ce qui compte, c'est qu'elle *existe*, bonne ou mauvaise. Assis à côté de moi, le metteur en scène se penche et me demande : « A quoi ressemble le Capitaliste ? Nous n'en savons rien. »

L'acteur porte des chaussures de cuir marron et blanc à lacets, un pantalon jaune et un nœud papillon... à pois, si je me souviens bien. « Il est impeccable, dis-je Parfait. » (Je connais un riche architecte qui s'habille comme ça.)

La pièce se termine et on nous prend en photo tous ensemble. Je demande au metteur en scène pourquoi la troupe a choisi cette pièce. Il me répond : « Elle montre qu'il y a de bons et de mauvais Américains. Nous devons aider notre peuple à faire la différence. Nous sommes un petit pays. Nous ne pouvons nous permettre de haïr les Américains. Un jour la guerre finira, et nous serons amis. »

Je reste encore une fois sans voix. Que lui dire après ça ? Tout ce que je peux faire, c'est le prendre dans mes bras. Je croyais déjà éprouver du respect pour les Vietnamiens, je ne savais pas jusqu'à quel point cela pouvait encore aller. Je comprends enfin pourquoi la population réagit aussi amicalement en ma présence et pourquoi tous les Américains qui reviennent du Viêtnam racontent des expériences similaires. Ce n'est pas par hasard, et ces gens ne sont pas des êtres supérieurs. Leur attitude et leur vision du monde sont le résultat d'un énorme effort stratégique voulu par le gouvernement (communiste) du Nord-Viêtnam. Cette pièce en est un exemple.

All My Sons est l'histoire d'une trahison, celle d'un père qui trahit son fils. Pour moi, la guerre est une trahison. Le gouvernement américain a trahi son peuple, ses enfants. Les Vietnamiens utilisent cette pièce pour apprendre à leur peuple à pardonner à nos dirigeants. Pourquoi est-ce plus difficile pour moi de le faire ?

Je découvre que la guerre est facile. Et que la paix l'est moins. Construire des ponts entre les êtres demande de plus grands efforts.

Je suis une novice. C'est la première fois que je me trouve dans une situation révolutionnaire. Les révolutions ont une dimension poétique, mais lorsqu'elles se terminent, que la bureaucratie s'installe, les choses deviennent sinistres. L'histoire l'a prouvé, mais je ne l'ai pas encore appris. Et je ne suis pas là pour prévoir le pire, protéger mes arrières. Tout ce que je sais, c'est ce que je vis.

Ce qui ne veut pas dire que je souhaite voir mon pays perdre la guerre. Ni que les nôtres soient tués. Tout ce que je veux c'est que nous nous en allions.

Avance rapide. Nous sommes en 2002. J'ai retrouvé Quoc à Little Saigon, un quartier d'Orange County, Californie, où beaucoup de Vietnamiens se sont installés. Il a vieilli, comme moi, mais ses yeux ont gardé leur douceur et son visage, bien que plus rond, évoque toujours celui d'un lutin. Il est à la tête d'une délégation de jeunes venus d'Hanoi visiter les Etats-Unis. Nous déjeunons avec John McAuliff, un vieil ami de l'époque de la guerre.

« Cette fille qui m'a poussée dans l'abri, dis-je, comment se fait-il qu'elle ait été si... qu'elle ait eu cette intelligence, cette sagesse... avec ce qui se passait ?

— Elle n'avait rien d'exceptionnel, me répond Quoc. Beaucoup de jeunes Vietnamiens savaient tout cela. Il se trouve simplement que c'est elle que le hasard a mis ce jour-là sur votre chemin. Ils connaissaient tous des tas de choses sur votre pays. Ils lisaient Mark Twain, Hemingway, Jack London. »

Retour à Hanoi. Le jour où je dois rencontrer des prisonniers de guerre, comme l'ont fait beaucoup d'Américains venus ici avant moi. Ils sont sept, transportés dans un bus aux vitres obstruées de leur camp, le Zoo, au quartier général des studios cinématographiques de l'armée où je les attends, à la périphérie de la ville. L'équipe de cinéma française est là, mais bientôt on lui demande de sortir. (Je montrerais ce qu'ils ont filmé lors de ma conférence de presse à Paris.) Il y a dans la pièce quelques Vietnamiens, des gardiens, sans aucun doute. Les prisonniers sont assis en ligne, habillés d'uniformes rayés, je leur fais face. Ils ont l'air en bonne santé, et en bonne forme. L'un d'eux a été pris en 1967, un second en 1971, et les autres cette année (1972). Ils ont tous appelé à la fin des hostilités et signé une formidable déclaration contre la guerre qu'ils ont confiée à la dernière délégation américaine venue ici.

Je leur explique que je milite contre la guerre, comme ils peuvent s'en douter, et que c'est à cause des digues que j'ai voulu venir. Ils le savent déjà, ils ont entendu ce que j'ai dit à la radio grâce aux récepteurs installés dans les murs de leurs cellules. Certains me répondent qu'ils sont eux aussi contre la guerre et espèrent que Nixon perdra les prochaines élections. Au cas où il serait réélu, disent-ils, les combats pourraient continuer indéfiniment (ils ont raison, c'est exactement ce qui va arriver), et une bombe tomber sur leur prison, une crainte que j'ai déjà entendue formulée par George Smith (qui a été libéré) et par des parents de prisonniers. Ils espèrent que leurs familles voteront pour George McGovern et comptent sur moi pour le leur dire.

Je leur demande s'ils ont été torturés ou s'ils ont subi un lavage de cerveau. Ils rient. Non. Ils n'ont rien vécu de tel. Je ne peux pas dire que l'atmosphère soit détendue. Elle ne l'est pas. Pour des raisons évidentes, nous restons tous sur nos gardes, gênés. Il y a toujours au moins un gardien avec nous. Certains prisonniers m'expliquent combien ils ont changé depuis qu'ils ont été pris. L'un d'eux me dit avoir lu un livre publié par l'American Friend Service Committe qui l'a aidé à comprendre combien, en seize années d'armée, il s'était déshumanisé. Un autre, le lieutenant colonel des marines Edison Miller, me raconte qu'il lit beaucoup et écrit un livre sur l'histoire du Viêtnam.

Le grand costaud qui est sur la chaise du milieu, le capitaine Davy Hoffman, lève et baisse le bras d'un mouvement fier en me demandant de dire à sa femme qu'il est rétabli. Il a été éjecté de son avion et s'est cassé le bras. Je lui promets de le faire. (Mission accomplie dès mon retour.)

Au bout d'environ vingt minutes, les gardiens emmènent les sept hommes. Ils m'ont semblé sincères, mais peuvent très bien avoir menti pour se protéger. Quoi qu'il en soit, je n'ai vu sur eux aucun signe de torture, tout au moins récente.

C'est la dernière journée que je passe au Viêtnam. Bien qu'ayant clairement expliqué à mes hôtes que visiter une installation militaire ne m'intéressait pas, je vais le faire, et c'est maintenant.

Cela n'a rien d'exceptionnel. D'autres Américains l'ont fait avant moi et on leur a toujours demandé de porter un casque comme celui qu'on m'a donné lors des raids. On me conduit sur un site de défense antiaérienne quelque part aux abords de la ville.

Une dizaine de jeunes soldats m'accueillent. Ainsi qu'une horde de photographes et de journalistes – bien plus que je n'en ai jamais vu rassemblés au même endroit depuis que je suis à Hanoi. (J'apprendrais plus tard que certains d'entre eux étaient japonais.)

J'aurais dû me méfier.

Quoc n'est pas avec moi, mais un autre interprète me dit que les soldats veulent me chanter une chanson. Il reste près de moi et traduit les paroles. Cela parle du jour où « Oncle Ho » a déclaré l'indépendance, place Ba Dinh, à Hanoi. « Tous les hommes sont égaux. Ils disposent de certains droits, le droit à la vie, le droit à la liberté et le droit au bonheur. » Les larmes aux yeux, j'applaudis. *Ces jeunes ne devraient pas êtres nos ennemis. Ils célèbrent dans leurs chansons les mêmes valeurs que nous.* Ils s'arrêtent sur un refrain souhaitant garder « le ciel bleu au-dessus de Ba Dinh », sans bombardiers.

Les soldats me disent que c'est mon tour. Je m'y étais préparée. Avant de quitter les Etats-Unis, j'ai appris une chanson intitulée « Day Ma Di » écrite par des étudiants sud-vietnamiens qui sont contre la guerre. Je me lance, enthousiaste. Je me sens ridicule, mais ça m'est égal. Le vietnamien est une langue difficile à parler pour un étranger, et je sais que je massacre leurs mots, pourtant ils semblent ravis de me voir essayer. Tout le monde rit et applaudit, y compris moi. L'émotion m'emporte, c'est mon dernier jour.

J'ai tourné et retourné dans ma tête un nombre incalculable de fois ce qui s'est passé ensuite. Voici ce dont je me souviens, le plus précisément, le plus honnêtement possible.

Quelqu'un (je ne me rappelle pas qui) me conduit près d'un canon et je m'assieds, sans m'arrêter de rire ni d'applaudir. Cela n'a rien à voir avec *l'endroit où* je suis assise. Je n'y pense même pas. Les flashes crépitent.

Je me lève et tout en me dirigeant vers la voiture avec l'interprète, je commence à comprendre la portée de ce que je viens de faire. *Oh, mon Dieu. Je vais avoir l'air de tirer sur les avions américains !* Je le supplie : « Ne laissez pas ces photos être publiées. Je vous en prie, il ne faut pas qu'elles soient publiées. » Il m'assure qu'il s'en occupera. Je ne sais pas ce que je peux faire de plus.

Peut-être les Vietnamiens avaient-ils tout prévu.

Je ne le saurai jamais. S'ils l'ont fait, puis-je les en blâmer ? A qui la faute ? Si j'ai été utilisée, je l'ai laissé arriver. J'ai commis une erreur, j'ai payé et je continue d'en payer le prix fort. Si j'avais eu quelqu'un à mes côtés, quelqu'un capable de garder la tête froide, peut-être m'aurait-il écartée de ce canon. J'aurais su deux minutes avant de m'asseoir ce que j'ai compris deux minutes plus tard. Cet infime laps de temps me poursuivra jusqu'à la fin de ma vie. Mais le canon ne fonctionnait pas, il n'y avait pas d'avions au-dessus de nos têtes et je n'ai pas *réfléchi* à ce que je faisais, je me suis laissé entraîner par ce que je *ressentais*, innocente. Cependant la photo existe, porteuse de son message, quoi que j'aie pu véritablement faire ou penser quand elle a été prise.

Il ne s'agit pas simplement d'une citoyenne américaine lambda qui rit et applaudit devant un canon de la défense antiaérienne du Nord-Viêtnam : je suis la fille de Henry Fonda, jeune femme privilégiée qui semble tirer la langue à la nation qui lui a offert ces privilèges. Pire, je suis de sexe féminin, et m'asseoir derrière cette arme, c'est doublement trahir. Car ce faisant, je trahis aussi mon sexe. Et je ne suis pas n'importe quelle femme, mais celle que l'on considère comme Barbarella, personnage incarnant de façon subliminale les fantasmes des hommes ; et Barbarella est devenue leur ennemie. Je viens de passer deux ans à travailler avec des GI et des vétérans du Viêtnam, j'ai parlé devant des centaines de milliers de gens qui manifestaient contre la guerre ; leur disant que ceux qui portaient l'uniforme n'étaient pas contre nous. Je suis allée les soutenir dans leurs bases aux Etats-Unis et outre-mer, et je vais, dans quelques années, faire le film *Le Retour* pour montrer aux Américains comment les blessés étaient traités dans les hôpitaux réservés aux anciens du Viêtnam. Et voilà que j'apparais sur cette photo comme leur ennemie. Une erreur qui a pesé lourd sur ma conscience. Qui pèsera toujours.

Le jour du départ est arrivé. Quoc me dit : « Je crois qu'il faut vous préparer à ce qui vous attend. Des représentants américains au Congrès demandent que l'on vous juge pour trahison. » Ce sont mes interventions sur Radio Hanoi qui constituent les charges. Quoc me montre les retranscriptions des dépêches de l'Agence

Reuters. La photo devant le canon n'est même pas en cause. Elle n'a pas encore été publiée.

Je ne sais pas si ce que j'ai vu reflète la réalité vietnamienne. Je sais qu'il y a de l'égoïsme, de l'amertume, de la mesquinerie et de la violence dans ce petit pays, comme dans n'importe quel autre. Je comprends et j'apprécie les différents points de vue que nos soldats et prisonniers en rapportent. Je sais qu'on m'a déroulé le tapis rouge (ce qui n'explique ni l'écolière qui m'a aidée, ni la pièce d'Arthur Miller, ni le regard des Vietnamiens dans les abris quand ils apprenaient que j'étais américaine.)

Mais j'ai vu les poteaux indicateurs ; j'ai compris certaines choses sur ce qu'est la force. Grâce à l'image du bambou. Le bambou est trompeur. Fin et souple, il semble faible à côté du grand chêne. Cependant, parce qu'il est flexible, il résiste bien mieux. Pour les Vietnamiens, la force est symbolisée par une grosse botte de tiges de bambous attachées toutes ensemble. Le bambou détient une énergie douce, malléable et tolérante qui peut exister en nous, hommes ou femmes. Le Viêtnam est bambous.

Je m'adoucis. Ne suis-je ici que depuis quinze jours ?

Les quarante-cinq minutes du film furent projetées à Paris devant la presse internationale le 25 juillet. Gérard Guillaume les avait montées rapidement à Hanoi. J'avais avant tout fait ce voyage pour prouver par des images que les digues étaient bombardées, ce que le gouvernement américain refusait de reconnaître.

Tous les services d'information du monde semblaient être rassemblés dans la salle où nous accueillit le célèbre photographe français Roger Pic. Simone Signoret, elle aussi, était venue – mon seul soutien. Je ne me souviens pas qui, de Gérard Guillaume ou moi, avait rapporté le film d'Hanoi, mais malheureusement, pendant le voyage, la bande-son avait été effacée, et je dus le montrer ainsi.

J'expliquai le plus précisément possible comment les mines antipersonnel pénétraient en biais dans les digues et explosaient sous la terre, provoquant des dégâts invisibles sur les photographies aériennes et difficiles à réparer. Que la mousson arrivait et que si les digues fragilisées cédaient, des centaines de milliers de gens périraient dans les inondations ou mourraient de faim. Tout était là, sur l'écran : les décombres, les digues abîmées, les cratères de bombes, les gros plans sur les points d'entrée des mines antipersonnel et le début de mon entretien avec les prisonniers américains.

J'ai projeté une seconde fois ce film muet lors d'une conférence de presse à New York, puis je ne l'ai plus jamais revu. Il a disparu. Tout ce qui en reste maintenant, c'est une photo de cette conférence de presse : je suis devant l'écran où l'on voit certains prisonniers avec qui j'ai parlé à Hanoi. Je ne sais pas si ce sont des espions qui ont volé la bobine ou si elle a été perdue accidentellement.

Je déclarai à la presse espérer que les gens comprendraient, comme d'autres Américains et moi l'avions fait en allant là-bas, que ces bombardements répétés de cibles civiles étaient intentionnels et devaient s'arrêter. Que les bombes atteignaient les digues en des points stratégiquement choisis. Que les prisonniers m'avaient chargée de dire qu'ils avaient peur que leurs camps soient touchés et qu'ils demandaient à leurs familles de soutenir la candidature de George McGovern à la présidence. (J'avais rapporté un paquet de lettres.)

On me demanda quel effet cela faisait d'être accusée de trahison. J'essayai de donner une réponse de type « bambou » et dit, selon les journaux du lendemain : « Ai-je trahi ?... J'ai pleuré tous les jours au Viêtnam. Je pleurais pour l'Amérique. Les bombes tombent sur le Viêtnam, mais c'est une tragédie américaine... Etant donné les valeurs que nous défendons, cette guerre d'agression contre le peuple vietnamien trahit le peuple américain. Voilà où est la trahison... et les vrais patriotes sont ceux qui font tout ce qu'ils peuvent pour que la guerre s'arrête. »

Tom m'attendait à l'aéroport de New York. Il m'a vite emmenée au Chelsea Hotel où nous nous sommes terrés toute la nuit comme deux réfugiés. J'avais besoin de repos. De me blottir dans ses bras.

Parce qu'il m'avait encouragée à partir, Tom avait l'impression d'être responsable de mes ennuis, et il me promit de m'aider. Nous avions tous les deux compris que jamais je n'aurais dû partir seule.

Mais je n'ai pas pensé une seconde que ce qui est arrivé était sa faute. Je déteste faire porter le chapeau aux autres.

Allongée à côté de lui dans la chambre baroque du Chelsea Hotel, j'ai dit à Tom que voulais un enfant, en gage d'espoir pour l'avenir. Nous avons pleuré dans les bras l'un de l'autre.

Juste après mon retour, les représentants au Congrès Fletcher Thompson (républicain) et Richard Ichord (démocrate) m'accusèrent de trahison. Ils dirent que j'avais poussé les troupes américaines à désobéir aux ordres et apporté mon soutien et mon appui à l'ennemi. Thompson, qui se présentait au poste de sénateur de Georgie, voulut m'assigner à comparaître devant le House Internal Security Council (version rénovée de la Commission des activités antiaméricaines rendue tristement célèbre par le sénateur Joseph McCarthy), mais en vain. (Et il perdit ensuite les élections.) La Commission m'envoya une citation à comparaître mais lorsque mon avocat, Leonard Weinglass, et moi répondîmes que j'étais prête, on nous apprit que l'audience avait été ajournée et que dès qu'une nouvelle date serait choisie, nous en serions informés. Nous n'en avons plus jamais entendu reparler.

Peu après, Vincent Albano Jr., président de la Commission républicaine du comté de New York, appela à boycotter mes films.

Le gouvernement et les journalistes savaient que d'autres Américains étaient allés avant moi au Nord-Viêtnam et qu'ils étaient eux aussi intervenus sur Radio Hanoi. Ce fut pourtant la première fois que l'on parla de trahison. Intéressant...

Les renseignements concernant les bombardements des digues qu'avaient rapportés du Viêtnam ceux qui y étaient allés, soulevèrent un tollé au sein de l'Administration. Le secrétaire général des Nations unies Kurt Waldheim donna une conférence de presse au cours de laquelle il annonça avoir appris de source privée que les digues avaient bien été bombardées. A quoi le secrétaire d'Etat William P. Rogers répondit : « Ces accusations font partie d'une campagne soigneusement orchestrée par les Nord-Vietnamiens et ceux qui les soutiennent afin de faire circuler ces mensonges dans le monde entier. » Pendant ce temps, le sergent Lonnie D. Franks, spécialiste des renseignements appartenant à la base aérienne d'Udorn, en Thaïlande, fut appelé à témoigner devant la Commission des forces armées qui avait ouvert une enquête sur des officiers accusés d'avoir falsifié des cibles. Mais la procédure fut abandonnée et seul le général John Lavelle, officier en chef ayant ordonné (ou supervisé) ces falsifications, en fut considéré comme responsable.

Les Etats-Unis n'avaient peut-être pas l'intention de détruire totalement le réseau de digues, mais ils les ont bien bombardées au cours du printemps 1972. J'en ai eu, comme beaucoup d'autres, la preuve formelle. Peut-être ces actions voulaient-elles forcer les Nord-Vietnamiens à céder devant nous à la table des négociations. Les bombardements intensifs d'Hanoi auxquels se sont livrés nos B-52 à Noël poursuivaient le même objectif. Mais dans un cas comme dans l'autre, ce fut un échec.

Malgré tout le bruit fait autour de mon voyage, le département de la Justice considéra que je n'avais violé aucune loi, ni celles qui concernaient la sédition ni aucune autre. Le 14 août, le procureur général Richard Kleindienst annonça à San Francisco qu'il n'y aurait pas de poursuites. Plus tard, lorsqu'on lui demanda pourquoi il avait pris cette décision, il déclara :

« Nous étions face à un véritable problème technique en matière de preuve. Mais au-delà de ça, j'ai pensé et je crois que la plupart des responsables de l'Administration étaient d'accord, que le mal causé n'était pas très grave, alors que la liberté d'expression mobilisait les électeurs ... Je me suis dit que l'intérêt porté à la liberté de parole, en cette année électorale, pesait beaucoup plus lourd dans la balance que ce que nous apporterait un procès contre une jeune femme qui s'était conduite au Viêtnam de façon plutôt irréfléchie. »

Deux mois après mon retour d'Hanoi, les collaborateurs du président Nixon l'informaient dans leur rapport quotidien que : « Selon les retranscriptions étudiées par le Congrès, Jane Fonda [avait] utilisé son temps de parole sur la radio vietnamienne pour poser des questions aux GI et plaider en faveur de l'arrêt des bombardements, mais sans les pousser à déserter. » Le mois suivant, le FBI remit mon dossier à trois de ses agents internes en leur demandant de déterminer si l'agence avait de quoi poursuivre son enquête.

Tous trois répondirent par la négative. L'un d'eux, une certaine Mrs Herwing, écrivit : « Il existe des gens plus dangereux dont nous devrions nous occuper. S'il [le département de la Justice] ne nous demande pas de continuer, cette enquête devrait être refermée. A moins que ce ne soit une affaire d'antipathie personnelle... »

Oui, il existait des gens plus dangereux. Cinq hommes qui utilisaient les fonds secrets de la campagne républicaine venaient d'être arrêtés alors qu'ils posaient des micros dans les bureaux du Comité national des démocrates. L'un d'eux était chef de la sécurité du Creep, Comité pour la réélection du président. Fin septembre, nous allions apprendre que lorsqu'il était procureur général, John Mitchell avait géré des fonds spéciaux utilisés dans des opérations de sabotage et d'espionnage contre les démocrates et autres opposants politiques.

Les bombardements des digues prirent fin en août cette année-là.

CHAPITRE ONZE

PIÉGÉE

Nous n'avons pas été habitués à la fourberie, à cette forme de mensonge si proche de la vérité qu'il en porte les atours et se montre sous un visage si séduisant qu'il réduit l'idéaliste au silence.

Daniel BERRIGAN,
Night Flight to Hanoi.

On a dit beaucoup de choses sur la façon dont j'ai milité contre la guerre du Viêtnam et vous venez de lire ce que j'avais à raconter du voyage tant controversé que j'ai fait à Hanoi. J'y suis allée parce que je voulais dévoiler les mensonges de l'administration Nixon et aider à arrêter la tuerie des deux côtés. Je crois que cela a servi à quelque chose, que Nixon a eu ensuite un peu plus de mal à détourner notre attention de l'escalade aérienne, et que les bombardements des digues ont peut-être cessé en partie grâce à ce genre d'interventions. Je voulais parler aux pilotes américains comme je l'avais souvent fait lors de la tournée du Show FTA. Je ne leur ai pas demandé de déserter. J'ai lu dans un rapport remis au Congrès que A. William Olson, du département de la Justice, avait dit après avoir étudié les retranscriptions de mes interventions sur Radio Hanoi que j'avais seulement « demandé aux soldats de réfléchir ». Rien de ce que j'ai fait n'a provoqué de tortures à l'encontre des prisonniers de guerre américains. Plus personne n'était torturé dans les camps nord-vietnamiens depuis 1969, trois ans avant que je parte là-bas.

Je regrette vraiment de m'être laissé entraîner dans la situation qui a rendu possible cette photographie de moi devant un canon de défense antiaérienne. J'ai expliqué comment cela s'était passé et que cette image était en complète contradiction avec ce que je ressentais et ce que faisais. Je regrette aussi d'avoir dit ce que j'ai dit quand les prisonniers sont rentrés aux Etats-Unis, j'étais en colère et ces mots ont permis à ceux qui défendaient la guerre de créer le mythe d'une « Jane pro-Hanoi ». Je me suis fait piéger et je suis devenue la tête de Turc contre laquelle se sont retournés des gens furieux, frustrés, désinformés et ne sachant que penser.

Le mythe perdure encore aujourd'hui ; j'aimerais répondre à l'accusation.

Quand je suis rentrée du Nord-Viêtnam, mon voyage n'a pas fait grand bruit. S'il a provoqué certains remous dans les couloirs de la Maison Blanche, dans les médias personne n'en a parlé ou presque : pas un mot n'a été dit à ce sujet à la télévision, et seul le *New York Times* lui a consacré un petit article. Normal : trois cents Américains étaient déjà allés à Hanoi et plus de quatre-vingts d'entre eux étaient intervenus à la radio avant moi. Une fois que le département de la Justice eut annoncé qu'il n'y avait aucune raison de me poursuivre, tout a semblé se calmer.

La fabrication du mythe date de février 1973, quand fut organisée pour le retour des prisonniers une fastueuse « Opération de bienvenue ». Personne n'avait jamais bénéficié d'un tel accueil. Ni les prisonniers des autres guerres, ni les autres soldats qui avaient combattu au Viêtnam, et je trouvais cela anormal. Puis j'ai compris que Nixon se servait de cet événement pour créer quelque chose qui ressemblait à la victoire qu'il avait tant désirée sans l'obtenir.

Pendant quatre ans, l'administration avait veillé à ce que la question de la torture dans les camps nord-vietnamiens fasse la une des journaux. Il semble y avoir une raison à cela, bien qu'à l'époque, personne ne l'ait su. En 1969, quand ces articles commencèrent à paraître, Nixon avait déjà des projets d'escalade guerrière – bombardements intensifs du Nord-Viêtnam, minage du port d'Haiphong et utilisation des armes nucléaires. Une pilule difficile à avaler pour les Américains – à moins de diaboliser les Nord-Vietnamiens de façon à ce que nos compatriotes se sentent directement concernés. Les tortures subies par nos prisonniers – et leur libération – justifiaient la poursuite des attaques[1].

Une fois les prisonniers rentrés, le Pentagone et la Maison Blanche choisirent les plus gradés – des officiers de haut rang – et les envoyèrent raconter leur histoire devant les médias. Certains dirent avoir été torturés et ce sont ces récits que l'Histoire a retenus, faisant croire que c'était le cas de *tous* les prisonniers – et pendant toute la guerre – et qu'il s'était agi d'une politique systématiquement mise en œuvre par les Nord-Vietnamiens.

Le lieutenant colonel David Hoffman faisait partie des prisonniers que j'avais vus à Hanoi. C'était lui qui avait levé le bras au-dessus de sa tête et m'avait demandé de dire à sa femme qu'il était rétabli. Dans la version des faits qu'il donna sur une chaîne nationale, et qui fut reprise par de nombreux médias, il prétendit avoir été torturé *à cause* de notre rencontre (et de celle qu'il avait eue environ une semaine plus tard avec l'ancien procureur général Ramsey Clark). Les Nord-Vietnamiens l'auraient ainsi forcé à me voir et à déclarer qu'il était opposé à la guerre. Je ne crois pas que cela soit vrai.

En 1973, Hoffman a rencontré à six reprises des militants anti-guerre venus au Nord-Viêtnam, plus que la plupart des autres prisonniers. Sur les films tournés par les délégations américaines – que j'ai visionnés –, Hoffman semble en bonne santé et se montre particulièrement volubile lorsqu'il parle contre la guerre. Il a aussi signé des déclarations demandant que l'on mette fin à notre intervention. Il n'a jamais prétendu avoir été forcé par la torture à

1. C'est lors d'une conférence de presse, en mai 1969, que le secrétaire à la Défense Melvin Laird attira l'attention du public sur les tortures subies par nos prisonniers à Hanoi. Dans son article « La question des prisonniers de guerre : un problème national est né », du *Journal Herald* de Dayton (Ohio) du 13 au 18 février 1971, Seymour Hersh, auteur et journaliste qui découvrit le massacre de My Lai et le scandale de la prison d'Abu Ghraib, disait : « Laird a, comme beaucoup de responsables l'ont reconnu ensuite, quelque peu surestimé cette affaire. Il n'existe pas de preuve sérieuse attestant de torture systématique », ajoutait Hersh avant d'expliquer que lorsque les familles des prisonniers s'étaient inquiétées, le Pentagone leur avait écrit : « Nous sommes certains que ces informations ne vous affoleront pas inutilement, car vous vous souviendrez des raisons pour lesquelles nous les avons diffusées. »

assister à ces *autres* rencontres ou à signer ces documents. Mais ma visite et celle de Ramsey Clark eurent probablement plus d'écho et il a dû se sentir obligé de se dédouaner. Et il y a plus grave : le gouvernement avait peut-être aussi besoin de nous diaboliser, Clark et moi [1].

Selon certains prisonniers, de 1969 à 1973, les conditions de détention s'améliorèrent régulièrement. Ils mangeaient de mieux en mieux, avaient des compagnons de cellule, le droit de passer chaque jour quelques heures dans la salle de jeu, de jouer au volley, au ping-pong et de faire de l'exercice. Ce qui explique pourquoi, à leur libération, on put lire dans le magazine *Newsweek* : « Ces histoires [de torture] étonnent quand on voit ceux qui les racontent – des hommes physiquement indemnes et plutôt en forme, à qui il ne manque qu'un ou deux kilos pour avoir l'air de sortir de nos bureaux de recrutement. »

Le lieutenant colonel (à la retraite) Edison Miller, qui faisait aussi partie de ceux que j'ai rencontrés à Hanoi, était détenu dans le même camp que Hoffman avec entre quatre-vingts et cent autres militaires américains.

« Il n'y avait que les volontaires qui participaient aux rencontres avec les délégations, m'a-t-il répété récemment. Seuls un ou deux d'entre nous ont refusé de vous voir. Ces visites nous permettaient au moins de briser la routine quotidienne. » Norris Charles, copilote et compagnon de cellule de Clark, dit lui aussi qu'il y avait plus qu'assez d'hommes désireux de nous rencontrer, et qu'il n'a jamais vu ou entendu qui que ce soit être torturé. Le capitaine Walter Wilburg, également détenu au Zoo, a soutenu la même position. Libéré au printemps 1973, avant que Hoffman se lance dans ses allégations, Wilburg a, à propos de ma visite, déclaré au *Los Angeles Times* : « Elle a vu que nous étions en bonne santé et que nous n'avions pas subi de tortures. »

Le compagnon de cellule de Hoffman, enfin, a nié, lui aussi, l'existence des tortures. Selon tous ces hommes, elles auraient cessé dès 1969. *Ce qui ne justifie en aucun cas cette pratique et*

1. Une note à H. R. Hadelman, rédigée de la main du président Nixon, précise que « lors de leurs interviews télévisées les prisonniers doivent se montrer le plus négatif possible à propos de Clark et de Fonda », mais que cette directive « ne doit pas avoir l'air de venir de la Maison Blanche ».

ne doit pas empêcher ceux qui l'ont subie de la dénoncer. Mais la Maison Blanche a présenté une image déformée de la réalité.

Parce que j'étais furieuse de la façon dont était utilisée la situation des prisonniers et de l'accueil qu'ils recevaient, et parce que les autres soldats n'en bénéficiaient pas, j'ai commis une erreur que je regrette profondément. J'ai déclaré que ceux qui prétendaient avoir subi des tortures étaient des menteurs et des hypocrites manipulés. « Je suis certaine qu'il y a eu des exemples de tortures... Mais quand les pilotes disent qu'il s'agissait d'une politique systématique des Nord-Vietnamiens, je crois qu'ils mentent. »

Je reste persuadée que les soldats américains que j'ai vus à Hanoi n'avaient pas été torturés. Mais ce que je ne savais pas alors, c'est qu'avant 1969, la torture avait été systématiquement appliquée dans les camps du Nord-Viêtnam. Les Vietnamiens que j'ai connus lors de ce voyage ne me semblaient pas des gens qui pouvaient approuver ce genre de pratiques, j'avais donc du mal à le croire, comme j'ai eu du mal à croire, avant l'audience Winter Soldier ou les scandales d'Abu Ghraib et des autres prisons irakiennes, que des GI pouvaient commettre de telles atrocités. J'avais tort et j'en suis désolée.

J'ai toujours été du côté des soldats, et j'aurais dû m'en prendre directement à l'administration Nixon. C'est elle qui, parce qu'elle était déterminée à entretenir les hostilités, a cyniquement essayé d'utiliser les prisonniers. Trois facteurs ont entraîné les brutales attaques dont j'ai alors fait l'objet : l'accusation mensongère portée contre moi par Hoffman, qui prétendit avoir été torturé par ma faute, la façon dont l'administration Nixon a manipulé l'histoire des prisonniers et ma désastreuse réaction face à elle. Ajoutez à cela une série d'articles incendiaires sur mon voyage au Nord-Viêtnam, et vous saurez comment est né le mythe « Jane pro-Hanoi ».

Je suis devenue un bouc émissaire. Ceux qui défendaient la guerre considéraient que j'étais contre les soldats – ce que je ne suis pas et n'ai jamais été, et j'espère que ce livre le montrera. Même en sachant que ces attaques reposaient sur des mensonges, j'avais de la peine pour eux, car je ne les ai jamais rendus responsables de la guerre ou des atrocités commises.

Cette campagne de dénigrement n'a jamais cessé. A la fin des années 90, des mensonges véritablement grotesques ont circulé sur Internet à mon sujet, et continuent de le faire bien que le capitaine Mike McGrath (retraité de l'US Navy), président de l'association Nam-POW (prisonniers du Viêtnam), ait déclaré qu'il s'agissait d'une vaste supercherie.

Malgré ces tentatives de diabolisation, une enquête du magazine *Redbook* me donnait en 1976 parmi les dix femmes les plus admirées des Etats-Unis. Une autre, en 1985, établie par US *News*-Roper, m'apprit que j'étais l'héroïne préférée des jeunes Américaines. Enfin, la même année, dans le *Ladies'Home Journal*, je fus classée quatrième sur la liste des femmes les plus admirées d'Amérique. Mes livres et mes vidéos sont toujours des best-sellers et mes films, tout au moins jusqu'au début des années 80, avaient toujours beaucoup de succès. Je ne vous dis pas cela pour me vanter, mais parce que je crois important de montrer que les attaques et les mensonges dont j'ai fait l'objet ne semblent pas intéresser grand nombre de nos concitoyens.

Pourtant, mes détracteurs n'ont pas abandonné. En 1988, l'annonce de mon arrivée à Waterbury, Connecticut, où je devais tourner *Stanley et Iris* avec Robert De Niro, souleva un vent de fureur dont la presse se fit l'écho. La charge fut lancée par des éléments ultraconservateurs de la région sous la houlette de Gaetano Russo, vétéran de la Seconde Guerre mondiale et ancien président de la Commission du parti républicain qui venait de perdre les élections municipales et législatives. Aidé par le représentant au Congrès local, John G. Rowlands, qui devint ensuite gouverneur du Connecticut et démissionna en 2004 à la suite d'une enquête pour corruption, Russo forma la Coalition contre « Jane pro-Hanoi », organisa des rassemblements et essaya de faire passer une résolution m'interdisant de séjourner à Waterbury.

Des membres du Ku Kux Klan accrochèrent leur drapeau devant l'immeuble du journal local et allèrent assister à un meeting que des anciens du Viêtnam tenaient à Naugatuck. Ils tentèrent d'attiser l'hostilité des vétérans à mon égard. Et si on leur demanda ce jour-là de partir, il y avait dans la région tant de familles que la guerre avait touchées que la controverse prit de l'ampleur. Comme me l'a dit récemment Rich Roland (habitant de Waterbury qui avait appartenu à la première division des marines) : « Vous n'étiez qu'un bouc émissaire. A leur retour, des tas de soldats se sentaient incompris. Ce que nous avions vécu là-bas les emplissait de colère et de frustration. Et parce qu'ils ne pouvaient pas s'en prendre au gouvernement, ces sentiments se sont cristallisés sur vous. »

Un après-midi, Gaetano Russo organisa dans le parc de Waterbury une manifestation au cours de laquelle mon effigie fut pendue. Beaucoup de gens y assistèrent. Cette assemblée décida de demander à la municipalité d'empêcher ma venue.

Le vétéran Rich Roland, qui devait défendre le projet d'interdiction de séjour lancé contre moi, fut choqué de voir que seuls huit autres anciens du Viêtnam étaient venus le soutenir. Où donc étaient passés les gens ? La résolution fut rejetée par une forte majorité.

Mon ami l'éditorialiste politique Stephen River, qui suivait les événements de près, m'envoyait au Mexique, où je tournais *Old Gringo*, les coupures de presse concernant cette affaire. Je me souviens d'avoir soigneusement étudié les photos où apparaissaient les vétérans qui avaient assisté à la réunion de la mairie. Leurs visages m'étaient familiers. J'avais joué devant des types exactement comme eux pendant la tournée du show FTA. Je savais leur parler. Parce que j'avais passé tant de temps avec les GI du mouvement, j'avais l'impression d'être plus proche d'eux que bien d'autres Américains qui n'avaient jamais mis les pieds au Viêtnam.

J'ai demandé à Stephen de m'organiser à Waterbury une rencontre avec des soldats qui avaient combattu sur le terrain.

Lorsque je suis arrivée, Stephen avait obtenu d'un prêtre qu'il nous prête son église. Je ne me souviens pas d'avoir eu peur en entrant dans la salle. Je me sentais surtout soulagée que cette rencontre ait enfin lieu. J'avais confiance. Je savais n'avoir jamais éprouvé autre chose que de la compassion pour les soldats qui avaient été envoyés là-bas. Je n'étais pas certaine de pouvoir le leur faire comprendre à tous, mais j'étais sûre que pour au moins quelques-uns, ce face-à-face se révélerait positif.

Vingt-six hommes étaient assis en rond. Certains portaient

l'uniforme, certains avaient des badges « Jane pro-Hanoi » et « Traîtresse ». Ces hommes avaient fait partie des troupes au sol, été ce qu'ils appelaient eux-mêmes des « grognards ».

Ils furent surpris de me vois arriver seule, sans escorte, sans gardes du corps. Plus tard l'un d'eux me dit : « Vous êtes entrée et j'ai pensé : comme elle est petite. Un tout petit bout de femme. »

Rich Roland portait une veste de camouflage et avait dans sa poche un as de pique, la « carte de la mort ». Quand il était parti au Viêtnam, en 1969, il en avait emmené un paquet entier. Les marines de sa compagnie étaient surnommés les Delta Death Dealers, « ceux qui distribuent la mort dans le delta » : ils laissaient un as de pique sur chaque cadavre ennemi.

« J'avais l'intention de vous le jeter à la figure si je n'étais pas content du tour que prendraient les choses », m'a-t-il avoué quand je l'ai revu en 2003.

Je me suis assise avec eux et j'ai proposé que chacun d'entre nous raconte son histoire. J'ai commencé. Je leur ai expliqué que je voulais replacer mon voyage au Viêtnam dans son contexte, afin qu'ils comprennent pourquoi j'y étais allée. Je leur ai appris que beaucoup de gens s'inquiétaient à l'époque de voir les digues bombardées juste avant la mousson. Et que le gouvernement avait nié ces bombardements. J'ai évoqué devant eux beaucoup de choses dont j'ai déjà parlé dans ce livre, en particulier mon travail avec les GI et les vétérans. Je leur ai dit regretter d'avoir semblé par moments faire preuve d'insensibilité vis-à-vis des soldats américains et que c'était la dernière chose que j'aurais voulu voir arriver. Je leur ai demandé pardon et j'ai ajouté que la peine et les malentendus que j'avais provoqués me poursuivraient jusque dans la tombe, mais que je ne pouvais pas m'excuser d'avoir été au Nord-Viêtnam et d'avoir fait tout ce que je pouvais pour révéler les mensonges de Nixon et aider à mettre fin à cette guerre.

« Je suis fière de l'avoir fait, ai-je dit, comme vous êtes fiers d'avoir fait ce que vous pensiez devoir faire. Personne n'a l'exclusivité du bon droit dans cette histoire. Nous avons tous été entraînés dans l'horreur et nous avons réagi comme nous avons cru qu'il fallait réagir. Nous en avons tous souffert. Aucun d'entre nous ne sera plus jamais pareil. Nous avons tous été trompés. »

Puis nous avons fait le tour du cercle. Ce fut dur, à certains moments la colère grondait, à d'autres l'émotion nous submergeait. Il y eut beaucoup de larmes. On aurait dit une séance d'exorcisme. Je ne savais pas que tant de familles du Connecticut n'étaient américaines que depuis une seule génération. Pour ces jeunes gens, servir au Viêtnam constituait un rite de passage vers une véritable citoyenneté. L'un d'eux me dit : « Il y a deux façons pour nous de devenir vraiment américains. La première, c'est l'université – ma sœur y est allée – et la seconde, c'est l'armée. Je me suis engagé. Et je suis devenu américain. » Celui qui était assis à côté de lui avait fait la même chose. « Mais nous étions les premiers soldats de ce pays à perdre une guerre », a-t-il ajouté d'une voix rauque.

J'étais sidérée. Je n'avais jamais envisagé que nos hommes puissent se sentir responsables, penser qu'ils n'avaient pas été à la hauteur.

« Non, ce n'est pas vous qui avez perdu la guerre, ai-je répondu. C'était une guerre que nous ne pouvions pas gagner – et Kennedy et Johnson le savaient tous les deux. Ce sont ceux qui vous ont envoyés là-bas qui sont à blâmer, pas vous ! » Je désespérais de pouvoir les en convaincre un jour.

Certains racontèrent ce qu'ils avaient fait, poussés par la haine qu'ils ressentaient à mon égard.

« Chaque fois que j'allais dans un magasin de vidéo, dit l'un, je retournais toutes vos cassettes de fitness contre le mur. » Un autre : « Il était hors de question que je lise un magazine s'il publiait un article sur vous. »

Rich Roland était arrivé furieux et sa colère s'aggrava lorsque je parlai des civils vietnamiens tués par nos bombes. « Parce que vous trouvez ces morts pires que celle d'un GI couché à terre avec sa bite dans la bouche ? » me demanda-t-il lorsque ce fut son tour.

Je ne me souviens pas exactement de ce que je lui ai dit, mais ce n'était pas ma réponse qui comptait le plus pour lui, c'était de pouvoir pour la première fois parler de ces choses-là. « Malgré ma rage, venir à cette réunion m'a beaucoup apporté. Exprimer ce que je ressentais faisait du bien. Vous avez dit que vous étiez désolée, et j'ai pu accepter vos excuses », m'a-t-il dit récemment.

Notre conversation dura près de quatre heures. Alors que nous allions nous séparer, Stephen Rivers est entré dans la salle et m'a annoncé que la nouvelle de notre rencontre s'était répandue. J'avais voulu qu'elle ait lieu dans la plus grande discrétion, mais l'équipe locale de Channel 8 TV attendait dehors et voulait nous poser quelques questions. J'ai exposé la situation aux vétérans et leur ai demandé ce qu'ils en pensaient.

« Ecoutez, leur ai-je dit, ce n'est pas moi qui suis allée les chercher, mais ils sont là. Qu'est-ce que vous voulez faire ? Soit nous sortons discrètement par-derrière, soit nous les invitons à entrer et nous leur racontons ce qui vient de se passer. A vous de choisir. »

Ils ont préféré recevoir les journalistes. Ces derniers s'attendaient probablement à tomber en plein tohu-bohu, ils nous trouvèrent assis à discuter calmement, certains le bras passé sur l'épaule de leur voisin, d'autres simplement silencieux. De toute évidence cette absence de tension les étonna. Le vétéran Bob Genovese dit à un reporter (et ce fut retransmis la semaine suivante dans l'émission 20/20 d'ABC) : « Elle a parlé de beaucoup de choses dont je ne savais rien, comme, je pense, la plupart de ceux qui étaient là, et ça nous a permis de mieux comprendre pourquoi elle a agi comme elle l'a fait en 1972. »

Au lieu de me lancer son as de pique à la figure, Rich l'a jeté ensuite à la poubelle. « Ça a été le début de ma guérison », dit-il.

Nous n'aurions pas pu partir de positions plus divergentes, pourtant ces quatre heures de confrontations nous apportèrent beaucoup. Si nous ne guérissons pas plus souvent de nos blessures, c'est parce que les parties adverses ne s'autorisent pas à s'écouter les unes les autres.

L'empathie, voilà ce dont nous avons besoin.

Il faut prendre du recul, avoir une vue d'ensemble. Mais c'est difficile quand les combats ont fait basculer votre vie et que votre haine s'est construite contre l'« ennemi » et ceux qui, en s'opposant à la guerre, ont semblé se mettre de son côté. C'est la raison pour laquelle les conflits qui sont menés pour de mauvaises raisons – comme notre actuelle intervention en Irak – s'accompagnent de justifications sans fin et suscitent un terrible esprit de revanche. *Nous devons continuer. Nos hommes et nos femmes ne peuvent pas être morts en vain. Ceux qui sont de l'autre côté sont vraiment mauvais. Si nous nous retirons maintenant, nous perdrons notre crédibilité. Mieux vaut encore envoyer des Américains se battre et peut-être mourir que reconnaître notre erreur.*

Après cette rencontre, les choses se calmèrent. Il y avait toujours, quand nous tournions en extérieur, une poignée de manifestants autour de nous mais il s'agissait rarement de vétérans. Au pire de la controverse, des femmes de Waterbury m'avaient envoyé une vidéo où on les voyait m'exprimer leur soutien. Elles disaient qu'elles admiraient la façon dont je menais ma vie, et me considéraient comme un modèle. Elles ne sauront jamais à quel point elles m'ont aidé à traverser cette période douloureuse.

Au cours de l'été, Robert De Niro et moi avons aidé une association de vétérans du Connecticut, dont faisait partie Rich Roland, à organiser une collecte de fonds au lac Quassapaug. Nous avons reçu des menaces. Des hélicoptères devaient venir nous bombarder de projectiles. Les représentants de l'administration locale refusèrent de se joindre à nous. Malgré tout, le soir du 29 juillet, deux mille personnes étaient présentes. Nous avions reçu pour des milliers de dollars de dons en nourriture et une centaine de volontaires, qui avaient pour la plupart combattu au Viêtnam, firent de cette fête un véritable succès. Nous récoltâmes vingt-sept mille dollars pour les enfants nés avec des malformations dues à l'agent orange auquel leur père avait été exposé pendant la guerre.

Soutenir nos soldats m'a toujours paru important, ce qui s'explique en partie par le temps que j'ai passé à écouter les GI, les vétérans et leurs familles, à être mêlée de près à leurs problèmes, et de façon personnelle. Je me demande combien d'Américains ont été aussi choqués que moi quand, en 2003, alors que nos troupes venaient de partir pour l'Irak sur l'air de « Soutenons nos combattants » lancé par l'administration Bush, le Congrès mit fin à leurs avantages sociaux, et que des classes entières de soldats furent exclues du système d'assurance volontaire. Il était alors question de mettre en place une nouvelle législation qui priverait cinq cent mille vétérans de sécurité sociale et d'augmenter les cotisations et les participations aux frais médicaux de façon à mettre un autre million d'entre eux en dehors du système, ainsi que de diminuer de soixante pour cent les subventions d'aide à l'éducation destinées aux enfants de militaires. Quel beau patriotisme !

Nous faisons de nouvelles victimes dans de nouvelles guerres alors que nous ne sommes même pas capables de prendre soin de ceux qui ont déjà combattu en notre nom.

CHAPITRE DOUZE

ADIEU, COW-BOY SOLITAIRE

Le problème du monde, c'est que chacun se trace un cercle de famille trop restreint.

Mère TERESA.

C'est drôle, mais bien que nous nous soyons promis d'avoir un enfant, Tom et moi n'avons jamais parlé de notre avenir ensemble. Connaissant les autres femmes avec qui il avait vécu, je suis obligée de penser qu'il n'en avait pas été de même avec elles, qu'il avait dû se demander : *Qu'attendons-nous de cette relation ? Où penses-tu qu'elle nous mènera ?* Je me disais que si nous n'avions jamais évoqué l'idée d'un engagement à long terme, c'était de ma faute. Après avoir joué si longtemps les cow-boys solitaires, j'étais maintenant prête à accueillir quelqu'un dans mon camp et je retenais mon souffle, espérant que les choses évolueraient dans le sens de la stabilité et de l'amour et craignant, en mettant des mots sur le futur, de faire éclater la bulle qui nous entourait. Par peur de gâcher ce qui existait entre nous, je ne savais pas demander ce que je voulais. Une chose était certaine (bien que nous n'en ayons jamais parlé non plus), nous formions sur le plan politique un duo inattendu et puissant – un couple à part dans une période à part.

Tom habitait maintenant chez moi. Il vivait de ses écrits et des cours qu'il donnait. En juin 1972, juste avant mon départ pour le Viêtnam, nous avions envisagé de faire ensemble à l'automne une tournée de conférences qui dévoileraient l'escalade guerrière à laquelle Nixon se livrait et nous permettraient de raviver le mouvement de la paix. Tom avait appelé ce projet IPC, Campagne pour la paix en Indochine. Elle devait durer deux mois et nous emmener dans quatre-vingt-quinze villes des Etats-Unis en compagnie de Holly Near et de George Smith, qui avait été prisonnier du Front national de libération au Sud-Viêtnam pendant trois ans.

Tom s'est assis au bord du lit et j'ai tranché sa longue natte d'un coup de ciseaux. Il y avait quelque chose du rite de passage dans ce geste : nous laissions derrière nous les atours de la contre-culture et retrouvions ceux de la normalité. Nous ne pouvions nous permettre de laisser notre apparence détourner les gens de ce que nous avions à leur dire. J'ai donc coupé les cheveux de Tom, lui ai acheté un costume et une cravate, changé ses sandales de caoutchouc noir contre des chaussures de cuir marron, et me suis trouvé deux ensembles classiques et infroissables.

Dans notre désir de toucher l'Américain moyen, nous avions décidé de lancer la Campagne pour la paix en Indochine le jour de la fête du Travail à l'Ohio State Fair. Cette tournée fut une expérience formidable. Je vivais pleinement, neurones connectés, énergie canalisée. Je ne me contentais pas de parler. Je regardais, j'écoutais et j'apprenais, consacrant jusqu'à la moindre parcelle de mon être à ce en quoi je croyais, en compagnie de quelqu'un que j'aimais et que j'admirais, et de nombreuses autres âmes sœurs. Beaucoup de ceux qui participèrent à l'IPC prirent ensuite une place importante dans ma vie et je veux les nommer ici : tout d'abord Carol et Jack (avec qui j'ai habité plus tard et dont je reparlerai), mais aussi Karen Nussbaum, Ira Arlook, Helen Williams, Jay Westbrook, Anne Froines, Shari Whitehead Lawson, Sam Hurst, Paul Ryder, Larry Levin et Fred Branfman. Je pourrai leur consacrer un chapitre à chacun, mais ce livre serait trop long. Ils furent ma famille à bien des égards, et mes modèles. J'appartenais enfin à la communauté politique qui m'avait tant manqué. Je n'avais plus besoin d'être un cow-boy solitaire.

Nous fûmes presque partout accueillis avec enthousiasme par

des foules immenses. Je comptais m'appuyer sur des extraits des Papiers du Pentagone, pensant que citer l'Administration aiderait les gens à accepter la vérité. C'est alors que j'ai compris que les faits ne suffisent pas. Il y a toujours des gens qui refusent de remettre en question les dirigeants qu'ils ont élus et en qui ils préfèrent avoir une confiance aveugle, alors que leur politique détruit tant de vies. Et c'est à ce même phénomène de dénégation que nous avons assisté lors des élections de 2004.

On me demandait de temps à autre si je pensais qu'être connue m'autorisait à prendre la parole et à remettre en cause le gouvernement. Je crois à la démocratie. Tout le monde devrait pouvoir se poser des questions et contester. Lorsque l'on ment aux gens, comment la vérité pourrait-elle autrement apparaître ? Je crois que c'est justement parce qu'ils touchent un large public que ceux qui sont célèbres se retrouvent si souvent attaqués et infantilisés par la droite : « Pour qui ces stars se prennent-elles ? » Nous sommes des citoyens responsables qui aimons notre pays et voulons exprimer des points de vue autrement inaudibles. Qu'est-ce que des citoyens informés et concernés sont censés faire quand des présidents, des vice-présidents et des secrétaires d'Etat falsifient la réalité pour justifier la guerre ?

Nous ne prîmes pendant toute la tournée qu'une seule journée de repos, que nous passâmes, Tom et moi, au lit et à bavarder. Tom me posa des tas de questions – sur ma mère, mon père, ce que je pensais de tel ou tel film ou du poids de la renommée. Après cinq mois, nous avions toujours envie de nous découvrir l'un l'autre, et aucun des hommes que j'avais aimés ne m'avait jamais interrogée de la sorte. Cela me fit comprendre que j'avais toujours avancé tête baissée, sans chercher à me connaître moi-même. Malgré notre programme éreintant, nous essayions de faire un enfant. Nous y arrivâmes par une froide nuit d'octobre, quelque part près de Buffalo, dans l'Etat de New York. Comme pour Vanessa, je l'ai su immédiatement.

Ma fille était à Paris avec son père. Cette séparation me nouait l'estomac et je téléphonais deux à trois fois par semaine pour prendre de ses nouvelles et lui dire que je pensais à elle. Mais je savais au fond de moi que ça ne marcherait pas. C'était ce que mon père avait fait avec mon frère et moi : l'absent s'inquiétait dans l'espoir que cette inquiétude serait interprétée comme un signe d'amour. Essayais-je d'échapper à un devoir plus important que celui de mettre fin à la guerre ? Est-ce que cela me hanterait ensuite ? (Oui.) Au moins mon instinct ne m'avait pas trompée à propos de Vadim. Il était un bon père ; il assumait les fonctions qui sont habituellement celles des mères. Mais j'allais essuyer des critiques dont les pères font rarement l'objet !

Je garde des souvenirs bouleversants de cette tournée. Dans un gymnase traversé de courants d'air quelque part dans le Middle West, un jeune vétéran du Viêtnam raconta devant des lycéens qu'il avait violé et tué des Vietnamiennes. L'incrédulité du public était palpable. Comment cet homme, qui leur ressemblait tant, pouvait-il avoir agi de la sorte ? Quelqu'un lui cria de se taire. Il s'arrêta, regarda autour de lui et ajouta calmement : « Ecoutez, je vais devoir vivre avec ça pour le restant de mes jours. Le moins que vous puissiez faire est de savoir que c'est arrivé. »

Les choses prenaient parfois une tournure difficile. A Kensington, un quartier ouvrier de Philadelphie, une centaine d'hommes en colère passèrent à travers le barrage policier, s'en prirent à moi et m'attrapèrent par les cheveux. L'un d'eux déclara à un reporter de l'Associated Press : « Elle ferait mieux de rester chez elle et de s'occuper de sa maison. »

Lentement, je pris confiance en moi, appris à parler de façon plus personnelle. Je me souviens de la première fois où j'ai raconté le chemin parcouru de *Barbarella* à l'activisme. J'expliquai qu'un jour de 1968, ma vie m'avait paru être vide, et qu'à cette époque je ne pensais pas qu'une femme puisse changer quoi que soit – en dehors des couches et des assiettes. « Il fut un temps, il n'y a pas si longtemps, où je ne savais même pas où était le Viêtnam et où je ne voulais pas croire ce que j'entendais raconter sur la guerre, ajoutai-je. Mais je suis devenue une autre, et si moi j'ai changé, vous le pouvez aussi. »

Plus je parlais de mon point de vue, mieux le contact passait. Une leçon qui allait me servir – une fois que je l'aurais vraiment comprise. Ce qui a pris un moment. Curieusement, j'avais du mal à rester moi-même dans mes discours lorsque Tom était là. Ses talents d'orateur m'intimidaient, et j'avais peur de ne pas me montrer assez « politique ». Ses longues années de militantisme lui avaient donné une vue d'ensemble qui lui permettait de replacer la guerre du Viêtnam dans le contexte général de l'histoire des Etats-Unis.

Mais il s'agissait de *sa* vue d'ensemble.

Y en avait-il une autre, un récit fondateur auquel je puisse adhérer en tant que femme ? Ne sachant pas répondre à cette question, je m'abritais derrière ce que Tom racontait, qui était passionnant et instructif. Il allait me falloir plus de trente ans pour découvrir mon propre récit, enraciné dans la question de l'identité sexuelle.

Nixon fut malgré tout réélu en 1972, et à une forte majorité. Le candidat ultraconservateur George Wallace se retira de la campagne après avoir fait l'objet d'une tentative d'assassinat et les voix de ses supporters se reportèrent sur Nixon. Juste avant les élections, Henry Kissinger avait prononcé l'infamant discours où il prétendit qu'on était, à Paris, arrivé à passer un accord avec les Nord-Vietnamiens et que la paix n'allait pas tarder à être signée. Le peuple américain, qui n'en pouvait plus de cette guerre, tomba dans le panneau. Notre allié du Sud-Viêtnam, le président Nguyen Van Thieu, n'avait pas accepté les termes de l'accord, mais personne ne nous l'apprit.

Nixon et Kissinger n'étaient pas les premiers à nous tromper sur l'intervention américaine en Asie du Sud-Est. Lyndon Johnson, qui avait dû intensifier notre effort militaire pour ne pas perdre (ce qui était tout aussi valable pour Nixon), avait prétendu que des bateaux nord-vietnamiens avaient tiré sur des navires américains qu'ils avaient attaqués sans raison dans le golfe du Tonkin. Il avait ainsi réussi à faire voter par le Congrès la fameuse Résolution du golfe du Tonkin qui lui avait permis de bombarder le Nord-Viêtnam. L'incident du golfe s'avéra être une mystification[1]. Cette effrayante tromperie destinée à justifier la guerre n'a, je pense, été surpassée que par ce que fit l'administration Bush II pour obtenir des parlementaires l'autorisation d'envoyer nos troupes en Irak.

Puis vint le mensonge final : bien que le Congrès ait explicite-

1. Une enquête de la Commission des Affaires étrangères du Sénat conduite en 1968 laissa entendre que l'attaque de nos navires avait été « imaginée ou inventée ».

ment mandaté Nixon pour mettre fin à la guerre, et malgré les promesses préélectorales de Kissinger, Hanoi et Haiphong furent, du 17 décembre 1972 jusqu'à la fin de la première semaine de janvier 1973, la cible de bombardements intensifs. Les Nord-Vietnamiens mirent au point une défense antiaérienne qui nous coûta cher : quatre-vingt-dix-neuf de nos aviateurs disparurent et trente et un autres furent faits prisonniers.

Ecœurés et envahis d'un profond sentiment d'impuissance, Tom et moi sommes allés voir *Le Dernier Tango à Paris*. Mais nous sommes sortis de la salle en plein milieu du film. Nos esprits obnubilés par les bombardements n'arrivaient pas à s'intéresser au rôle du beurre dans la copulation anale.

Pourquoi cinq gouvernements, démocratiques et républicains, *sachant* (selon les Papiers du Pentagone) que nous ne pouvions gagner militairement (à moins de raser le Viêtnam de la carte du monde) et qu'il faudrait poursuivre indéfiniment l'escalade guerrière pour éviter de perdre, ont-ils choisi de repousser le retrait, quel qu'en soit le coup en vies humaines ?

En partie pour gagner les élections. Le président Kennedy avait dit à Arthur Schlesinger en novembre 1961 que si les Etats-Unis allaient au Viêtnam, ils perdraient, tout comme les Français. Puis Kennedy avait craint, s'il mettait fin aux combats, d'être battu par la droite.

Mais je crois que cela a surtout beaucoup à voir avec l'impression d'une perte de la virilité, la peur d'être considéré comme mou – face à n'importe quoi, et surtout le communisme, ou le terrorisme, ou tout ce qui semble nous menacer. Il est intéressant de se pencher ici un instant sur ce qu'en pensait Daniel Ellsberg, qui a peut-être étudié la politique américaine au Viêtnam plus à fond et pendant plus de temps que n'importe quel autre Américain :

« J'en suis arrivé à la conclusion, a-t-il déclaré à *Salon* le 19 novembre 2002, que Lyndon Johnson ne pouvait psychologiquement supporter de se faire accuser de faiblesse face au communisme. Comme il l'a dit à Doris Kearns, s'il se retirait du Viêtnam on dirait qu'il était un homme “qui n'en avait pas”, il serait qualifié d'irrésolu, vu comme un conciliateur... Beaucoup d'Américains sont morts pendant ces cinquante dernières années, et peut-être dix fois plus d'Asiatiques, parce que nos politiciens craignaient de ne pas être de "vrais hommes". »

Certains sont malheureusement si attachés à l'idée de la toute-puissance (masculine) américaine qu'ils prétendent avoir le droit de détruire tous les régimes qui ne leur plaisent pas, de bafouer les Nations unies et de considérer, comme je l'ai lu récemment dans le *New York Times*, qu'adhérer à la loi internationale constitue une « soumission automatique ». Dans son livre *War and Gender*, Joshua Goldstein, professeur de relations internationales, écrit : « Comme la guerre est lié au genre masculin, la paix l'est au genre féminin. Les hommes qui s'opposent à la guerre risquent donc de voir leur virilité remise en question. » Ils sont traités de chiffes molles, de poules mouillées ou de gonzesses. (Méfiez-vous des hommes qui utilisent péjorativement des mots qui s'appliquent aux femmes pour qualifier leurs adversaires). Ceux qui relient la toute-puissance nationale à leur propre puissance préfèreraient disparaître de la vie publique plutôt qu'être accusés d'avoir battu en retraite. Les dirigeants les plus dangereux sont ceux (habituellement des hommes, mais pas toujours) qui ont été humiliés et rudoyés par leurs parents (habituellement par leur père, mais pas toujours). Ils se serviront de la guerre et de la perpétuation des injustices sociales pour prouver qu'ils appartiennent au club des « vrais mecs », celui de la force (violence, homophobie) et de la hiérarchie (racisme, misogynie, pouvoir *sur*). Il appartient aux femmes – et aux hommes de conscience – de définir une *masculinité démocratique* moins humiliante et ne dépendant pas de la domination.

Ces dernières années l'ont clairement montré. Voyez la posture macho de George Bush vis-à-vis de la guerre, sa rhétorique « Nous allons leur montrer de quoi nous sommes capables » et sa façon de défier John Kerry sur l'air du « Est-ce que tu es un homme ? ». Et Dick Cheney laissant entendre qu'en soutenant les Nations unies, Kerry avait fait preuve d'un manque de virilité. Ou encore le général adjoint William Boykin déclarant : « Je savais que mon Dieu était plus grand que le sien. » Le paradigme patriarcal du mien-qui-est-plus-grand-que-le-tien et le désir de contrôle entraînent le monde entier vers un dangereux déséquilibre, portant atteinte non seulement à des hommes, des femmes et des enfants en tant qu'individus, mais à des peuples entiers. Dans *Revolution from Within*, Gloria Steinem écrit que, « si nous voulons arrêter d'avoir des dirigeants qui, sans y avoir réfléchi, rejouent leur enfance sur la scène nationale et internationale », il faut transformer nos institutions patriarcales. C'est une des raisons pour lesquelles aujourd'hui, lors de mon troisième acte, je veux aider les jeunes gens et les jeunes filles à lutter contre les modèles sexués arbitraires et destructifs qui favorisent la violence.

L'histoire nous apprend que rien ni personne – aucune nation, aucun individu – ne garde jamais éternellement la première place. C'est seulement quand elle s'accompagne d'humilité et d'empathie que la force peut constituer un bon exemple. Sinon la défaite n'entraîne que ruine et solitude. Atterrir en douceur au milieu d'amis vaut toujours mieux que s'écraser en territoire hostile.

Nous n'avons plus besoin de cow-boy solitaire, sous quelque forme que ce soit – y compris la mienne.

CHAPITRE TREIZE

LA POUSSÉE FINALE

Nous vous combattrons avec toute la joie qu'éprouve une femme en accouchant.

UN POÈTE VIETNAMIEN À RICHARD NIXON.

J'étais amoureuse de Tom et je l'admirais. Il était pour moi un ami, un maître, un amant, un sauveur, un soutien et l'exemple de ce que j'espérais devenir. Je voyais en lui un être pur que rien ni personne ne pouvait corrompre, cherchant éternellement à comprendre la nature humaine. J'adorais le voir dévorer des livres et regarder les doigts de sa main gauche refermés comme des griffes sur son stylo tandis qu'il couvrait page après page les carnets jaunes au format normalisé qu'il choisissait toujours.

Je me souviens du jour où il appela sa mère, Gene, pour lui annoncer que j'étais enceinte. Il y eut un long silence. « Qu'est-ce qui se passe, Maman ? » demanda-t-il, puis il ne fit plus qu'écouter, en me jetant un coup d'œil de temps en temps.

Lorsqu'il raccrocha enfin, il dit : « Voilà : ma mère veut savoir si nous allons nous marier. Elle croit que si nous avons un enfant sans être mariés, les gens n'apprécieront pas. Elle m'a dit : "Et si vous allez parler de la guerre à l'émission de Johnny Carson et qu'il vous demande pourquoi vous n'êtes pas mariés ? Est-ce que vous voulez mener cette bataille en plus de toutes celles dans lesquelles vous êtes déjà engagés ?" »

En plein dans le mille, Gene ! ai-je pensé. Moi, je voulais me marier. Je voulais vivre toute ma vie avec Tom. (Ce dont je n'avais pas été certaine avec Vadim.) Mais j'avais évité d'aborder la question et j'étais ravie que sa mère ait mis les pieds dans le plat. Peut-être Tom l'était-il aussi, car il ne nous a pas fallu plus de quelques minutes pour décider que c'était une bonne idée. Mais nous l'avons exprimé en termes politiques. La nécessité d'une justification politique allait devenir une caractéristique de notre fonctionnement. Je crois que cela mettait Tom plus à l'aise – et s'il l'était, je l'étais aussi.

Quand je l'appelai en janvier 1973 pour lui demander de divorcer, Vadim se montra amical et drôle. Nous étions séparés depuis deux ans. Je savais que nous allions mieux nous entendre en tant qu'ex que nous ne l'avions fait en tant qu'époux. (Je n'étais pas la seule de ses ex à avoir cette impression.)

J'étais enceinte de trois mois lorsque Tom et moi nous nous sommes mariés, le 19 janvier 1973. La cérémonie se déroula à la maison, dans le salon. Nous étions assis tous les deux sur le rebord en briques de la cheminée, mon frère à côté de moi, puis Holy, et le pasteur de l'église épiscopale à côté de Tom. Un groupe hétéroclite d'une quarantaine de personnes nous faisait face, dont mon père, qui tenait Vanessa, alors âgée de quatre ans, sur ses genoux, sa femme Shirley, et Gene, la mère de Tom, qui arrivait de Detroit. Holly nous chanta avec Peter une chanson qu'elle avait écrite pour l'occasion. Comme le dit Tom, ce n'était pas vraiment une scène telle que Norman Rockwell aurait pu en peindre, mais il n'y avait rien de très rockwellien à cette époque. Parmi les différents engagements que nous avons pris ce jour-là l'un envers l'autre, nous nous sommes jurés de garder notre sens de l'humour, quoi qu'il arrive – une promesse non tenue parmi d'autres.

Ma relation avec mon père s'était subtilement transformée depuis que j'étais avec Tom. Comme si le fait d'avoir un homme dans ma vie faisait de moi quelqu'un de bien – ou au moins dont Papa n'était plus responsable. Et en plus il aimait Tom. Parce qu'il était lui aussi un pêcheur, comme Vadim et lui. Et que sa capacité à discourir sans notes l'impressionnait. Enfin, parce qu'ils venaient tous les deux du centre de l'Amérique. Et Papa, cela se voyait, avait envie de colmater les brèches et d'être là pour moi. Je me sens encore émue en écrivant ces mots.

Nous voulions un prénom à la fois américain et vietnamien pour notre bébé, une façon de nous rappeler ce qui nous avait réunis et poussés à avoir un enfant. Le seul que je pus trouver étais Troy (Troï en vietnamien). Et parce que nos noms de famille (Hayden comme Fonda) nous semblaient trop chargés, nous lui donnâmes celui de la maman de Tom, Garity. Enfin Tom voulut qu'il ait pour second prénom O'Donovan, comme le héros nationaliste irlandais O'Donovan Rossa. Troy O'Donovan Garity. Ça sonnait bien.

Peu après notre mariage, les anciens assistants de Nixon, G. Gordon Liddy et James W. McCord, furent condamnés dans l'affaire du Watergate pour conspiration, vol avec effraction et installation de tables d'écoute. Entre-temps la Campagne pour la paix en Indochine avait ouvert un bureau national à Ocean Park, village du bord de mer au sud de Santa Monica. Un jour, pendant que je travaillais à la mise en page du journal que nous venions de lancer, *Indochina Focal Point*, j'ai fait un début de fausse couche et je dus ensuite garder le lit pendant un mois, comme cela m'était déjà arrivé pour Vanessa. En fait, ce fut une aubaine : j'avais besoin d'un temps d'arrêt pour réfléchir à ce que l'on appelait ma carrière et à ce que je voulais en faire, si je voulais en faire quelque chose. Tom ou Ruby m'apportaient le café le matin avant d'emmener Vanessa à l'école, puis je restais là allongée en me disant que les chances que j'avais de me voir offrir un rôle dans le genre de films qui m'intéressaient étaient bien minces. J'avais beau avoir besoin d'argent, je n'imaginais pas devoir passer trois mois (temps de travail moyen sur un long métrage) à quelque chose en quoi je ne croyais pas alors qu'il y avait tant à accomplir ailleurs. Mais pouvais-je tourner mes propres films ? Je savais que je n'étais pas une femme d'affaires. J'ai toujours eu un problème avec les nombres. Dès qu'ils entrent en jeu – coûts, profits, distances ou volumes des bombes –, mon cerveau bloque. Peut-être cela vient-il du fait que ma mère utilisait tout le temps sa machine à calculer et que mon père détestait ça. Quoi qu'il en soit, si je voulais devenir productrice, je partais avec un gros handicap. Mais j'étais tout à fait capable, pensais-je, d'imaginer une histoire.

Quelques jours avant de devoir m'immobiliser, j'avais, dans une manifestation contre la guerre à Claremont, Californie, partagé la scène avec le vétéran Ron Kovic, un marine couvert de médailles qui se déplaçait en fauteuil roulant, le bas du corps paralysé par des éclats d'obus. Plus tard, tout le monde allait savoir ce qu'avait vécu Ron : Tom Cruise incarna son personnage dans le film tiré de son autobiographie et intitulé comme elle *Né un quatre juillet.* Je revois Ron devant le micro, enragé dans son fauteuil roulant, insistant, précis, nous racontant comment il avait cru à cette guerre, s'était engagé et réengagé, avait été blessé et paralysé et comment, à son retour, dans les hôpitaux réservés aux vétérans infestés par les rats et manquant de personnel, il avait compris qu'on l'avait utilisé puis rejeté. Ce qui l'avait entraîné à repenser la nature même de la guerre et l'éthique macho sur laquelle elle reposait, et, disait-il, sauvé. Puis il avait ajouté : « J'ai peut-être perdu mon corps, mais j'ai retrouvé mes esprits. »

Pendant ces heures que je passais couchée, les mots de Ron me hantaient. Ils faisaient écho au voyage rédempteur que j'avais vu les vétérans accomplir lors de l'audience Winter Soldier. Pouvait-on faire un film à partir de cette phrase ?

J'eus une idée : deux hommes, qui croient tous les deux à la guerre, partent pour le Viêtnam ; l'un d'eux revient dans le même état que Ron, furieux mais capable de rejeter la vieille éthique guerrière et de se libérer mentalement ; l'autre rentre brisé et vide, incapable d'abandonner le mythe militariste de ce qu'un homme doit être. Je ne savais pas comment introduire un personnage que j'aurais pu jouer, mais ça m'était égal. C'était l'histoire de deux hommes et du salut que l'un d'eux avait trouvé.

J'en parlai à mon ami Bruce Gilbert, un membre de la Campagne pour la paix en Indochine qui était fou de cinéma et rêvait de devenir producteur. Nous avions souvent évoqué ensemble le genre de films que nous aurions aimés voir faits sur la guerre du Viêtnam. Nous décidâmes que Bruce essaierait de développer mon idée, et j'insistai pour que la scénariste Nancy Dowd y travaille aussi, afin d'éclairer le récit d'un point de vue féminin.

Nancy et Bruce se mirent au travail, chichement payés car nous n'avions pas la structure qui nous aurait permis de trouver suffisamment d'argent. Mon avocat et agent Mike Medavoy aida Bruce à entrer comme lecteur dans une compagnie indépendante, ce qui lui permettrait d'en savoir plus sur l'écriture des scénarios. Il y passa un an et, parce qu'il eut la possibilité d'obtenir les premières versions de chefs-d'œuvre comme *Chinatown*, il apprit comment un script évoluait au fur et à mesure que le réalisateur et les acteurs y étaient impliqués. Bruce vint me voir un jour et m'annonça qu'il préférait être mon associé plutôt que mon employé et, loin d'y voir le geste de bravade d'un jeune homme sans expérience, je lui fis confiance. Je pensais que quelqu'un qui organisait des manifestations avec autant d'efficacité et un tel sens des détails était peut-être exactement le partenaire qu'il me fallait. Nous avons donc monté une société de production que nous avons appelée IPC Films, en honneur à la Campagne pour la paix en Indochine grâce à laquelle nous nous étions rencontrés (sans dire à ceux qui ne le savaient pas ce que signifiait ce sigle).

Presque six ans plus tard, *Le Retour* valut à Jon Voight l'oscar du meilleur acteur, à moi celui de la meilleure actrice, et à Nancy Dowd, Waldo Salt et Robert Jones, celui du meilleur scénario. Mais j'anticipe.

Alors que j'étais encore clouée au lit, Tom me convainquit que nous ferions mieux d'habiter plus près des bureaux d'IPC à Ocean Park, où il vivait avant de s'installer chez moi. Vendre ma maison ? Que je n'avais que depuis un an ? J'aimais cet endroit. Mais je voulais avant tout faire ce que Tom pensait que nous devions faire. Bien qu'il ne l'eût jamais dit ouvertement, il pensait, j'en étais certaine, que le mode de vie des gens reflétait leur intégrité politique (dans le cas de ceux qui défendaient un monde dont ils faisaient partie) ou un double discours libéral (celui de « bourgeois » aux idées de gauche). Depuis la révélation que j'avais eue en haut des montagnes Rocheuses des années auparavant, je le croyais moi aussi et j'étais donc prête à relever tous les défis que Tom me lancerait. Quelques jours plus tard, il m'a annoncé qu'il avait trouvé quelque chose non loin de la plage, pour quarante-cinq mille dollars. Nous avons acheté sans que je visite.

Ocean Park est devenu un endroit chic, plein de restaurants branchés et de boutiques de mode. J'ai appris que notre maison à quarante-cinq mille dollars s'était vendue deux millions en 2003. Mais dans les années 70, on ne trouvait là-bas que des bars délabrés et des magasins de troc. Les banques considéraient le coin comme peu rentable, et refusaient tout prêt pouvant aider à développer la ville.

Lorsque le danger de fausse couche fut écarté et que je pus de nouveau me lever, Tom m'emmena voir notre nouveau chez-nous dans Wadsworth Avenue, une rue étroite et courte qui descendait presque jusqu'à la mer. Comme toutes celles du quartier, elle était bordée de maisons construites en bois les unes à côté des autres dans les années 20, résidences d'été de gens riches qui prenaient, pour descendre de Los Angeles à la plage, le célèbre tramway rouge de San Vicente Boulevard. Probablement tout à fait charmantes à cette époque, elles avaient été depuis converties en duplex, avec des cloisons mal isolées et des planchers prêts à s'enfoncer dans le sable, et s'étaient délabrées.

Les habitants d'Ocean Park formaient une faune intéressante où les représentants de la contre-culture se mélangeaient aux ouvriers et activistes radicaux. A côté de chez nous, vivait une famille catholique conservatrice : un veilleur de nuit bourru, sa femme, et leurs nombreux enfants, dont l'un avait l'âge de Vanessa. Un peu plus loin un écrivain maoïste occupait un rez-de-chaussée en compagnie de son fils, un petit garçon roux et malin, lui aussi de l'âge de ma fille. En face, s'était installé un groupe de militantes que Tom connaissait. A quelques exceptions près, personne n'avait d'allée ni de garage et nous laissions tous nos voitures dans la rue.

Quand j'y suis entrée pour la première fois, la maison était sombre et humide. J'ai avalé ma salive en silence, décidée à ne pas me plaindre de ce déménagement, alors qu'il m'obligeait à me séparer de Ruby Ellen, qui avait été pendant presque trois ans mon assistante et une amie fidèle. Et par-dessus le marché, Tom trouvait que nous n'avions pas besoin d'autant d'espace et que nous pouvions économiser de l'argent en louant le rez-de-chaussée à Jack Nichol et Carol Kurtz, qui faisaient partie des membres de la Campagne pour la paix en Indochine. En fait, ce fut une bonne chose. Pendant tout le temps que dura l'intense controverse dont j'allais bientôt faire l'objet, Carol se révéla un soutien stable et tendre. C'était une jolie jeune femme brune de dix ans ma cadette, souple et toujours prête à rire. Jack et elle avaient fait partie du collectif de la Red Family et s'étaient réconciliés avec Tom (c'était Carol qui avait un jour pleuré sur le pas de ma porte en disant que Tom n'avait pas de cœur). Activistes intelligents et dévoués, ils avaient un petit garçon de dix mois qui s'appelait Corey et étaient les seuls parmi ceux avec qui nous travaillions à avoir commencé à fonder une famille.

Jack et Carol disposaient d'une chambre, de la salle à manger et de la cuisine du rez-de-chaussée Nous partagions le salon. Tom avait convaincu Fred Branfman, écrivain et chercheur qui nous avait apporté ses lumières lors de la tournée IPC, de quitter Washington pour venir s'installer dans une petite pièce à côté du porche, où il dormait sur un matelas de paille avec sa minuscule épouse vietnamienne, Thoa. Fred mesure environ un mètre quatre-vingt-quinze et quand je descendais le matin pour emmener Vanessa à l'école, je manquais de trébucher sur ses pieds qui dépassaient par la porte entrouverte.

De l'autre côté du porche, une autre porte s'ouvrait sur un escalier étroit montant à l'étage où nous habitions. Notre chambre avait un petit placard et donnait sur la rue. Celle, plus petite, où dormaient Vanessa et Corey, se trouvait en face d'elle. La cuisine était exiguë, sans aération, et quand j'allumais le four, des cafards en sortaient parfois à toute vitesse. Je continuais comme si de rien n'était, en me disant toujours que je m'en occuperais plus tard.

Nous avions peu d'intimité. Les cloisons étaient faites de lattes si fines que, lorsque je plantais un clou pour accrocher un tableau, il ressortait de l'autre côté (l'amour restait discret). Mon père, plaisantant à moitié, appelait cette maison la « bicoque ».

Nous n'avions ni lave-vaisselle, ni lave-linge et j'allais deux fois par semaine à la laverie automatique. Un jour, pendant que je prenais un café dans le bar voisin, quelqu'un vola tous mes vêtements, y compris le pantalon de soie que je portais au Viêtnam.

Je me suis mise aux travaux de rénovation avec l'énergie de la femme enceinte qui prépare son nid, et malgré ses inconvénients, j'adorais cette maison. Nous y menions une vie en communauté que je n'avais jamais connue. Comme les rues étaient très courtes et les habitations très rapprochées (et avaient toutes des porches), les voisins se connaissaient, échangeaient sucre, café et potins. Il y avait des enfants avec qui Vanessa pouvait jouer, et la plage, avec ses balançoires et ses toboggans, était tout près. Parce que j'entendais le bruit des vagues qui se brisaient sur le rivage et que l'odeur de l'air salé chatouillait constamment mes narines, cette maison me rappelait les étés de mon enfance. Nous allions y rester dix ans.

Quand des amis appartenant au monde du cinéma venaient nous voir, ils me demandaient presque toujours si le manque d'intimité et de sécurité ne me dérangeait pas. Etre devenue aussi accessible me plaisait pour différentes raisons. Tout d'abord parce que cela voulait dire que j'étais bien « descendue de la montagne ». Ensuite parce que, lorsque mes enfants eurent l'âge d'aller en classe, je les ai inscrits tous les deux dans des écoles publiques et que nous ne voulions pas que leurs petits camarades pensent, en venant jouer chez nous, que nous étions différents de leurs parents.

D'autre part, je n'avais plus, avec la profession, les mêmes rapports qu'avant. Je pensais maintenant pouvoir exercer un certain contrôle sur le contenu des films dans lesquels je jouais. Ils me tenaient plus à cœur et je voulais approfondir mon travail d'actrice. Comment un artiste peut-il sonder le réel s'il vit dans les nuages ? Bien sûr, être une star creusait un fossé inévitable. Les gens ont pour la plupart du mal à ne pas se montrer intimidés par ceux qui sont connus. Mais vous seriez surpris de voir combien ce fossé peut être réduit, et je me suis vraiment appliquée à le faire. J'ai toujours bien supporté ce qui semblait inconfortable ou désagréable aux autres célébrités.

Enfin ce n'était pas les risques encourus par une trop grande promiscuité avec le public qui m'inquiétaient. C'était avec le gouvernement que j'avais des problèmes. La première année où nous y avons vécu (sous l'administration Nixon), la maison a été deux fois « visitée », les tiroirs renversés, nos classeurs vidés, nos papiers éparpillés, notre téléphone mis sur écoute et un agent du Bureau qui se faisait passer pour un journaliste est venu un jour m'interviewer et m'a demandé si j'étais bien enceinte de trois mois lors de notre mariage. Comment est-ce que je le sais ? Parce que je l'ai lu ensuite dans mon dossier du FBI.

Même encore maintenant, je ne voudrais pour rien au monde ne pas avoir vécu dans Wadsworth Avenue, mais je ne crois plus qu'il soit nécessaire de faire soi-même le ménage pour prouver son intégrité politique. Il n'y a rien de mal à embaucher quelqu'un qui s'occupe de la maison, la rende agréable et confortable, tant que vous payez correctement vos employés et leur assurez les couvertures sociales et médicales nécessaires, et tant que votre vie ne prend pas une orientation strictement matérialiste.

Pendant ma grossesse, j'ai travaillé à la documentation du film que Bruce et Nancy écrivaient. Je suis allée à San Diego interviewer des épouses de vétérans. L'une d'elles me dit : « Depuis qu'il est revenu du Viêtnam, quand je m'adresse à mon mari, c'est comme si je parlais dans le vide. On pourrait croire qu'il n'y a personne dans son corps. J'ai parfois l'impression d'entendre l'écho de ma voix résonner dans sa cage thoracique. » Un personnage que je pouvais incarner apparaissait petit à petit : celui d'une femme dont le mari part à la guerre, tandis qu'elle reste dans leur petite ville, et que sa rencontre avec un vétéran paralysé va transformer.

J'ai appris beaucoup de choses grâce à Shad Meshad, qui avait été psychiatre militaire au Viêtnam. Ami de Ron Kovic, dont il partage le charisme et le courage, il savait comment s'y prendre avec les soldats malades qui affluaient en nombre vers le soleil Californien. Lorsque je l'ai rencontré, il avait un poste important dans l'un des plus grands hôpitaux psychiatriques pour vétérans du pays, le Wadsworth VA Hospital de Brentwood, non loin de Santa Monica. A cette époque, les médecins ne savaient pas reconnaître les symptômes dont souffraient les hommes qui avaient fait la guerre du Viêtnam. Il allait falloir de nombreuses années avant que l'on réussisse à diagnostiquer l'état de stress post-traumatique – grâce au travail incessant et plein d'empathie des docteurs Robert Lifton, Leonard Neff, Chaim Shatan et Sarah Haley, et aux vétérans eux-mêmes. Mais ces hommes considéraient Shad comme un des leurs. Il avait organisé des séances de discussion à Venice, Santa Monica, Watts, et dans le barrio, et aida Bruce et Nancy à entrer en contact avec eux.

Ron Kovic m'invita à une réunion de la Commission des droits des patients qui se déroulait dans l'hôpital des vétérans de Long Beach, où il était soigné. Il voulait me faire entendre ce que les autres avaient à dire des conditions déplorables dans lesquelles ils vivaient. A midi, plusieurs centaines de personnes, la plupart en lit ou en fauteuil roulant, se retrouvèrent sur la pelouse derrière le bâtiment des paraplégiques. Ron et un autre ancien marine, Bill Unger, avaient fait distribuer un tract annonçant ma venue. Un peu plus loin, des vétérans de la guerre de Corée et de la Seconde Guerre mondiale qui avaient organisé une contre-manifestation agitaient des drapeaux en chantant des chants patriotiques.

Je ne me souviens pas de ce que j'ai dit ce jour-là, mais je me rappelle avoir été bouleversée par ce que j'ai entendu. Dans l'aile des paraplégiques, les poches d'urine n'étaient jamais vidées à temps et débordaient, inondant le sol. Les patients étaient laissés dans leurs excréments et souffraient d'escarres ulcéreuses. Quand ils sonnaient, personne ne se dérangeait. Et lorsqu'ils protestaient, on les transférait dans les bâtiments des malades mentaux, où ils étaient soignés à la Thorazine et quelquefois même lobotomisés. Ron avait promené son fauteuil roulant dans différentes salles de l'hôpital avec un magnétophone caché, recueilli des témoignages dont le journaliste Richard Boyle vérifia l'authenticité lors des recherches qu'il mena pour un article du *Los Angles Free Press*. Je me suis occupée de faire venir Nancy Down et Bruce Gilbert, afin qu'ils voient de leurs propres yeux ce qui se passait, et ce à quoi nous avons assisté. Ce que nous avons entendu alors a nourri le scénario du *Retour*.

Notre dernière offensive contre la guerre a, par l'effet du hasard, coïncidé avec la naissance de Troy. C'était en 1973. Notre ami Jon Voight et sa femme Marcheline venaient d'avoir un petit garçon, James, et ils nous conseillèrent de suivre, comme eux, les cours d'accouchement donnés par Femmy Delyser, qui vivait au sud de chez nous à Ocean Park.

Je perdis les eaux un matin alors que je bavardais sous le porche avec Carol. Cette fois j'étais prête, et ce fut différent. Je n'étais plus passive ; Femmy m'avait préparée à participer activement à cette naissance. Aucun médecin ne me donnerait de médicaments dont je ne voudrais pas. Aucune infirmière n'allait me faire croire qu'elle en savait plus que moi sur la façon dont cela devait se passer. J'étais éveillée, avec Femmy, Tom et Carol à mes côtés, et bien que j'aie demandé qu'on me soulage de cette terrible douleur au moment où on m'emmenait dans la salle d'accouchement,

Troy est né avant que l'analgésique fasse son effet et ce fut finalement une naissance tout à fait naturelle.

Tom a soulevé le bébé et j'ai tout de suite vu dans le miroir placé au-dessus de moi que c'était un garçon. Troy O'Donovan Garity fut posé contre ma poitrine, et j'ai remarqué, dans un étonnement hébété, qu'il ne pleurait pas. Moi je pleurais. Pas lui. Je croyais que tous les nouveau-nés pleuraient et j'y ai vu le signe que son voyage sur terre serait béni.

Pendant les premières semaines j'eus beaucoup de mal à laisser Tom prendre Troy dans ses bras ou le changer. Je défendais probablement mon territoire. C'était le seul domaine où, puisque j'avais déjà eu Vanessa, j'en savais plus que Tom, et je n'avais pas envie de partager. Lorsque j'ai enfin lâché prise, j'ai été terriblement émue par la tendresse dont il faisait preuve envers son fils, et l'importance que la paternité avait pour lui. Il restait allongé nu avec Troy sur son ventre pendant des heures, en murmurant doucement. Il a écrit dans son autobiographie : « Là et à cet instant... j'ai pris un engagement : je bâtirais ma vie autour de ce petit garçon jusqu'à ce qu'il devienne un homme. » Je crois que rien n'a jamais attendri le cœur de Tom comme Troy l'a fait. Et bien que nous ayons divorcé seize ans plus tard, Tom a tenu sa promesse, il a toujours été un père présent et concerné.

J'avais continué presque jusqu'au jour de l'accouchement à intervenir sur les campus californiens contre la guerre. Avec mon ventre qui pointait sous mon poncho violet vif, je ressemblais à une figure de proue prête à fendre l'océan. Quelques jours après la naissance de Troy, j'ai repris mes activités. Je l'emmenais partout avec moi. Je vivais cette seconde maternité très différemment de la première. En grande partie à cause de Tom : il n'aurait pas toléré que nous laissions Troy. Il était contre les nounous et ni lui ni moi nous n'avions l'intention d'arrêter ce que nous faisions. J'étais donc bien été obligée de ne pas me comporter avec ce nouveau bébé comme je l'avais fait avec Vanessa. Et c'était peut-être la première fois de ma vie que j'étais vraiment présente pour quelqu'un.

Quand Troy tétait, ses yeux s'élevaient au-dessus de mon sein et restaient plongés dans les miens pendant de longues minutes. J'ai compris l'amour que je lui transmettais alors, et combien le contact de nos corps et l'échange de nos regards pourraient être importants. Je sais que pour beaucoup de mères, ces choses-là se font naturellement, mais cela n'avait pas été mon cas – en partie à cause de ce que j'avais moi-même vécu dans ma petite enfance. Je sais maintenant que pour ceux qui n'ont pas guéri de leurs blessures, ouvrir son cœur à un enfant peut se révéler douloureux, et que la fuite est la seule solution qui s'offre à eux. Je m'étais réfugiée dans l'activité. Quand Troy est né, je commençais à guérir, et la conscience que j'avais de lui donner ce que je n'avais pas assez donné à Vanessa me laissait triste, doucement amère. Elle avait presque cinq ans lorsque Troy est né et pendant les deux années suivantes elle allait être constamment trimballée entre Paris et Ocean Park.

Le scandale du Watergate s'étendait (de nombreux membres de l'équipe de Nixon avaient été obligés de démissionner), affaiblissant le gouvernement, ce qui nous a permis de mobiliser les forces que l'IPC réunissait contre la guerre depuis un an. Quand Troy a eu trois mois, nous sommes partis en tournée. Nous voulions faire pression sur le Congrès pour mettre fin à l'aide financière que les Etats-Unis apportaient au régime du président Thieu. Troy dormait sur des couvertures pliées dans des tiroirs de commodes posés par terre. Quand je prenais la parole, il passait dans les bras de quelqu'un d'autre jusqu'à ce que j'aie fini et il arrivait que mon lait se mette à couler, alors je tendais le micro à Tom et j'allais nourrir Troy.

A la fin de la tournée, Troy avait six mois, et je suis repartie au Nord-Viêtnam, cette fois avec Tom et lui, réaliser un documentaire, *Introduction à l'ennemi*. Nous voulions montrer le côté humain du Viêtnam, un aspect de la vie des gens et de leur histoire, que très peu d'Américains auraient autrement l'occasion de découvrir. Parler non pas de mort et de destruction, mais de renaissance et de reconstruction. Haskell Wexler, formidable cinéaste américain à qui l'on devait déjà *Medium Cool* et *Qui a peur de Virginia Woolf ?*, était derrière la caméra.

Ce voyage fut très différent du premier. Non seulement les bombardements avaient cessé, mais la présence de Tom, qui amortissait les chocs et me soutenait, me permit de me détendre. C'était ce que j'avais appris sur l'espoir lors de mon premier séjour à Hanoi qui m'avait donné envie d'avoir un autre enfant. Et maintenant nous étions là, avec Troy, petit paquet d'espoir vivant.

Au printemps 1974, nous avons débarqué directement du Nord-Viêtnam à Washington où nous avons passé six semaines dans les couloirs du Congrès à essayer de persuader les parlementaires de couper l'aide financière dont bénéficiait le gouvernement Thieu. Nous nous sommes aperçus que la tournée que nous avions faite avant d'aller au Nord-Viêtnam avait des retombées importantes : des milliers de lettres et de coups de téléphone arrivaient dans les bureaux des représentants. L'un d'eux nous supplia : « Je vous en prie, dites-leur d'arrêter. Ça y est, je suis dans votre camp, vous n'avez pas besoin de continuer. »

J'avais, en 1973, déposé plainte contre l'administration Nixon afin d'obliger les diverses agences gouvernementales à reconnaître la campagne de harcèlement et d'intimidation qu'elles avaient menée pour me réduire au silence et à l'impuissance. Je voulais qu'elles avouent avoir eu tort et qu'elles cessent leurs actions à mon encontre. Un après-midi, j'allai avec mon ami et avocat Leonard Weinglass prendre la déposition de l'ancien conseiller spécial à la Maison Blanche, Charles Colson. Nous avions tout d'abord rencontré officieusement David Shapiro, associé et conseiller juridique de Colson dans l'affaire du Watergate. Tom nous accompagnait.

Shapiro nous apprit que c'était le procureur général John Mitchell qui avait ordonné l'effraction du Watergate. Il reconnut également que son client (Colson) n'était pas « blanc comme neige » mais venait en « tête de liste des plus beaux salauds de la ville ». Pourtant, « bien que tout semble mener à lui », il n'avait pas commis de crime. Il qualifia Colson de « politicien de bas étage », dont le travail consistait à élaborer la liste des ennemis de la Maison Blanche et à faire taire les opposants de Nixon (parmi lesquels on comptait non seulement de simples militants, mais des démocrates qui s'opposaient à la guerre, des dirigeants de firmes importantes, des rédacteurs en chef de journaux, des leaders syndicalistes et des candidats à la présidence).

Une demi-heure plus tard, Colson est arrivé en compagnie d'un sténographe qui a pris sa déposition officielle. Je n'arrivais pas à détacher mes yeux de l'énorme croix qui était accrochée à son cou et reposait sur son gros ventre. Oui, me disais-je, il a vraiment une croix à porter. Me retrouver assise dans ce bureau élégant en présence de cet homme à la tenue impeccable qui affichait sa foi mais avait participé au détournement de la démocratie américaine comme il l'avait fait était une expérience étrange. Colson reconnut qu'il y avait des notes me concernant dans les dossiers de la présidence, et dit que c'était John Dean qui les avait fournies. Il nia avoir avec le gouvernement tout autre lien que le poste qu'il occupait officiellement et déclara ne rien savoir de la liste des ennemis de la Maison Blanche. Le 1er mars 1974 M. Colson fut cependant accusé de conspiration visant à entraver la justice et d'entrave à la justice[1].

L'action que j'avais intentée contre l'administration Nixon prit fin en 1979. Le FBI reconnut m'avoir tenue sous surveillance de 1970 à 1973, avoir utilisé des techniques de contre-espionnage, en violation de mes droits civiques, afin de me « neutraliser » et de « nuire à ma position personnelle et professionnelle », d'avoir à cette époque pris connaissance, sans y être autorisé par la justice, de mes comptes bancaires et d'avoir téléphoné et de s'être rendu, sous des prétextes fallacieux, à mon domicile et à mon bureau, afin de me localiser.

La CIA reconnut également avoir ouvert mon courrier. Selon certains, c'était la première fois que l'Agence avouait avoir agi ainsi contre un citoyen américain. Ces poursuites révélèrent aussi que le Département d'Etat, le service des Recettes internes, le département du Trésor, et la Maison Blanche possédaient tous des

1. *Rapport final* (octobre 1975) établi par l'accusation dans l'affaire du Watergate (Etats-Unis contre Mitchell et comparses). Cette accusation fut écartée par le gouvernement le 3 juin 1974 après que Colson eut plaidé coupable dans l'affaire relative à l'effraction du bureau du psychiatre Daniel Ellsberg commandée par l'équipe de Nixon (Etats-Unis contre Ehrlichman et comparses) alors qu'il avait été accusé de conspiration et viol des droits civiques. L'accusation d'entrave à la justice liée aux poursuites entamées contre Daniel Ellsberg fut elle aussi écartée lorsqu'il plaida coupable devant le juge fédéral qui reporta la faute sur le gouvernement. Le 21 juin 1974, Colson fut condamné à une peine de trois ans de prison dont un an ferme et à une amende de cinq mille dollars. (Il ne resta pourtant en prison que du 8 juillet 1974 au 31 janvier 1975.)

dossiers me concernant. De nouvelles lois interdisant ces pratiques en dehors d'une enquête judiciaire avaient été, depuis, mises en place par le Congrès et le nouveau procureur général.

En 2001, l'administration Bush réussit à faire voter par le Congrès le Patriot Act qui, en ce qui concerne nos droits constitutionnels, nous ramenait à la situation que nous avions connue avant le Watergate en matière d'écoutes téléphoniques et de détention provisoire : tout citoyen non américain soupçonné de contact avec des terroristes peut désormais être arrêté sans mandat et détenu sans possibilité de consulter un avocat. Le Patriot Act autorise également le FBI à demander aux libraires et bibliothécaires d'identifier quiconque lit ou achète des livres considérés comme suspects sans que les individus concernés en soient obligatoirement prévenus. Plutôt Big Brother, non ?

Au printemps 1974, l'aide financière supplémentaire que Nixon demandait pour Thieu fut refusée à une forte majorité. En août, les parlementaires lancèrent la procédure de destitution. Cette semaine-là, Nixon fut le premier président américain à démissionner de son poste. En plus de l'affaire du Watergate, la Commission des forces armées du Sénat avait démontré que Nixon avait violé la loi en autorisant des opérations militaires secrètes sur le territoire du Laos et du Cambodge. Pourtant ce ne fut pas à cause de la guerre elle-même qu'il fut finalement forcé de démissionner, mais pour les actions illégales qu'il avait menées contre les opposants à cette guerre. Lorsque l'on me demandait, à la suite du scandale du Watergate, ce que je pensais de tout cela, je répondais : « Je suis libre. Le gouvernement est en prison. »

Gerald Ford est devenu président, il a amnistié Nixon un mois plus tard et tenté de faire accorder de nouvelles aides financières à Thieu, démontrant que les Etats-Unis ne voulaient toujours pas renoncer à leur alliance avec le régime corrompu du Sud-Viêtnam et laisser l'Indochine au Indochinois. Mais au printemps 1975, après plus de dix ans de guerre, les Nord-Vietnamiens et ceux qui, au sud, les soutenaient, entrèrent dans Saigon. La guerre était finie.

C'était dur à croire. Qu'elle fût enfin terminée nous emplissait de joie, mais nous éprouvions aussi de la tristesse devant les scènes qui se déroulaient sur nos écrans de télévision : hélicoptères emportant le personnel de l'ambassade tandis que nos alliés vietnamiens s'accrochaient à leurs patins. Cela aurait pu ne pas se terminer ainsi. Les Vietnamiens nous proposaient la paix depuis longtemps, croyant que parce que nous avions combattu autrefois pour notre indépendance, nous pouvions les comprendre. Que de vies inutilement gâchées, perdues dans les deux camps. Que de terres et de jungle détruites sans raison.

Je ne suis pas retournée au Viêtnam depuis la fin de la guerre, il y a maintenant trente ans, et ce que j'ai entendu raconter sur ce qui se passe là-bas ne me plaît pas toujours. C'est la ligne dure du parti qui l'a emporté au Nord-Viêtnam et lorsque ses représentants tentèrent de mettre de l'ordre dans le chaos, ils le firent souvent de façon maladroite, sans chercher à connaître le fonctionnement et la mentalité des citadins du Sud. Des centaines de milliers de membres de l'armée et de l'administration saigonnaises furent envoyés, sans appel, en camps de rééducation. Les réformes économiques furent appliquées avec rigidité, sans que l'on prenne en compte les besoins ni les désirs des Sud-Vietnamiens. Le gouvernement de Hanoi imposa une économie centralisée et un ordre social qui ne correspondaient pas au terrain, persuadé de son bon droit, comme les Américains l'avaient été lorsqu'ils cherchaient à réorganiser la société sud-vietnamienne selon nos critères occidentaux : ceux d'une culture urbaine de consommation. Ce qui ne justifie pourtant pas ce que les Etats-Unis ont fait – et n'empêche pas nos touristes de passer leurs vacances au Viêtnam ou nos firmes d'y investir.

Les Etats-Unis ayant promis d'aider à la reconstruction, les Vietnamiens s'attendaient à ce que nous honorions nos engagements. Au lieu de cela, l'embargo qui frappait le Nord fut étendu à l'ensemble du pays, tous les avoirs vietnamiens aux USA gelés, et nos représentants empêchèrent le Viêtnam d'entrer dans l'Organisation des Nations unies. Ce pays avait désespérément besoin d'aide. Sans elle, le Sud-Viêtnam, qui avait déjà subi des années de guerre et où des centaines de milliers de réfugiés s'entassaient dans les villes, se retrouva dans une situation catastrophique. La ligne dure du parti nord-vietnamien affronta seule et mal ces problèmes. A tout cela se surajouta un exode massif. Les Hoa (ethnie d'origine chinoise) s'enfuirent à bord d'embarcations de fortune. Des dizaines de milliers de gens moururent en mer. Les dirigeants américains prétendirent que les « boat people » étaient victimes de persécutions de masse[1] et cette crise apporta une nouvelle justification à la guerre : « Voilà ! Nous vous l'avions bien dit. »

Quelles qu'aient été les épreuves que le nouveau régime communiste imposa au peuple vietnamien, la façon dont le Pentagone avait répandu l'idée que, s'ils prenaient le pouvoir, les « rouges » assassineraient des centaines de milliers, et même des millions de gens, n'était que propagande destinée à manipuler l'opinion américaine – comme le furent en 2003 les soi-disant « armes de destruction massive ».

Beaucoup de gens m'ont accusée d'avoir une vision exaltée des Vietnamiens. Eh bien oui, c'est vrai. Il était, pendant la guerre, facile d'idéaliser ce petit peuple en lutte contre la puissante armée américaine. La légende de David et Goliath n'a pas survécu aux siècles pour rien. Connaissez-vous quelqu'un qui prenne le parti de Goliath (en dehors de ceux qui ont quelque chose à lui demander) ? C'est toujours David qui nous émeut.

UN DERNIER MOT

Beaucoup d'Américains croient encore qu'en « sortant le grand jeu », nous aurions pu gagner la guerre. Je ne peux donc terminer les chapitres de ce livre consacrés au Viêtnam sans analyser cette question.

L'armée fit tout ce que le général William Westmoreland,

1. Les délégations que le Congrès envoya au Viêtnam et dans les camps de réfugiés d'Indonésie à la fin des années 70 contestèrent ce point de vue, disant que l'exode était plutôt dû à des haines ancestrales et au désastre économique qu'aggravait l'embargo américain. Lorsque l'on demanda à ceux qui avaient milité contre la guerre de signer des pétitions adressées aux Nord-Vietnamiens en faveur des boat people, je refusai. Je trouvais que notre propre gouvernement aurait pu commencer par honorer ses engagements et aider à soulager la misère que nous avions provoquée. Malheureusement, il faudrait attendre encore dix ans avant que l'administration Clinton normalise nos relations et lève l'embargo.

commandant en chef des forces américaines au Viêtnam et son successeur Creighton Abrams lui demandèrent : bombardements du Laos et du Cambodge destinés à couper la piste Ho Chi Minh, minage du port de Haiphong et blocus naval, largage sur le Viêtnam de plus de bombes que nous n'en avions envoyé sur toute l'Europe pendant la Seconde Guerre mondiale, raids incessants de B-52 sur Hanoi et Haiphong, attaque aérienne générale sur le reste du Nord-Viêtnam.

Nous pouvions gagner des batailles, et nous le fîmes. Nos soldats combattirent courageusement et bien. Mais nous ne pouvions pas gagner la guerre, tout au moins pas avec des moyens conventionnels. Bien sûr, nous aurions pu utiliser l'arme atomique, et Nixon menaça de le faire.

En d'autres termes, puisque nous ne pouvions pas les battre, il n'y avait qu'à les anéantir. Mais en anéantissant un pays de planteurs de riz et de pêcheurs, les Etats-Unis ne risquaient-ils pas de perdre leur âme ? Je suis sûre que certains de nos hauts responsables – comme probablement Henry Kissinger ou Dick Cheney – pensaient que l'idée de « perdre son âme » était une preuve de mollesse, peu digne d'un homme. Admettons, oublions l'âme et réfléchissons en termes plus pragmatiques de capitalisme global – apparemment une raison comme une autre d'envoyer nos jeunes se faire tuer. D'un point de vue économique, nous n'avions pas du tout besoin de mener une guerre là-bas : dès les années 40, Ho Chi Minh avait promis qu'il ferait du Viêtnam « un terrain fertile pour les entreprises et le capital américains ». Il avait même laissé entendre que si nous aidions son pays à se libérer des Français, il nous laisserait peut-être installer une base navale américaine à Cam Ranh.

Aujourd'hui, après avoir sacrifié cinquante-huit mille vies américaines et des millions d'Indochinois, alors que l'« ennemi » dirige le Viêtnam, les Etats-Unis y ont investi un milliard de dollars, le commerce des deux nations a atteint six milliards par an et nous sommes le pays vers qui les Vietnamiens exportent le plus. A l'automne 2003, Pham Van Tra, ministre de la Défense vietnamien, a été reçu dans notre capitale par la garde d'honneur du Pentagone. Le jeu continue. Le Viêtnam est considéré comme la destination la plus sûre pour nos touristes, et comme un havre pour notre commerce.

Le problème n'est pas de savoir si nous avons ou non bien mené cette guerre, mais si l'entreprise américaine au Viêtnam n'était pas dès le départ totalement erronée. Nous n'avons pas envoyé nos hommes se faire tuer pour aider les Vietnamiens à devenir libres, mais pour détruire un mouvement nationaliste qui menaçait l'influence des Etats-Unis dans ce pays et le contrôle que nous y exercions, et, comme on peut le lire dans les Papiers du Pentagone, afin de rester des « alliés crédibles ». C'était trahir les valeurs qui sont les nôtres. Dans la bataille qui oppose le bambou aux B-52, la victoire du bambou représente un espoir pour la planète.

Notre défaite nous offrait une possibilité de rédemption. Mais au lieu d'en tirer les leçons, nous avons réécrit l'histoire de façon à en faire porter la faute à ceux-là mêmes qui ont essayé de l'éviter.

CHAPITRE QUATORZE

JE REVIENS !

Le monde change selon la façon dont on le regarde, et si vous déplacez, ne serait-ce que d'un dixième de degré l'angle sous lequel... les gens voient la réalité, alors vous pouvez la transformer.

James BALDWIN.

Une fois la guerre finie, je retrouvai le cinéma, et Tom commença à envisager de poser sa candidature aux élections sénatoriales. Bien que je ne m'en sois pas rendu compte à l'époque, je m'aperçois maintenant que ce fut le début d'une période moins harmonieuse pour notre couple. Pendant trois ans nous avions combattu côte à côte, mentalement et physiquement unis dans la lutte contre la guerre. Et voilà que je reprenais un métier qui allait avoir sur notre vie un impact beaucoup plus fort qu'aucun de nous deux ne l'avait anticipé, et dont Tom serait en même temps ravi et consterné.

Parce que j'avais moi-même beaucoup changé au cours des cinq dernières années, la possibilité d'une transformation d'ordre personnel devenait pour moi une idée centrale sur laquelle je voulais baser mon travail. Des films comme celui de Dennis Hopper et de mon frère, *Easy Rider*, *Five Easy Pieces* ou *Midnight Cowboy*, étaient exemplaires de la révolution qui ébranla le cinéma américain dans les années 60 et 70. Je souscris pour ma part à ce qu'a dit le dramaturge anglais David Hare : « C'est toujours au centre qu'on est le plus radical. » Je voulais faire des films de style classique, des films auquel l'Américain moyen pouvait s'identifier, qui parleraient de gens ordinaires. Mais ces gens ordinaires évolueraient. Bien que de façon très élémentaire, je commençais aussi à envisager ce problème du point de vue de l'identité sexuelle. Qu'est-ce qu'un homme ? Qu'est-ce qu'une femme ? Qu'est-ce qui les fait agir comme ils le font ?

Je voyais l'histoire à laquelle Bruce Gilbert, Nancy Dowd et moi-même travaillions comme une façon de redéfinir la masculinité.

Nous avions un marine, mon mari, en pleine possession de ses moyens physiques (y compris de son pénis), qui cherchait à prouver qu'il était un homme en se conduisant comme un héros. Mais parce qu'il manquait de sensibilité et de spontanéité, il n'était pas un bon amant. Le paraplégique que mon personnage rencontrait à l'hôpital des vétérans, en revanche, n'avait plus l'usage de son sexe et ne désirait qu'une chose, se montrer humain. La volonté qu'il avait de remettre en question ses anciennes certitudes, associée à son handicap physique, le rendait réceptif aux besoins des autres. Son plaisir était de donner du plaisir – tout au moins était-ce mon idée de départ – ce qui permettait au film de mettre en lumière la possibilité d'une sexualité différente.

Nous devions attaquer l'étape suivante, qui nous permettrait de présenter notre projet à une compagnie. Nous avions pour cela besoin d'un scénariste rodé, et notre choix se porta sur Waldo Salt, auteur de *Midnight Cowboy* et du *Jour du fléau*. Mon agent me déclara que nous n'avions aucune chance : « Oublie ça, il ne voudra jamais. Tu n'as pas de studio derrière toi et ce n'est pas une idée commerciale. » Mais loin de se décourager, Bruce se procura le numéro de téléphone de Waldo dans le Connecticut et l'appela sans pouvoir se recommander de qui que ce soit. A notre grande surprise, Waldo lui répondit : « Ça semble intéressant. Envoyez-moi ce que vous avez. »

Waldo accepta de participer au projet, mais il voulait repartir de zéro et s'associer l'équipe de *Midnight Cowboy* et du *Jour du fléau* : le réalisateur anglais John Schlesinger et le producteur Jerry Hellman. J'avais le plus grand respect pour Schlesinger, qui venait du documentaire et dont les films possédaient un réalisme abrasif qui serait parfait pour nous. L'expérience et le goût très sûr de Jerry Hellman et l'enthousiasme qu'il montra pour notre fragile esquisse me rendirent optimiste. Nous allions peut-être vraiment réaliser ce film. Bien qu'après le travail qu'il avait déjà accompli, la pilule soit difficile à avaler, Bruce se résigna au poste de producteur associé. Nous savions tous les deux que nous avions besoin de toute l'expérience et de tous les talents que nous pourrions réunir (ainsi que d'un nouveau scénario). Les majors n'étaient pas exactement à la recherche d'histoires de vétérans et de fauteuils roulants et les quelques films qui parlaient du Viêtnam n'avaient pas eu de succès.

Faisant preuve d'un sens de l'engagement et d'une générosité admirables, Waldo et Jerry acceptèrent, chose rare, de travailler avant d'être payés. Jerry nous trouva un bureau à la MGM (où se trouvait alors ceux d'United Artists). Brucc abandonna son emploi et la seconde phase de notre travail put commencer.

Waldo Salt était un homme de gauche, un des scénaristes de Hollywood mis à l'index dans les années 50. Il avait un cœur d'or et un talent inouï pour suggérer le contenu sous-entendu d'une scène. Aidé de Bruce et de Jerry, il se lança dans l'entreprise avec toute la fougue que l'on pouvait attendre d'un homme comme lui, passa de longues heures dans les hôpitaux à interroger les vétérans. C'est Waldo qui poussa Ron Kovic à écrire ses mémoires, *Né un quatre juillet*. Quant à Jerry, il finança ces recherches de ses propres deniers et nous trouva un titre : *Coming home* (*Le Retour*).

Waldo garda l'histoire triangulaire du départ, faisant de mon mari un marine dont la femme, classique épouse d'officier de la fin des années soixante, attend le retour. Jusqu'au jour où elle prend un appartement en dehors de la base et se porte volontaire (contre la volonté de son mari) pour travailler à l'hôpital militaire. Elle y rencontre un vétéran blessé à la colonne vertébrale et psychologiquement traumatisé mais qui cherche à guérir.

Sur la base du travail de Waldo, les dirigeants d'United Artists acceptèrent de financer la mise au point du scénario final. Nous étions prêts, lancés dans la course, pourtant ce n'était pas gagné. Nous allions vite nous rendre compte du temps qu'il faut pour donner corps à une idée originale. J'aurais déjà deux autres films derrière moi, *Julia* et *Touche pas à mon gazon* avant que nous puissions commencer à tourner *Retour*. Sept semaines avant la date prévue, Waldo eut une grave crise cardiaque et dut s'arrêter de travailler. Puis John Schlesinger nous tira sa révérence sur ces paroles mémorables : « Ce n'est pas un pédé anglais qu'il vous faut pour ce film, Jane. » J'ai apprécié sa franchise, mais devant tant d'obstacles, devant une telle adversité, je commençais à douter de notre victoire.

Pendant ce temps, Tom pensait de plus en plus sérieusement à une carrière politique. La guerre du Viêtnam et le Watergate avaient entraîné l'émergence d'une nouvelle tendance qu'il qualifiait de « populisme progressiste ». Jimmy Carter était candidat aux présidentielles, Jerry Brown avait été élu gouverneur de Californie, et des parlementaires d'un genre différent de ceux que nous avions connus jusqu'alors, comme Bella Abzug, Tim Wirth, Andy Young et Pat Schroeder faisaient sentir leur influence.

Tom avait passé six mois à parcourir la Californie, rencontré des gens, tâté le terrain, pesé le pour et le contre d'une éventuelle candidature. Je me souviens tout particulièrement d'un meeting auquel participait César Chavez, fondateur et dirigeant internationalement respecté du syndicat des ouvriers agricoles. C'était la première fois que je voyais César, qui, comme Martin Luther King, était adepte de la résistance non-violente défendue par Gandhi, non seulement en tant que stratégie, mais philosophie de la vie. La douceur qui se lisait dans ses yeux et sa sagesse tranquille me fascinaient. Cette rencontre était d'autant plus émouvante pour moi que dans *Les Raisins de la colère*, mon père avait incarné la défense des travailleurs agricoles migrants, qu'ils viennent de l'Oklahoma ou du Mexique.

Lorsque Tom lui parla du Sénat, et lui demanda ce qu'il en pensait, César lui répondit : « Nous avons vu beaucoup de candidats aller et venir. Ce serait une perte de temps et d'argent, à moins que tu ne construises quelque chose qui dure, un moteur. Pas une machine de guerre comme l'a fait Daley à Chicago, non.

Mais un moteur qui entraîne le peuple quelque part. Voilà ce qui nous intéresserait. »

C'est à cette époque qu'est entrée dans ma vie une femme qui allait beaucoup compter pour moi. Un an ou deux avant la fin de la guerre, la productrice new-yorkaise Hannah Weinstein m'avait téléphoné pour me demander d'aider sa fille Paula à trouver du travail à Hollywood. Hannah avait été, en 1971, la première personne à faire un don généreux au mouvement des GI. Elle m'avait, à l'époque, chaleureusement encouragée, et bien que ne connaissant pas Paula, m'occuper d'elle était une façon de remercier Hannah.

Grande brune aux pétillants yeux marron, dotée d'un sens de l'humour glacé, Paula sortait de l'université de Columbia où elle avait participé aux manifestations étudiantes contre la guerre. Elle voulait maintenant marcher sur les traces de sa mère et devenir productrice. Son courage et son intelligence m'impressionnèrent. A peine avions-nous fini de déjeuner que je me précipitai chez mon agent, Mike Medavoy, et lui demandai de l'embaucher. Il lui offrit une place de lectrice. Très vite, Paula sut se faire apprécier et lorsque Mike alla rejoindre l'équipe d'United Artists, c'est elle qui devint mon agent – et elle est restée jusqu'à aujourd'hui une très chère amie. Nos vies personnelles et professionnelles sont intimement liées. Je suis la marraine de sa fille Hannah, elle a coproduit *Sa mère ou moi*, le dernier film que j'ai tourné (quinze ans après avoir arrêté le cinéma), et nous savons que nous pouvons toujours compter l'une sur l'autre.

Paula a fait pour moi, en tant qu'agent, une chose que personne n'avait jamais faite : elle s'est battue de toutes ses forces pour que j'obtienne, dans *Julia*, le rôle de sa marraine Lillian Hellman, dramaturge et scénariste américaine auteur, par exemple, de *La Vipère* ou de *La Rumeur*.

Dans les années 30, au moment de la montée du nazisme en Europe, Julia, amie d'enfance de Lillian Hellman, quitte les Etats-Unis pour Vienne. Les nazis ayant occupé l'Autriche, puis la Pologne, elle milite contre le fascisme et aide les Juifs de ces deux pays. Bien qu'elles ne se soient pas vues depuis longtemps, Julia demande un jour à Lillian de venir à sa rescousse et de passer en Allemagne de l'argent caché derrière la doublure d'un élégant chapeau de fourrure. Elle lui donne rendez-vous dans un restaurant de Berlin. Quand elles se retrouvent pour la dernière fois (lors d'une scène particulièrement émouvante), Lillian tend subrepticement le chapeau sous la table à Julia. Des années plus tard, elle apprend que son amie a été assassinée par les nazis.

Ce film m'offrait un rôle dramatique complexe et il me valut ma troisième nomination à l'oscar de la meilleure actrice. Il me permit aussi de travailler avec le grand réalisateur Fred Zinneman – à qui l'on doit *Tant qu'il y aura des hommes*, *Le Train sifflera trois fois* et *Un homme pour l'éternité* – et Vanessa Redgrave, l'actrice pour qui j'ai toujours eu le plus d'admiration. Quelque chose en elle donne l'impression qu'elle appartient à un autre monde, empli de mystère, dont nous, simples mortels, ne ferions pas partie. Sa voix semble venir de profondeurs où sont enfouies toutes les souffrances, tous les secrets. La voir travailler est comme regarder à travers des plaques de verre peintes à l'aquarelle de scènes mythiques, en les prenant les unes après les autres, et qui, lorsque vous les reposez les unes sur les autres, se superposent et se fondent dans le noir – et vous savez que même alors vous ne savez pas tout.

Vanessa était parfaite dans le rôle de Julia, dont Lillian sait qu'elle est plus courageuse, plus forte et plus engagée qu'elle, et j'ai eu la chance de pouvoir m'appuyer sur le souvenir de la vaillante Sue Sally, que j'étais toujours prête à suivre, enfant, comme Lillian cherche toujours à suivre Julia. Lorsque nous travaillions ensemble, je ne savais jamais d'où Vanessa tirait son inspiration, ce qu'elle choisissait de mettre en avant, et cela me mettait légèrement en porte-à-faux – ce qui fonctionnait parfaitement pour le film. Je n'avais eu qu'une seule autre expérience de ce genre. C'était avec Marlon Brando dans *La Poursuite impitoyable* (dont le scénario avait été écrit par Lillian Hellman !). Comme Vanessa, il paraissait vivre dans une autre réalité, dépendre d'un rythme intérieur secret, magnétique, qui m'obligeait à m'adapter à lui plutôt qu'à maintenir ce que je voulais montrer dans une scène ou une autre. Personne ne m'y obligeait, mais peut-être, à l'époque, étais-je simplement comme ça.

Il y avait parmi les acteurs de *Julia* une nouvelle venue qui jouait le rôle d'Anne-Marie, une garce aux cheveux noirs. Je me souviens encore du jour où j'ai vu pour la première fois les rushes où elle apparaissait : c'était ceux de la scène où Lillian entre chez Sardi après la première de sa pièce *La Vipère*, qui a été très applaudie. J'avance vers elle dans la foule qui l'attend, et lorsque je sors de l'écran, la caméra s'attarde sur le visage d'Anne-Marie. D'un léger geste de la main vers sa bouche et d'un regard indéfinissable, la jeune actrice révèle son personnage tout entier. Je crois avoir moi-même posé mes doigts sur mes lèvres à cet instant, et dès que la projection fut terminée, je suis allée appeler Bruce en Californie. « Ecoute, lui ai-je dit hors d'haleine, écoute-moi bien. Il y a une jeune ici, qui a un nom étrange, Meryl Streep. Oui, M-e-r-y-l, avec un "y". Je n'ai jamais vu une actrice pareille depuis Geraldine Page. Crois-moi, elle va devenir une immense star. Il faut tout de suite essayer de l'avoir pour le second rôle féminin du *Retour.* » Meryl, malheureusement, devait jouer une pièce au moment prévu pour le tournage. Mais je suis heureuse d'avoir assisté aux premiers pas d'une comédienne au talent aussi extraordinaire.

Julia m'offrit enfin la possibilité de retravailler avec Jason Robarts. Nous avions joué ensemble *Chaque mercredi* dans les années soixante, une comédie bébête. Il fit un formidable Dashiell Hammett, écrivain bourru et intraitable, scénariste, entre autres, de *L'Introuvable*, et compagnon de Lillian.

Pendant ces trois mois et demi de tournage en Europe, Tom vint avec Troy deux fois dix jours. Des années plus tard, il m'expliqua combien ces longues séparations furent difficiles pour lui. Mais à l'époque je me disais que ses obligations de leader l'obligeaient à rester en Californie et je l'acceptais. Je ne voulais pas penser que mon absence pût le contrarier – ni imaginer lui en vouloir de ne pas venir avec Troy me voir plus souvent.

Avant de partir, j'avais embauché une baby-sitter pour aider Tom. C'était une jeune femme jolie et agréable que trouvais sexy, ce que je racontais à Tom. Un soir, pendant qu'il était avec moi à Paris, il me dit vouloir me parler de quelque chose. « C'est à propos de la baby-sitter », ajouta-t-il. Il me rappela ce que j'en avais pensé, et comme il hésitait, je l'arrêtai. « Je n'ai pas envie d'en entendre plus », lui dis-je en pensant qu'il allait m'avouer avoir couché avec elle. Je devais rester un mois seule après son départ, et ne voulais pas me fâcher et faire quelque chose que je regretterais ensuite. Nous n'abordions jamais ensemble de questions personnelles, et n'avions donc jamais parlé de fidélité ou de ce que j'attendais de lui lorsque j'étais au loin. Comme je n'avais pas du tout travaillé pendant la première année où nous avions vécu ensemble, il n'était pas préparé à mes absences. Il y avait d'abord eu *La Maison de poupées*, en Norvège, puis *L'Oiseau bleu* de George Cukor, à Leningrad, et maintenant *Julia*. Cette situation était nouvelle pour lui. Jusque-là, c'était Tom qui allait et venait. Peut-être avait-il eu avec d'autres femmes une relation plus « ouverte », mais ce que j'avais vécu avec Vadim m'avait appris que cela ne marchait pas, en tout cas pas pour moi. Je prends toute la responsabilité de cette conversation interrompue, peut-être que parler ensemble nous aurait fait du bien. Nous ne sommes jamais ni l'un ni l'autre revenus sur cette histoire. Je n'ai jamais su ce qu'il s'était passé, ni même s'il s'était passé quelque chose entre Tom et la baby-sitter.

Vanessa avait maintenant sept ans. Je trouvais que ce n'était pas bon pour elle de partager son année scolaire entre Paris et la Californie. Je l'ai dit à Vadim, et c'est une des raisons pour lesquelles, quand Catherine Schneider et lui ont divorcé, il est venu s'installer dans son ancien repaire de Malibu Beach, puis a emménagé dans une maison d'Ocean Park à quelques minutes de la nôtre et est resté en Californie pendant une grande partie des cinq années suivantes.

Trois ans s'étaient écoulés depuis que nous avions commencé à travailler sur *Le Retour*, mais le scénario n'était toujours pas prêt quand s'est terminé le tournage de *Julia*. A l'instigation de Jerry Hellman, Hal Hashby avait rejoint notre équipe au poste de réalisateur. C'était parfait. Vieux hippy non conformiste à lunettes, cheveux gris longs et fins, visage couvert de barbe, Hal avait réalisé quelques-uns de mes films préférés : *Harold et Maude*, *La Dernière Corvée* et *Shampoo*. Il semblait très cool, mais il était très précis et fort comme un taureau. Lorsque Waldo eut sa crise cardiaque, Hal demanda à son vieil ami monteur et scénariste Robert Jones de le remplacer. Jones se plongea dans ce travail corps et âme, rédigeant à partir du premier jet et des notes de

Waldo un scénario qui allait continuer d'évoluer jusqu'à la fin du tournage. Haskell Wexler, qui avait fait *Introduction à l'ennemi* avec nous au Nord-Viêtnam et *En route pour la gloire* avec Hal, était notre cameraman. Nous avions proposé le rôle de mon mari, le rigide officier des marines, à Jon Voight, mais il s'appliqua avec une patience sans bornes à nous persuader qu'il devait jouer le personnage du paraplégique inspiré de Ron Kovic. La façon dont il avait participé à nos recherches auprès des vétérans, sa passion et son engagement nous convainquirent. Bruce Dern, mon vieux complice d'*On achève bien les chevaux*, allait magnifiquement incarner mon époux.

Alors que Jones travaillait encore à l'écriture du *Retour*, mon ami Max Palevsky et son associé Peter Bart m'ont envoyé le scénario de *Touche pas à mon gazon*. C'était pour moi une occasion en or. Il s'agissait d'une satire de la société de consommation mettant en scène un jeune couple des classes moyennes, Dick (joué par George Segal) et Jane, qui, préoccupés du qu'en dira-t-on, vivent au-dessus de leurs moyens. Quand Dick perd soudain son emploi de cadre supérieur dans une compagnie aérospatiale. Bien qu'ayant cédé à toutes les tentations du rêve américain (afin principalement d'épater leurs voisins), ils ne possèdent rien, et n'ont rien mis de côté. Emprunts, cartes de crédit et découverts, voilà tout ce qui leur reste. Dès qu'ils apprennent le renvoi de Dick, ses créditeurs viennent saisir leurs biens. Confrontés aux dures réalités de l'aide sociale et des bons alimentaires, ils se tournent vers la délinquance. Je n'arrivais pas à croire à une telle chance. Un tournage rapide qui ne m'obligerait pas à quitter la maison, pour une comédie qui avait quelque chose à dire et dans laquelle je pourrais me révéler encore drôle et jolie. Le film sortirait avant *Julia*, un come-back qui montrerait aux responsables des majors que j'étais toujours un bon investissement.

Touche pas à mon gazon était facile à jouer, et heureusement, car dès que je n'étais pas devant la caméra je cherchais de l'argent pour la campagne sénatoriale de Tom. J'organisai des enchères auxquelles participèrent Steve Allen, Jayne Meadows, Groucho Marx, Lucille Ball, Red Buttons, Danny Kaye et mon père. Linda Ronstadt, Jackson Browne, Arlo Guthrie, Bonnie Raitt, Maria Muldaur, les Doobie Brothers, Little Feat, Chicago, Boz Scaggs,

Taj Mahal, James Taylor et bien d'autres donnèrent des concerts en notre faveur. Mon père fit des tableaux que je mis en vente (et que j'achetai tous). Je travaillais sans arrêt pour Tom, et après le tournage de *Touche pas à mon gazon*, je sillonnai la Californie, plaidai la cause de mon mari, engrangeai des centaines de milliers de dollars pour sa campagne. Il n'a pas gagné, mais il a obtenu 36,8 pour cent des voix : un million deux cent mille Californiens ont voté pour un radical de la Nouvelle Gauche, cofondateur du SDS et ancien accusé du procès de Chicago. Un exploit sans précédent dans l'histoire politique récente.

Mais nous avions perdu. Je crois que de nous deux, c'est moi qui l'ai pris le plus mal. J'avais l'impression que cet échec était le mien – une réaction assez courante, ai-je découvert, lorsque c'est la carrière de son mari qui donne son sens à la vie d'une femme. Ça vous étonne de ma part ? Parce que j'avais un métier, que je gagnais de l'argent ? Eh bien nous y voilà. Une femme peut réussir sur le plan professionnel, social et financier, c'est toujours ce qui se passe dans sa vie privée et amoureuse qui détermine son histoire. Et comme Vadim, Tom me définissait : si cet homme brillant était avec moi, c'est que je n'étais pas si nulle que ça.

Tom avait suivi les conseils de César Chavez et structuré sa campagne électorale autour d'une organisation profondément implantée dans le monde rural californien et qui défendait l'idée d'une « démocratie économique ». Les familles américaines gagnaient en moyenne moins que dix ans plus tôt. L'inflation, largement due à la guerre du Viêtnam, les dépouillait de leurs économies. Avec l'automatisation de la production et les délocalisations des entreprises vers des pays à main-d'œuvre moins chère, le chômage augmentait. Nous nous opposions à la dépendance envers le pétrole étranger et à l'utilisation de l'énergie nucléaire, mettant en avant des sources alternatives comme les énergies solaire et éolienne. Nous soutenions les petits paysans face à l'agrobusiness. Et nous nous battions pour les droits des travailleurs, y compris des employées de bureau. Beaucoup de ces idées allaient être illustrées dans les films que je ferais ensuite.

Le tournage de *Touche pas à mon gazon* venait à peine de se terminer que nous nous sommes lancés dans celui du *Retour*, alors que plusieurs des scènes les plus importantes n'étaient toujours pas écrites. Nous n'avions pas trouvé de fin qui nous satisfasse tous, et Hal et moi n'étions pas d'accord sur la scène d'amour entre Luke et mon personnage, Sally Hyde. Il y avait toujours des vétérans en fauteuil roulant autour de nous pendant que nous tournions, et leurs petites amies se trouvaient rarement avec eux. Certains étaient tétraplégiques, c'est-à-dire paralysés à partir du cou par des blessures ayant touché le haut de la moelle épinière, d'autres paraplégiques, c'est-à-dire paralysés à partir de la taille (plus la blessure est basse, moins le fonctionnement du pénis en est affecté). Je me souviens en particulier d'un tétraplégique et de sa petite amie, une fille vraiment mignonne, qui le relevait, le repliait, et s'asseyait sur lui, enjouée. Il semblait y avoir entre eux une grande confiance et quelque chose de profondément sensuel. Parce que j'avais besoin d'en apprendre le plus possible sur ce que pouvait être le sexe pour un couple comme le leur, je suis allée leur parler. J'ai appris que cette fille avait été brutalisée par son ancien petit ami, qu'il l'avait même un jour poussée d'un train en marche. Son histoire était éclairante. Elle expliquait l'attirance qu'une femme ayant été victime de violences pouvait éprouver pour un homme qui ne pouvait pas la blesser physiquement. Ils m'ont dit qu'ils ne savaient jamais s'il allait avoir ou non une érection. Que ça n'avait aucun rapport avec ce qu'elle pouvait dire ou faire. « Ça arrive n'importe quand, pendant un trajet en voiture, devant une pompe à essence ou en regardant une marguerite. Mais une fois que ça commence, ça dure des heures... quatre heures, une fois », a-t-elle dit en lui lançant un regard canaille. J'avais les paumes moites, j'ai fui le reste de l'équipe pour réfléchir toute seule à ce que je venais d'entendre.

Jusqu'à cette révélation, je n'avais pas envisagé que Sally et Luke puissent faire l'amour, et c'était pour moi un point important de l'histoire, une façon de redéfinir la masculinité au-delà du rôle traditionnel du phallus et de la notion de but à atteindre, dans un plaisir et une intimité partagés que mon personnage n'avait jamais connus avec son mari. Mais Hal ne voyait pas les choses comme ça. Connaissant lui aussi l'anecdote des « quatre heures » il était décidé à ce que Luke pénètre Sally.

Il y avait un certain nombre de points sur lesquels Hal et moi n'étions pas d'accord (comme le suicide du mari), mais après avoir essayé d'exprimer mon avis aussi clairement que possible, je laissai tomber et m'en remettais à lui. Je n'étais pas assez sûre de moi et ne désirais pas me battre contre Hal, dont je respectais le talent. La bataille de la Pénétration fut la seule exception à cette règle. Nous savions tous les deux que la scène devait être très sensuelle – pas pour le sexe en lui-même mais parce que, traduisant l'évolution des deux personnages et, tout au moins pour moi, l'idée d'une masculinité sans érection, elle définissait leur relation. Jon était de mon avis et nous avions de longues conversations plutôt drôles à ce sujet. « A quel endroit de son corps peut-il sentir quelque chose ? » lui demandais-je. Ou : « Tu crois que ses tétons sont érectiles ? » Etc. Et comme la date à laquelle nous devions tourner cette scène approchait, nous sommes tous tombés d'accord sur le fait que Hal ne devait pas se sentir bridé, que les personnages devaient être à un moment entièrement nus, donner au moins l'impression d'échanger des caresses buccales et faire tout ce qu'il faudrait pour créer une atmosphère bouleversante d'érotisme. Je savais ne pas pouvoir y arriver. J'ai été pendant un certain temps considérée comme l'incarnation d'une sexualité débridée, mais cela relevait plus de l'art de la suggestion que de l'exhibition. J'ai donc demandé à être doublée pour les plans les plus longs. Hal les filmerait en premier, afin de savoir de quels raccords il aurait ensuite besoin. Je me suis tenue à l'écart toute la journée, et lorsque j'ai vu les rushes le lendemain, j'ai su, à la façon dont l'actrice s'activait au-dessus de Jon, que Hal avait gagné la première manche de la bataille de la Pénétration.

« Mais elle ne peut pas le chevaucher comme ça, Hal, lui ai-je dit. Il ne peut pas avoir d'érection. Je croyais que nous étions d'accord là-dessus ! » Hal n'avait pourtant pas l'intention de m'écouter. Alors je me suis dit, attends un peu, mon bonhomme, lorsque nous ferons les gros plans pour les raccords, je me débrouillerais pour ne pas bouger comme ça, et tu ne pourras pas monter ce que tu as fait hier.

Le moment de tourner est arrivé. Le lit était caché par de grands draps pendus derrière lesquels personne, en dehors de Hal et de Haskell, notre cameraman, n'avait le droit d'entrer. Jon et moi avons passé presque toute la journée au lit, nus sous les draps, filmés sous tous les angles. Tourner ce genre de scène est une expérience étrange. Il y a une certaine électricité dans l'air, une charge érotique, alors autour de vous tout le monde en fait trop, et d'un air trop sérieux. Vous donnez l'impression d'avoir avec votre partenaire des gestes très intimes, nus, peau contre peau, et prétendez l'extase tout en disant à votre corps : *Doucement maintenant, il ne s'agit que d'un boulot.* Puis le réalisateur crie : « Coupez ! », vous arrêtez, vous vous éloignez pour montrer que vous ne faisiez que jouer votre rôle, mais pas trop vite, ni trop loin, afin de ne pas heurter l'autre acteur, tout en essayant de retrouver une respiration normale. J'étais reconnaissante à Jon de la confiance qu'il avait en moi et heureuse de rire avec lui entre chaque prise, de sentir l'importance que nous accordions tous les deux à notre amitié, et à celle qui le liait à Tom.

Hal avait gardé pour la fin l'instant crucial, celui où Sally est assise au-dessus de Luke, l'image cadrée sur le haut de ses épaules et son visage. Pour moi, Sally découvre alors le cunnilingus, et c'est ce que j'essayais d'exprimer, quand Jon me chuchota : « Jane, Hal est en train de crier ! »

Loin derrière les draps pendus, j'entendis la voix de Hal : « Chevauche-le bon sang ! Chevauche-le ! » Je me suis immobilisée, refusant de bouger. Je n'avais pas l'intention de renoncer à mon idée. La caméra continuait de tourner, Hal continuait de crier : « Bouge, bon sang, mais bouge ! » Je restais immobile. Enfin il renonça, et quitta le plateau furieux. J'étais désolée. Je n'avais jamais vu Hal se mettre en colère, c'était un homme doux.

Hal s'est quand même servi des deux prises, bien que celle de la doublure ne correspondît pas à la mienne. Je crois que chaque spectateur a vu dans cette scène ce qu'il voulait y voir. Dieu sait que les réactions furent fortes. Pourtant, comparée aux scènes d'amour d'aujourd'hui, celle-ci semble assez sage. Pour moi, bien sûr, c'est la tension érotique construite entre les deux personnages dans les scènes précédentes qui la rendait puissante. Comme dans la vie, la montée préalable du désir, surtout quand il doit être retenu, est ce qui rend explosif l'acte proprement dit.

A la vérité, avant de voir la version finale du film, nous ne savions, ni Jon ni moi, si ça avait marché. Hal et Jerry invitèrent une cinquantaine de personnes à la projection d'un premier montage, assez rudimentaire. Ce genre d'événement est toujours générateur d'angoisse, et il l'était d'autant plus que je m'étais personnellement investie dans ce film. Quand les lumières sont revenues, Tom s'est levé et il est passé devant moi sans un mot. Je suis restée avec Bruce et Jon. En arrivant à la porte, Tom s'est retourné et nous a dit : « Bel effort. » La froideur de sa réaction nous a mis KO. Il m'a fallu des semaines pour m'en remettre.

Tom n'avait pas l'habitude des prémontages, et le film, c'est vrai, posait beaucoup de problèmes. En premier lieu, il était trop long. Mais il y avait aussi déjà des instants forts. Pourtant Tom écarta notre travail d'un revers de la main. J'en vins à croire que la scène d'amour l'avait plus troublé que je ne m'y attendais, bien qu'il prétendît simplement ne pas être d'accord avec le « délavage politique » de l'histoire. C'était la première fois que j'avais eu à tourner une scène d'amour depuis que nous étions mariés. Je savais que je n'avais fait que jouer et je ne m'attendais pas à ce que mon mari le prenne mal. Peut-être étais-je trop habituée à Vadim, qui était connu pour aimer diriger ses femmes dans des scènes osées. Peut-être était-ce l'éruption de la colère inexprimée que nous ressentions alors tous les deux.

De nombreux facteurs firent du *Retour* une réussite. Tout d'abord la façon dont Hal travaillait. Il avait commencé comme monteur. Contrairement aux autres réalisateurs avec qui j'avais tourné, il faisait trente ou quarante prises de chaque scène, sans donner aux acteurs beaucoup d'indications sur ce qu'il attendait d'eux, et *il les développait toutes*. Puis, dans la solitude de la salle de montage, son talent allait se révéler comme celui d'un sculpteur qui modèle l'argile. Il prenait un regard là, un soupir que je poussais plus loin, un léger mouvement de tête de Jon, obtenant un résultat auquel nous ne nous attendions pas – et que parfois il n'avait pas cherché.

Il y avait ensuite la prise de vues de Haskell, qui utilisait de longues focales et la lumière naturelle, donnant au spectateur une sensation de beauté interdite, comme s'il avait regardé par un trou de serrure quelque chose de réel et totalement privé. Le caractère improvisé du jeu d'acteurs ajoutait à cette impression de cinéma vérité. Puis il y avait la musique, entièrement due à Hal. Il avait tapissé le film de morceaux exprimant l'essence des années 60 et tous ceux d'entre nous qui avaient vécu cette époque en retrouvaient la rage, l'angoisse existentielle, l'idéalisme forcené.

Jerry Hellman, enfin, apporta une attention et un soin généreux aux moindres détails de notre travail. Quand le film fut fini, les principaux dirigeants d'United Artists étaient tous partis créer Orion Pictures, et Jerry s'est retrouvé avec la tâche peu enviable de ce qu'il appelait lui-même « livrer l'objet fini à de nouveaux responsables pleins de doutes qui n'ont pas, ou à peine, participé au projet et ne se sentent donc pas particulièrement concernés par sa réussite ». Mais il a préservé *Le Retour* des aléas hollywoodiens. Notre ténacité fut récompensée quand, en avril 1979 – six ans après le jour où, alors que j'étais clouée au lit, était né dans mon cerveau ce qui allait devenir *Le Retour* – Nancy, Waldo et Robert reçurent l'oscar du meilleur scénario, Jon celui du meilleur acteur, et moi de la meilleure actrice. Ce film avait été également nominé pour le chef opérateur, le réalisateur, le monteur, le meilleur acteur dans un second rôle, la meilleure actrice dans second rôle. Tom, Vanessa et Troy m'accompagnèrent à la cérémonie. Je portais une robe créée pour moi par un supporter de Tom, et énonçai mes remerciements dans la langue des signes en hommage à Glad, une association défendant la cause des sourds-muets qui elle aussi soutenait mon mari. J'avais appris grâce à eux que la retransmission de la cérémonie n'était pas traduite pour les sourds. Ce fut un des plus beaux soirs de ma vie... et Ron Kovic m'avoua plus tard que ce film avait considérablement amélioré sa vie sexuelle.

En 1980, une enquête demanda aux vétérans du Viêtnam quels étaient les films qui donnaient d'eux l'image la plus favorable. *Les Bérets verts* de John Wayne et *Retour* arrivaient en tête.

Pendant que nous tournions *Le Retour*, l'acteur et producteur Michael Douglas envoya à notre société de production un scénario intitulé *Le Syndrome chinois*, récit d'une catastrophe évitée de justesse dans une centrale nucléaire californienne et que les dirigeants de la compagnie tentent de cacher. Une histoire qui semblait d'autant plus crédible que son auteur, Michael Gray, avait fait des études d'ingénieur, qu'il était parfaitement au courant des divers problèmes auxquels avaient été confrontées les centrales au cours de ces dernières années et qu'il avait pris conseil auprès de trois employés de la General Electric qui avaient démissionné parce qu'ils étaient en désaccord avec la politique de sécurité de la compagnie. Gray avait écrit un thriller tendu, réalisable avec un petit budget, mettant en scène un ingénieur du nucléaire et une équipe de documentaristes radicaux. Mais il manquait un rôle de femme. Jack Lemmon, qui militait avec passion contre les centrales, avait accepté d'y jouer aux côtés de Michael Douglas (également producteur) et de Richard Dreyfuss. Puis ce dernier s'était retiré.

Je travaillais depuis quelque temps avec Bruce Gilbert à un projet de film traitant lui aussi des problèmes posés par l'énergie nucléaire, inspiré par l'histoire de Karen Silkwood, une ouvrière de la centrale de Texas County, Oklahoma, tuée dans des circonstances obscures alors qu'elle détenait la preuve de l'existence de défauts du réacteur pouvant provoquer des fuites. J'y aurais incarné une journaliste de la télévision impliquée dans une affaire nucléaire. Nos recherches nous avaient montré que les médias locaux étaient en train de se transformer de façon troublante. Pour faire monter l'audimat, de nouveaux consultants avaient conseillé aux directeurs de chaînes de mettre au point des journaux télévisés présentés par une équipe d'hommes et de femmes adroits et beaux, noirs et blancs à égalité, qui annonceraient des « informations allégées » dans une ambiance de « joyeux bavardage ».

Ce projet était destiné à Columbia Pictures et il se trouva que Michael Douglas leur avait aussi apporté *Le Syndrome chinois*. Un de leurs dirigeants, Roz Heller, lui suggéra de combiner nos efforts, et Michael vint nous voir afin d'étudier avec nous la possibilité de réécrire pour moi le rôle de Richard Dreyfuss – et cette fois, Bruce aurait le poste de producteur exécutif.

Nous voulions que James Bridges, connu à l'époque pour *La Chasse aux diplômes* (et plus tard *Urban Cowboy*) retravaille le scénario et le réalise. Mais s'il excellait dans les comédies de caractères, il ne voyait pas ce qu'il pouvait apporter à notre thriller nucléaire. Pendant que Michael travaillait sur *Morts suspectes* et que je tournais *Le Souffle de la tempête* dans le Colorado, Bruce revint à la charge et tenta d'entraîner Bridges dans l'écriture d'une histoire parallèle au récit de l'accident nucléaire : celle de la transformation des journaux télévisés en infos-spectacles, et d'une journaliste piégée entre son patron qui veut enterrer l'affaire de la centrale et sa conscience qui la pousse à révéler la vérité. La journaliste, Kimberly Wells, est ambitieuse et ne veut pas faire de vagues, et en même temps elle en a assez de se voir confier des reportages bidons et de devoir ressembler à ce à quoi on lui dit de ressembler. Je racontai à James qu'au début de ma carrière à Hollywood, Jack Warner m'obligeait à porter des faux seins et que Josh Logan me conseillait de me faire opérer la mâchoire pour avoir les joues plus creuses. Ces questions me touchaient personnellement. Et, comme dans *Le Retour*, nous avons apporté à une histoire qui n'était pas partie pour ça la dimension supplémentaire d'une réflexion sur les problèmes d'identité sexuelle. Après avoir refusé quatre fois, James a fini par voir ce qu'il pourrait faire, lui, de ce film et des rapports entre les personnages – entre Kimberly et son directeur, mais aussi entre elle et le cameraman radical que jouait Michael Douglas.

James et moi parlions au téléphone de ce que nous voulions faire de Kimberly. Un jour, je lui annonçai que je l'aurais bien vu rousse. C'était une façon de rendre hommage à Brenda Starr, jolie journaliste à la chevelure flamboyante de la bande dessinée du même nom, qui avait compté, quand j'étais petite, parmi mes héroïnes préférées. James, qui avait apprécié ce que j'avais apporté au personnage de Bree Daniel dans *Klute*, en définissant la façon dont elle vivait dans la solitude de son appartement, me demanda comment je pensais que Kimberly était en dehors du travail. Est-ce qu'elle avait un animal de compagnie ? Comment son intérieur était-il décoré ? Je lui répondis qu'elle n'avait même pas pris le temps de défaire ses cartons de déménagement alors qu'elle était depuis six mois à Los Angeles, après avoir travaillé pour la télévision de San Francisco. Dans *Klute*, j'avais pensé que Bree Daniel pourrait vivre avec un chat, et il y avait une scène où je léchais la fourchette avec laquelle j'avais mis du thon dans son assiette. Kimberly, elle, devait avoir une tortue géante, une bête qu'on lui avait offert quand elle était petite et à qui elle parlait tous les soirs en la portant dans la maison pour lui donner des feuilles de salade (qu'elle mange toujours avant). Dans l'appartement de Bree, il y avait une photo dédicacée du président Kennedy qui ne semblait pas à sa place chez une call-girl, et les spectateurs se demandaient pourquoi elle était là. Kimberly aurait une reproduction de la célèbre sérigraphie qu'Andy Warhol avait faite de Marilyn Monroe. Comme beaucoup de femmes, Marilyn représentait pour Kimberly quelque chose qui la touchait particulièrement, une certaine tension entre une humanité profonde et l'ambition, entre la force et la malléabilité. Il est souvent arrivé que l'on me demande depuis le pourquoi de la tortue et du portrait de Marilyn. Que les gens ne comprennent pas les raisons pour lesquelles Kimberly les a chez elle importe peu. Ce sont des accessoires qui lui donnent une personnalité spécifique, la rendent intéressante. James et moi adorions semer ce genre d'indices qui piquent la curiosité des spectateurs. Grâce au téléphone, nous travaillions à une véritable alchimie créatrice malgré les kilomètres qui nous séparaient.

Car j'étais alors dans le Colorado, où je tournais *Le Souffle de la tempête*, histoire d'une fermière du Montana qui se bat pour sauver son ranch menacé par les grands propriétaires terriens et les compagnies pétrolières. James Caan avait le rôle masculin principal, et Jason Robart jouait le propriétaire terrien. Mais surtout, le film était réalisé par Alan Pakula, qui m'avait dirigée dans *Klute* (avec une fois de plus Gordon Willis comme chef opérateur). Enfin, le Colorado était un merveilleux endroit de vacances, où Tom, Vanessa et Troy pouvaient venir me rejoindre. Et je retrouvais les chevaux tout en incarnant le rôle d'un personnage qui semblait la version adulte de mon amie d'enfance Sue Sally : une femme burinée, rude, qui dirige son ranch. Je n'étais franchement pas sûre de pouvoir jouer ce personnage bourru mais Alan me donna le courage d'essayer. Je savais que pour y arriver, je devais devenir comme les rangers qui rassemblent les troupeaux et travaillent les chevaux dans les westerns. A l'exception du tournage de *Cat Ballou*, en 1964, seul autre western que j'avais fait, et qui était tout à fait différent de celui-ci, il y avait plus de trente ans que je n'étais pas montée à cheval. Pourtant ça ne posait pas de problème, comme le sexe et la bicyclette, ça ne s'oublie jamais. Mais je devais apprendre à lancer un lasso, à attacher les pattes d'un veau, à réunir les bêtes, à marquer et castrer les jeunes mâles. Si je n'avais pas à faire toutes ces choses dans le film, j'avais besoin que les hommes avec qui je travaillerais sachent que comme mon personnage, Ella, s'il le fallait, j'en serais capable, que je n'étais pas une citadine qui jouait à la fermière. La confiance des rangers me permettrait de croire en moi – dans la peau d'Ella.

Je tournais régulièrement, sans temps mort, ma carrière marchait à plein régime. J'y pense souvent en entendant ceux qui ont le pouvoir dire aux acteurs qui prennent la parole : « Souvenez-vous de ce qui est arrivé à Jane Fonda dans les années 70. » Alors je me gratte la tête et je me demande : *Mais qu'est-ce qui lui est arrivé ?* Ils veulent laisser entendre qu'à cause des positions que j'ai prises contre l'intervention américaine au Viêtnam, j'ai perdu ma place dans le cinéma, et qu'il en sera de même pour eux s'ils ne s'alignent pas sur leur politique. La vérité est qu'après mes années de militantisme, j'ai travaillé comme jamais auparavant.

C'est à cette période que Tom et moi avons réalisé un de nos plus beaux projets. Nous avons acheté quatre-vingts hectares au nord de Santa Barbara (à deux heures de voiture de chez nous) et créé Laurel Springs, un camp de vacances dont les activités tournaient principalement autour des arts du spectacle. A l'époque, je ne pouvais pas le savoir, mais ce que j'ai appris à Laurel Spring allait me permettre, lors de mon troisième acte, de me lancer dans une nouvelle forme d'activisme.

Nous voulions en faire un endroit où nos amis pourraient envoyer leurs enfants pendant l'été – et nous avions divers groupes d'amis, des membres du Syndicat des ouvriers agricoles, des stars de Hollywood et des dirigeants de grandes compagnies cinématographiques, des fonctionnaires de la municipalité et du Bureau scolaire, des Black Panthers et des responsables d'organisations communautaires. Parce qu'ils venaient d'horizons si divers, les enfant vivaient à Laurel Springs une expérience unique qui les aidait à se transformer. Cela dura quatorze ans, de 1977 à 1991. Des filles qui avaient toujours eu des bonnes pour faire leurs lits dormaient dans le même bungalow que celles qui n'avaient jamais eu de chambre à elles. Des petits frimeurs qui jouaient aux machos de gangs latinos partageaient leur baraquement avec un garçon aux cheveux blond pâle atteint de dystrophie musculaire qui ne pouvait se déplacer sans qu'on le porte. Le courage dont cet enfant faisait preuve face à son handicap aida les autres à redéfinir le sens qu'ils donnaient à l'expression « être un homme ».

J'ai appris que même en peu de temps, un camp de vacances peut transformer un petit tyran en ami fraternel, permettre à une fille timide de ne plus avoir peur de s'exprimer, à un enfant de la ville terrifié par l'herbe haute de se promener n'importe où dans la campagne. J'étais étonnée de voir à quel point le contact avec la nature pouvait angoisser ceux qui n'avaient jamais vu un ciel étoilé ou senti la boue s'insinuer entre leurs doigts de pied. Le camp donnait à ceux qui y participaient la possibilité de changer de personnalité. Chez eux et à l'école, les enfants sont souvent étiquetés : le « fauteur de troubles », la « fille facile », le « macho », le « nul ». Ils pouvaient en arrivant faire table rase de tous ces qualificatifs, devenir une ardoise propre, repartir de zéro et découvrir d'autres aspects d'eux-mêmes. J'étais toujours étonnée, quand ils les ramenaient l'été suivant, d'entendre les parents dire que les effets bénéfiques de leur dernier séjour avaient duré toute l'année. Comme l'a écrit Michael Carrera de la Société d'aide aux enfants : « Les jeunes peuvent oublier ce que vous dites ou ce que vous faites, jamais ce qu'ils ont ressenti grâce à vous. »

Alors qu'ils traversent de profondes transformations, les adolescents n'ont souvent personne à qui s'adresser quand ils ont besoin qu'on les aide à s'y retrouver. Au camp, il y avait des moniteurs. Les jeunes allaient les voir, leur demandaient : « Je suis tout bizarre dès qu'elle arrive. Je sens de drôles de choses. Qu'est-ce que c'est ? » Les adultes en profitaient pour expliquer la puberté, les règles, l'évolution du corps des garçons et leurs nouvelles sensations, disaient que tout cela était tout à fait normal et très beau, mais que l'existence de ces sensations ne signifiait pas qu'il fallait agir en conséquence. (Des sujets que mes parents n'ont jamais abordés avec moi, ni moi avec Vanessa ou Troy, à mon grand regret.) Les enfants parlaient de divorce, d'addiction et de mort. J'ai appris combien il est important pour ceux qui ont manqué d'affection de se retrouver dans des bras amicaux, de vivre un contact humain chaleureux et aimant, sans sous-entendus érotiques. Les filles qui n'ont jamais connu ce genre d'échange avec leur père ont tendance à foncer directement vers une vie sexuelle active dans laquelle c'est en fait la tendresse qu'elles recherchent. J'ai appris combien il était bon pour tous de se fixer des buts, de les atteindre et d'en être félicités. J'ai appris combien les enfants de riches pouvaient manquer d'amour et de quelle plénitude affective les très pauvres pouvaient avoir bénéficié. J'ai appris l'importance des rencontres entre ceux qui avaient tout et ceux qui avaient très peu. J'ai appris, et j'avais du mal à le croire, qu'environ un quart des filles du camp avaient été abusées sexuellement.

Vanessa est allée à Laurel Springs de huit à quatorze ans et ces vacances comptèrent beaucoup pour elle. Elle aimait les défis sportifs (elle escalada le mont Whitney avec le groupe des grands) et la nature sauvage.

« Le camp a été en quelque sorte mon école de la société. J'y ai connu des enfants d'ouvriers agricoles, des enfants qui avaient tous des genres de vie différents et se retrouvaient dans un environnement aimant. Les biens matériels auxquels on avait accès dans la "vraie" vie ne comptaient plus, les relations étaient entièrement basées sur ce que chacun était, pas sur ce qu'il possédait », dit Troy.

Il a grandi avec le camp. Trop petit, au début, pour y participer officiellement, il commença par en être la mascotte et devint plus tard aide-moniteur. Je le regardais évoluer été après été, tomber amoureux, découvrir les plaisirs du slow. Un jour, quand il avait environ quinze ans, je me suis rendu compte qu'il possédait un véritable talent d'acteur. Il répétait une pièce dans laquelle il jouait un danseur de tango homosexuel. Il choisissait toujours des rôles difficiles, sans se préoccuper de l'image qu'ils donnaient de lui, beaucoup plus physique, et de l'ordre de la comédie, que tout ce que j'avais joué (ou que son grand-père avait fait). Alors que mon père ne nous avait jamais encouragés, mon frère et moi, j'ai voulu faire l'inverse. Après la répétition, je suis allée lui parler. « Tu es vraiment doué, fiston. Si tu décides un jour d'aller vers cette profession, tu peux compter sur moi pour te soutenir. » Et c'est ce qui est arrivé quelques années plus tard.

Il y avait à Laurel Springs une ravissante fille de onze ans qui habitait Oakland. Elle s'appelait Lulu. Tout le monde l'aimait. Son rire résonnait comme un carillon joyeux. Ses parents avaient fait partie des Blacks Panthers et son oncle travaillait avec Tom. Lulu est venue deux ans de suite. Puis nous n'avons plus entendu parler d'elle. Quand nous l'avons revue, elle avait beaucoup changé. Elle dormait toute la journée, ne pouvait supporter de se retrouver avec trop de monde autour d'elle, parlait peu et faisait toutes les nuits de terribles cauchemars. A la fin du camp, elle confia à un moniteur qu'elle avait été sexuellement violentée par un homme pendant longtemps. Elle n'en avait parlé à personne car il l'avait menacée de les tuer, elle et toute sa famille, si elle le faisait.

Lulu souffrait de stress post-traumatique, passait ses journées à dormir (ce qui arrive souvent à ces malades) et, malgré son intelligence, obtenait en classe des notes catastrophiques. Elle était revenue à Laurel Spring parce qu'elle avait besoin de dire à quelqu'un ce qui lui était arrivé. Nous avons conclu un marché : si ses résultats remontaient au-dessus de la moyenne avant la fin de l'année, je la ferais inscrire dans une école de Santa Monica et elle vivrait chez nous.

Lulu avait quatorze ans quand elle est arrivée à la maison. Un mois plus tard, elle vint me voir un matin pendant que je faisais la vaisselle du petit déjeuner.

« Il faut que je te parle de quelque chose, mais j'ai honte, me dit-elle.

— Tout va bien, Lulu, vas-y.

— Je ne savais pas avant d'être ici que certaines mères ne battent pas leurs enfants. »

J'ai compris que le fait de se retrouver dans une famille où les plus jeunes avaient le droit de ne pas être d'accord avec leurs parents sans pour autant recevoir de coups, où les gens s'asseyaient autour d'une table et se parlaient, ouvrait à cette jeune fille de nouvelles perspectives. Mais en vérité, je me demande souvent qui de Lulu ou de moi a plus appris à l'autre.

J'ai voulu savoir un jour ce que le camp lui avait apporté. Elle a hésité un instant puis répondu : « C'est la première fois que j'ai vu des gens penser à l'avenir. »

J'étais interloquée, et réfléchir à ce que ces mots signifiaient m'a aidée à structurer le travail que j'accomplis maintenant auprès des enfants et des familles de Georgie. Comme dit le proverbe :

« Les riches prévoient pour les générations à venir, les pauvres organisent leur samedi soir. » Pour ceux qui appartiennent aux classes moyennes, le futur existe, et il faut s'y préparer. Quand les gens n'envisagent pas l'avenir, c'est qu'ils vivent sans espoir.

Un jour, alors que nous revenions de Laurel Springs, Lulu m'a annoncé qu'elle voulait un enfant.

« Pourquoi ? lui ai-je demandé, déconcertée.

— Je voudrais avoir quelque chose qui m'appartienne, a-t-elle répondu très honnêtement.

— Prends un chien ! » ai-je lancé. Puis j'ai parlé avec elle de ce que sa vie deviendrait si elle avait à s'occuper d'un enfant avant de devenir adulte. Quand on croit ne pas avoir d'avenir, mettre un enfant au monde semble sans conséquences. Et lorsque j'ai entendu Marian Wright Edelman, présidente de la Fondation pour la défense des enfants dire « l'espoir est la meilleure des contraceptions », j'ai su grâce à Lulu combien ces mots étaient vrais, non seulement pour la prévention des grossesses d'adolescentes, mais de la drogue, de la violence et des innombrables comportements qui relèvent du manque d'espoir.

Lulu n'a pas eu d'enfant. Elle a passé son diplôme de fin d'études secondaires, a suivi des cours de santé publique à l'Université de Boston (où elle a été reçue sans mon aide) et elle a remarquablement réussi sa vie. Animée d'une grande curiosité intellectuelle, toujours prête à s'opposer aux injustices, elle continue de faire partie de ma famille. Elle a, dans sa petite enfance, reçu de sa mère juste assez d'amour pour réussir à survivre – corps et âme – aux difficultés qu'elle a connues plus tard, dont les violences sexuelles qu'elle a subies ne sont qu'un exemple parmi d'autres. Elle dit aussi que les Black Panthers d'Oakland ont joué un rôle important dans sa résilience.

« J'ai grandi avec leurs programmes d'assistance, leurs petits déjeuners chauds et tout ce qu'ils faisaient pour les enfants. Ils étaient ma famille. »

J'ai parfois l'impression qu'on a placé un aimant sous ma peau, que lorsque j'avance dans ce monde, ce dont j'ai besoin pour poursuivre mon voyage se détache du chaos pour s'accrocher à moi. C'est ce qu'a été Laurel Springs. J'avais besoin des leçons que m'ont données ces quatorze camps de vacances.

Mes enfants ont eux aussi appris des tas de choses à Laurel Spring. Vanessa et Troy ont grandi différemment de ceux qui avaient leur âge. Vanessa vivait à cheval sur deux pays, dans deux cultures différentes, parlait deux langues. « J'aimais avoir deux vies – ne pas être comme les autres, dit-elle. Et ça me plaît toujours. »

En ce qui concerne Troy, cela a commencé plus tard, quand il est entré au lycée et que les élèves lui ont demandé pourquoi il n'arrivait pas à l'école en limousine. « Ça me mettait mal à l'aise, j'avais l'impression qu'ils me regardaient comme un objet. Je n'avais jamais eu conscience de l'aspect matériel de mon existence, ni de ses paradoxes – de la simplicité de notre mode de vie, alors que tu étais si célèbre. J'ai commencé à me sentir à part. Mais ce qu'il y a de bien quand on se sent à part, c'est qu'on attire ceux qui ont la même impression. Et ce sont généralement les plus intéressants. »

Les autres étaient souvent élevés au sein de véritables familles élargies : « Ils avaient des grandes sœurs, des grands-mères, des tantes, qui participaient à leur éducation, m'a-t-il expliqué récemment. J'avais des filles au pair, des nounous, des militantes, tes assistantes. Tu étais la "mère centrale", entourée de tentacules. Papa en était un, et Laurel Springs un autre. »

Pour Vanessa et Troy, le camp fut un endroit sûr, où purent avoir lieu de nombreuses « premières » : premier baiser, premier slow, premier contact avec la nature. A Lulu, il apporta l'espoir.

CHAPITRE QUINZE

LE WORKOUT

On n'obtient rien sans effort.
Benjamin Franklin.

Les grandes idées naissent dans les muscles
Thomas Edison.

Faire fonctionner dans un Etat aussi grand et varié que la Californie une organisation à but non lucratif comme la Campagne pour une démocratie économique (CED) coûtait cher, et du fait de la récession, il devenait de plus en plus difficile de réunir des fonds. Je faisais maintenant un ou deux films par an – *Julia*, *Le Retour*, *Touche pas à mon gazon*, *Le Syndrome chinois*, *Le Cavalier électrique*, *California Hotel* –, pour la plupart des succès, et les bénéfices de chaque première allaient à la CED. Nous nous demandions pourtant si nous allions pouvoir continuer à la financer.

Puis je lus un article sur Lyndon LaRouche, fondateur de la Réunion nationale des comités ouvriers. (Il y avait à la fin des années 70 des gens qui allaient manifester dans les grands aéroports américains en affichant des slogans comme : « Jane Fonda a plus de fuites que les centrales nucléaires » ou « Donnez Jane Fonda à manger aux baleines ». Ils étaient liés à LaRouche, comme certains de ces types qui allaient « casser du pédé » dans les bars.) LaRouche finançait son organisation grâce à sa société d'informatique, tout au moins en partie. Tom et moi avons alors pensé : pourquoi ne pas monter nous aussi une affaire ? Nous avons d'abord envisagé d'ouvrir un restaurant, et passé environ un mois à en chercher un que nous pourrions acheter et à nous renseigner sur ce qu'il fallait faire pour que ça marche. Puis nous avons rêvé d'un garage automobile où les gens ne se feraient pas arnaquer.

Jusqu'à ce que John Mayer, cofondateur charismatique du foyer de réinsertion pour drogués Delancey Street, me dise : « Ne te lance jamais dans un business que tu ne connais pas. » C'est le meilleur conseil qu'on m'ait jamais donné en affaires, mais cela écartait non seulement l'idée d'un restaurant ou d'un garage, mais à peu près tout le reste. Qu'est-ce que je savais faire ?

En fait des tas de choses. Mais ce qu'il y a de plus évident est souvent le plus difficile à voir.

En 1978, pendant le tournage du *Syndrome chinois*, je me suis à nouveau cassé le pied. Depuis vingt ans, la danse classique, sa structure, sa musique, avait été pour moi un havre, qui me permettait de rester en forme et de garder un lien, aussi ténu soit-il, avec mon corps. Et voilà que je devais arrêter, tout au moins quelque temps. Mais il me fallait pourtant faire de l'exercice car j'allais me montrer en bikini dans mon prochain film, *California Hotel*. Comment y arriver ? Shirlee, ma belle-mère, me suggéra d'aller, dès que mon pied serait consolidé (mais où étaient ces merveilleuses racines de chrysanthème ?), jeter un coup d'œil au Studio Gilda Marx à Century City. Il y avait là-bas, me dit-elle, une fille qui donnait un cours formidable. Elle s'appelait Leni Cazden.

Agée d'à peine trente ans, Leni mesurait un mètre soixante-cinq, avait des cheveux couleur de cuivre, des yeux verts, des hanches fines et une attitude énigmatique, à la fois lointaine et toujours disponible. Son cours fut pour moi une révélation. J'étais entrée, il faut le rappeler, dans ce qu'on appelle la vie d'adulte à une époque où aucune activité physique demandant de véritables efforts n'était proposée aux femmes. Nous n'étions pas supposées transpirer, ni être musclées. Et voilà que je me retrouvais, avec une quarantaine d'autres, à bouger sans arrêt pendant une heure et demie d'une manière tout à fait nouvelle pour moi.

Leni n'enseignait pas exactement ce qui allait bientôt être connu sous le nom d'aérobic. Pour qu'un exercice soit aérobic, il faut qu'il mette en action un groupe de muscles important – la taille, les hanches ou le haut du corps – de manière régulière, de façon à augmenter votre rythme cardiaque pendant au moins vingt minutes. Cela permet de brûler des calories et renforce le cœur. Mais parce que Leni fumait et que l'aérobic lui était déconseillé, elle avait mis au point une intéressante combinaison de mouvements répétitifs, toniques et fortifiants, parmi lesquels j'étais heureuse de retrouver certains enchaînements de danse classique, appris lorsqu'elle faisait du patinage artistique de haut niveau.

Ses choix musicaux contribuaient eux aussi à l'atmosphère particulière de ses cours. C'était alors le début de l'engouement disco, et les autres professeurs s'appuyaient, pour entraîner leurs élèves, sur un volume sonore élevé et des boîtes à rythme. Pas Leni. Elle mettait des disques d'Al Green, Kenny Loggins, Fleetwood Mac, Teddy Pendergass, Stevie Wonder ou Marvin Gaye.

Je ne connaissais pratiquement rien de la musique en vogue à cette époque. Quand j'écoutais la radio, c'était pour les informations. Ces nouveaux sons entrèrent dans ma vie. Je me mis bouger différemment et à chanter au volant comme tant d'autres, en balançant la tête sur une musique qui ne résonnait qu'à l'intérieur de ma voiture. Je n'ai jamais refait de danse classique.

Si je n'étais plus boulimique depuis un an (j'en reparlerai plus loin), je n'étais pas tout à fait remise de mes troubles alimentaires et j'avais encore des comportements terriblement compulsifs dès il s'agissait de mise en forme. Je ne supportais pas de rater le moindre cours, et quand il n'y en avait pas, je demandais à Leni de me donner des leçons particulières.

Puis une idée m'a traversé l'esprit : je pouvais monter une affaire avec Leni. C'était parfait. S'il y avait une chose que je comprenais au plus profond de moi, c'était bien la façon dont la pratique d'un exercice physique affecte non seulement le corps, mais l'esprit des femmes. J'en avais eu une première expérience avec la danse classique, et j'en découvrais de nouveaux aspects avec Leni. Aider les femmes à se maintenir en forme était une activité que je pouvais respecter. Et si ça marchait, nous aurions de quoi continuer à financer la CED.

L'idée plut à Leni. Nous avons cherché un nom et sommes tombées d'accord sur Jane and Leni's Workout (Etre en forme avec Jane et Leni).

J'ai alors commencé à enseigner à St. George, Utah, où je tournais *Le Cavalier électrique*, mon troisième film avec Robert Redford. Le soir après le travail, des femmes de tous âges et quelques hommes de l'équipe du film venaient de kilomètres à la ronde prendre le cours que je donnais dans la cave d'un petit spa. Ce public varié me permit de découvrir dans l'entraînement de Leni des bienfaits que je ne soupçonnais pas. Une femme me dit qu'elle avait arrêté les somnifères grâce à mes cours. Beaucoup avaient l'impression d'être moins stressées. Mais cela allait encore plus loin : certains témoignages montraient que très vite les femmes se sentaient différentes, détentrices d'un nouveau pouvoir. Il s'agissait donc d'un phénomène qui dépassait les problèmes d'apparence et dont personne ne parlait vraiment.

Leni et moi avons cherché des professeurs et un studio. Nous avons trouvé un lieu à Beverly Hills, sur Robertson Boulevard, et embauché un architecte pour le rénover. Je voulais proposer aussi à notre clientèle de la danse classique, du jazz et du stretching, en séances plus courtes et moins difficiles à suivre que celles de Leni. Puis vint le moment de régler les problèmes légaux, d'établir des contrats. Raconter ce qui est arrivé alors est encore douloureux.

Je montais cette affaire, répétons-le, pour financer l'organisation à but non lucratif de Tom. Mon avocat m'a expliqué que du point de vue des impôts, j'avais intérêt à ce que la CED en soit propriétaire. Et que devenait Leni dans tout ça ? Nous ne connaissions rien à la gestion et n'étions ni l'une ni l'autre aptes à diriger une entreprise. Il faudrait payer quelqu'un pour le faire. Pourtant, si nous nous lancions ensemble, Leni ne pouvait être qu'un simple professeur. C'était quand même *ses* cours qui étaient à l'origine de l'aventure. Mais nous ne pouvions pas nous associer, car la

CED devait rester seule propriétaire. Personne, et moi moins que tout autre, n'imaginait alors le succès que nous avons eu ensuite. Je revenais, avec mon avocat, sans cesse sur ce problème : que faire pour Leni ?

Je connais maintenant la réponse à cette question. Il fallait aller lui parler, lui demander ce qu'elle voulait et trouver comment arriver à ce que personne ne se sente lésé. Au lieu de cela, j'ai laissé l'avocat diriger le débat, placer Leni dans la position d'une ennemie qui nous mettrait des bâtons dans les roues. Nous, c'est-à-dire la CED, car en ce qui me concerne, il n'a jamais été question que le Workout me fasse gagner de l'argent. Puis un jour, Leni m'a annoncé qu'elle avait rencontré un homme riche, qu'ils allaient se marier et partir pendant deux ans faire le tour du monde sur un voilier qu'ils avaient construit ensemble. Mais je doute qu'elle l'ait fait si elle avait pensé pouvoir s'asseoir à une table avec moi et négocier en toute équité.

Le Workout est devenu un phénomène mondial, bien au-delà de tout ce dont nous avions rêvé. Les cours que nous donnions étaient une version allégée de ceux de Leni, mais la vidéo *Workout Challenge* reprenait intégralement son enchaînement d'une heure et demie. Je tiens à le dire, et à ce que Leni soit enfin reconnue comme l'auteur du Workout.

Les années passèrent. Puis un jour, Leni eut pour élève à Los Angeles Ted Turner, qui était alors mon ex-mari. C'est ainsi que nous nous sommes retrouvées et que nous sommes devenues amies. J'ai appris alors que parce qu'elle avait eu une des enfances les plus traumatisantes dont j'aie jamais entendu parler, Leni était incapable de se défendre. Le mot « non » ne faisait pas partie de son vocabulaire, et face à moi et à mon avocat, elle s'était sentie totalement impuissante. Si nous avions pu nous asseoir ensemble, chacune défendant ce qu'elle avait à défendre, si Leni avait pu parler, et moi ne pas laisser l'avocat parler à ma place, les choses se seraient peut-être arrangées. Au moins ai-je essayé depuis de rendre à Leni ce qui lui était dû.

Nous n'étions pas du tout préparées à un tel succès. Nous n'avions que trois salles de danse et les installations sanitaires qui allaient avec, ce qui correspondait à la petite affaire tranquille que j'avais imaginée. Mais dès l'instant où nous avons ouvert nos portes en 1979, les clients affluèrent sans que nous ayons fait la moindre publicité. Merv Griffin et Barbara Walters demandèrent de venir filmer nos cours pour leur talk-show. Des foules d'étrangers débarquaient dans nos studios, dernier must du tourisme international.

J'ai engagé une militante de la CED, la seule personne de ma connaissance ayant obtenu un MBA (diplôme de management des entreprises), afin qu'elle s'occupe de la gestion. Nous avons appris au fur et à mesure, et ce ne fut jamais facile. Nous avions souvent jusqu'à deux mille élèves par jour – soixante-dix mille par an. Notre installation d'air conditionné n'était pas assez puissante, les douches trop petites, les professeurs avaient du mal à respecter leurs horaires, et les gens se battaient pour pouvoir se voir dans la glace pendant qu'ils travaillaient. Pourtant ils continuaient à venir. Tous les cours – trois niveaux d'enseignement du Workout et du stretching – étaient à peu près complets.

Mon amie Femmy DeLyser, qui m'avait aidée à préparer la naissance de Troy, prit la tête du secteur prénatal, natal et postnatal, qui était incroyablement recherché. J'avais regretté de devoir renoncer à tout exercice physique lors de mes deux grossesses et désirais offrir aux femmes qui attendent un enfant la possibilité de rester en forme sans courir de danger. C'était Femmy qui avait eu l'idée de les aider aussi après leur accouchement. Elles amenaient leur bébé, faisaient certains exercices avec eux – couchées, par exemple, sur le dos pour travailler leurs abdominaux, elles allongeaient leur enfant sur leur ventre – et apprenaient à la fin de l'heure à le masser. Ces cours se révélèrent d'un intérêt exceptionnel pour plusieurs raisons, en particulier parce qu'ils créaient un lien social. Les jeunes mères prenaient plaisir, en nourrissant leurs nouveau-nés, à bavarder et échanger leurs expériences. Femmy et moi avons ensuite, avec quelques-unes de nos élèves, dont Jane Seymour, écrit un livre et fait une vidéo sur la grossesse, l'accouchement et ses suites. On voyait dans le film de jeunes mères exécuter des exercices de remise en forme et des massages à leurs bébés, une première du genre.

Deux ans plus tard, en 1981, j'ai publié *Jane Fonda, ma méthode*, qui resta numéro un des ventes sur la liste du *New York*

Times pendant vingt-quatre mois, un record (c'était avant qu'ils classent ce genre de livres dans une catégorie à part : les ouvrages pratiques) et fut traduit dans cinquante langues. Je me suis rendu compte en l'écrivant qu'il me fallait étudier la physiologie afin de mieux comprendre ce qui se passait pendant l'entraînement. Mon expérience personnelle m'avait par exemple appris qu'un exercice était plus efficace lorsque qu'on le répétait jusqu'à ce qu'apparaisse une sensation de brûlure dans le muscle, mais je ne savais pas pourquoi. J'avais une vague idée de ce que voulait dire le mot aérobic, mais sans plus. J'ai fait des recherches et je me suis entretenue avec des médecins, comme le docteur James Garrick du San Francis Memorial Hospital de San Francisco avec qui j'ai fait une vidéo sur la médecine sportive. J'ai aussi étudié les problèmes de nutrition – et découvert, par exemple, pourquoi les sucres lents donnent une énergie qui dure plus longtemps que les sucres rapides, pourquoi il valait mieux faire un solide petit déjeuner et un dîner léger, et pourquoi certaines graisses sont plus saines que d'autres. Sur ma table de nuit, *L'Anatomie de Gray* remplaça *La Richesse des nations*. Enfin je me suis penchée sur le processus du vieillissement et de la ménopause et j'ai écrit avec Mignon McCarthy, autre militante de la CED, un livre intitulé *Women Coming of Age*, qui est lui aussi devenu un best-seller.

Moins d'un an après l'ouverture de nos studios, un certain Stuart Karl m'a appelée. Stuart est le père de la vidéo pratique, c'est lui qui a lancé sur le marché la première cassette de conseils de bricolage. Sa femme avait lu mon livre et s'était dit que nous pouvions peut-être maintenant passer à l'audiovisuel. Je me suis d'abord demandé de quoi il parlait. *Une vidéo pratique ? Mais qu'est-ce que c'est ?* Comme la plupart des gens à l'époque, je ne possédais pas de magnétoscope. Je suis une actrice, pensai-je. Je vais avoir l'air ridicule à m'exercer devant une caméra. J'ai fermement repoussé son idée. Mais il est revenu à la charge jusqu'à ce que je cède, en me disant : « Ça ne me prendra pas longtemps, et ça fera toujours un peu d'argent de plus pour la CED. » Je n'ai pas imaginé une seconde que ça pouvait en rapporter beaucoup. Personne autour de moi n'avait jamais acheté de cassettes.

J'ai écrit le découpage de notre première vidéo au crayon noir sur le sol. Malgré les protestations de Sid Galanty, un ami qui devint producteur et réalisateur de ma première série de cours audiovisuels, j'ai, pour réduire les coûts de production, refusé d'engager des maquilleurs ou des coiffeurs et d'utiliser un télé-prompteur. Je me débrouillerais sans. Je ne savais pas à quel point ce serait difficile. Tout d'abord parce que, sur l'écran, tout est inversé et que lorsque je voulais que le public fasse un mouvement vers la droite, il fallait que je dise gauche, et *vice versa*, tout en exécutant correctement le mouvement en question sans avoir l'air d'être essoufflée – sur un sol de béton qui n'était absolument pas adapté à l'aérobic.

En fait, la manière dont le film était fait avait peu d'importance : nous n'avions aucune concurrence (ce qui allait bientôt changer) et nous aurions aussi bien pu être tous peints en violet et couverts de paillettes. La seule chose qui comptait, c'était que les gens puissent suivre le cours. Arriver au bon moment, offrir quelque chose dont les acheteurs ont vraiment envie et qu'ils ne trouvent pas ailleurs, tel est souvent le secret de la réussite commerciale, je l'ai compris ensuite. Mais à l'époque je n'avais pas conscience d'être aussi bien tombée, et je n'imaginais pas l'explosion qu'allait connaître ce marché.

Notre première vidéo, qui date de 1982, reste à ce jour la mieux vendue de tous les temps (dix-sept millions d'exemplaires). Et elle a aidé à lancer une nouvelle industrie. Jusque-là, les consommateurs n'achetaient pas de cassettes car ils n'avaient pas chez eux de quoi les regarder – les magnétoscopes étaient chers – et il n'existait pas de vidéos qu'ils puissent passer assez souvent pour amortir un tel investissement. Mais lorsque nous avons mis en vente le *Workout*, les gens se sont équipés. C'est pour cette raison que je suis la première personne, dans la catégorie « Talents » à avoir été placée dans le Video Hall of Fame, un honneur généralement réservé à ceux qui conçoivent et font connaître les équipements. J'en suis très fière et, si j'ai l'air de me vanter (et peut-être que je le fais), je n'oublie pas que tout cela est arrivé bien *malgré moi*. Qui est responsable d'un tel succès ? me demanderez-vous alors. Et bien c'est Debbie Karl. Et son mari Stuart, qui fut assez intelligent pour écouter les conseils avisés de son épouse.

Des femmes qui « s'entraînaient avec Jane », comme elles aimaient à le dire, m'écrivaient du monde entier, à la main, des lettres tellement touchantes que je les ai gardées. Elles tenaient toujours à me faire savoir que c'était la première fois qu'elles s'adressaient ainsi à une célébrité et qu'elles ne croyaient pas que je les lirais moi-même. Elles parlaient de la vidéo, du livre ou de la cassette audio. M'ouvraient leur cœur, évoquaient les kilos qu'elles avaient perdus et de l'estime d'elles-mêmes qu'elles avaient retrouvée. Expliquaient qu'elles étaient maintenant capables de tenir tête à leur patron, de vivre après une ablation du sein, avec des problèmes d'asthme, d'insuffisance respiratoire ou de diabète. L'une d'elles me racontait comment, en se brossant les dents, elle s'était aperçue pour la première fois qu'elle avait les bras musclés. Une volontaire du Peace Corps s'entraînait tous les matins dans la boue du Guatemala avec la cassette audio. Une Africaine du Sud avait formé, avec neuf autres femmes du Lesotho, un groupe qui se réunissait trois fois par semaine pour « s'entraîner avec Jane » et elles avaient découvert, au-delà de l'intérêt des exercices eux-mêmes, les bénéfices du lien social qui se créait autour de cette activité.

« Je ne sais pas par où commencer, tellement ma vie a changé. C'est incroyable. Je suis devenue une autre. Je me suis installée à mon compte comme femme de ménage, je choisis mes horaires, j'ai augmenté mes tarifs, et ça marche. Cela ne semblera peut-être pas terrible à une femme comme vous, mais avant, j'avais tellement honte de moi que je n'osais plus sortir. Maintenant je m'aime bien, je me sens forte, j'ai confiance en moi, c'est merveilleux, mais indescriptible ! » m'écrivait une fille de trente-huit ans qui avait perdu trente-cinq kilos grâce à mon livre et à ma vidéo.

Quelque chose de nouveau m'arrivait à moi aussi. Lorsque votre voix et votre image pénètrent quotidiennement dans les maisons (ou dans les huttes de terre), vous faites partie de la vie des autres d'une manière différente de celle des stars du grand écran, plus personnelle. Et cela transformait la façon dont les gens réagissaient face à moi. *Ils avaient l'impression de me connaître*. Si je m'adressais à une vendeuse dans un magasin, même s'ils ne me voyaient que de dos, dès qu'ils m'entendaient, les autres clients savaient qui était en train de parler – et ils tenaient alors à me raconter quelle cassette ils utilisaient, avec qui ils s'entraînaient, ce que cela avait changé dans leur vie. Une femme s'est allongée un jour sur le sol d'une épicerie pour me demander si elle faisait correctement ses ciseaux. Les maris me disaient : « Je me réveille chaque matin au son de votre voix, pendant que ma femme s'exerce avec vous dans le salon. »

Je ne savais pas s'il fallait les remercier ou m'excuser.

J'étais habituée à la célébrité, mais là il s'agissait d'autre chose. Attends une minute, ai-je pensé. Qu'est-ce que je deviens là-dedans, en tant qu'actrice ? Et les causes que je défends ? Où est-ce que je vais comme ça ? Le Workout semblait l'emporter sur tout le reste, et bien que ravie d'aider les femmes à améliorer leur façon de vivre, cela me mettait mal à l'aise. Je ne voulais pas être réduite à des problèmes d'abdominaux. Pourtant la réussite commerciale me fascinait – et pas seulement pour l'argent qu'elle procurait.

Je me suis aperçue que faire marcher une affaire était un acte créatif. Je voulais voir les résultats de ce travail, non seulement auprès des riches habitantes de Beverly Hills, mais, grâce aux vidéos, auprès de personnes plus âgées, d'enfants et d'employées qui avaient peu de revenus et encore moins de temps pour elles. J'ai organisé des groupes de réflexion afin de mieux comprendre ce que les femmes voulaient. J'écoutais attentivement ces secrétaires, ces patronnes de petites entreprises, ces femmes au foyer, ces étudiantes, ces employées d'agences immobilières – des Américaines moyennes – exprimer leurs désirs et leurs besoins en matière d'exercices physiques. Suivre des cours leur demandait trop de temps et trop d'argent (car elles devaient, en plus de ce que cela coûtait, payer une baby-sitter), et elles appréciaient toutes de pouvoir, grâce aux cassettes, s'entraîner quand même chez elles.

J'enseignais aussi moi-même, surtout au début, de façon à apprendre ce qui était le plus efficace. A Los Angeles, pendant le tournage de *Comment se débarrasser de son patron*, je donnais des cours trois fois par semaine à cinq heures du matin avant d'aller travailler. Quand elle me voyait arriver rouge et transpirante, Dolly Parton me disait que je devais avoir perdu la boule.

J'ai bientôt ouvert un deuxième lieu à Encino, petite ville de San Fernando Valley, puis un troisième à San Francisco. Comme des conseillers en entreprise me poussaient à franchiser le Workout, j'ai demandé à des chasseurs de tête de trouver une femme d'expérience qui puisse gérer l'affaire.

J'ai reçu quinze postulantes. Je n'envisageais pas de m'adresser à un homme, d'une part, parce que notre clientèle était principalement féminine et, de l'autre, parce que je pensais plus facilement pouvoir m'entendre avec une femme. J'ai choisi Julie Lafond pour trois raisons : parce qu'elle était originaire du Middle West, comme mon père, et je pensais que les gens de cette région étaient travailleurs, honnêtes et peu dépensiers ; ensuite parce qu'elle a avoué qu'elle pleurait quand elle entendait *The Star-Spangled Banner* ; et enfin parce qu'elle avait épousé son petit ami du lycée. Ces deux derniers points démontraient qu'elle était solide et loyale. Je ne me suis pas trompée. (Il y avait une quatrième raison, son patronyme qui, accolé au mien, formait un excellent nom de firme, Lafonda.)

Julie m'a tout d'abord conseillé de fermer les deux derniers lieux que j'avais ouverts, et de ne pas franchiser l'affaire. « Ce n'est pas la peine de s'embêter avec des murs, m'a-t-elle dit. Il vaut mieux compter sur les livres et les vidéos, ils te rapporteront plus d'argent, et moins de maux de tête, et les studios de Beverly Hills te serviront de laboratoire. Tu pourras y essayer de nouveaux cours, prendre le pouls de ce public, découvrir ce qui marche et ce qui ne marche pas. »

Deux ans après l'arrivée de Julie, j'ai repris le Workout à la CED. Je voulais développer l'affaire et ne le pouvais pas car tout ce que nous gagnions était versé à l'organisation. A ce moment-là (au milieu des années 80), nos cours avaient déjà rapporté dix-sept millions de dollars à la CED et je trouvais que j'avais plus que rempli ma mission. Une fois propriétaire, je pourrais investir tout en finançant par des dons les besoins de la CED.

Tom avait été élu à l'Assemblée californienne, ce n'était plus lui qui dirigeait les affaires courantes de l'organisation. Et il avait toujours détesté le Workout. Il n'y voyait que futilité. Il m'a dit un jour que nos problèmes de couple avaient commencé quand je m'étais lancée dans cette activité Peut-être. Il est vrai que j'y consacrais de plus en plus de temps, mais chaque fois qu'il me faisait une remarque désobligeante à ce sujet, je me disais : D'accord, je suis peut-être superficielle. Appelle ça comme tu voudras, je sais de façon certaine que ce que je fais aide des tas de femmes à se sentir mieux. Et d'autre part, où aurais-tu trouvé ces dix-sept millions de dollars dont a bénéficié la CED ?

J'ai publié avec l'aide de Julie cinq livres, douze cassettes audio et vingt-trois vidéos couvrant un vaste éventail de cours allant des bases du Workout jusqu'au yoga et au step aérobic, plus ou moins longs, plus ou moins difficiles, certains spécialement adressés aux personnes âgées, d'autres aux enfants, comme les deux *Funhouse Fitness*. La compétition était devenue sévère, ce qui nous obligeait à dépenser plus d'argent pour la production et la commercialisation. Mais l'art de la vidéo n'avait plus de secrets pour nous et les tournages ne dépassaient pas cinq jours (tout en nécessitant encore six mois de préparation). Je tenais à ce qu'on y voit avec moi des gens de toutes sortes afin que tout le monde s'y sente représenté : hommes et femmes de toutes couleurs de peau, jeunes, vieux, minces et moins minces.

Trouver de nouvelles idées m'amusait. Au lieu du traditionnel fond sonore disco, nous utilisions des danses écossaises, de la musique sud-américaine, de la country ou du bluegrass, et inventions des chorégraphies qui allaient avec. C'était moi, en général, qui m'en chargeais. Cela me permettait – parce que j'avais une bonne dizaine d'années de plus que les autres – d'être certaine de pouvoir les exécuter. J'ai eu aussi envie un jour de projeter sur un écran placé derrière Jeanne Ernst et moi un film qui correspondait à la musique de notre entraînement. J'utilisais moi-même ces cassettes et je savais combien il était important de les rendre plus vivantes. Dans une autre, j'ai pensé qu'il serait drôle de faire intervenir un type qui bousillerait le cours, arriverait en retard, se mettrait au dernier rang et agirait de façon bizarre. Les gens l'appellent encore aujourd'hui « cette cassette avec le fou ». Et parce que je voulais donner une atmosphère urbaine au cours d'aérobic intitulé *Lean Routine Workout*, nous l'avons filmé de nuit sur le toit d'un immeuble.

Nous venions de finir cette vidéo quand j'ai rencontré Ted Turner et je n'ai jamais eu le temps de compléter la série (chaque cours exigeait des mois d'élaboration, plusieurs semaines de répétitions et une de tournage). Mais Julie a continué de faire marcher le Workout pendant plusieurs années au cours desquelles nous avons sorti des cassettes sur lesquelles j'étais seule (ce qui est beaucoup plus facile à mettre en place). Nous avons aussi publié une seconde méthode d'entraînement ainsi qu'un livre de cuisine, *Cooking for Healthy Living*. Julie m'a aidée à mettre au point un tapis roulant qui s'auto-alimentait et n'avait donc pas besoin d'être branché sur l'électricité (ce qui satisfaisait mon penchant écologique pour les économies d'énergie) ainsi que d'innombrables autres accessoires dont la commercialisation se révéla très lucrative.

Julie se lia d'amitié avec certains professeurs, en particulier Jeanne Ernst et Laurel Sparks. Nous faisions des randonnées ensemble et de longues promenades à bicyclette. Troy et Vanessa nous suivirent dans un périple de trois jours en vélo le long de la Napa Valley. Je me suis aperçue à cette occasion combien mes deux enfants étaient sains et forts... sans aucun entraînement.

Je dépendais beaucoup des amitiés que j'avais nouées avec certaines de nos professeures. Je me rends compte aujourd'hui qu'elles étaient pour moi de véritables bouées de sauvetage, qu'elles permettaient de faire surface à une part de moi-même jusque-là engloutie. Un ami journaliste qui était venu sur le tournage d'une vidéo me dit ensuite : « J'avais du mal à croire que tu puisses être, en compagnie de ces femmes, si différente de celle que je connaissais. Jamais je ne t'avais vu rire et plaisanter comme ça. »

Pour beaucoup de jeunes, mon nom, quand il évoque quelque chose, est celui de « la femme des vidéos avec lesquelles Maman faisait ses exercices », et ce n'est pas facile à accepter. Pourtant je suis fière que le Workout ait aidé tant de femmes à se sentir mieux sur tous les plans[1].

Faire de l'exercice ne signifie pas la même chose pour tout le monde. Tout dépend de là où on en est. Il peut s'agir de musculation pure et même de la recherche maladive d'une illusoire perfection. Mais pour ceux et celles qui ont acquis une conscience plus

1. Je publie des DVD qui reprennent chacun deux ou trois de mes vidéos les plus connues. Les séries Personal Trainer (trois cours complets en un seul DVD) traitent des différentes parties du corps. *The Complete Workout and Stress Reduction* DVD reprend l'ensemble du Workout ainsi qu'un nouveau programme permettant de réduire le stress. Devant l'augmentation de l'obésité des enfants américains, j'ai aussi réuni sur un DVD intitulé *Jane Fonda Presents : Funhouse Fitness for Kids*, le contenu des deux vidéos qui s'adressaient aux plus petits.

Avec Kris Kristofferson dans
Femme d'affaires. © Photofest

En 1984, avec Vanessa. © Suzanne Tenner

La Caravane pour l'eau propre, peuplée de célébrités venues soutenir la proposition 65, avec entre autres Dweezil Zappa, Linda Gray, Bobby Walden, Victoria Principal, Ed Begley, Jr., Joanna Kerns, Patricia Duff, LeVar Burton, Charlie Haid, Tyne Daly, Georg Stanford Brown, Troy, Moon Zappa, Bonnie Bedelia, Shari Belafonte, Linda Evans, Daphne Zunigan… © 1986 Michael Jacobs/MJP

Au Festival de Cannes, pour *Old Gringo*, au côté de Gregory Peck.

Avec le réalisateur Sidney Lumet sur le plateau du *Lendemain du crime*.

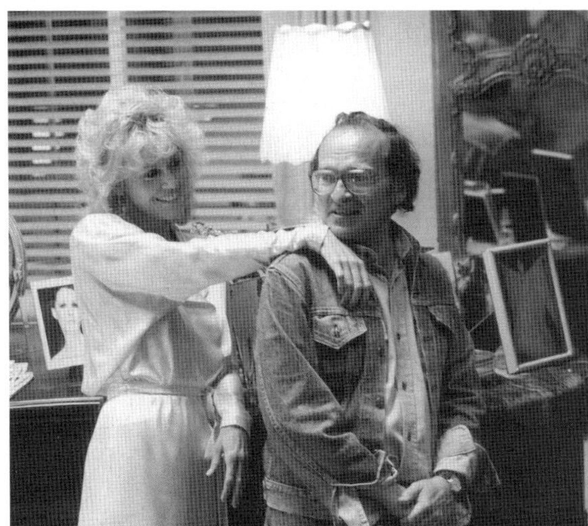

Jimmy Smits, Gregory Peck et moi dans *Old Gringo*.
© Mary Ellen Mark

Avec Robert De Niro dans *Stanley et Iris*. © Steve Schapiro

De gauche à droite: Lois Bonfiglio (ma coproductrice, avec Bruce), Paula Weinstein, moi et Becky Fonda; toutes les trois étaient venues me rendre visite au ranch Bar None.

Troy et Lulu pêchent la perche dans la plantation d'Avalon.

Janice Crystal a pris cette photo de Ted et moi au ranch Flying D, lorsqu'elle et Billy étaient venus nous voir. © Billy et Janice Crystal

Je contemple les bisons de Ted.

Au côté du Président Carter, lors de la campagne Habitat for Humanity à Americus, en Georgie. © Julie Lopez/Habitat for Humanity International

Ted se laisse emporter en chantant « Auld Lang Syne » avant un match des Braves… De gauche à droite : Nancy McGuirk, Ted, moi, le président Carter, Jennie Turner derrière l'épaule du président et Rosalyn Carter de dos. © AP/Wide World Photos

Lors de la remise des oscars, avec Ted. A l'époque, c'est lui, la grande vedette du showbiz. © Michel Bourquard/Stills/Retna Ltd

1995 à San Francisco pendant le State of the World Forum, en compagnie du président Mikhaïl Gorbatchev et de son épouse, Raïssa. © AP/Wide World Photos

L'année suivante, Robert Redford et Peter sont venus nous aider. © 2004 Ashley Walsh

Des amies venues à Atlanta soutenir le travail de G-CAPP. Ici, Dolly, moi et Lilly. © Erik S. Lesser/Getty Images

Sur les marches
de la plantation
d'Avalon,
le jour de
notre mariage.
© Barbara Pyle

Lors de la fête donnée en notre honneur à Hollywood
par (*de gauche à droite*) Barry et Carole Hirsch
et Paula Weinstein et son mari, Mark Rosenberg.

Ted et moi en train
de danser lors de mon
soixantième anniversaire.

La soirée d'anniversaire : Jon Voigt fait rire les cousines Fonda venues du Grand Ouest.

J'ai présenté les oscars en 2000 avec une nouvelle coupe de cheveux et une robe signée Vera Wang. © Catuffe/ SIPA Press

Je m'assieds pour déjeuner lors d'une réunion d'une fondation des Nations unies au Cap, en Afrique du Sud. De gauche à droite : Tim Wirth, le président de la fondation ; Graca Machel, membre du Conseil ; son mari, Nelson Mandela ; Carolyn Young dont le mari, l'ambassadeur Andy Young, est membre du Conseil. Je venais juste de visiter la prison de Robbin Island, où Mandela a été détenu vingt-cinq ans.

En 2000, je suis allée au Nigeria avec l'équipe de l'International Women's Health Coalition tourner un documentaire sur trois programmes destinés au petites filles, programmes qui se sont révélés exceptionnellement efficaces. Sur cette photo, je suis accroupie au milieu d'un groupe d'écolières de Lagos.

Lorsque je récoltais des fonds pour la G-CAPP, je vivais une vie de rêve. Avec une dizaine d'amis sportifs, nous sommes montés en cinq jours jusqu'à l'ancienne ville inca du Machu Picchu. Désormais célibataire, je pouvais me permettre de telles escapades.

Les filles qui sont au cœur du travail de la G-CAPP.
© Avec l'aimable autorisation de G-CAPP

A Juarez, avec Eve Ensler, tout à gauche et Sally Field, à ma droite.
© Jorge Uzon/AFP/Getty Images

Avec Eve Ensler, après avoir interprété la dernière des *Monologues du vagin* au Madison Square Garden. J'avais tellement le trac que j'ai prié pour qu'un taxi me renverse – sans me tuer, je voulais juste aller à l'hôpital – afin de ne pas avoir à remonter sur scène. Je n'avais pas joué depuis quinze ans. Mais tout s'est bien passé. Ce fut pour moi un événement mémorable à bien des égards et qui me redonna courage.
© Mark Abrahams/German Vogue

Sur le tournage de *Sa mère ou moi!* au côté de Paula, une des productrices.
© MMV, NewLine Productions, Inc.
Tous droits réservés. Photo de Melissa Moseley

J'interprète Viola Fields dans *Sa mère ou moi!*, mon premier film en quinze ans. C'était très amusant.
© MMV, NewLine Productions, Inc.
Tous droits réservés. Photo de Melissa Moseley

Aux funérailles de Vadim : Brigitte Bardot, Annette Stroyberg, moi, Catherine Schneider et Marie-Christine Barrault au premier plan, floue.
© Nebinger/Niviere/Hadj/Niko/SIPA Press

Avec Vanessa et Malcom (à deux ans).

A Rome avec Troy lors d'un rassemblement au sommet du mouvement V-Day. © Joyce Tenneson

Troy est parti en Afghanistan avec Eve Ensler en 2002. Il se tient dans un container criblé de balles. © Paulo Netto

Lulu en compagnie de l'ancien joueur de basket NBA Manute Bol et de l'un de ses Garçons Perdus, Valentino Achak Deng.

En 2004 à Santa Monica avec Tom ; sa femme, l'actrice et chanteuse Barbara Williams ; leur fils, Liam ; moi, Vanessa, Viva et Malcom.

Noël 2004 à Atlanta, avec Lulu, Malcom sur mes genoux, Viva sur ceux de Vanessa et Nathalie.

Vanessa et
sa fille, Viva.

En 2000, je pêche dans le ranch Flying D de Ted, avec Roxy à mes côtés.
Malcom dort sur la rive. La vie est belle. © Vanessa Vadim

grande, cela peut permettre d'insuffler de l'énergie et de la vie au centre de son corps, de construire le *chi*, de communiquer à un niveau plus profond avec ses cellules. J'ai commencé dans la première catégorie et je suis passée ensuite à la seconde. Je suis sortie des gymnases, et j'ai retrouvé le contact avec la nature, escaladé des montagnes, roulé à bicyclette, fait de la méditation et du yoga. J'ai ajouté le dedans au dehors.

Je sais maintenant que me remuer sur de la musique, produire des endorphines et transpirer m'a conduite vers le long et lent processus qui m'a permis d'accepter mon corps. (Et m'a aidée à traverser sans dommage la sombre période qui m'attendait.)

CHAPITRE SEIZE

FANTÔME

Un corps sans esprit est un cadavre, et un esprit sans corps est un fantôme.

Abraham Joshua HESCHEL.

Lorsque j'ai rencontré Tom, je m'étais presque totalement détournée de ma carrière d'actrice, et il n'y avait pas de raison de penser que je redeviendrais un jour une star de cinéma. Si je militais depuis deux ans contre la guerre, Tom avait dix ans d'expérience derrière lui et il me sembla naturel de mettre mes pas dans les siens. Cela contrebalançait la célébrité immodérée dont jouissent les acteurs. Mais lorsque sortirent *Touche pas à mon gazon*, *Julia* et *Le Retour*, et que j'obtins grâce à ce dernier un deuxième oscar, de nouvelles tensions apparurent entre nous.

Peu après la présentation publique du *Retour*, qui se fit avec la fanfare habituelle, couvertures de magazines et articles dans toute la presse, Tom demanda à Bruce et à Paula de venir à Laurel Springs, où nous devions avoir une conversation à quatre, échanger nos doléances, faire notre autocritique, assainir l'air ambiant. Aucun de nous ne savait très bien en quoi l'air ambiant avait besoin d'être assaini, mais ce genre de réunions n'était pas inhabituel parmi les militants de l'époque, aussi avons-nous tous pensé que cette rencontre pourrait se révéler constructive.

Très vite, Tom s'en est pris à moi, m'accusant d'accaparer l'attention et d'empêcher Bruce de recevoir la reconnaissance à laquelle il avait droit pour *Le Retour*. Mais nous avons vite compris que Tom se servait de Bruce pour exprimer la colère refoulée qu'il ressentait parce que l'on parlait tellement de moi alors que le dur travail de ceux qui risquaient leur vie chaque jour et se battaient dans l'ombre contre les pouvoirs en place n'était jamais reconnu. Ce sont eux, disait Tom, les héros inconnus, et ce n'est pas juste. Et sur ce point, je crois qu'il avait raison. D'un côté, les films font passer des images et des messages assez puissants pour avoir un impact profond, de l'autre ce ne sont que des images, pas des actes. Il y a quelque chose de fondamentalement superficiel autour de cette profession – non pas dans l'art lui-même, mais dans la renommée, l'autopromotion, l'élimination des autres. J'avais vécu toute ma vie avec ça, tout d'abord à travers mon père, puis par ma carrière, aussi le remarquais-je à peine. Mais pour Tom, c'était troublant.

En me donnant l'impression que je ne valais rien, que j'étais superficielle et vivais à côté de ce qui comptait vraiment, cette discussion a ravivé mes vieilles blessures. Paula et Bruce ont gardé de ce jour-là un souvenir vivace. « Tom était dans une telle rage que j'avais du mal à le croire, m'a dit Bruce plus tard. Et cette colère intense t'était personnellement adressée, cherchait à te faire mal. » Au lieu de régler nos problèmes directement et de dire : « Je n'arrive pas à supporter ce qu'entraîne la reprise de ta carrière » ou « Je ne suis pas heureux avec toi », Tom traduisait tout en termes d'engagement. « Ce comportement est-il politiquement correct ou non ? » semblait pour lui la seule question intéressante. Je suis tombée récemment sur une interview que nous avions donnée ensemble en 1973, l'année de notre mariage, et qui illustre bien cette habitude. Quand Leroy Aarons nous avait demandé ce qui nous avait réunis, Tom avait répondu : « Jane avait beaucoup changé, et nos horizons stratégiques correspondaient. » Où était l'époque où un homme aurait dit : « J'étais amoureux d'elle », ou : « Je l'aimais et j'aimais qu'elle défende des causes auxquelles je croyais » ?

Lorsque l'article a été publié, je n'ai pas accordé d'attention à la froideur de ces propos, probablement parce que j'avais moi aussi appris à mettre de côté ou à cacher mes sentiments personnels en faveur d'une attitude « politiquement correcte ». Nous nous reflétions mutuellement.

Lorsque je suis tombée amoureuse de Tom, j'ai cru qu'il était suffisamment sûr de lui pour que ma célébrité ne lui apparaisse pas comme une menace. Qu'il était quelqu'un de doux, auprès de qui je pourrais m'épanouir. J'avais tort. Il n'y pouvait rien, mais je retrouvais dans son attitude distante celle de mon père, ce qui jouait sur mon propre manque de confiance en moi, et je me sentais idiote et superficielle dès que j'étais avec lui. Bien qu'affichant un féminisme théorique, face à Tom, je restais passive, toujours persuadée que tout ce qui n'allait pas était de ma faute. S'il n'aimait pas une de mes amies (et en général il ne les aimait pas), je me disais qu'il voyait en elle des défauts que je n'avais pas remarqués. Je le laissais presque toujours choisir la destination de nos vacances, discutais peu ses décisions concernant notre mode ou nos lieux de vie (comme je vous l'ai raconté dans un chapitre précédent). Je ne croyais tout simplement pas devoir défendre mes idées ou mes envies devant lui. Le ressentiment s'accumulait, m'empêchant de faire l'amour comme avant. C'est difficile de prendre du plaisir avec quelqu'un à qui on en veut. Cela me troublait et m'effrayait, car je ne savais pas que je lui en voulais. Voilà jusqu'où peut aller la dénégation, pour celle qui tient avant tout à sauver sa famille ou son couple. J'ai lu quelque part, probablement dans *Cosmopolitan*, que si une femme veut obtenir quelque chose, elle doit le demander. Demander ? Plutôt mourir !

Et s'il ne peut pas ou ne veut pas me donner ce que je veux ? Il se sentira mal à l'aise et pour moi ce sera encore pire, et je ne veux pas qu'il se sente mal à l'aise, parce qu'il risque de ne plus m'aimer, et que va-t-il penser, s'il est politiquement ou moralement opposé à ce que je lui demande ? S'il refuse je serais encore plus frustrée. Non, il vaut mieux me taire, cela rend les choses plus faciles pour tout le monde. Si je ne dis rien, personne ne remarquera rien, et j'ai appris à me passer de ce que je ne peux pas avoir. Est-ce que les autres demandent ? Suis-je la seule personne au monde à ne pas communiquer ?

Parce que j'avais peur de souffrir encore plus, si jamais je m'exprimais, je taisais ma douleur et préférais croire qu'elle finirait par disparaître. Les années passaient et je me disais : *C'était hier, pourquoi soulever ce problème maintenant ?* Mais la souffrance et la colère restent et s'accumulent. Elles se renforcent l'une l'autre, finissent par vous mettre à l'écart. Quelqu'un a dit un jour qu'à l'abri de la complaisance, seule la rage prolifère.

Afin de sauver notre couple, j'ai choisi de ne pas voir ce qui était une évidence pour notre entourage : que Tom me rabaissait continuellement. Dans son autobiographie, Katharine Graham raconte qu'après que son mari Phil Graham l'eut quittée, ses amies lui dirent combien elles avaient été choquées de la méchanceté dont il faisait souvent preuve à son égard. Elle n'en revenait pas. « J'avais toujours pensé que c'était une façon de plaisanter, écrivit-elle, et jamais imaginé qu'il cherchait à me diminuer à travers ses remarques ou son comportement. » Me rendre compte qu'une femme aussi brillante que Katharine Graham – rédactrice en chef du *Washington Post* – avait également refusé d'admettre ce que tout le monde savait était étrangement rassurant. Eleanor Roosevelt, autre femme forte qui a connu ce genre d'expériences, a dit un jour : « Personne ne peut vous faire sentir que vous êtes inférieure sans votre permission. » C'est vrai. En choisissant la dénégation, j'avais autorisé l'infériorité. Il allait me falloir passer l'épreuve d'un autre mariage – avec Ted Turner – pour émerger comme un périscope, regarder autour de moi et dire : « Voilà, je suis comme je suis, à vous de faire avec ! »

Je ne sais pas quand la douce camaraderie que Tom et moi avions partagée au début a commencé à se transformer en une relation qui ressemblait à un arrangement entre associés – dans lequel je devais néanmoins garder une attitude érotique et désirante alors que je n'en avais pas envie. Et comme si cela n'était pas déjà assez difficile comme ça, Tom buvait. Et parce que aucun de nous deux ne voulait aborder ce sujet, nous nous sommes encore plus éloignés l'un de l'autre. Mais mes problèmes de boulimie m'empêchaient de voir ceux que Tom avait avec l'alcool. Ou peut-être était-ce encore une chose que je refusais de savoir. *Il est irlandais, non ? C'est dans sa culture...*

Emportée par un tourbillon d'activités passionnantes, je n'avais aucun mal à balayer d'un revers de la main ce qui n'allait pas et à me persuader que tout s'arrangerait bientôt. Quelque chose en moi croyait que la vie à deux était peut-être tout simplement ainsi. Je n'avais jamais appris à quoi elle devait ressembler. Mais j'anticipe encore une fois.

Je savais que les troubles alimentaires dont je souffrais depuis l'âge de quinze ans jetaient une ombre menaçante sur ma vie et en particulier sur mes relations avec les hommes que j'aimais – puisqu'il s'agissait d'un secret que je ne partageais avec personne. Je n'en ai pas parlé continuellement dans ce récit, mais je ne m'étais jamais arrêtée de m'empiffrer puis de me faire vomir. Tous ceux qui sont dans la dépendance savent qu'elle est tapie en vous, diabolique, qu'elle joue sur tout ce qui vous concerne, et à certains moments plus qu'à d'autres. C'est ça, le problème de l'addiction : elle fait parfois semblant de vous laisser tranquille, ce qui vous entraîne à penser que vous la contrôlez, mais c'est pour mieux revenir et vous frapper de plein fouet. Alors vous vous écroulez. Et évidemment, personne ne s'en aperçoit. C'est votre moi intérieur, le plus fragile, qui est touché, pas ce qui l'entoure, pas l'image que vous donnez d'une femme efficace et responsable qui semble si bien se débrouiller.

Quand j'ai eu quarante ans, pourtant, je ne tenais plus que par un terrible effort de volonté. Maintenir les apparences m'épuisait de plus en plus. Il me fallait parfois une semaine entière pour me remettre d'une crise. Robin Morgan, poète et écrivain, m'a parlé un jour d'une membrane translucide, appelée paupière interne, qu'ont sous les deux autres paupières certains animaux, comme les chats ou les chouettes. Elle n'est ni fermée ni ouverte, mais grise. Voilà à quoi je ressemblais dans les moments qui suivaient les accès de boulimie : j'étais entourée d'une paupière translucide. Mon mari et mes enfants étaient tellement habitués au voile que je portais qu'ils le confondaient avec moi, et il aurait été difficile pour eux qu'il disparaisse tout à coup. Il est impossible, quand vous souffrez de dépendance, de réellement communiquer avec vos proches.

J'ai compris qu'il fallait choisir entre vivre et mener une existence de zombi. Je devais m'avancer dans la lumière ou succomber aux ténèbres. Je menais une vie exceptionnellement bien remplie, qui exigeait beaucoup et à laquelle je tenais : ma famille, le cinéma, la politique. J'avançais à cent à l'heure, j'élaborais des projets de films, je remportais des oscars, je trouvais de l'argent pour les causes que je voulais défendre. Des gens dépendaient de moi. Et je voulais faire changer les choses, ce qui est difficile quand on s'enferme sous une paupière interne. La boulimie allait tout gâcher, c'était absurde.

Un matin je me suis réveillée et j'ai su qu'il fallait arrêter – me désintoxiquer. Je ne pouvais pas continuer. C'était une bataille qui allait durer des années. J'ai renoncé à l'excitation, au cœur battant, au plaisir momentané – et à l'insupportable sentiment de culpabilité, d'indignité et de déprime qui suivait. Il m'a fallu plus de cinq ans pour pouvoir m'asseoir à table sans que mon cœur s'affole, sans souhaiter faire disparaître toute nourriture de la maison, comme on jette des bouteilles d'alcool ou des sachets de drogue. Mais je ne pouvais pas. j'avais une famille à nourrir.

J'étais comme une alcoolique qui ne boit plus mais qui l'est encore car elle n'a pas cherché à connaître les raisons de son addiction. Il y avait toujours en moi le même vide sombre. Il ne m'est jamais venu à l'idée que je pouvais suivre un programme de lutte contre la dépendance. Cela m'aurait permis de m'ouvrir et de laisser une force supérieure, que certains appellent le Saint-Esprit mais qui peut porter bien des noms différents, entrer en moi adoucir le centre creux et dur de mon être. Mais je ne me voyais pas alors comme quelqu'un de mystique. Seule ma tête pouvait m'aider : si j'étais assez intelligente – et aussi « politiquement pure » que l'idée que je me faisais de Tom –, jamais il ne me quitterait.

J'avais toujours besoin d'un homme pour penser que je valais quelque chose. Dans certains cas, c'était surtout en dessous de la ceinture que j'étais intéressante, dans d'autres c'était par ce qui se passait sous ma boîte crânienne. Je croyais que Vadim m'avait vue comme un objet sans tête qui lui plaisait et qu'il aimait montrer. Je ne voulais plus que cela arrive. Je voulais que Tom apprécie ce qui se passait au-dessus de mes épaules, qu'il me respecte. Je ne savais pas combien cette dichotomie corps/esprit pouvait nuire à l'amour.

Il y avait dans ma boulimie à la fois une quête erronée de la perfection et une façon aberrante de m'alimenter, visant à remplir le vide, à me faire réintégrer mon corps. J'ai arrêté de m'empiffrer et de vomir mais j'ai continué à avoir besoin de reprendre contact avec ce corps et de briser l'enveloppe rigide de prétendu contrôle de soi que j'avais bâtie autour de moi.

J'ai remplacé la nourriture par le sexe. J'ai eu une aventure.

Ce fut merveilleux, et dévastateur. Je vivais avec l'impression constante que j'allais être punie de cette transgression, et je me sentais en même temps joyeusement libérée. N'être que pour le plaisir avec quelqu'un, ne pas avoir besoin d'agir comme une « fille bien » puisque je n'étais pas l'épouse, me permettait de retrouver une part de moi-même qu'on aurait pu croire morte. Les choses allèrent mieux entre Tom et moi, à cette époque, pourtant je ne pouvais supporter de mener une double vie. J'ai donc mis fin à ma liaison. Renoncer à cette part retrouvée de moi-même était affreusement difficile. J'avais été malheureuse dans le mensonge, je l'étais dans la fidélité. Mais je savais devoir le faire. Il n'était pas question que je détruise notre famille. Je n'en ai jamais parlé à Tom, et je n'ai jamais su que lui aussi se consolait ailleurs. Nous avons simplement maintenu ce partenariat apparemment réussi qu'était devenue notre relation.

Quand je pense à mes échecs, je cherche souvent ce que j'aurais pu faire et que je n'ai pas fait. En ce qui concerne Tom, j'aurais dû prendre son visage entre mes mains, le regarder dans les yeux et dire : « Je veux que nous y arrivions. Si tu le veux aussi, alors reconnaissons que nous avons tous les deux des problèmes de dépendance, essayons de nous en sortir ensemble et faisons-nous aider. Je crois que le problème est profond et j'ai peur de l'affronter toute seule. Je suis pleine de colère mais je ne sais pas pourquoi. Nous avons besoin de médiation. Cherchons un professionnel, quelqu'un d'attentif, pour nous sortir de là. » Mais non, je disais seulement : « On devrait faire une thérapie. » Il répondait : « Non. » Et je me taisais. Comme l'assistante du magicien coupée en deux, je ne résidais plus que dans ma tête et n'en sortais qu'en compagnie d'amies, quand je m'entraînais, dansais ou me faisais masser.

Mais il y a dans toute relation de nombreuses vérités. Tom et moi partagions tant d'intérêts qu'après cet épisode, nous avons encore vécu ensemble huit ans d'une vie passionnante. Dès que nous travaillions à un projet, que nous faisions une tournée électorale et étions entraînés dans le tourbillon de l'action, j'oubliais ce qui manquait. Il apportait une structure à ma vie, de la profondeur à ma vision du monde et l'espoir d'un changement possible. Mais surtout il y avait ce merveilleux enfant qui était notre fils.

J'aimais la passion de Tom pour le base-ball, la façon dont il entraînait l'équipe de Troy et ne ratait jamais un match, jamais. J'ai tant appris de lui. C'était Tom qui amenait chez nous des penseurs aussi fascinants que Desmond Tutu, Alvin Toffler ou Howard Zinnn. Tom qui eut l'idée de nous emmener en vacances dans des régions du monde aussi lointaines qu'Israël ou que l'Afrique du Sud, et nous permit de découvrir ces pays. Il m'a ouvert des horizons, je lui en suis reconnaissante.

CHAPITRE DIX-SEPT

SYNCHRONE

Ne sortez pas du théâtre repus
Ne soyez pas apaisés [...]
Vous ne pouvez vous sustenter de nos fruits de cire
Quittez pour une fois la salle
Avec la faim au ventre.

Edward BOND,
On Leaving the Theatre.

En réussissant à injecter dans les films de Hollywood les problèmes sociaux dont Tom et moi nous occupions, je commençais à faire ce qui me correspondait vraiment. Arriver à mettre en phase mon travail pour le cinéma et ma démarche politique était passionnant, presque miraculeux.

J'ai tourné *Le Syndrome chinois* tout de suite après *Le Souffle de la tempête*. J'étais ravie de participer encore une fois à un projet dont le thème me touchait et avec des gens qui partageaient ce sentiment. *Le Syndrome chinois* illustrait à merveille les buts de la Campagne pour une démocratie économique : attirer l'attention sur le danger que les grandes compagnies étaient prêtes à nous faire courir afin de protéger leurs profits.

Le scénario de Jim Bridges racontait l'histoire d'une journaliste de la télévision qui fait un reportage sur une centrale nucléaire près de Los Angeles. Pendant qu'elle tourne, quelque chose provoque la panique dans la salle de contrôle. Son caméraman (Michael Douglas) filme ce qui se passe sans qu'elle le sache, mais la chaîne refuse de diffuser cette séquence. Le caméraman vole la bobine et la montre à un spécialiste de la physique nucléaire qui lui dit : « Tu as de la chance d'être en vie – et toute la Californie du Sud aussi. » Il lui explique qu'ils sont passés à côté d'une fusion du cœur du réacteur. Si le circuit de refroidissement se met à fuir, la chaleur du combustible radioactif devient suffisamment forte pour faire fondre le cœur du réacteur – ainsi que le béton et l'acier du bâtiment qui l'entourent, entraînant le tout à l'intérieur de la terre, droit jusqu'à la Chine (d'où l'expression *syndrome chinois*). Lorsque le combustible en fusion rencontre la nappe phréatique, des nuages radioactifs s'élèvent dans l'atmosphère, tuant des milliers de gens et contaminant des kilomètres carrés de terre. Le directeur de la centrale (Jack Lemmon) refuse de prétendre qu'il ne s'est rien passé de grave, comme le voudrait la compagnie d'assurances qui couvre l'installation. Il mène son enquête et découvre de dangereuses imperfections dans le cœur du réacteur. Alors qu'il va mettre en route les vérifications nécessaires, une équipe des forces spéciales surgit dans la salle de contrôle et l'abat.

Le Syndrome chinois passait depuis environ deux semaines en salle, et rencontrait un beau succès. L'éditorialiste conservateur George Will nous avait qualifiés d'irresponsables. Il disait qu'à cause de nous les gens allaient avoir peur de l'énergie nucléaire, alors que cette histoire n'était que pur produit de notre imagination et qu'elle ne reposait sur aucune preuve sérieuse. Puis, le 30 mars 1979, pendant que j'étais à St. George, dans l'Utah, où nous tournions *Le Cavalier électrique*, la Commission de contrôle du nucléaire annonça qu'il y avait des fuites radioactives importantes au niveau du réacteur de la centrale de Three Mile Island, à côté de Harrisburg, en Pennsylvanie. Des nuages radioactifs s'échappaient. La Commission reconnut qu'on était même « tout près d'un risque de fusion » et le gouverneur Dick Thornburgh demanda qu'on fasse évacuer les femmes enceintes et les enfants qui vivaient dans les environs de la centrale.

Je n'arrivais pas à le croire. Une telle concordance entre la réalité et la fiction cinématographique dépassait tout ce qu'on avait connu. Ce film avait été une entreprise risquée, mais dès que l'on découvrit ce qui s'était passé à Three Mile Island il battit des records d'audience – aux Etats-Unis et dans le monde entier. Les gens allaient le voir pour essayer de comprendre ce qui était arrivé en Pennsylvanie.

Après le tournage du *Cavalier électrique*, je suis partie avec Tom pour une troisième tournée de conférences, la première depuis la fin de la guerre du Viêtnam. Nous devions parler de démocratie économique, des dangers du nucléaire et des avantages des sources d'énergie renouvelables, comme les capteurs solaires ou bien les éoliennes. Et parce qu'il y avait eu Three Mile Island, les médias nous accordèrent une grande attention.

C'était surtout les femmes qui me soutenaient – comme Lois Gibbs de Love Canal, qui avait réuni un groupe de lutte contre les déchets toxiques : ceux-ci, enterrés dans sa commune, provoquaient des problèmes sanitaires sérieux, et parfois même fatals. Ou comme d'autres qui lui ressemblaient, des mères de famille qui avaient cherché de l'aide et s'étaient aperçues qu'elles ne pouvaient compter que sur elles-mêmes – et se découvraient des capacités d'organisatrices.

Karen Nussbaum, que j'avais rencontrée dans le mouvement antiguerre, m'a fait découvrir les problèmes des employées de bureau. Elle m'a parlé de harcèlement sexuel, de femmes qui avaient le même poste depuis quinze ans et qui voyaient des hommes qu'elles avaient formés obtenir la promotion qu'elles attendaient ou qui travaillaient dans les plus grands établissements bancaires du pays pour des salaires si bas qu'elles avaient droit aux bons alimentaires. C'est ainsi que l'idée m'est venue d'un film qui traiterait ce sujet. Nous avons fait pendant notre tournée dix conférences de soutien à 9to5, l'association des employées de bureau que Karen avait montée, et lorsque j'y parlais de ce projet je sentais s'éveiller l'intérêt du public.

Nous n'avions, au début, pas du tout pensé à une comédie. Qu'y a-t-il de drôle à travailler quinze heures par jour et à être payée quarante heures par semaine ?

Une fois rentrée à Los Angeles, je suis allée un soir voir Lily

Tomlin dans un one-woman show écrit par Jane Wagner, *Appearing Nitely* (qui s'est ensuite appelé *The Search for Signs of Intelligent Life in the Universe*), et j'ai été séduite par son exceptionnel talent d'actrice. En rentrant, quand j'ai allumé la radio dans la voiture, Dolly Parton chantait « Two Doors Down ». Bingo ! Lily, Dolly et Jane !

Bruce et moi savions tous les deux que pour que Lily et Dolly acceptent de jouer dans ce film, je devrais me contenter du rôle le moins intéressant, quel qu'il soit. Paula Weinstein, qui n'était plus mon agent mais productrice exécutive à la Twentieth Century Fox, nous conseilla le scénariste et réalisateur Colin Higgins.

Je suis partie avec Bruce et Colin dans l'Ohio, rencontrer les membres de la Cleveland Women Working (Association des femmes employées de Cleveland[1]), qui était dirigée par Carol Kurtz, avec qui nous avions partagé notre maison d'Ocean Park. Elle avait convoqué une quarantaine de femmes qui nous racontèrent leur histoire l'une après l'autre. Colin prenait des notes. Ces récits deviendraient la matière du film, comme ceux des vétérans de l'hôpital l'avaient été pour *Le Retour*. Lorsqu'elles eurent toutes parlé, Colin leur posa une question que je trouvai surprenante : « Est-ce que l'une d'entre vous a déjà fantasmé sur ce qu'elle aimerait faire subir à son patron ? » Elles se regardèrent et éclatèrent de rire. *Des fantasmes ? Vous voulez connaître nos fantasmes ?* En plein dans le mille ! Nous tenions l'idée centrale – tout ce qu'une secrétaire imagine qu'elle peut faire pour se débarrasser de son patron.

Colin écrivit le scénario en quelques semaines. Dolly et Lily acceptèrent de faire le film. Nous tournâmes pendant l'hiver 1980, et du début à la fin ce fut un vrai plaisir.

Dolly croyait devoir apprendre le film entier avant le début du tournage, et à notre grand étonnement c'est ce qu'elle fit. Les meilleurs comédiens donnent toujours l'impression que leur travail coule de source, mais j'ai appris avec Lily qu'il n'en est rien. J'ai eu un jour à présenter quelqu'un avec Steve Martin lors d'une collecte de fonds, et Steve a travaillé et répété encore et encore

1. Leurs bureaux étaient aussi ceux de 9to5, l'Association nationale des femmes employées née de l'organisation que Karen Nussbaum avait tout d'abord montée à Boston.

« Bonjour, voici... » pendant au moins dix minutes avant d'entrer en scène, faisant tourner les mots dans sa bouche, essayant différents rythmes. J'étais émerveillée. Lily est pareille – jamais certaine que c'est assez bien, voulant toujours recommencer une dernière fois, un peu différemment. Henry Miller a dit : « L'art ne sert qu'à une chose : à révéler le sens de la vie. » Pour moi, rien ne résume mieux le travail que Lily mène avec Jane Wagner. Les bizarreries de ses personnages inoubliables révèlent des vérités qui attendent aux frontières de notre conscience. Elle nous éveille.

Je n'avais jamais rencontré quelqu'un comme Dolly. Toujours prête à la plaisanterie – et les siennes étaient en général assez corsées –, elle nous faisait continuellement rire. Mon fils Troy, qui avait sept ans, adorait venir la voir. Elle lui demanda un jour s'il savait pourquoi elle avait de si petits pieds. Il secoua la tête, écarlate. « Eh bien voilà, Troy, à l'ombre, rien ne pousse. » Il était trop jeune pour comprendre, mais sur le plateau, tout le monde était plié en deux.

Dolly est une spécialiste du rire. Le sien résonne à la fois comme un gloussement d'adolescente, un hurlement et un carillon de clochettes. Ce ne sont pas ses seins qui la précèdent quand elle entre dans une pièce, mais son rire. Et le claquement de ses talons aiguilles. Impossible pour elle d'arriver sans que l'on s'y attende.

Karen Nussbaum m'a raconté qu'elle était allée voir le film au moins cinq fois, et adorait regarder les réactions des spectatrices. « Un jour, pendant la scène où tu travailles à la photocopieuse, qui se met à dérailler, il y en a une qui s'est levée dans la salle et a hurlé "Appuie sur le bouton avec l'étoile !" Ça se passait toujours de la même façon, les femmes se déchaînaient, criaient, et à la fin, elles applaudissaient toutes. Les hommes aimaient le film, mais restaient silencieux. Ils savaient qu'un danger les menaçait. »

Karen, qui a gardé une place importante dans le mouvement syndical au sein de l'AFL-CIO, dit qu'elle a toujours considéré *Comment se débarrasser de son patron* comme l'exemple même d'un art populaire qui met en avant un débat général, quelque chose qui peut vraiment arriver, à condition, ajoute-t-elle, que « cela repose sur un problème social existant, un mouvement naissant qui peut exploiter un succès et en tirer profit. Voilà, à mon avis, ce qui s'est passé, continue-t-elle : avant, nous devions expliquer que les femmes qui travaillaient étaient victimes de discrimination. Le film a mis fin à ce débat. Grâce à lui le public a reconnu que c'était vrai, et il en a ri. Maintenant nous pouvons passer à ce que nous devons faire face à cette situation. » Après la sortie de *Comment se débarrasser de son patron*, Karen a sillonné les Etats-Unis pour organiser le mouvement qui allait s'en occuper. Bientôt 9to5 a compté une vingtaine d'antennes qui serviraient de base à la branche nationale du Syndicat des employées de service, District 925 of the Service Employees International Union.

Le film fit un tabac.

Dolly écrivit « 9to5 », la chanson du film, et demanda à toutes les actrices et techniciennes de chanter en chœur derrière elle. Elle gagna des prix et vendit plus d'un million d'albums. C'était un hymne idéal pour les travailleuses [1].

Pendant le tournage, Dolly me racontait son enfance dans les montagnes du Tennessee où elle avait grandi dans une baraque recouverte de papier goudronné avec onze frères et sœurs. Ils fabriquaient le savon et les bougies, leur vie était dure mais joyeuse. J'ai aussi appris qu'elle était non seulement drôle, mais aussi excellente femme d'affaires – je l'appelais la rentière des montagnes.

Je travaillais depuis dix ans à un projet de film basé sur un magnifique roman de Harriette Arnow intitulé *The Dollmaker*. C'est l'histoire d'une femme forte et talentueuse qui vit dans les Appalaches du Kentucky – ce que nous appelons péjorativement une *hillbilly*, une femme des bois –, s'occupe de sa ferme, élève cinq enfants et sculpte leurs jouets. Elle était probablement plus différente de moi qu'aucun des personnages que j'avais incarnés. Je savais devoir faire un important travail de documentation pour me préparer à ce rôle et voilà que je rencontrai Dolly Parton. Une chance inouïe. C'était la première fois que je côtoyais une *hillbilly*. Bien que le scénario de ce qui allait devenir *The Dollmaker* ne fût pas encore prêt, j'arrivais tous les jours sur le plateau de

1. Elle fut nominée pour l'oscar de la meilleur chanson et obtint le disque d'or de la RIAA. Le film fut un de ceux qui marchèrent le mieux cette année-là. Bruce et moi étions très étonnés du succès qu'il avait auprès des hommes. Selon Bruce cela s'explique par le fait que tout le monde a un jour ou l'autre travaillé pour un patron insupportable, s'est fait voler ses idées ou a vu une promotion lui passer sous le nez. L'envie de se venger est donc largement partagée par les hommes et les femmes.

Comment se débarrasser de son patron avec mon couteau afin de pouvoir m'exercer à tailler le bois entre deux prises. Si Dolly était repérable à son rire, on pouvait me suivre à la trace car partout où j'allais, je laissais derrière moi des copeaux et des gouttes de sang.

Comme tout le reste de l'équipe, Dolly était intriguée par ma nouvelle activité. Un jour, pendant le déjeuner, je lui ai donné à lire *The Dollmaker* en lui demandant si elle pouvait m'aider à trouver une montagnarde qui accepterait de me laisser passer quelque temps avec elle. Dolly a tout de suite compris ce qu'il me fallait, et elle savait que les habitants de sa région n'étaient pas très accueillants envers les étrangers. Elle me proposa donc de l'accompagner à Nashville, où elle devait se rendre après le tournage, et d'où elle m'emmènerait ensuite voyager en minibus à travers les Appalaches pour me présenter des montagnards.

Lorsque je suis arrivée à Nashville, je me suis aperçue que Dolly avait soigneusement préparé notre périple, s'assurant à l'avance que nous visiterions tous les villages et rencontrerions tous ceux qui pourraient m'être utiles dans mes recherches. J'étais profondément touchée. Dolly était, et est encore, une immense star du show-biz, une femme très occupée, et bien que merveilleusement ouverte et accessible au public, elle protège son intimité et dévoile rarement ce qui concerne sa vie personnelle, sa famille ou ses amis à ceux qui n'en font pas partie. J'ai compris qu'elle voulait ainsi me remercier de l'avoir entraînée dans l'aventure de *Comment se débarrasser de son patron.*

Nous sommes parties à cinq. L'arrière du bus était occupé par la cabine de Dolly. Nous dormions à quatre dans la partie centrale, sur d'étroites banquettes. Dans la journée, nous nous retrouvions toutes à l'avant. Pendant la semaine que dura le voyage, personne ne vit jamais Dolly sans perruque ni maquillage. Elle arrivait le matin, magnifique, et quand elle allait se coucher le soir, elle l'était toujours. C'est en général pour cacher leurs défauts physiques que les femmes font appel à ce genre d'artifices, mais pas Dolly (et j'ai passé suffisamment de temps avec elle pour pouvoir l'affirmer). Une fois le masque tombé, elle restait vraiment belle – comme d'ailleurs tout le reste de sa famille.

Nous avons traversé les Smoky Mountains du Tennessee et les monts Ozarks du Missouri et de l'Arkansas, montant en bus aussi loin que possible pour aller rencontrer les amis que Dolly s'était faits quand elle avait commencé à la radio. J'avais cru jusque-là que le talent avec lequel elle racontait les histoires lui était personnel. Je m'aperçus que tout le monde, dans cette région, avait le don de la plaisanterie et du rire.

Dolly me présentait, expliquait avec un fort accent du Sud : « Jane veut faire un film sur des gens comme nous » et leur demandait s'ils étaient d'accord pour bavarder un moment avec moi. Nous nous retrouvions en général assises à l'intérieur d'une petite maison qui ne comprenait qu'une seule pièce et n'avait ni l'eau ni l'électricité. Je me souviens en particulier de l'une d'elles, où l'on avait tapissé les murs intérieurs de journaux pour empêcher l'air froid de passer. Il y avait presque toujours une image en couleur du Christ accrochée dans un coin, quelques fleurs en plastique, parfois la photo jaunie d'un homme en uniforme, et nos hôtes finissaient régulièrement par nous apporter un vieux carton à chaussures rempli d'autres photos et de souvenirs. Ils avaient la plupart du temps dans les soixante-dix ou quatre-vingts ans et traversé la Grande Dépression, vu les mines fermer et des familles entières s'en aller, comme cela arrivait au personnage de *The Dollmaker*.

Une nuit, nous sommes restées dormir chez des parents de Dolly qui habitaient une ville des monts Ozarks et le matin, alors que nous allions partir, ils nous ont apporté une grosse cruche en terre remplie de whisky maison. « Ils le passent trois fois, a expliqué Dolly fièrement. Ça ne peut pas être plus pur. » J'ai appris que l'alcool qu'ils fabriquaient était filtré sur de la gaze jusqu'à ce que le résultat puisse rivaliser avec la meilleure eau-de-vie française. Et aussi à passer mon pouce dans l'anse et à porter le goulot à mes lèvres en me servant de mon bras comme contrepoids. Nous avons souvent porté le goulot à nos lèvres pendant le voyage, et si le volume de nos rires augmentait en conséquence, je ne me sentais jamais ivre, et me réveillais sans gueule de bois. (Quoique, une fois rentrée, il m'ait bien fallu une semaine pour m'en remettre.)

C'est dans les monts Ozarks que j'ai vu pour la première fois des arbres à bouteilles et tant d'autres expressions incroyables de la créativité de ces gens dont l'art n'est pas appris dans les écoles ni vendu dans les galeries, mais vient d'un besoin essentiel d'embellir leurs lieux de vie avec ce qu'ils ont sous la main, sans se soucier de ce que les autres peuvent en penser. Il y avait une maison où tout, des tables aux chaises en passant par le plancher et la glacière, était peint de pois de couleur, une autre, dont le propriétaire venait de mourir, où chaque meuble était entièrement recouvert du papier d'aluminium dont sont faits les emballages de chewing-gums. Dans une cour, un arbre mort orné d'innombrables bouteilles de lait de magnésie resplendissait, auréolé par le soleil qui passait à travers leur verre bleu, et plus loin j'en aperçus un autre aux branches duquel pendaient des cannettes de bière si nombreuses qu'il avait dû falloir des années pour les vider.

Dans l'Arkansas, nous sommes allées chez un historien de la musique, Jimmy Driftwood, connu, entre autres choses, pour sa chanson « The Battle of New Orleans ». Après avoir appris la raison de notre voyage, Jimmy annonça qu'il connaissait des gens qui correspondaient parfaitement à ce que je cherchais. Nous nous entassâmes tous dans la même voiture et roulâmes jusqu'à un hameau appelé Mountain View. Environ dix minutes plus tard, nous prîmes un chemin de terre qui serpentait à travers la forêt et arrivâmes à un chalet en bois couvert de clématites. Il y avait dans l'enclos un animal qui ressemblait à un zèbre (c'était en fait la mule à robe rayée qui tirait leur charrue) et des paons sur le toit. J'avais enfin trouvé le royaume du Magicien d'Oz. Lucy et Waco Johnson, qui devaient avoir dans les soixante-dix ans, sortirent nous accueillir. Lucy était une femme charpentée, avec des cheveux bruns courts, d'épaisses lunettes et des fausses dents toute neuves dont elle semblait très fière. Elle sculptait des poupées de pomme (dont les visages façonnés dans des pommes qui séchaient ensuite prenaient d'étonnantes rides d'expression). Elle cardait la laine de ses moutons et la colorait avec des teintures végétales à base de fruits et de légumes qu'elle cultivait. Puis elle tissait de ravissants petits tapis et sets de table qu'elle vendait dans des foires. Comme le personnage de *The Dollmaker*, Lucy était une artiste qui ne se considérait pas comme telle. « Je m'occupe », disait-elle. Elle était celle que je cherchais.

« Si jamais nous arrivons à finir ce scénario, j'aimerais revenir et rester quelque temps avec vous », leur ai-je dit avant de partir. Ils ont hoché la tête, persuadés de ne jamais me revoir.

Je suis retournée chez eux trois ans et demi plus tard. Dès que le scénario avait été terminé et la date du tournage fixée, je leur avais écrit pour leur demander si je pouvais passer quinze jours chez eux, en ajoutant : « A condition seulement que vous me laissiez travailler avec vous et ne disiez à personne qui je suis. » Ils furent surpris, mais acceptèrent.

C'était à Pâques, et il faisait un froid cinglant à Mountain View. Waco, qui avait maintenant soixante-dix-huit ans, avait coupé du bois pour alimenter la cheminée, seule source de chaleur de la maison, et le jour de mon arrivée j'insistai pour le relayer. Je n'avais jamais fait ça de ma vie, mais je me suis dit, quand même, il a soixante-dix-huit ans et toi, tu es la reine du fitness. Pas de problème. Quand je me suis réveillée le lendemain matin, je ne pouvais plus bouger les mains, et encore moins lever les bras. J'en ai conçu une admiration sans bornes pour Waco, mais je me suis rendu compte en même temps du problème qui les attendait : qu'allait-il se passer quand il serait trop vieux pour couper le bois ? Leurs enfants, comme beaucoup de jeunes nés dans les montagnes, étaient partis s'installer dans des zones urbaines. Leur mode de vie allait bientôt disparaître sans que les Américains, pour la plupart, sachent ce qu'il avait été.

Après avoir compris que je n'avais pas assez de force pour faire ce que faisait le vieux Waco tous les jours, je me suis attelée à d'autres tâches. Je trayais la vache chaque matin, ramassais les œufs des poules qui couraient dans le jardin, battais le beurre dans une vieille baratte en bois comme celle dont ma mère avait fait un pied de lampe quand nous vivions à Tigertail. J'allais dans la forêt avec Waco, où il tira un jour un opossum et me montra comment le dépiauter. Lucy m'expliqua comment reconnaître un sassafras, dont l'écorce permettrait d'assaisonner la viande que nous avons fait mijoter sur la cuisinière à bois. (Je n'ai pas trouvé ça bon. Trop gras et plein de petits os.) Elle m'a donné une recette toute simple de biscuits qui cuisaient dans la cheminée à l'intérieur d'une lourde marmite en fer. J'ai découvert le sirop de sorgho, dont on pouvait imprégner le pain, appris à toujours placer la plus grosse bûche au fond de la cheminée, à sculpter des visages de poupées dans des pommes, et à craindre les gelées de printemps tardives qui pouvaient dévaster le potager et le verger. Car si cela arrivait, mes hôtes manqueraient de nourriture.

Nous dormions tous dans la même pièce, séparés par des draps pendus à des fils, sur des lits en fer aux ressorts affaissés et aux matelas de plumes si épais que j'avais du mal à m'en extirper. Le soir après dîner, nous nous asseyions sur leur canapé usé devant l'immense cheminée de pierre, ils me racontaient des histoires et des blagues ou faisaient de la musique et chantaient des chansons. Les gens d'ici étaient non seulement de merveilleux conteurs, mais ils savaient tous jouer d'au moins un instrument. Je compris alors (mieux vaut tard que jamais) que, n'ayant pas d'électricité, ils ne pouvaient ni écouter la radio ni regarder la télévision. Aussi, pour égayer leurs longues et froides soirées d'hiver ne pouvaient-ils compter que sur eux-mêmes. « Cet art précieux de la conversation est-il menacé de disparition par la "fée" électricité ? » me demandais-je.

Le dimanche de Pâques, Lucy et Waco m'ont emmenée à l'église. C'était un bâtiment d'une seule pièce, aux murs blanchis à la chaux et chauffé par un poêle à bois dont le dessus était rouillé. Quand nous sommes arrivés, le pasteur m'a regardée fixement. Il portait une salopette en jean et l'on voyait à ses mains qu'il travaillait la terre, comme Waco. « C'est fou ce que vous ressemblez à Jane Fonda. Personne ne vous l'a jamais dit ? » m'a-t-il demandé. J'ai baissé les yeux et balbutié quelque chose, en priant pour que Lucy se taise et qu'il n'ajoute rien de désagréable. Mais il a continué : « Je ne sais pas ce que vous en pensez, mais moi, je trouve que c'est une fille courageuse. » J'aurais voulu l'embrasser, pourtant j'ai dû me contenter de hocher silencieusement la tête.

Il y eut pendant le service de nombreux échanges entre le pasteur et les membres de la congrégation – tout au moins les hommes. Aucune femme ne parla. Quand j'abordai ensuite ce sujet avec Lucy, elle me dit qu'il leur était interdit d'intervenir. Elle me raconta aussi qu'il y avait juste un peu plus loin une autre église où les fidèles buvaient de l'arsenic et manipulaient des serpents à sonnette vivants.

Ce fut pour moi un privilège que de connaître ces gens et leur monde, qui en 1984 n'était probablement pas très différent de celui de mes ancêtres pionniers. Quelle tristesse de penser que, dans quelques dizaines d'années, il aurait disparu, remplacé par la « civilisation ».

CHAPITRE DIX-HUIT

LA MAISON DU LAC

Il faut quelquefois regarder l'autre très attentivement
et se souvenir qu'il fait de son mieux.

Ethel THAYER,
La Maison du lac.

« Je ne vous aime pas ! » a lancé Katharine Hepburn en pointant son doigt vers moi, tandis que la colère ébranlait de secousses sismiques sa voix et son visage inoubliables – et habituellement imperturbables. Je n'avais encore jamais rencontré cette légende vivante et ce qui se passa alors que je venais d'arriver avec Bruce dans sa maison de la 49e Rue était affreux – non seulement parce qu'une quasi-déesse me damnait, mais aussi parce qu'elle devait venir quinze jours plus tard dans le New Hampshire répéter *La Maison du lac* avec mon père et moi.

La présence de Katharine Hepburn était cruciale pour le financement du film. Aucune compagnie américaine ne pensait qu'une histoire tournant autour de deux personnes âgées et un adolescent intéresserait les gens. De plus, mon père avait une maladie cardiaque suffisamment grave pour que les assurances refusent de nous couvrir. Nous ne pouvions donc tourner qu'en travaillant pour des salaires bien inférieurs à ceux que nous touchions généralement et, si Katharine Hepburn se retirait, le projet tomberait à l'eau.

Il m'était difficile de savoir exactement ce qui provoquait sa fureur. Connue pour ses idées libérales, elle ne pouvait pas m'en vouloir de mes positions politiques. Apparemment, elle me reprochait de ne pas avoir été là lorsque mon père et elle s'étaient rencontrés (j'avais préféré partir dans les Appalaches avec Dolly). Bien qu'ayant travaillé tous deux depuis des décennies dans le cinéma, où ils avaient d'innombrables relations communes, Hepburn et Fonda ne se connaissaient pas, et alors que c'était ma société de production qui faisait ce film, je n'avais pas cru indispensable d'être là le jour où les deux stars se retrouvèrent face à face pour la première fois. En vingt-cinq ans de carrière, je n'avais jamais pensé à rendre hommage à qui que ce soit. L'idée que Katharine Hepburn interpréterait mon absence comme un manque de respect ne m'avait pas effleurée.

Mais il y avait un autre chose : à soixante-treize ans, elle jouait encore au tennis, et elle s'était démis l'épaule et déchiré un tendon. Nous venions voir si le tournage pourrait malgré tout commencer à la date prévue.

Dans la foulée de son « Je ne vous aime pas ! », Katharine Hepburn m'annonça avec la morgue des élites fondatrices de ce pays : « J'ai peur de ne pas pouvoir faire le film, Jane. Je ne crois pas que mon épaule sera guérie à temps pour porter du bois et tirer un canoë à l'eau comme l'exigent certaines scènes. Continuez sans moi, prenez Geraldine Page ou quelqu'un d'autre. » Elle faisait exactement ce que j'avais fait avec Alan Pakula quand j'avais voulu renoncer à *Klute*.

Mais elle était déjà passée à un autre sujet, celui du générique – et de l'ordre dans lequel nos noms apparaîtraient. J'étais soulagée, cela voulait dire qu'elle se considérait toujours comme faisant partie de la distribution. Mais je ne saisissais pas le problème. J'avais naturellement pensé que mon père et elle occuperaient le haut de l'affiche, et que mon nom arriverait derrière les leurs puisque je jouais un second rôle. Puis j'ai compris. Elle craignait que ce ne soit pas le cas. *Seigneur !* Je n'avais aucune envie de rivaliser avec Katharine Hepburn et ce n'était pas parce que je produisais le film que j'allais en profiter pour me mettre en avant !

Avoir mon nom en plus gros que les autres dans un générique ne m'a jamais terriblement préoccupée : vous faites bien votre boulot et les gens s'en rendent compte, pour moi c'est suffisant. Mais cet esprit de compétition est peut-être ce qui sépare des autres acteurs ceux que l'on considère comme des légendes vivantes. J'étais, et en cela je ressemblais à mon père, plus à l'aise dans un contexte égalitaire, et j'ai souvent eu tendance à oublier que d'autres ne le sont pas. Katharine Hepburn voulait vérifier que je savais rester à ma place... et dans le cas contraire, m'y renvoyer.

Cela m'a permis de voir combien elle se sentait fragile. Elle était une légende vivante, c'est vrai. Mais j'étais plus jeune qu'elle, or au box-office ces années de moins constituaient un avantage – et elle n'avait reçu qu'un oscar de plus que moi. (Elle y pensait, vous le verrez plus loin.) Elle avait l'habitude des responsabilités, mais c'était ma société qui produisait ce film, que j'avais voulu faire pour mon père, et j'étais aux commandes. De plus, je n'étais pas venue la première fois, ce qui aurait pu laisser entendre que je ne tenais pas particulièrement à ce que ce soit elle qui incarne la femme de Henry Fonda. Et maintenant qu'elle était blessée, elle devait croire que j'allais lui trouver une remplaçante. En fait, la salve par laquelle elle m'avait accueillie – *Je ne vous aime pas !* – était une façon instinctive de me forcer à me mettre sur la défensive, et en annonçant qu'elle ne ferait pas le film elle prenait les devants, se retirait avant qu'on lui dise de s'en aller, tâtait le terrain. Dès l'instant où j'ai su ce qui se passait en elle, il fut facile de laisser l'empathie s'installer.

Je me suis excusée de ne pas avoir été là quand Papa et elle s'étaient vus, en l'assurant que rien ne pourrait m'obliger à donner son rôle à une autre, que le film reposait en grande partie sur elle (ce qui était vrai), et que nous ferions tout ce qui serait nécessaire en termes de planning pour lui laisser le temps de se rétablir.

« Geraldine Page est une merveilleuse actrice, Miss Hepburn, lui dis-je. J'ai déjà travaillé avec elle. Mais c'est le couple que vous formerez avec mon père qui fait tout le charme du film – et ce couple apparaîtra sur les écrans, quoi qu'il en coûte. »

Lorsqu'elle me fit part des idées qu'elle avait eues pour rendre la scène du canoë possible malgré son épaule douloureuse, je sus qu'elle n'avait jamais sérieusement envisagé d'abandonner. Elle avait simplement voulu me mettre à l'épreuve.

Dès que la question de sa présence dans le film fut réglée, elle me lança un nouveau défi : « Est-ce que vous allez faire le salto arrière vous-même, Jane ? » Elle m'a regardée et j'ai eu l'impression que ses yeux pétillaient.

Il s'agit d'une scène importante en ce qui concerne la relation de la jeune femme que j'incarne et de son père. Parce qu'il la trouvait trop grosse, elle n'est jamais arrivée, enfant, à plonger en arrière. Et maintenant qu'elle est adulte, et mariée, elle veut lui montrer qu'elle en est capable. Mais bon sang ! Je n'avais jamais eu l'intention de m'en charger. Nous avions déjà engagé une doublure. J'ai une vraie phobie de tous les mouvements qui vous renversent en arrière, et en plus je déteste l'eau froide. Mais dès que la question a passé les lèvres de Miss Hepburn, le plongeon impeccable qu'elle réalise dans *Indiscrétions* m'est revenu à l'esprit et j'ai su ce que j'allais être obligée de lui répondre.

« Mais bien sûr, Miss Hepburn. Il faut juste que j'apprenne, je n'en ai jamais fait. » Moi, lui montrer que j'avais peur ? Plutôt mourir.

Nous nous sommes quittées sur d'amicales embrassades. Hepburn a annoncé qu'elle partirait dix jours plus tard chercher une maison au lac Squam avec son assistante et amie Phyllis Wilbourn, et nous nous sommes organisés pour les y accueillir.

Phyllis nous a raccompagnés à la porte, nous avons poussé la lourde grille et une fois dans la rue je me suis vite éloignée pour que Miss Hepburn ne puisse pas me voir, puis je me suis assise sur le trottoir, en pleine 49e Rue. La tête me tournait. En l'espace d'une heure nous étions passés d'un « Je ne vous aime pas ! » et d'un « Je ne pourrai pas faire le film » à « Je vais chercher une maison sur le lac Squam ». Cela me donnait une excellente idée des rapports complexes qui nous attendaient et des défis permanents qu'allait lancer la star. Mais il faudrait m'y faire.

« Emmène-moi boire un verre, Bruce, j'ai besoin d'un remontant. »

Voulant m'assurer que Miss Hepburn trouverait de quoi se loger, je suis partie avant elle au lac Squam – des eaux anciennes aux rives découpées, parsemées de petites îles qui, d'une rive, empêchaient de voir l'autre.

Bruce et sa femme étaient déjà installés dans un joli chalet isolé et m'avaient préparé une liste de locations à visiter. Vanessa, Troy, Tom et notre berger allemand Geronimo viendraient passer avec moi les trois mois du tournage. Et nous devions aussi accueillir, lors de leurs séminaires d'orientation, les dix membres du comité de direction de la CED. J'avais besoin de place.

Shirley avait choisi pour mon père et elle la petite maison d'amis d'une demeure construite en brique sur une colline dont la grande pelouse descendait au bord de l'eau, et qui avait huit chambres. Exactement ce qu'il me fallait. J'y serais tout près de Papa, c'était parfait. Il y avait un peu plus au nord un autre chalet, moins vaste mais confortable, avec une magnifique baie vitrée donnant sur le lac – qui conviendrait très bien, pensai-je, à Miss Hepburn et sa fidèle Phyllis.

A l'heure prévue, Bruce et moi sommes arrivés sur le parking d'un restaurant où nous étions convenus de nous retrouver. Quelques minutes plus tard, leur break s'est garé à côté de nous, Miss Hepburn est descendue de voiture et elle s'est dirigée vers moi.

« Alors, Jane, vous avez choisi une maison ? » J'ai tout de suite su que mes plans n'allaient peut-être pas se réaliser.

« J'en ai vu plusieurs, Miss Hepburn, mais vous prendrez celle que vous préférerez, et moi une autre.

— Voilà qui est parler ! » a-t-elle dit avec un grand sourire. Elle savait maintenant que j'avais compris, que je ne commettrais plus d'erreur. Ouaou ! Nous n'étions pas passés loin de l'incident diplomatique. Miss Hepburn et Phyllis dans un gentil petit chalet ? Mais où avais-je la tête ! Elle s'est installée dans la grande demeure.

Mais il me faut maintenant vous raconter comment nous en étions arrivés là. Je voulais depuis des années faire un film réunissant les trois Fonda – Henry, Peter et moi. Lorsque Bruce vit à New York une pièce intitulée *La Maison du lac*, il voulut tout de suite l'acheter. Le temps pressait. Du fait de sa maladie de cœur et des complications qui en résultaient, Papa se retrouvait de plus en plus souvent à l'hôpital et je savais qu'il fallait faire vite. Certes, il n'y avait pas dans cette histoire de rôle pour Peter, et le mien était très secondaire, mais je pensais que, grâce au personnage de Norman Thayer, Papa pourrait gagner l'oscar qu'il n'avait jamais reçu. Et je voulais tout faire pour que cela arrive.

Mark Rydell accepta de nous diriger et le jeune auteur de la pièce, Ernest Thompson, se chargea du scénario.

Ce film met en scène un couple âgé qui, depuis des dizaines d'années, passe l'été dans le Maine, au bord du lac Squam. Norman, le vieux grincheux qu'interprète mon père, va avoir quatre-vingts ans et sa fille Chelsea et son fiancé, qui ont prévu d'aller ensuite en Europe, viennent fêter l'événement dans la maison au bord du lac. Ils arrivent avec le fils du fiancé, un garçon de treize ans prénommé Billy qu'ils voudraient confier aux parents de Chelsea pendant leur mois de vacances. La jeune femme travaille dans une agence immobilière en Californie et, parce qu'elle a toujours eu une relation distante et compliquée avec son père, elle ne rend plus jamais visite à ses parents – ce qui fait de la peine à Norman, sans qu'elle s'en rende compte.

Le jeune Billy est furieux, il a l'impression d'avoir été abandonné dans un trou perdu en compagnie de deux vieux schnoques. Mais au cours de l'été, Norman va nouer avec lui les liens qu'il n'a jamais eus avec sa fille. Il lui apprend à pêcher et à exécuter un magnifique plongeon arrière que Chelsea n'a jamais été capable de réussir, et Billy lui fait découvrir des expressions telles que « draguer les nanas », « rouler un palot » ou « super-sensas ». Le cœur de Norman s'est adouci face à l'adolescent, et lorsqu'elle revient chercher l'enfant, Chelsea s'en rend compte et elle en est jalouse. Poussée par sa mère, elle trouve le courage de parler à son père, de lui dire qu'elle veut être son amie et pour la première fois, le vieil homme arrive à lui montrer qu'il l'aime. Mais *La Maison du lac* repose avant tout sur le couple attendrissant que forment Norman et celle qui est sa femme depuis cinquante ans, Ethel, interprétée par Katharine Hepburn. Leur relation fournit au film certains de ses passages les plus émouvants, par exemple celui où Norman qui s'est perdu dans le bois où il est allé cueillir des fraises, court se réfugier auprès d'Ethel. Ou bien celui où, alors que son angine de poitrine fait terriblement souffrir Norman, Ethel lui dit combien elle a peur de le perdre. Mon père et Katharine Hepburn donnent à ces scènes une dimension étonnamment poignante. Et je ne peux, pour ma part, jamais retenir mes larmes lorsque je les revois.

Il fallait faire vite. Etant donné l'état de santé de mon père, nous savions tous que ce serait cet été-là ou jamais. *La Maison du lac* est l'histoire d'un été, nous devions donc finir de tourner au début de l'automne, quand les arbres à feuilles caduques caractéristiques de cette région commencent à changer de couleur.

Le cameraman Billy Williams avait insisté pour que nous trouvions un lac orienté d'est en ouest, afin d'obtenir la lumière qu'il désirait. Le responsable des repérages se rendit, entre la Caroline et le Maine, sur les bord d'une centaine de lacs de la côte Est, mais seul le lac Squam sembla correspondre à cette exigence. De plus, alors que les rives des autres étaient déjà toutes très construites, celles du lac Squam donnaient l'impression que le temps s'était arrêté. Je ne comprenais pas comment un endroit aussi beau avait pu échapper à l'invasion des résidences d'été. Jusqu'à ce que quelqu'un me fasse découvrir le terme de « protection de la nature par exclusion » : les terrains qui entouraient le lac appartenaient à de riches familles qui n'avaient pas l'intention de se laisser envahir par les vacanciers.

Nous nous sommes donc engagés dans une véritable course contre la montre ponctuée d'obstacles : le changement de saison, l'épaule démise de Miss Hepburn, la maladie de mon père. Pire, le Syndicat des acteurs menaçait d'organiser une grève contre la Motion Picture Association of America, qui défendait les intérêts de l'industrie cinématographique américaine et gèlerait alors toutes ses activités. En commençant à tourner avant le déclenchement du mouvement, nous espérions ne pas être obligés de nous arrêter ensuite. Nous avions tort. Les acteurs se mirent en grève et nous fûmes contraints d'interrompre notre travail. Bruce passa trois jours à démontrer désespérément que, puisque nous dépendions d'ITC, qui était une compagnie britannique indépendante et n'appartenait donc pas à la MPAA, nous n'étions pas liés à cette dernière. Il réussit à obtenir une dérogation qui nous permit de continuer. S'il n'y était pas arrivé, *La Maison du lac* n'aurait jamais vu le jour.

Quand les répétitions commencèrent, Miss Hepburn prit l'habitude de m'inviter à partager son thé. Elle me faisait asseoir avec elle dans l'un des confortables fauteuils en osier blanc de sa véranda et m'expliquait comment je devais jouer. Je ne plaisante pas – et elle non plus ne plaisantait pas, loin de là. Elle me faisait lire son rôle et lisait le mien pour me montrer ce que je devais faire. Je n'en revenais pas, mais je ne lui ai jamais montré combien je trouvais ça... étrange. J'aurais eu peur de l'offenser.

J'aurais pu la regarder pendant des heures. A soixante-dix ans passés, elle était encore extrêmement belle. Elle avait toujours son port de reine et ses fameuses pommettes hautes. Même lorsque la peau plisse et pend, les visages qui ont cette forme, s'ils sont bien proportionnés comme l'était le sien, gardent leur beauté intrinsèque, alors que ceux qui sont moins fortement structurés souffrent du passage du temps.

Elle me dit un jour que nous nous ressemblions beaucoup – que nous étions toutes les deux des esprit libres, des femmes fortes et indépendantes. Ce qui ne l'empêchait pas de me faire savoir en quoi je différais d'elle. Elle trouvait tout d'abord que j'aurais dû m'impliquer plus dans tout ce qui concernait le film, ce qu'elle faisait à sa grande époque, quand, du casting aux lumières, aucun détail ne lui échappait. Mais elle avait dit un jour : « Jouer est la seule chose que j'aie jamais voulu faire », et ce n'était pas mon cas. J'adorais être actrice, surtout depuis que je produisais mes films, mais cela ne représentait qu'une part importante de ma vie parmi d'autres. Il y avait aussi mes enfants, mon engagement politique, la CED, le Workout qui finançait cette dernière... et un chien. (Miss Hepburn n'était pas très intéressée par les animaux de compagnie.) Je savais qu'elle regardait tout ça d'un œil méfiant. Elle ne comprenait pas que je me sois associée avec Bruce, que j'aie une activité qui ne soit pas reliée à ma profession, et que je consacre au moins autant de temps à la politique qu'à ma carrière. Elle ne supportait pas que dix personnes n'ayant rien à voir avec le film (le comité de direction de la CED) vivent dans des bungalows et sous la tente autour de notre chalet (celui dont elle n'avait pas voulu). Elle me trouvait impardonnable de penser à autre chose qu'au film. Nous dûmes attendre un jour où nous savions de façon certaine qu'elle ne viendrait pas sur le tournage pour inviter nos amis à y assister.

Avoir des enfants alors qu'on est acteur constituait évidemment pour elle une hérésie complète. Elle me dit que, si elle n'en avait jamais voulu, c'était parce qu'elle se savait trop égoïste. « Si j'avais été mère, m'expliqua-t-elle, que mon bébé malade se soit mis à pleurer alors que je me préparais à partir pour le théâtre, où des centaines de spectateurs m'attendaient, et que je sois obligée de choisir – entre mon enfant et la pièce –, je crois que j'aurais étouffé l'enfant pour aller jouer. On ne peut pas faire les deux, ajouta-t-elle avec une assurance effrayante, c'est la carrière ou les enfants. »

Je crois qu'elle avait tort, tout au moins en ce qui me concerne. Mais peut-être pas pour elle. La carrière dont elle avait rêvé exigeait probablement qu'elle s'y consacre tout entière. Pourtant, je me sentais affreusement mal. Ces conversations renforçaient la tendance que j'avais à penser devoir mener ma vie autrement, plus comme ci ou moins comme ça... Il y avait toujours des tas de femmes qui me semblaient mieux s'en sortir que moi, et des tas d'actrices qui auraient, à mon avis, bien mieux joué tel ou tel de mes rôles. Je restais éveillée des heures la nuit, tournant et retournant dans ma tête ce qu'elle m'avait dit, certaine qu'elle avait raison, qu'à cause de moi, mes enfants n'auraient que des problèmes.

Et devinez quoi. Ils s'en sont bien sortis. Ils sont devenus des adultes étonnants, doués, équilibrés, sympathiques. Non que j'en sois la seule responsable, mais quand même. Enfin, je suis comme je suis. En 1978, Ronald Katz écrivit à mon sujet dans le magazine *Rolling Stone* : « Personne dans le monde du cinéma ne s'est jamais associé à une telle bande de nouveaux venus et fait malgré tout une véritable carrière. »

Au cours de nos conversations, Miss Hepburn évoqua souvent les liens qu'elle avait eus avec les actrices Constance Collier et Ethel Barrymore, toutes deux plus âgées qu'elle et auprès de qui elle semblait avoir joué les dames de compagnie. Elle m'expliqua que lorsque Ethel Barrymore avait été hospitalisée à la fin de sa vie, elle était allée la voir régulièrement. Et comme elle me le répéta à plusieurs reprises, j'en suis venue à me demander si elle n'espérait pas qu'une autre en fasse autant pour elle – et si cette autre n'était pas moi. Je ne l'ai jamais su. Mais elle était plus à l'aise avec les gens qui n'avaient pas d'autres attaches, même pas de chien.

Elle parlait beaucoup de ses parents, qu'elle décrivait toujours comme les plus merveilleux qu'on puisse avoir et à qui, disait-elle, elle devait tout. L'habitude qu'elle avait de nager chaque matin quand elle était dans sa maison de campagne du Connecticut, même en hiver, remontait loin. Chez elle, avant d'aller à l'école, les enfants prenaient leur bain dans une baignoire remplie de glace. Son père y tenait. Lorsque je lui dis que c'était quand même dur, elle me répondit : « Mais pas du tout, ça forme le caractère. Et c'est grâce à ça que je ne suis jamais malade. » Peu convaincue, je choisis cependant de me taire.

Elle me dit qu'à New York, elle se levait tous les matins à cinq heures, prenait son petit déjeuner au lit et écrivait ses mémoires. Dans un chapitre intitulé « L'échec », elle racontait son fiasco monumental dans *The Lake*, une des pièces qu'elle avait jouée à Broadway.

« Un critique écrivit que j'avais "utilisé toute la gamme des émotions de *do* à *ré*", me dit-elle avec un haussement d'épaules. Mais je veux en parler pour montrer que l'on apprend plus de ses échecs que de ses succès. » Cette fois, j'étais d'accord.

Ne voulant pas provoquer une fois de plus les foudres de Miss Hepburn, et bien que n'ayant pas à travailler de jour-là, j'allai assister au premier jour de tournage et à la seconde grande rencontre historique. Déjà maquillée, Miss Hepburn attendait devant la maison du film. Ses yeux brillaient, elle cachait quelque chose derrière son dos. Dès que mon père arriva, elle alla vers lui en disant « Tenez, Henry. C'était le chapeau préféré de Spencer. Je voulais que vous l'ayez. » Papa était ému, comme nous tous. Il porte trois chapeaux différents dans le film, dont celui de Spencer Tracy. Après le tournage, il les a peints tous les trois, de façon tellement réaliste que l'on a l'impression de sentir la texture dont ils sont faits. Puis il a fait reproduire le tableau en lithographies qu'il a offertes à tous les acteurs et techniciens de *La Maison du lac*.

La première scène dans laquelle je tournais était celle où mon personnage arrive chez ses parents avec son fiancé et le fils de ce dernier. Miss Hepburn ne m'avait pas vue habillée et maquillée. Elle a jeté un coup d'œil à mes talons hauts et disparu. Quelques minutes plus tard, elle était de retour avec une paire de chaussures à semelle compensée des années trente qui la grandissaient d'au moins cinq centimètres. Je me suis alors rappelé que la taille était pour elle quelque chose d'important. (J'avais lu quelque part qu'elle avait abordé ce problème avec Spencer Tracy dès qu'elle l'avait vu : « Vous n'êtes pas aussi grand que je croyais », lui avait-elle dit. Ce qui avait provoqué la célèbre réponse du réalisateur Joseph Mankiewicz : « Ne vous inquiétez pas, Kate, vous allez bientôt vous sentir toute petite devant lui. ») J'imagine que, pour elle, la taille avait un rapport avec la domination. Elle se serait fait damner plutôt que de me laisser la dépasser.

Ce jour-là, Miss Hepburn me surprit entre deux scènes, debout devant le miroir à côté de la porte d'entrée, là où étaient accrochés les chapeaux de Norman, le personnage de mon père. Elle tendit le bras vers moi.

« Qu'est-ce que ça veut dire pour vous ? me demanda-t-elle en me pinçant la joue.

— De quoi est-ce que vous parlez ?

— De votre image. A quoi voulez-vous ressembler ? » Et elle me pinça encore une fois. « Il s'agit de votre emballage. Nous avons tous un emballage, ce que nous donnons à voir au monde. Que voulez-vous que votre emballage dise de vous ?

— Je n'en ai aucune idée », lui ai-je répondu.

Mais j'y ai pensé pendant des jours et j'y pense encore. (C'est tout Miss Hepburn : elle s'est glissée quelque part en moi et ça m'a remuée.) Je crois maintenant savoir pourquoi elle m'a posé cette question. Elle trouvait que je n'avais pas assez conscience de mon image. Elle pensait que les acteurs devaient s'inquiéter de ce qu'ils donnaient à voir – et Dieu sait qu'elle le faisait. Elle était un personnage, avait un style bien à elle qui restait gravé dans l'esprit de son public, et dont elle ne s'écarta jamais. Tandis que je partais dans tous les sens, toujours à la recherche de ce que j'étais, avec une incertitude qui la gênait. Elle aurait voulu que je ne sois pas comme ça, c'était une chose de plus qu'elle me reprochait. Nous avons tendance à penser que le terme *conscience de soi* a quelque chose de péjoratif, qu'il est signe de malaise, de maladresse. Mais je le comprends maintenant autrement. Avoir conscience de soi, c'est se rendre compte de l'impact que l'on a sur les autres. Parmi tous les gens que j'ai connus, seul Ted Turner pouvait rivaliser sur ce plan avec elle. Et cela faisait partie de son charme.

Cet été au bord du lac Squam fut merveilleux. Même la nature participa à cette magie. Et en particulier les huards qui vivaient sur le lac. Il s'agit d'un oiseau étonnant, de la taille d'une petite oie, au plumage noir marqué de blanc et dont le cri inoubliable ressemble à un rire lointain. Il plonge pour attraper les poissons dont il se nourrit et niche dans les régions nordiques. En hiver, il migre vers des climats plus doux. Parce que le huard s'accouple pour la vie, mâle et femelle partageant les tâches auprès de leurs petits, et que le film mettait en scène le couple d'Ethel et Norman Thayer que jouaient Miss Hepburn et mon père, ces animaux en devinrent les mascottes. Craintif, le huard se méfie des humains et il est difficile de l'observer de près. Mais un jour où quelques membres de l'équipe déjeunaient au bord de l'eau, l'un deux vint soudain nous chercher en courant. Une famille de huards, papa, maman et leurs enfants, se trouvait à quelques mètres de la rive et semblait ne pas avoir l'intention de bouger. L'opérateur attrapa sa caméra et les filma, et ils restèrent dans les parages plusieurs jours, comme s'ils avaient su que notre travail serait formidable et voulu y participer. Ce qui arriva, puisque c'est avec ces images que le film commence.

Dès mon arrivée dans le New Hampshire, j'ai commencé à prendre des leçons de plongeon avec l'entraîneur de l'équipe de natation de l'université du Maine qui passait l'été près du lac Squam. J'ai commencé avec une ceinture autour de la taille, accrochée à une corde qui m'aidait à partir en arrière, et un matelas pour amortir la chute. Au bout d'environ une semaine, j'ai été autorisée à passer sur le plongeoir, et Troy s'asseyait au bord de la piscine pour assister aux pathétiques tentatives de sa mère qui retombait généralement sur le dos. J'étais terrifiée, j'avais envie de me cacher sous ma serviette. Ça a duré comme ça un mois, et un jour, je me suis retrouvée sur le ponton, celui que l'on voit dans le film, devant la maison. Nous étions début juillet, je n'avais plus beaucoup de temps devant moi. Dès que je ne tournais pas, je m'entraînais, et je continuais à faire des plats.

Jusqu'au jour où, trois semaines plus tard, j'ai eu le déclic. Rien d'extraordinaire, une détente à peine suffisante pour tendre les jambes et entrer dans l'eau tête la première. Je n'étais pas certaine de pouvoir recommencer, mais je l'aurais fait au moins une fois. Pendant que je rejoignais la rive, le corps douloureux, Miss Hepburn sortit de derrière les buissons. Elle avait dû se cacher là et m'observer. Elle s'est avancée vers moi et m'a dit de sa voix un peu nasale, éraillée et snob : « Ça fait du bien, hein ?

— Un bien fou », ai-je répondu. Et c'était vrai.

« Vous m'avez appris à vous respecter, Jane. Vous avez surmonté vos peurs. C'est une expérience indispensable, il faut savoir se maîtriser. Ceux qui ne l'apprennent pas manquent toujours de trempe. »

Merci, mon Dieu ! Je m'étais rachetée. Je n'aurais pas aimé avoir l'air de manquer de trempe, surtout devant Miss Hepburn, qui incarnait le courage. C'était étrange. Le personnage du film que je jouais faisait ce plongeon pour montrer à son père qu'elle en était capable. Dans la vie réelle, c'était à Miss Hepburn que j'avais eu quelque chose à prouver. Mon père se moquait complètement que je sois ou non doublée.

Nous avons tourné la scène du plongeon la troisième semaine de juillet. Je ne m'en suis pas trop mal sortie et savoir que j'en avais fini avec ça fut un vrai soulagement. Erreur, erreur, comme aurait dit Katharine Hepburn. Quelques jours plus tard, nous apprîmes que la bobine avait été abîmée au laboratoire et qu'il fallait reprendre la scène. Et pour tout arranger, nous n'avons pas pu le faire avant la mi-septembre, quand l'eau était glacée. Je me revois en train d'avancer sur le ponton, trempée et frissonnante, tandis que les autres étaient sur le bateau derrière la caméra, emmitouflés dans leurs parkas. Je n'étais plus entraînée et j'avais trop froid pour plonger aussi bien que la fois précédente. Quand je suis revenue à la surface de l'eau, j'ai tout de suite dit : « Ouf, ça y est ! Ce n'était pas très joli, mais je l'ai fait ! » Totalement vrai.

Il y a une scène où Papa et Miss Hepburn jouent au backgammon pendant que je lis un magazine allongée sur le canapé. A un moment, mon père dit que je ne joue pas parce que j'ai peur de perdre. Je réponds : « Je ne suis jamais arrivée à comprendre ce que tu pouvais y trouver. Tu as tellement l'air d'aimer battre les autres. Je me demande pourquoi. » Après le plan d'ensemble, l'éclairagiste installa les lumières pour mon gros plan, je m'installai et m'aperçus que j'étais éblouie et ne pouvais pas voir les yeux de mon père, et que, dans cet échange bref et hostile, cela allait me gêner. J'ai donc demandé au cadreur d'éclairer un peu plus son visage, ce qui ne posait pas de problème. Vint ensuite le gros plan de mon père. Avant de commencer, je lui demandai : « Ça va, Papa ? Tu vois mes yeux ?

— Je n'en ai pas besoin, a-t-il répondu d'un ton hautain. Je ne suis pas ce genre d'acteur. »

Et vlan ! Ses mots m'ont transpercée. Je me sentais rabaissée. Oubliée, celle qui produisait ce film pour lui rendre hommage. Oubliée, l'actrice aux deux oscars, oubliée, la mère de deux enfants. Je n'étais plus que la petite boulotte timide et tremblante qu'a été, enfant, celle que je jouais dans le film. Et qui dit plus tard à sa mère : « Partout ailleurs, je me conduis en adulte. J'ai des responsabilités à Los Angeles... mais quand je me retrouve ici avec lui, je redeviens la petite fille trop grosse d'autrefois ! » Je n'avais aucun mal à m'identifier à ça.

Et pourtant – et c'est ce qui rend la vie des acteurs si intéressante, c'est même peut-être pour ça que nous devenons des acteurs –, alors que la remarque de mon père me mettait à l'agonie, quelque chose en moi disait *Excellent ! C'est exactement ce que je suis supposée ressentir. Exactement ce que Chelsea éprouve.*

Lorsque tout fut fini et que les autres rentrèrent chez eux, je suis restée sur le canapé, incapable de bouger, certaine que personne n'avait vu à quel point la remarque de Papa m'avait blessée.

Mais, à ma grande surprise, Miss Hepburn vint s'asseoir à côté de moi, me passa le bras autour des épaules en chuchotant à mon oreille : « Je sais ce que c'est, Jane, croyez-moi. Spencer me faisait continuellement ce genre de coups. Il me disait de m'en aller dès que j'avais fini mes gros plans, qu'il n'avait pas besoin de ma présence, qu'il pouvait aussi bien dire son texte à la script. Ne le prenez pas mal, je vous en prie. Votre père n'a pas pensé que sa réflexion vous ferait de la peine. Ce n'était pas intentionnel. Il est comme Spencer. » La compréhension et la compassion dont elle faisait preuve me touchèrent profondément. Cela montrait que je n'avais rien inventé. J'avais un témoin. Je n'étais plus seule.

A propos de ce tournage, Miss Hepburn raconta à son ami et biographe A. Scott Berg : « C'était étrange... Il y avait une épaisseur dramatique incroyable entre eux [mon père et moi] et je crois qu'elle est venue voir tourner toutes les scènes que je jouais avec Henry. Elle semblait avoir des regrets. » Oui, j'avais des regrets, j'aurais voulu qu'il m'aime et qu'il me voie comme une adulte en pleine possession de ses moyens. Et j'aurais aussi voulu penser cela de moi-même.

La Maison du lac parle d'amour et de loyauté mais également des difficultés intergénérationnelles qui prennent place lorsqu'un parent ne communique pas avec son enfant et que ce dernier en ressent de la colère. De tous les films que j'ai faits, aucun ne semble avoir touché les gens aussi profondément. C'est une situation universelle et les hommes comme les femmes me disent encore aujourd'hui à quel point ce qu'ils vivent avec leur père ressemble à la relation de Chelsea et Norman. Et ils ajoutent souvent avoir, grâce à ce film, enfin réussi à creuser une brèche dans le mur qui les séparait.

Mais qui doit faire le premier pas ? L'enfant souffre parce que son père, ou sa mère, n'a pas été ce qu'il aurait dû être. Il voudrait que le parent déficient reconnaisse ses erreurs et en demande pardon. Seulement plus vous vieillissez, plus il vous est difficile de changer. Vous savez que parfois vous vous êtes trompé, mais comme vous ne comprenez pas la nouvelle génération, vous restez bloqué dans ce que vous êtes (à moins de travailler continuellement sur vous-même). Interpréter le rôle de Chelsea, et prendre en compte les conseils que sa mère lui donne m'a permis de réaliser que c'est l'enfant qui doit s'avancer sur le chemin du pardon, et s'il le fait avec amour, le parent, cette fois, ne cherchera pas à s'esquiver. Comme l'explique Ethel à Chelsea : « Il faut parfois regarder l'autre très attentivement, et se souvenir qu'il fait de son mieux. »

Tout le monde sur le tournage était conscient des relations complexes qui existaient entre Papa et moi, et savait que le film reflétait la réalité. Mais il offrait une solution. J'espérais que ce qui se passait entre Chelsea et Norman nous arriverait aussi. Mon père disait toujours que le masque de l'acteur lui permettait d'exprimer une part de lui-même qu'il pensait dangereux de montrer aux autres dans la vraie vie. Ce qu'il ressentait dans le film pour sa fille lui permettrait peut-être de s'ouvrir.

Quand, dans le film, Chelsea revient d'Europe chercher le jeune Brian, elle souffre de voir que son père a noué des liens étroits avec l'enfant, et sa mère tente de lui expliquer que Norman l'aime, malgré son attitude bourrue, qu'elle doit simplement lui parler, faire attention à lui.

« J'ai peur de lui, dit Chelsea.

— Et il a peur de toi. Alors que vous êtes faits pour vous entendre.

— C'est exactement comme si je ne le connaissais pas, se plaint Chelsea.

— Ecoute, lui dit sa mère, Norman a quatre-vingts ans, des problèmes cardiaques et des troubles de mémoire. Tu ne crois pas qu'il est temps d'y mettre du tien ? »

La scène suivante est celle où tout se joue pour Chelsea, celle où enfin elle s'ouvre à son père. Elle s'avance dans l'eau à la rencontre de Norman et Billy qui rentrent d'une partie de pêche.

« Il faut que je te parle, Papa, dit-elle.

— Ah bon, tu as un problème ? demande-t-il d'un ton condescendant.

— Je crois que... nous pourrions peut-être essayer de nous conduire normalement l'un envers l'autre.

— Normalement ? C'est-à-dire ? répond Norman sèchement.

— Comme un père et sa fille. Tu sais bien.

— Tu as peur de ce que j'ai mis dans mon testament, hein ? Ne t'inquiète pas, je t'ai tout laissé, sauf ma carcasse. »

Chelsea s'étrangle. Elle craint que cette tentative se solde par un échec, comme toutes les autres. « Je ne veux rien... C'est juste que... On dirait que nous sommes en colère l'un contre l'autre depuis toujours.

— Je n'ai jamais eu cette impression. Je pensais seulement que nous ne nous aimions pas beaucoup. »

Chelsea est stupéfaite de cette cruauté, néanmoins elle persiste. « Je veux être ton amie », dit-elle en posant la main sur le bras de Norman.

Chaque fois que je lisais le scénario, depuis la toute première fois, je sentais en arrivant à ce passage les larmes m'inonder le visage. Pendant les répétitions, j'avais la gorge nouée. Puis l'heure de vérité est arrivée. Quand je me suis réveillée ce matin-là, je me suis précipitée dans les toilettes pour vomir, plus angoissée à l'idée de jouer cette scène que je ne l'avais jamais été, et je savais pourquoi : j'allais, devant la caméra, dire à mon père des choses que je n'avais jamais pu lui dire dans la vraie vie. Nous avons réglé les lumières, la position de la caméra et pris nos places, lui dans le bateau, moi dans l'eau jusqu'à la taille. Toujours aussi émue.

Nous commençâmes par le plan large : nous deux, le bateau et le ponton. J'avais beau savoir que, pour ce genre de scène, ce sont les gros plans qui comptent le plus, je n'arrivais pas à surmonter mon trouble. Puis la caméra est passée derrière moi pour filmer mon père, mais j'ai continué à jouer avec la même intensité, parce que je ne pouvais pas m'en empêcher, mais également parce que je voulais qu'il soit ému, lui aussi. Comme je vous l'ai déjà raconté, j'ai attendu la dernière prise pour mettre la main sur son bras au moment où je lui disais vouloir être son amie – il fallait le prendre par surprise. Ça a marché. Des larmes ont envahi ses yeux et il a baissé la tête pour les cacher. Mais elles avaient été là. Cela m'a fait du bien.

Puis la caméra s'est déplacée pour mon gros plan. Nous avons répété et... *oh non*, le suprême cauchemar de tout acteur. J'étais complètement vide, incapable de faire remonter la moindre émotion. Personne ne s'en est rendu compte, évidemment, car ce n'était qu'une répétition, mais j'ai paniqué. Que faire ? Je ne devais pas me montrer trop expansive, mais j'avais besoin de ressentir les choses, et de contenir mes sentiments. J'ai essayé de me détendre, comme Strasberg me l'aurait conseillé. J'ai essayé de mettre en œuvre ma mémoire sensorielle, chanter la vieille chanson qui me faisait pleurer. Tout. Mais ça ne servait à rien. Tandis que je faisais les cent pas en attendant que l'opérateur soit prêt (et en redoutant qu'il le soit), Miss Hepburn est arrivée. Elle n'était pas censée venir ce jour-là, pourtant elle était là. Elle m'a regardée.

« Comment ça va ? » m'a-t-elle demandé. Elle avait senti quelque chose.

« Mal. C'est la panne sèche. Je vous en prie, ne le dites pas à mon père », ai-je répondu d'une voix faible, et on m'a appelée. L'heure de vérité avait sonné.

Espérant qu'un miracle allait se produire à la dernière minute, j'ai dit à Mark : « Je vais me mettre dos à la caméra pour me préparer, et quand je me retournerai je serai prête. » Il a compris.

Je me suis placée face au rivage, sans la moindre idée de ce que je pouvais tenter, et quand j'ai regardé devant moi en essayant de me laisser aller et de me mettre en situation, Miss Hepburn était là, accroupie dans les buissons, droit devant moi. Personne d'autre ne pouvait la voir. Elle a plongé ses yeux dans les miens, un regard intense qui me disait : « Fais-le ! Vas-y ! Tu peux le faire ! » Elle m'a insufflé sa volonté. Le don de Katharine Hepburn à Jane Fonda, d'une mère à sa fille, d'une actrice qui était là depuis longtemps et connaissait ces instants difficiles, à une autre, plus jeune. C'était tout cela à la fois, et même plus encore. *Fais-le ! Vas-y ! Tu peux le faire ! Je le sais*. Son énergie m'a littéralement propulsée dans la scène, ses poings tendus, ses yeux, sa générosité m'ont poussée en avant et je ne l'oublierai pas. Je ne l'oublierai jamais.

Ce soir-là j'ai demandé à Shirley et Papa de m'inviter à dîner. En me faisant entrevoir la possibilité d'une intimité que nous n'avions jamais connue mon père et moi, cette scène m'avait complètement bouleversée. J'étais à vif, je me sentais très proche de lui, il fallait que je le dise et que je sache ce qu'il en était pour lui. J'avais envie de lui parler de la panique qui m'avait envahie quand je m'étais retrouvée complètement vide, peut-être aurait-il des anecdotes de ce genre à me raconter – envie au moins de bavarder avec lui comme deux acteurs le font ensemble. Et peut-être ces instants d'intimité l'avaient-ils changé.

J'ai commencé par l'histoire de la panne.
« Tu vois ce que je veux dire ? ai-je lancé.
— Non. »
Je ne pouvais pas y croire.
« Ça ne t'est jamais arrivé ? Jamais ?
— Non. »
J'avais le cœur serré. C'était fini, il n'y aurait rien d'autre que ce « non ». Pourquoi les choses se passaient-elles ainsi entre nous ? Qu'est-ce que je faisais qui n'allait pas ? Il était clair qu'il n'était pas plus ouvert ni compréhensif qu'avant. Ça m'attristait. Je me sentais idiote de m'être attendrie à ce point alors que tout cela n'avait de toute évidence été pour lui qu'une scène de film.
Katharine Hepburn confia à Scott Berg : « Henry Fonda est l'homme le plus difficile à atteindre que j'aie jamais rencontré. Je n'en savais pas plus sur lui après avoir fait le film qu'avant. Froid. Glacial. »
Oh oui.

Un jour, pendant le tournage, Miss Hepburn déclara à notre service de presse penser que le devoir d'une star était d'être fascinante. On ne peut pas dire que cette grande dame n'accomplissait pas son devoir, et avec succès : elle est l'une des deux personnes les plus fascinantes que j'ai connues (l'autre étant Ted Turner). Mais malgré sa froideur, je suis heureuse d'avoir hérité des gènes de mon père. Je ne l'ai jamais plus aimé qu'en le voyant, jour après jour, assis entre deux scènes dans le fauteuil de toile sur le dossier duquel son nom était inscrit, attendant d'être appelé devant la caméra : calme, exigeant peu, ne cherchant pas à fasciner. Etant comme il était.

La Maison du lac fut le plus gros succès de 1981. Les majors s'étaient trompées : les spectateurs avaient envie de voir un film dont les personnages principaux étaient des personnes âgées... car il abordait des problèmes universels de façon émouvante et drôle. Aucun autre de mes films n'a eu un impact aussi profond et personnel sur le public. Les gens traversaient la rue pour me prendre dans leurs bras et me dire que depuis qu'ils l'avaient vu, eux et leurs parents, tout avait changé dans leurs relations. Ça me réchauffait le cœur et pendant des années ces témoignages me furent un réconfort.

Le film fut nominé dix fois, entre autres pour le meilleur acteur, la meilleure actrice, la meilleure actrice dans un second rôle, le meilleur scénario adapté et le meilleur chef opérateur. Papa était trop malade pour assister à la cérémonie, et étant donné le peu de sympathie qu'il avait toujours éprouvé pour les prix et la mise en compétition des artistes, je ne suis pas certaine qu'il serait venu s'il l'avait pu. Mais il avait l'intention d'en suivre la retransmission télévisée de son lit avec Shirlee. Miss Hepburn n'était pas là elle non plus. Ernest Thompson, qui fut le premier de notre équipe à recevoir un oscar (celui du meilleur scénario adapté), bondit littéralement de joie en traversant la scène. Je n'ai pas eu l'oscar de la meilleure actrice dans un second rôle (il fut attribué à Maureen Stapleton pour sa remarquable interprétation d'Emma Goldman dans *Les Rouges*). Troy, qui avait alors huit ans et était assis à côté de moi, baissa la tête et ferma les yeux de toutes ses forces pendant qu'on lisait la liste des meilleures actrices. Quand il entendit que Katharine Hepburn avait gagné (pour la quatrième fois, ce qui n'était encore jamais arrivé à personne), il me secoua le bras en murmurant : « Maman, j'ai prié pour que ce soit elle et ma prière a été exaucée. »

Puis Sissy Spacek est venue présenter l'oscar du meilleur acteur. Malgré les personnages inoubliables qu'il avait incarnés, Papa n'avait été nominé qu'une seule fois de toute sa carrière, pour le rôle de Tom Joad dans *Les Raisins de la colère*. La course était serrée, il avait pour concurrents Warren Beaty, Burt Lancaster, Dudley Moore et Paul Newman. Le voir gagner était mon vœu le plus cher. Quand Sissy ouvrit l'enveloppe et prononça son nom, les applaudissements éclatèrent. Je suis montée sur la scène recevoir le prix à sa place, comme il me l'avait demandé. C'était le plus beau jour de ma vie.

Tom, Troy, Vanessa et moi partîmes tout de suite après la cérémonie avec Amy (que Papa et Susan avaient adoptée à sa naissance) et ma nièce, Bridget Fonda, lui apporter la statue. Il nous attendait assis dans son fauteuil roulant, à côté de son lit.

Shirley se tenait à ses côtés, comme toujours.

En le regardant attentivement, j'ai vu qu'il était content. Mais quand je lui ai demandé ce qu'il ressentait, il a seulement dit : « Je suis très heureux pour Kate. »

« Cette fois, vous ne me rattraperez pas ! » Voilà la première chose que m'a dit Miss Hepburn quand je l'ai appelée le lendemain matin pour la féliciter.

J'ai mis un moment à comprendre de quoi elle parlait, puis tout s'est éclairé. Mais bien sûr, voyons : si elle n'avait pas eu cet oscar et si moi j'avais gagné celui de la meilleure actrice dans un second rôle, nous en aurions maintenant toutes les deux trois. Mais elle était passée à quatre, et j'étais restée à deux. Je n'avais effectivement aucune chance de la rattraper. J'ai éclaté de rire, incapable de lui résister. Nous fonctionnions toujours sur des longueurs d'onde différentes, mais comment aurais-je pu ne pas aimer une telle pugnacité ?

Papa est mort cinq mois plus tard.

CHAPITRE DIX-NEUF

LA FIN

C'est peut-être comme Casey le disait : un homme n'a pas une âme à lui tout seul, mais rien qu'un petit morceau d'une grande âme, la grande âme commune qui appartient à tout le monde.

Tom JOAD dans *Les Raisins de la colère*
de
John STEINBECK.

La fin arriva lentement. Après le tournage, et avant la sortie de *La Maison du lac*, je suis allée voir Papa dans sa maison de Bel-Air aussi fréquemment que j'ai pu. Je le trouvais assis sur son fauteuil roulant dans la cuisine, ou, de plus en plus souvent, au lit. Shirley, qui se donnait un mal fou pour qu'il garde toute sa dignité, l'habillait d'élégants cardigans de cachemire. Il était éveillé mais lointain, comme s'il nous avait déjà, dans une certaine mesure, quittés. Je m'asseyais avec Shirley et nous bavardions en lui jetant un coup d'œil de temps à autre, espérant que le monde intérieur dans lequel il s'était retiré était plein de rappels, d'applaudissements bruyants et d'images des cerfs-volants que James Stewart et lui lançaient dans le ciel lorsqu'ils étaient jeunes.

Lui apporter quelques petits plaisirs me remplissait de bonheur. Je lui préparais du rôti de porc et des tartes aux poires de mon jardin, des plats qu'il adorait. Pouvoir enfin, parce qu'il devient vieux et malade, faire quelque chose pour quelqu'un que vous avez toujours craint et qui n'a jamais semblé avoir besoin de vous, est une satisfaction étrange. Lui donner ce qu'il ne m'avait jamais donné était une joie d'ordre pratiquement spirituel. J'aurais voulu qu'il soit pauvre et qu'il ait encore plus besoin de moi.

Lorsqu'il a été admis en urgence dans le service de soins intensifs de l'hôpital de Cedars-Sinaï, on m'a autorisée à lui rendre visite. C'était la première fois que je le voyais comme ça, perfusé et branché à des écrans de monitoring, le visage creux et pâle, les mains et les bras tachés de sombre par les hématomes qui se formaient partout où on le piquait. Il semblait dormir, je me suis assise sur une chaise au bout de son lit, j'ai soulevé ses draps et je lui ai frotté les pieds. Papa a toujours souffert de la goutte et je savais que les massages le soulageaient. Bien qu'il fût inconscient, le toucher me faisait du bien. Cela créait entre nous une relation intime, quoique à sens unique, que nous n'avions jamais connue. J'ai dû rester là à masser doucement ses beaux pieds longs et pâles pendant une vingtaine de minutes. Puis, craignant de dépasser le temps qui m'était imparti, je me suis levée et dirigée vers la porte quand une voix qui semblait venir de très loin a dit derrière moi : « Continue, ne t'arrête pas. » Il était resté tout le temps éveillé.

Assise à côté de lui, je regardais ses yeux fermés, en me demandant s'il dormait ou s'il voulait simplement éviter de me parler. J'aurais voulu savoir s'il avait mal, s'il voyait des anges, s'il savait déjà comment c'était de l'autre côté, s'il avait peur. Je ne lui ai jamais posé aucune de ces questions. Shirley ne laissait personne dire qu'il n'allait pas se rétablir, aussi faisions-nous tous semblant qu'il serait bientôt sur pied. Je trouvais ça affreux. Cela sonnait faux, mais je pensais devoir me plier à ses désirs. C'était elle, après tout, qui l'avait accompagné dans la maladie nuit et jour, qui s'était occupée de lui avec amour. Je me suis pourtant souvent demandé qui, d'elle ou de Papa, avait besoin de croire qu'il allait s'en sortir. En ce qui me concerne, quand la danse prendra fin, j'aimerais bien en être consciente et faire mes adieux, donner le dernier baiser, dire le dernier « Je t'aime ». Mais c'est seulement ce que moi, je voudrais.

Peut-être cela n'avait-il aucune importance, peut-être mon désir de communication était-il futile. Pourquoi devais-je attendre qu'il fasse quelque chose qu'il n'avait jamais fait, qu'il soit ce qu'il n'avait jamais été sous prétexte que la fin arrivait ? Comment lui parler de sentiments maintenant ? Je savais qu'il était sensible. Je l'avais vu rire aux éclats quand il était avec d'autres hommes, ou qu'il avait bu quelques verres. Je l'avais vu pleurer une fois, le jour où Roosevelt était mort. Il était dans son potager, j'étais toute petite et il ne savait pas que je le regardais.

Un autre jour je suis allée chez lui et je l'ai trouvé assis sur un fauteuil dans sa chambre, une couverture sur les genoux. On l'avait installé dans la pièce où j'avais vécu à l'époque où je me transformais de Barbarella en militante, ce qui ne manquait pas de l'inquiéter. De la fenêtre il apercevait son cher potager. Shirley était sortie faire des courses et je me suis rendu compte que je n'aurais peut-être plus jamais l'occasion de parler avec lui de ce que je ressentais.

Je me suis assise par terre près de son fauteuil et je lui ai dit que je l'aimais. Que bien que les choses n'aient pas toujours été faciles entre nous, bien que nous ne nous soyons pas toujours entendus, je savais qu'il avait fait de son mieux pour être un bon père et que je l'aimais pour ça. Que j'étais désolée des actes que j'avais accomplis et qui l'avaient blessé. Je lui ai aussi dit combien j'appréciais la façon dont Shirley s'était occupée de lui – une attitude qui allait bien au-delà du sens du devoir, les infirmières disaient qu'elles n'avaient jamais vu une épouse comme elle – et que, quoi qu'il arrive, elle resterait toujours un membre de notre famille, quelqu'un de très proche. Je ne me souviens pas qu'il ait répondu, mais il s'est mis à pleurer. Je ne sais pas si cela voulait dire qu'il était ému, parce que j'avais parlé d'amour et de pardon, ou parce que mes paroles lui avaient fait comprendre qu'il allait mourir et que c'était peut-être la première fois que quelqu'un lui adressait un message d'adieu.

Nous avons un proverbe familial qui explique notre facilité à fondre en larmes pour des vétilles : « Devant un bon steak, les Fonda se mettent à pleurer. » Mais sangloter du fond de son cœur est autre chose – un étalage d'émotions que mon père a toujours détesté car c'était pour lui une preuve de faiblesse. En dehors du jour où Roosevelt était mort, je ne l'avais jamais vu le faire et j'avais mal pour lui, et peur de sa douloureuse tristesse. J'ai d'abord voulu rester pour le consoler, puis j'ai senti que pleurer ainsi devant moi devait lui être insupportable et je suis partie. Shirley m'a raconté que, lorsqu'elle était rentrée elle l'avait trouvé assis au même endroit, toujours en train de sangloter.

Puis elle m'a appelée un matin en me disant de vite la rejoindre à l'hôpital. J'ai prié pour qu'il soit encore vivant, mais il est mort trois minutes avant mon arrivée. On a beau s'attendre depuis longtemps à la disparition d'un être cher, lorsque le moment vient, personne n'a jamais l'impression d'y être préparé. J'ai voulu m'asseoir à côté de lui et le regarder. J'avais besoin de voir comment c'était, maintenant que son âme l'avait quitté, et d'y réfléchir, besoin d'une conclusion. Mais l'infirmière nous a demandé de sortir. Elle devait faire la toilette du mort.

Je suis repassée chercher Tom et les enfants et nous sommes allés retrouver Shirley dans la maison de Papa. Les journalistes avaient déjà envahi la rue et lançaient leurs questions à nos amis venus présenter leurs condoléances. James Stewart, Eva Marie Saint, Mel Ferrer, Dorothy McGuire, la première partenaire de Papa à Omaha, Joel Grey, James Gardner, Lucille Ball, Barbara Stanwyck, ils arrivaient les uns après les autres. Mon frère, sa femme Becky, sa fille Bridget et son fils Justin nous avaient rejoints.

Je me souviens que dans l'après-midi, alors que nous étions réunis, essayant d'accepter la réalité de ce départ, je me suis retrouvée dans le bureau assise en face de James Stewart. Il avait dit à la presse : « Je viens de perdre mon meilleur ami. » Tête baissée, immobile, il restait silencieux. Puis j'ai senti qu'il bougeait. Il a levé les bras et j'ai compris, parce que Papa nous avait raconté cette histoire, qu'il essayait de décrire l'énorme cerf-volant qu'ils avaient construit en Californie quand ils n'avaient même pas trente ans. James ne semblait s'adresser à personne en particulier et que nous l'écoutions ou non importait peu. Il était perdu dans ses souvenirs. « Il était si grand... grand comme ça – ses bras se sont élevés plus haut et écartés l'un de l'autre – et... et... – James a toujours bégayé – et quand il a pris le vent, il m'a fait décoller. » Il a souri. Puis ses bras sont retombés et il s'est tu. Ceux qui étaient là se sont regardés, nous savions que la mort de mon père était pour lui une immense perte, comparable à aucune autre. Lorsque je lui ai demandé de nous parler du temps où, pendant la Dépression, ils vivaient ensemble à New York et se nourrissaient de riz, j'ai eu l'impression que cela lui faisait plaisir.

L'homme qui avait maquillé mon père pendant des années m'a dit que je revenais continuellement dans la conversation de Papa. Qu'il s'inquiétait pour moi. « Vous ne pouvez pas imaginer comme il parlait souvent de vous. »

C'est étrange, ai-je pensé, il parlait de moi, mais il ne me parlait pas, sauf quand quelque chose n'allait pas. Et je me suis demandé si je n'en faisais pas autant avec mes enfants.

Parce que je n'avais pas été capable de pleurer la mort de ma mère, et que je ne voulais plus jamais avoir en moi ces larmes rentrées, j'ai pris la décision de vivre pleinement mon nouveau deuil. Je me suis installée dans la maison de mon père avec Shirley et je n'en suis pas sortie de toute la semaine qui a suivi. Des gens venaient nous présenter leurs condoléances. Nous regardions les journalistes faire son éloge à la télévision, jour après jour, toute la semaine. Je me suis rendu compte que ce deuil n'était pas seulement le mien et celui de ma famille. Mais de toute la nation. Papa était un personnage public, un héros qui n'appartenait pas qu'à nous. Il représentait les valeurs de l'Amérique. Ce que nous voulions tous être, ce que le pays voulait être. Il disait souvent avoir été attiré par certains rôles – les travailleurs pauvres, les gens sans pouvoir ou ceux qui les avaient aidés à se défendre – parce qu'il pensait que ces personnages déteindraient sur lui et qu'il deviendrait un homme meilleur. Mais je savais maintenant que cela marchait dans les deux sens : il avait en lui beaucoup de ces qualités.

Les marques de courtoisie comptent énormément en de tels moments. Il m'était souvent arrivé de ne pas écrire à des gens qui venaient de perdre un être cher parce que je ne savais pas quoi leur dire. Je me suis rendu compte après la mort de mon père que c'est le simple fait de recevoir une lettre qui importe, même s'il ne s'agit que de quelques mots. Cela vous permet simplement de sentir que celui qui l'a envoyée pleure avec vous et vous soutient. Parmi toutes celles que nous avons reçues, je me souviens en particulier de celle de Carl Dean, le mari de Dolly Parton, qui exprimait son admiration pour mon père en termes profondément émouvants, ainsi que de celle de Maria Cooper, fille de Gary

Cooper, qui disait combien le deuil d'un père qui était aussi un héros national pouvait être complexe à affronter.

J'ai passé de longues heures dans le jardin de Papa cette semaine-là. Je m'asseyais sous un arbre fruitier et j'essayais de démêler mes sentiments. Bien qu'ayant encore beaucoup de chemin à parcourir pour y réussir, c'est alors que j'ai commencé à apprendre à rester immobile, à être plutôt qu'à faire. J'étais heureuse d'avoir tourné avec lui *La Maison du lac* et d'avoir réussi à lui dire que je l'aimais avant qu'il soit trop tard. J'étais désormais capable de reconnaître qu'il m'avait donné beaucoup, bien que ce ne fût pas exactement tout ce dont un enfant a besoin. J'avais l'impression que maintenant qu'il s'en était allé, une part de moi, dont la nature m'échappait encore, pourrait se révéler. J'étais triste qu'il ait demandé à ce qu'il n'y ait pas de service funéraire mais une crémation sans enterrement. J'aime les tombes, depuis toujours. Elles donnent une présence tangible au royaume spirituel. J'étais certaine qu'il y aurait des moments où m'asseoir à côté d'une pierre tombale et y poser la main m'aurait fait du bien, que cela m'aurait aidée à me souvenir et communiquer avec lui. Mais mon père en avait décidé autrement. Moi j'en aurai une, me dis-je alors, afin que mes enfants et mes petits-enfants puissent venir y appuyer leur tête.

Nous sommes mortels, je crois que tant que nous ne l'acceptons pas, nous ne pouvons pas vivre pleinement. Mon ami Fred Branfman dit : « C'est la conscience de la mort qui affirme la vie. » Et ne pas vraiment vivre est bien pire que mourir.

En regardant Papa s'en aller, j'ai compris que ce n'était pas tant disparaître qui me faisait peur, mais partir avec des regrets. C'est ce qui détermine mon troisième acte. Si je veux que Vanessa fasse de doux rêves, je dois y travailler, et je le fais. Si je veux que mon existence ait permis à ceux que j'aime d'être plus forts, je dois aussi y travailler – là, maintenant.

Les mots cités au début de ce chapitre, que prononce mon père dans *Les Raisins de la colère*, sont peut-être ce qui a forgé l'idée que j'ai d'une vie après la mort. La chair et les os disparaissent, mais la part spirituelle de notre être, ces vingt et un grammes que nous sommes censés perdre à l'instant où nous rendons notre dernier souffle, intègre « la grande âme commune qui appartient à tout le monde ». Notre énergie est propulsée dans le futur à travers le corps de nos enfants et de ceux que nous aimons. Je l'ai senti. Mon père est venu vers moi en rêve, il est sorti de derrière un buisson rayonnant de bonheur et m'a dit de ne pas m'inquiéter pour lui. Il est les pouces verts de Vanessa. Il est certaines inflexions dans la voix de Troy quand il joue – pourtant ce dernier était encore très petit à la mort de Papa. Il est dans notre désir de défendre la justice. Il continue de vivre en nous.

CHAPITRE VINGT

FAIRE DES FILMS

Un avocat ou un médecin étudient avant d'exercer leur métier. Un plombier ou un menuisier savent ce qu'on va leur demander de faire. Ils n'ont pas besoin de chercher en eux ce sur quoi repose leur travail, quelles sont ses lois, puis de se présenter nus sous le regard des autres.

Anne TRUITT,
Daybook, The Journal of an Artist.

C'est drôlement bien ton travail, Grand-Mère. Tu es payée pour faire marcher ton imagination.

John R. SEYDEL, mon petit-fils de onze ans.

J'ai toujours eu peur de devoir jouer les femmes soûles. La moindre scène dans laquelle il me fallait ne serait-ce que légèrement tituber me terrifiait. Voilà pourquoi j'ai accepté de faire *Le Lendemain du crime*, dont l'héroïne, qui boit beaucoup, se réveille avec un cadavre dans son lit après une nuit de beuverie dont elle ne garde aucun souvenir. Je devais, dans ce rôle, être perpétuellement ivre. Pourquoi au stade où j'en suis maintenant, me demandais-je, ne pas essayer de faire ce que je crains le plus ? Un peu de courage, voyons. D'autant qu'il s'agissait de travailler avec

Sydney Lumet à la réalisation, et le merveilleux Jeff Bridges comme partenaire principal. Bruce assurait la production avec Lois Bonfiglio, qui deviendrait bientôt ma nouvelle associée.

J'ai arrêté le cinéma pendant quinze ans, et beaucoup réfléchi alors au métier d'actrice. Je suis maintenant capable d'expliquer en quoi il consiste, tout au moins en ce qui me concerne.

Il y a dans la plupart des films une scène dans laquelle le personnage principal se transforme radicalement ou traverse un moment clé de sa vie. L'histoire entière repose souvent sur cette scène clé. Le réalisateur la tourne parfois en plan séquence, la caméra vous suit partout où vous allez, vous pousse dans vos retranchements, saisissant chacune de vos émotions. Cet équilibre délicat entre la technique et l'humain est ce qui définit le métier d'acteur.

Le matin de la scène critique, je me réveillais généralement nauséeuse, l'estomac noué. J'arrivais au studio, j'étais coiffée et maquillée, et à un moment donné quelqu'un demandait qu'on interrompe ce qu'on était en train de faire. Il fallait que j'aille sur le plateau pour une mécanique, répétition ayant pour but de repérer mes déplacements afin de régler ensuite les lumières et les mouvements de caméra. *Est-ce que je dois dès maintenant tout donner ?* Je risque ensuite de me retrouver sans rien quand nous tournerons vraiment (comme cela m'était arrivé dans *La Maison du lac*). D'un autre côté, si je ne plonge pas profondément en moi maintenant, comme vais-je savoir de quoi je serais capable ensuite ? Alors je m'exécute, en espérant que j'en fais assez, mais pas trop.

Une fois la mécanique terminée, je retourne à la caravane, reprend la séance de coiffure ou de maquillage où nous l'avons laissée, et j'attends, tandis que l'équipe technique met au point les éclairages et les différents plans avec ma doublure lumière. Cela peut durer une demi-heure, une heure, ou même trois, si la mise en place est compliquée. Que faire pendant ce temps ? Lire un livre ou entamer une conversation qui m'entraînerait peut-être trop loin de l'état psychique dans lequel je suis censée me trouver ? Rester assise là, réfléchir à la scène et m'enfoncer dans mes pensées bien trop profondément ? L'art consiste à se connaître suffisamment pour trouver un juste équilibre entre une nécessaire relaxation physique et l'indispensable tension mentale qui va nourrir ces heures d'attente. Mais il est difficile de ne pas se sentir alors comme un ballon qui se dégonfle lentement.

Puis le moment arrive. Quelqu'un frappe à la porte. « Nous sommes prêts, Miss Fonda. » Pour dire la vérité, une partie de moi espérait toujours que le plateau allait prendre feu ou que les nerfs du réalisateur allaient soudain craquer, et que je n'aurais pas à tourner cette scène tout de suite, peut-être seulement un an plus tard. Mais non, quelqu'un frappe à la porte. Impossible de reculer. Je sors de ma caravane et traverse l'espace infini qui me sépare du plateau où tout le monde m'attend, les cent personnes qui travaillent chaque jour sur le film. Lorsque j'arrive en face d'eux, la question de mon salaire me vient à l'esprit. *Je n'avais qu'à dire que je ne voulais pas être payée. Je sais qu'il y en a parmi ces gens qui attendent de voir si je vaux tout cet argent, comme probablement ce type là-haut sur l'échelle qui regarde le supplément spécial maillots de bain d'un magazine de sport.* Quelqu'un m'a dit que tourner un film à Hollywood revenait à environ cent mille dollars par jour. *Si ça ne marche pas, je pourrai toujours leur proposer de déduire cette journée de mon salaire. Parce qu'autrement on ne m'offrira plus rien. Il faut que je me détende, il faut que je reste vraie, que je trouve l'inspiration.* J'arrive sur le plateau qui, il n'y a pas si longtemps, pendant la mécanique, était encore peuplé d'ombres charitables. Il n'y a plus que l'éblouissante lueur des sunlights sous lesquels je vais peut-être me désintégrer aux yeux de tous. *Respire profondément. Sors de tes pensées, entre dans ton corps... Oublie la petite voix diabolique qui essaye de te faire croire que tu ne vaux pas ce qu'on te paye.*

J'ai été soulagée de pouvoir laisser derrière moi ces instants qui font partie du travail des acteurs et devenaient, avec le temps, de plus en plus douloureux. Il faut pourtant en passer par là si l'on veut connaître la magie de ceux où tout va bien – et qui, pour être honnête, m'ont ensuite tellement manqué. Ceux que j'ai vécus huit ou neuf fois à peine en quarante-cinq films, mais où je me suis sentie entrer dans la lumière accompagnée de ma muse, ouverte, traversée d'ondes créatrices, ceux où j'ai vraiment *été*. Que la scène fût triste ou drôle, tragique ou triomphante, importait peu. Tandis que j'interprétais, comme enveloppée d'amour et de lumière, la chorégraphie complexe des sentiments et de la technique, j'étais totalement impliquée dans mon rôle, ce qui n'empêchait pas quelque chose en moi d'observer en même temps avec bonheur ce dévoilement.

Oui mais voilà, ce n'est pas parce que c'est arrivé que ça va recommencer. Il faut à chaque fois repartir de zéro, lancer les dés, sans jamais savoir comment ils vont rouler. Et même lorsque l'on en ressort le cœur content, les nerfs en prennent un coup.

J'ai toujours pensé que plus on faisait quelque chose plus cela devenait facile, mais en ce qui concerne mon métier, ce fut le contraire. Chaque année, ce travail me semblait plus difficile, et le trac me paralysait un peu plus. Un jour, pendant le tournage d'*Old Gringo*, j'ai regardé Gregory Peck, qui avait derrière lui une longue carrière, reprendre toute la journée la même scène, encore et encore. J'ai vu que lui aussi, il avait peur. A la fin, je me suis approchée et je l'ai pris dans mes bras en disant qu'il avait été formidable, d'une clarté absolue.

« Mais pourquoi est-ce que nous nous infligeons ça, Greg ? Pourquoi est-ce que toi, tu t'infliges ça ? Tu as fait tant de films merveilleux. Tu pourrais arrêter sans problèmes. Pourquoi est-ce que tu veux encore avoir le trac ? »

Greg s'est assis et il s'est frotté le menton. Puis il a dit : « Je crois que ça a quelque chose à voir avec ce que mon ami Walter Matthau m'a raconté. Ce qui l'excite le plus dans la vie, c'est jouer de l'argent, perdre un peu plus qu'il ne peut se le permettre, et avoir ensuite une chance de tout regagner. On vit pour ça – pour cet instant. Les dés qui roulent. Si c'est trop facile, ça n'en vaut pas la peine. »

Je me dis parfois que ce que j'ai préféré dans ce métier, ce sont les réunions préparatoires. Sur le plateau, vous êtes seule. Lorsque vous discutez du scénario, vous faites partie d'un groupe. Je n'ai jamais aimé avoir mon nom en plus grosses lettres que les autres. C'est partager l'affiche qui me convient. Quand je jouais, la responsabilité qui reposait sur mes épaules était trop lourde, et je me crispais – je pouvais presque entendre se refermer les portes de l'inspiration. Je préfère le travail en commun, partager une vision avec des gens qui savent mettre leur ego de côté, dans la confiance et le respect mutuel. Je détestais voir les gens se prosterner devant moi pour l'unique raison que j'étais la star et approuver mes idées même les plus mauvaises. Avec Bruce, puis avec Lois Bonfiglio ainsi que la plupart des scénaristes et réalisateurs avec qui nous avons collaboré, j'avais la liberté d'exprimer ce que je pensais en sachant que, si ce n'était pas bien, ils me le diraient et que nous continuerions d'avancer. Je me souviens de réunions passionnantes, quelqu'un proposait une idée, un autre rebondissait, et ainsi de suite jusqu'à ce qu'une scène entière s'éclaire soudain, une construction à laquelle chacun avait contribué sans quc personne en revendique la signature. Seul le résultat comptait. Une telle collaboration créatrice m'aurait manqué si je ne l'avais pas retrouvée dans le militantisme.

L'absence de confiance en soi est courante chez les acteurs. Ce métier expose ceux qui l'exercent au doute. Le succès et la gloire peuvent vous tomber dessus sans prévenir mais disparaître aussi vite. Il faut une certaine maturité, un certain équilibre pour y faire face. Les choses ne se passent pas ainsi dans les autres professions. Un futur médecin va à la fac, puis il passe l'internat et s'installe à son compte ou travaille à l'hôpital, et personne ne peut lui enlever les bénéfices du diplôme qu'il a obtenu. Il n'y a aucun doctorat, aucun examen certifiant que vous êtes un véritable acteur, capable de donner vie à un personnage. Si vous le devenez, cela arrive tout d'un coup – et vous ne savez pas exactement pourquoi, pourquoi vous et pas elle ?

J'ai essayé de ne jamais m'habituer aux à-côtés de ce métier, parce que je savais qu'ils ne dureraient pas forcément toujours. C'était difficile, tout est fait pour que vous deveniez accro. Vous vous réveillez en sachant qu'une voiture va venir vous chercher et vous emmener là où l'on vous attend. Puis vous entrez dans une caravane ou une loge, on vous maquille, on vous coiffe, on pose devant vous les vêtements que vous allez porter. Vous n'avez pas de décision à prendre. Votre *identité* est entre les mains des autres, ce que vous êtes censée penser, ressentir et dire est déterminé par les pages du scénario que l'on tourne ce jour-là et auxquelles vous devez donner vie, seule responsabilité qui vous incombe (et c'est le plus difficile, mais c'est pour ça que vous êtes payée). En fin de journée, vous enlevez tout, on vous raccompagne chez vous en voiture, et là on vous pardonne d'être fatiguée et de vous écrouler sur votre lit – pour recommencer le lendemain.

Pendant trois mois vous n'avez rien d'autre à faire que donner vie à votre personnage. Et soudain le tournage prend fin et vous vous retrouvez en train de vous demander : *Qui suis-je ?* Et de vous dire : *Oh ! mon Dieu, il faut que je recommence à prendre des décisions.* Vous devez vous retransformer en ce que vous étiez avant, vous êtes un film que l'on passe à l'envers. Vous sortez du cercle de lumière et de celui ou celle que vous avez momentanément incarné pour redevenir l'individu obscur, la *vraie* vous, celle qui a un chien qui fait ses besoins sur le tapis, des enfants qui lui laissent clairement entendre qu'elle doit rentrer à la maison, s'occuper d'eux et rattraper le temps perdu, et un mari qui ne dit rien mais qui transpire le ressentiment, qui vous en veut du plaisir que vous avez eu à faire ce film. C'est dur. En tout cas ça l'était pour moi. J'étais comme un véritable paquet de nœuds après chaque film, il m'aurait fallu un endroit entre les studios et ma maison où m'arrêter et souffler, faire sortir tout ce que j'avais accumulé pendant ces trois mois à l'abri de la bulle protectrice dont j'avais été entourée sur le tournage. Mais un tel lieu n'existe pas. Je devais retrouver ma famille, reprendre ma vie où je l'avais laissée. Ranger, laver le linge, emmener les enfants à l'école, m'asseoir dans les tribunes avec les autres mamans et regarder les matchs de l'équipe de base-ball de l'école, acheter de quoi manger – tout ce que vous faites habituellement sans y penser. Au bout d'un moment, le quotidien lui-même me remettait sur les rails. Dès que je me sens attirée par le vide, je m'accroche à la routine. Mais le balancier qui oscille entre le rêve et la réalité finit par vous faire tourner la tête et il faut avoir les deux pieds solidement plantés en terre pour ne pas basculer d'un côté ou de l'autre.

En 1980, briguant un siège à l'Assemblée californienne, Tom s'est lancé dans une campagne électorale intense et onéreuse qui devait durer deux ans. Le dernier film que j'ai tourné avant de me consacrer à cette campagne et à la mise en route du Workout s'appelait *Une femme d'affaires*, un projet auquel j'avais travaillé avec Bruce. Inspiré du livre *The Crash of '79*, il racontait une histoire de manipulations financières entre une banque américaine et les Saoudiens qui se terminaient par l'effondrement de l'économie américaine. A la fin des années 70, lorsque nous avions eu l'idée de ce scénario, notre dépendance envers le pétrole arabe était si grande, le prix de ce dernier si élevé et l'Opep si puissante que la possibilité d'un chantage économique – indexer le prix du pétrole sur le cours de l'or et non plus du dollar – ne pouvait être écartée. Nous voulions attirer l'attention du public sur les dangers que présentait un tel assujettissement, sujet qui collait aux efforts de notre organisation en faveur du développement des sources d'énergie renouvelables, telles que les énergies solaires ou éoliennes. Avec *Comment se débarrasser de son patron*, nous avions abordé les problèmes des employées de bureau sur le mode de la comédie. Nous avions traité *Le Retour* sous l'angle de l'histoire d'amour. *Le Syndrome chinois* était un thriller. *Rollover* combinerait l'histoire d'amour et l'enquête policière. C'était la troisième fois que je tournais avec Alan Pakula. J'avais pour partenaire l'acteur, chanteur et auteur-compositeur Kris Kristofferson. Je ne peux m'empêcher de sourire à l'idée que nous jouions tous les deux des personnages importants de la haute finance. J'arrive à peine à lire une déclaration de pertes et profits, et Kriss... eh bien, disons simplement qu'un homme qui a traversé les Etats-Unis en auto-stop dans les années 60 avec Janis Joplin et écrit « la liberté n'est qu'un mot de plus pour dire que l'on n'a rien à perdre » n'est pas exactement quelqu'un qui se sent à l'aise avec les mécanismes de la bourse et les mouvements de taux d'intérêt. Kris avait un visage aux traits ciselés et une personnalité intéressante, complexe. Après avoir obtenu une bourse pour Oxford, il avait travaillé sur une plate-forme pétrolière au large de la côte texane. Doué d'un sens profond de la justice, il savait exprimer dans ses chansons l'angoisse de vivre comme peu d'autres l'ont fait. Travailler avec quelqu'un qui avait lui aussi une vie en dehors du monde du cinéma était un vrai plaisir.

C'est à cette époque que j'ai retrouvé Nathalie, la fille de Vadim. Elle travaillait à Paris, où elle supervisait des scénarios, mais sentant qu'elle avait besoin de changement, je l'ai invitée à rejoindre notre équipe comme troisième assistante à la réalisation. Souple et élancée, elle avait alors vingt et un ans et une beauté enfantine très attirante. Elle prit son nouvel emploi avec un sérieux et un professionnalisme qui impressionnèrent tout le monde. L'assistant réalisateur l'apprécia à tel point qu'il l'engagea ensuite dans plusieurs films. Elle devint vite seconde assistante et fit pendant les dix années suivantes une solide carrière à Hollywood.

En 1982, Tom a remporté les élections de l'Assemblée californienne avec une confortable avance de neuf points. Il y a représenté son district pendant dix-sept ans et travaillé de façon intègre – défendu les droits des femmes employées et des mères, ceux des enfants, la sécurité sur les lieux de travail et l'accès au logement, lutté contre la pollution et pour un meilleur système d'enseignement. Quand il a pris la tête de la campagne en faveur de la Proposition 65, qui visait à éliminer tout produit toxique de l'eau potable californienne, j'ai réuni une foule de stars militantes pour soutenir cette dure bataille. Et nous avons gagné. La Proposition 65 protège toujours les habitants de Californie.

Une fois la campagne terminée, j'ai repris mon travail d'actrice avec un rôle qui reste un de mes préférés : Gertie Nevels dans *The Dollmaker*, que Dolly Parton m'avait aidée à préparer. Le psychisme peut être pensé comme un ensemble de muscles et un nouveau rôle comme un sport que l'on pratique pour la première fois. Il s'agit de faire appel à certains muscles plus qu'à d'autres. *La colère ? Ah oui, je m'en suis déjà servie* – mais tout le monde n'exprime pas la colère de la même manière. A la vérité, pendant les onze années où je me suis battue avec Bruce pour que ce projet se réalise, une petite voix craintive espérait au fond de moi qu'il ne se ferait jamais, car je ne pensais pas avoir les muscles qu'il fallait. A quoi la colère de Gertie pouvait-elle ressembler ? Si vous avez la chance d'être bien dirigée, le réalisateur, ou la réalisatrice, vous aide à mettre en œuvre de nouveaux muscles, dont vous ne vous êtes jamais servi et dont vous ne soupçonniez peut-être même pas l'existence. Cela donne une impression étrange. Vous vous sentez endolorie, puis vous vous habituez et c'est comme si vous n'aviez jamais fait autre chose.

Pour moi, *The Dollmaker* est un conte archétypal. Gertie, son mari et leurs cinq enfants vivent, dans leur ferme des Appalaches, une vie difficile, mais moralement et affectivement riche. Le mari de Gertie travaille dans une mine. Contrairement à sa mère (jouée par Geraldine Page), dont la foi chrétienne fondamentaliste repose sur la crainte de l'enfer et de ses flammes éternelles, Gertie considère le Christ comme l'image de la clémence et de la joie. Mais quand les mines ferment, la famille est arrachée à son environnement et plongée dans le monde sordide du tout pour la consommation et des achats à crédit qui est, en cette époque de guerre, celui de Detroit, où les hommes comme le mari de Gertie vont chercher du travail. Dans les logements minables des ouvriers, à l'ombre des aciéries, Gertie ne trouve de consolation qu'en accomplissant un vieux projet : elle sculpte le visage rieur de Jésus dans du bois de merisier.

Nous avons écrit *The Dollmaker* pour la télévision et les différences qui existent entre ce média et le cinéma m'ont profondément intéressée. Le téléfilm est l'art du scénario, le film celui de la réalisation. Au cinéma, rien d'autre n'existe autour de vous, vous êtes assis dans le noir les yeux levés vers un immense écran, pris par la puissance des images autant que par celle des dialogues. Le récit lui-même est souvent construit dans un langage purement visuel. Tandis que la télévision fait partie du quotidien. Vous la regardez chez vous, vautré sur le canapé ou couché dans votre lit, et les plans qui défilent dans la petite boîte ont sur vous beaucoup moins d'impact que les mots prononcés. Voilà pourquoi, à la télévision, les scénaristes sont aussi souvent producteurs – et ont plus de pouvoir que dans le cinéma. Et puisque vous n'avez pas à attendre que les nuages s'amoncellent dans le ciel ou qu'un magnifique éclair zèbre l'horizon afin de construire une image suffisamment forte pour tenir sur le grand écran, un téléfilm peut être tourné en quelques semaines, alors qu'il faut en moyenne trois mois pour faire un film. Ce fut une véritable révélation. Des scènes qu'il avait fallu des années pour trouver et mettre au point – comme celle du début, où Gertie, qui chemine à dos de mule en portant contre elle son bébé malade, arrête une voiture et pratique au bord de la route une trachéotomie sur son enfant à la lumière des phares – auraient demandé sur un plateau de cinéma une semaine de travail. Nous l'avons tournée en une journée.

Ce qui n'empêcha pas *The Dollmaker* d'être l'une des expériences les plus heureuses de ma carrière d'actrice. Notre réalisateur Dan Petrie nous a soutenus, compris et inspirés comme un ange bienfaiteur qui se serait penché sur nous du haut du ciel.

Dans un cours de cinéma qu'il donnait, il a raconté un jour comment je m'étais écroulée en sanglotant dans ses bras quand, après la dernière prise, il s'était tourné vers moi et m'avait dit : « Et voilà, Miss Fonda, c'est fini. »

« J'ai essayé d'analyser ces larmes, par la suite, a dit Dan à ses étudiants. Pourquoi ces douloureux sanglots ? Parce que celle qu'elle avait incarnée, celle à qui elle avait consacré tant de temps et prodigué tant d'amour, était morte. » Oui, j'avais mis en Gertie une part de moi-même et la voir s'en aller était difficile. Je l'aimais.

Je crois que nous avons tous plusieurs facettes mais qu'avec le temps nous en développons une au détriment des autres. Les acteurs sont payés pour extérioriser les différentes personnalités qu'ils portent en eux et intérioriser celles de ceux qu'ils rencontrent sur le chemin de la vie. C'est ce qui fait que nous gardons une conscience instinctive des choses, que nous sommes facilement déstabilisés, que nous restons curieux, empathiques, et avides de donner à voir tous ces êtres en puissance qui dorment au fond de nous. L'empathie est une qualité fondamentale dans ce métier, la plus importante, à mon avis, voilà pourquoi les acteurs – les bons – sont souvent des gens ouverts et progressistes. On nous demande de nous glisser dans la peau d'un autre, de sentir ce qu'il ressent, de le comprendre. Savoir regarder du point de vue de l'autre donne de la compassion. Est-ce pour cela que les artistes, même ceux qui se déguisent en patriotes, supportent si mal les dictateurs ? Parce que les dictateurs détestent la diversité de la nature humaine, qui est justement ce que les artistes chérissent le plus ?

The Dollmaker a été diffusé sur ABC en 1984, le jour de la fête des Mères, et j'ai encore appris quelque chose sur la télévision ce jour-là : je savais à quelle heure exactement mon film passerait et plus le moment s'approchait, plus j'avais envie de sortir dans la rue et de dire aux passants : « Mais qu'est-ce que vous faites ? Rentrez vite regarder mon téléfilm. » En fait, des tas de gens l'ont vu, et il y en a beaucoup qui le préfèrent à mes autres films. D'ailleurs, il m'a valu un Emmy Award.

Au milieu des années 80, Tom travaillait à l'Assemblée. Intérieurement, je n'étais plus que l'ombre de moi-même, je n'arrivais à affronter la vie qu'à coups de volonté (et j'ai beaucoup de volonté), mais cette qualité peut aussi bloquer l'expression artistique. L'art exige un relâchement, un laisser-faire, une ouverture d'esprit qui permet de sonder les profondeurs humides où infuse la matière des rêves et des mythes. Alors que l'attitude femme-parfaite-qui-y-arrive-reste-avec-son-mari-ne-se-plaint-jamais-n'exige-rien vous oblige à vivre dans un corps tendu, le souffle court, sans rien qui vous nourrisse l'âme. Comme dit le poète Rainer Maria Rilke : « Nulle mélodie sauvage, étrangère. / Nuls chants qui naquissent du sang, / nul sang qui criât. »

Sans « mélodie sauvage, étrangère », tourner les films qui ont suivi *The Dollmaker* – *Agnès de Dieu*, *Le Lendemain du crime*, *Old Gringo* et *Stanley et Iris* – s'est révélé de plus en plus difficile. Ce qui ne m'a pas empêchée d'en garder des souvenirs qui me sont chers.

Je ne voulais plus jouer. C'était trop douloureux. Je me désintégrais, je perdais toute capacité créatrice. Parce que j'étais incapable de reconnaître l'échec de mes longues années de vie commune avec Tom et de voir que mon corps se fermait, et parce qu'en même temps je me sentais totalement responsable de tout ce qui n'allait pas, la vie se retirait lentement de moi. Je me rappelle avoir pensé un jour, assise dans ma chambre d'hôtel à Toronto, où nous tournions *Stanley et Iris* : « Mais qu'est-ce que je vais devenir ? Qu'est-ce qui m'attend ? » Je ne voyais devant moi qu'une longue route sans joie, et je n'arrivais pas à admettre que c'était parce que notre couple n'avait plus d'avenir. Que nous ne restions pas ensemble pour toujours m'était inconcevable. Partir signifiait m'avouer vaincue, une défaite inenvisageable. Et de toute façon, qu'aurais-je été sans Tom ?

Il m'a demandé : « Est-ce que tu m'aimes ? » Et quand je lui ai répondu : « Oui », il a voulu que je lui écrive afin de lui expliquer pourquoi. J'ai commencé par parler du merveilleux père qu'il était. Et ensuite je n'ai plus su quoi dire. Comment se faisait-il que je ne trouve pas de raisons de l'aimer ? Que seuls les mots de la colère se glissent sous ma plume ?

Mon corps, toujours merveilleusement intelligent et fidèle, m'envoyait des signaux désespérés en se détraquant pour un oui pour un non, comme le font toujours les corps abandonnés : *Accorde-moi un petit peu d'attention, écoute-moi.* Cela ne m'était pas arrivé depuis l'époque où je me blessais tout le temps, quand nous habitions Greenwich et que mon père et ma mère ne s'entendaient plus. Chaque fois que je refusais d'écouter ces signaux, je me cassais quelque chose : des doigts, des côtes, un pied. Tom avait sur son bureau une photo de moi qu'il avait faite lorsque je m'étais brisé la clavicule. Et quand je me suis cassé le nez en tombant de bicyclette pendant le tournage de *Stanley et Iris*, il en a voulu une autre. Peut-être me préférait-il détruite.

Je l'étais. Une femme que l'on négligeait, qui ne faisait plus l'amour. Lorsque les gens ne sentent plus leur force de vie, leur âme, ils deviennent, je crois, plus vulnérables qu'ils ne l'ont jamais été à la culture de la consommation et au besoin maladif qu'ils ont de rechercher la perfection. Au lieu d'affronter la réalité de la crise que je traversais, je me suis fait refaire les seins. J'en ai honte, mais je comprends pourquoi j'ai agi ainsi à ce moment-là. Je voulais être plus féminine. Il ne restait de ma vie qu'une façade, ou presque ; pourquoi ne pas ajouter mon corps à la liste des apparences ?

C'est uniquement pour moi que je l'ai fait, Tom y était violemment opposé. Cette femme qui l'avait tant ému quand elle pleurait, pleine d'empathie pour les Vietnamiennes dont on trafiquait le corps afin qu'elles correspondent aux canons de *Playboy*, s'infligeait la même chose. Je savais que je me trahissais, mais ce moi que je trompais n'était pas maintenant plus gros qu'un dé à coudre.

CHAPITRE VINGT ET UN

LE DON DE LA DOULEUR

Le phénix ne peut renaître que de ses cendres.

Marion WOODMAN,
Leaving My Father's House.

La nuit de mes cinquante et un ans, Tom m'a annoncé qu'il en aimait une autre.

Le sol s'est effondré sous mes pieds, laissant le monde soudain si dévasté que mon existence même me semblait étrangère. Comme un enfant qui vient d'apprendre que ses parents l'ont adopté, je ne savais plus qui j'étais. Curieusement, je n'avais rien vu venir.

Ça s'est passé en 1988, à Noël. Nous étions tous à Aspen, dans le Colorado : Troy, Vanessa, Lulu, Nathalie, Tom et moi, dans un petit appartement loué. Parce que je ne voulais pas gâcher les vacances, je n'ai rien dit – serre les dents, ma fille. J'ai attendu que tout le monde soit couché, puis je me suis allongée sur le canapé du salon où j'ai lu en sanglotant un roman d'Amos Oz.

Je n'avais jamais imaginé survivre à une telle douleur, ni pensé que ce genre de souffrance pouvait s'exprimer de façon si physique. Je sentais le sang battre sous ma peau, une lame transperçait mon cœur, qui pesait cent kilos – je savais maintenant d'où vient l'expression avoir le cœur lourd. Pendant un mois, je n'ai rien pu avaler, je ne parlais qu'à voix basse, mes mouvements étaient lents. Ma gorge s'obstruait. Quand je suis rentrée à Los Angeles, mon amie Paula m'a proposé un massage mais j'ai dû m'enfuir, je ne supportais pas qu'on me touche, je ne méritais pas ce plaisir. Je me sentais réduite à néant.

Après ce que j'ai déjà écrit sur ce mariage qui battait de l'aile et l'absence de communication qui existait entre nous, vous trouverez peut-être étrange que j'aie été aussi profondément affectée, alors que Tom ne faisait qu'admettre la réalité. Mais une blessure très ancienne s'est rouverte en moi, me laissant sans défense devant un chagrin qui dépassait de loin celui d'une simple rupture.

Je ne crois pas que Tom ait pensé que nous nous séparerions. Il devait s'imaginer, comme les autres, que j'avais toujours été au courant de ses infidélités et que je ne m'en inquiétais pas. Peut-être que, quelque part, je savais. Peut-être était-ce pour cela que la colère grondait en moi quand nous faisions l'amour.

Je me sentais submergée de honte. Je n'en ai parlé à personne pendant des semaines, même pas à Paula. Quand j'ai fini par le faire, elle m'a secourue. J'ai vécu quelques jours chez elle et son mari, Mark Rosenberg, dans leur maison de Wadsworth Avenue, juste à côté de celle où Tom et moi avions passé dix ans ensemble. Je n'avais pas le courage de lui demander de partir.

Quand j'ai enfin décidé d'en finir, des mois plus tard, je suis rentrée chez moi, j'ai mis toutes les affaires de Tom dans des sacs poubelle, et je les ai jetés dans le jardin par la fenêtre. Ça m'a fait du bien... un peu.

Mais pas beaucoup. Tout cela était tellement nouveau pour moi. J'avais toujours été forte, cow-boy solitaire qu'aucune douleur, si profonde fût-elle, ne pouvait prendre en traître sans que son arsenal habituel d'autoprotection la rende inefficace. Je me retrouvais en terrain inconnu, sans aucun point de repère. Je partais au marché et devais m'arrêter au bord de la route, secouée par des sanglots qui m'empêchaient de conduire. Je descendais, je faisais quelques pas en me demandant comment le soleil pouvait briller, preuve indéniable de l'indifférence que la nature montrait à mon égard. Le ciel bleu comme un œuf de merle, semblable à celui de la veille, me donnait une conscience aiguë de l'éternité qu'il me restait à vivre seule. La mort planait, si présente que, lorsque nous avons divorcé, j'ai fait stipuler officiellement que Tom n'aurait pas le droit de prendre la parole le jour de mon enterrement. (J'étais convaincue qu'il sauterait sur l'occasion et je ne pouvais imaginer que nous serions un jour de nouveau suffisamment amis pour qu'il le fasse à juste titre.)

C'était moins « lui » qui me manquait, qu'un vague « nous », ce couple qui pour célébrer Pâques invitait tous les ans au ranch quelque deux cents amis (que je recevais déguisée en lapin), la chasse aux œufs, les promenades en carriole, les chants et les danses folkloriques. Le « nous » qui allait voir les matchs des Dodgers avec Troy et ses copains de la Little League. Ce « nous » qui avait aidé, pensais-je, à mettre fin à la guerre du Viêtnam. Le « nous » n'existait plus. Et j'avais cinquante et un ans.

J'ai compris plus tard que Troy et Vanessa savaient déjà depuis un moment que nous ne nous entendions plus. Mais si Tom et moi n'étions pas capables d'aborder ce sujet ensemble, nous l'étions encore moins avec nos enfants, et ils ne se sentaient pas la force d'en parler les premiers. Les colères de Vanessa étaient autant de tentatives d'ouvrir un dialogue, mais je me renfermais toujours. Lorsque nous leur avons appris que nous nous séparions, Vanessa avait vingt ans et Troy quinze.

Vanessa était en Afrique où elle travaillait avec Nathalie à un téléfilm que dirigeait Vadim. Elle était interprète, photographe de plateau et assistante de réalisation. Je ne savais pas quoi faire. Je n'avais pas l'habitude de m'adresser aux autres et de demander qu'on m'aide. Je ne voulais pas la détourner de son travail ni l'attrister. Et surtout, j'avais honte. Voilà que j'échouais encore une fois. Mais quand j'ai raconté à Paula ce qui se passait, elle m'a tout de suite dit : « Appelle Vanessa. Elle a besoin de savoir. » Cela m'a fait comprendre combien, moi, j'avais besoin de ma fille. Elle est rentrée quelques jours plus tard, et elle n'imaginera jamais combien cela a compté pour moi.

Vanessa n'a jamais particulièrement aimé Tom – ou plus exactement, elle n'aimait pas ce qui m'arrivait avec lui, la façon dont pour lui plaire je renonçais à ce que j'étais (ils sont ensuite devenus bons amis). Pourtant, face à mon chagrin, elle m'a dit : « Il faut que tu réfléchisses à ce que tu désires vraiment. » Elle exprimait ainsi en même temps l'espoir longtemps caché qu'elle avait eu de me voir quitter Tom et l'empathie qu'elle ressentait pour moi.

Elle a aussi dit : « Peut-être pourrais-tu passer plus de temps avec tes amies que Tom a fait fuir. »

— Que Tom a fait fuir ? ai-je répété voulant affronter des vérités que j'avais jusque-là choisi de ne pas voir.

— Maman, a-t-elle répondu en levant les yeux au ciel avec un certain mépris pour l'aveuglement dont j'avais fait preuve devant ce que tout le monde savait. Lois, Julie, Paula – pourquoi crois-tu qu'elles ne venaient pas plus souvent ici ? Tom ne les aime pas et elles le savent. Il te rabaissait continuellement, mais toi, tu ne t'en rendais pas compte. »

Tom a loué à Santa Monica un appartement avec une chambre pour Troy qui y vivait presque tout le temps. Cela me terrorisait : est-ce qu'il choisissait Tom plutôt que moi ? Allais-je perdre mon fils ? Mais il m'a expliqué ensuite : « J'avais l'impression que Papa avait plus besoin de moi que toi. Il allait mal. » Et c'était vrai.

Une amie à qui j'avais demandé ce que je devais dire à Troy m'a répondu : « Explique-lui ce que tu ressens. »

Explique-lui ce que tu ressens ! S'il y avait une chose que je ne pouvais pas faire, c'était bien ça. Imaginez les mots pleins de rage et de rancœur dont vous avez envie de qualifier quelqu'un qui provoque en vous des envies de meurtre, et vous aurez une vague idée de ce que je ressentais. Je ne pouvais pas infliger ça à mon fils. Quelque chose me disait au fond de moi que, lorsque tout ce charivari serait apaisé, ma colère disparaîtrait et je saurais alors devoir remercier Tom d'avoir provoqué la rupture, car c'était ce qui pouvait nous arriver de mieux (j'ai fini par le faire, deux ans plus tard). J'ai beaucoup réfléchi à la terrible situation que connaissent les enfants utilisés par leurs parents séparés qui règlent leurs comptes à travers eux. Il faut savoir se dominer, et avoir beaucoup de maturité pour empêcher ce genre de chose, étouffer sa colère. Pourtant je ne voulais pas reproduire ce que mes parents avaient fait avec mon frère et moi, ou moi avec Nathalie lorsque j'avais quitté son père – ne rien montrer, ne pas ouvrir le dialogue qui permet aux enfants d'exprimer ce qu'ils ressentent. Il fallait trouver comment y arriver, et sans haine. Seule la tristesse était acceptable.

Aussi, ai-je pu pleurer devant Vanessa et Troy, mais en prenant soin de leur expliquer qu'une séparation se faisait à deux et que je portais ma part de responsabilités, ce qui était vrai, je le savais. Je leur ai dit ce que moi-même j'étais en train de découvrir : qu'il fallait communiquer, analyser ses sentiments et s'en ouvrir. Ni Tom ni moi n'avions jamais laissé savoir à l'autre ce que nous ressentions. Peut-être n'a-t-il pas fait suffisamment d'efforts pour y arriver, peut-être n'en ai-je pas fait moi-même ou peut-être n'ai-je rien voulu entendre, et peut-être aussi notre alliance ne pouvait-elle avoir de sens que pour un laps de temps donné (et ce fut le cas – pendant sept ans), après quoi nous avions tous les deux cherché sans le savoir une porte de sortie.

La comedie *Sept ans de réflexion* avait mis le doigt sur quelque chose, un quelque chose qui va bien au-delà du sexe. La science nous enseigne que nos cellules se renouvellent tous les sept ans. Le chiffre sept revient régulièrement dans la Bible (« Au septième jour... »). Et il semblerait que les humains passent environ tous les sept ans par des périodes de transition psychiques. C'est là que le bât blesse : qu'arrive-t-il dans un couple si les transitions ne correspondent pas ? Il y a alors des choix à faire. Soit vous vous quittez. Soit vous restez ensemble en étant sur différentes longueurs d'onde et en faisant de votre mieux pour que ça marche. Soit chacun essaye de comprendre ce qui arrive à l'autre et vous tentez de rendre les transformations compatibles. Nous étions, Tom et moi, partis dans des directions trop différentes. Après seize ans de vie commune, parce que nous ne savions pas comment réajuster nos longueurs d'onde, nous nous sommes séparés.

« Occupe-toi », me conseillaient mes amis. Je savais que ce n'était pas ce dont j'avais besoin. Voilà justement ce que j'avais toujours fait : m'activer dans tous les sens, guidée par mon intellect. Or je me retrouvais maintenant pour la première fois dans une situation qui invalidait ce que j'étais et la façon dont je fonctionnais. Il fallait donc que je laisse tout cela se réorganiser, non pas à un niveau conscient (j'avais presque littéralement perdu la tête) mais somatique, cellulaire. Mon instinct me disait que pour que cela puisse se faire, il fallait que je reste tranquille, que j'assiste en spectatrice à ce qui se passerait et que je me laisse le *ressentir*.

Je me suis entourée d'amies aimantes et de musique classique. Ma maison est devenue un havre. Sachant que j'avais besoin de toutes les endorphines que mon cerveau pourrait fabriquer, je me suis forcée à continuer les exercices d'aérobic et je me suis mise à faire des randonnées, à pied et à bicyclette.

Je me rendais compte qu'à travers la douleur quelque chose advenait. Le traumatisme ouvrait une faille dans mon esprit. Il fallait faire attention, me tenir prête à y descendre, quelle qu'elle fût. J'avais l'impression qu'elle était d'ordre primitif, universel. Quelque chose en moi devait mourir dans le brasier de la douleur pour qu'autre chose puisse naître. Je le savais et je l'ai accepté, et dans l'alchimie de la souffrance, comme pour ces fleurs dont les graines ne s'ouvrent que devant des flammes, de jeunes pousses ont germé. Le chagrin fut mon cheval de Troie, il me permit d'entrer derrière les fortifications dont j'avais entouré mon cœur et il transportait en lui des indices d'un avenir auquel je ne me serais peut-être jamais éveillée si j'avais essayé de m'anesthésier en me jetant dans l'action.

Un jour, je me suis entendue dire à voix haute : « Si Dieu a voulu que je souffre ainsi, il doit y avoir une raison. » Dieu ? J'ai regardé autour de moi. *Est-ce que je viens de dire « Dieu » ?* Une telle pensée ne m'avait jamais traversé l'esprit. Je suis athée. Mais à l'instant où j'ai prononcé cette phrase, ma douleur a changé très légèrement de texture. Il m'est devenu plus facile de me montrer patiente, de me laisser aller à... à quoi ? Je n'en savais rien, mais j'étais si affaiblie que je n'avais aucun mal à m'abandonner, à *être*, rien de plus.

Avec une lenteur extrême, mois après mois, une membrane a recouvert mon cœur blessé, et j'ai pu passer au-dessus du vide sans y tomber. « Lorsque les humains souffrent, ils deviennent vulnérables. C'est dans cette vulnérabilité que vit l'humilité qui permet à la chair de s'adoucir entre les bras de l'âme », écrit Marion Woodman dans *Leaving my Father's House*. Peut-être était-ce ce qui m'arrivait. Je me sentais plus légère, comme si un espace permettant aux coïncidences de se manifester avait été dégagé autour de moi (« Les voies de Dieu sont impénétrables »). Peut-être y en avait-il toujours eu, mais je ne les voyais pas. Maintenant, je pouvais me laisser conduire vers elles.

C'est ainsi, par exemple, que j'ai trouvé une thérapeute. A l'époque où nous vivions encore à Ocean Park, une maison avait été démolie et reconstruite au bout de notre petite rue. Paula et son mari s'y étaient installés. Puis, une quinzaine de jours après la rupture, je faisais du vélo avec Julie Lafond le long de la plage quand elle a dit : « La psy qui m'a aidée à sauver mon mariage a acheté cette maison et installé son bureau au sous-sol. »

Eh bien, ai-je pensé, moi qui repoussais toujours le moment de commencer une thérapie parce que j'avais peur de ne pas trouver le « bon psy », *c'est peut-être un signe : j'ai habité dans cette rue autrefois avec ma meilleure amie, j'ai vu cette maison se construire, cette thérapeute en est propriétaire et elle a aidé une autre de mes amies*. Je l'ai appelée l'après-midi même et j'ai pris un rendez-vous.

Les hasards de la vie m'ont permis de rencontrer la femme à qui j'allais parler une fois par semaine pendant deux ans. Elle m'a mise sur le chemin de l'introspection et, quand elle a pris sa retraite, elle m'a adressée au thérapeute qui allait changer ma vie.

Et il y eut aussi la voyante (je vous arrête : thérapeute, voyante, pourquoi ne pas regarder dans toutes les directions ?) qui m'a annoncé que j'écrirais : « Des pages et des pages » et que ce serait « important pour les femmes ». C'est à cette époque que j'ai commencé à tenir le journal grâce auquel ce livre a vu le jour.

Au cours des mois qui ont suivi, emportée par ce que je ressentais comme des miracles, entourée de mes enfants et de mes amies, je suis devenue plus forte. J'avais toujours l'impression d'être tenue par la main et conduite quelque part. L'Esprit commençait à remplir le vide noir de l'espace intérieur. J'entrais dans mon corps, je retrouvais la vie.

CHAPITRE VINGT-DEUX

L'ATTENTE DU PHÉNIX

Il y a un temps pour tout, un temps pour toute chose
sous les cieux ;
un temps pour naître, et un temps pour mourir.

ECCLÉSIASTE, 3 : 1-2.

Le temps n'était pas encore venu. Le phénix commençait à renaître de ses cendres, l'Esprit venait en moi. Mais mon ego n'était toujours pas assez fort pour l'accueillir. Quelque part, l'idée de poursuivre mon chemin sans homme continuait de me terrifier.

Le lendemain du jour où les journaux ont annoncé notre divorce, le téléphone a sonné. « C'est pour toi, Jane. Un certain Ted Turner demande à te parler », a crié quelqu'un. Ted Turner ? Je l'avais rencontré une fois, avec Tom, lors de la projection d'un documentaire sur les enfants victimes de sévices sexuels que Turner Broadcasting System devait diffuser. Il a probablement du travail à me proposer, me suis-je dit en prenant l'appareil.

Sa voix a vibré si fort dans l'écouteur que j'ai dû l'éloigner de mon oreille.

« Est-ce que c'est vrai ?

— Quoi donc ? » Quelle étrange façon d'entamer une conversation avec une quasi-inconnue.

« Vous divorcez vraiment, Hayden et vous ?

— Oui. » J'allais encore très mal et ne pouvais parler qu'en chuchotant.

« Bon, est-ce que vous accepteriez de passer une soirée avec moi ? »

J'étais abasourdie. Rien ne m'était alors plus étranger que l'idée de sortir avec quelqu'un.

« A la vérité, lui ai-je répondu, ce n'est vraiment pas le moment. J'arrive à peine à parler. Je dois faire une dépression. Rappelez dans trois mois.

— Oui, je sais ce que c'est. » Il essayait de mettre dans sa voix une certaine compassion, mais il avait du mal. « Je viens de rompre avec ma maîtresse, a-t-il continué. Comme j'ai fichu en l'air ma famille il y a deux ans quand je suis parti vivre avec elle, ce n'est pas facile pour moi non plus, en ce moment. »

Je me suis dit qu'un homme n'aurait rien pu trouver de plus déplacé à dire à une femme que son mari venait justement de laisser tomber pour sa maîtresse après seize ans de mariage. Ne lui est-il pas venu à l'esprit que je m'identifierais plutôt à sa femme qu'à lui ? *Quel drôle de type*, ai-je pensé.

Mais j'ai répété : « Rappelez dans trois mois, j'irai certainement mieux. » Il a répondu qu'il le ferait et nous avons raccroché. Qu'il donne suite ou non à cet appel importait peu, son coup de téléphone m'a fait du bien. Comme ceux de Warren Beaty et de Quincy Jones, qui vinrent aux nouvelles.

« Relève le menton, cousine », m'a dit Quincy tendrement. (Il venait de se faire faire sa généalogie par les Mormons et selon eux nous avions des liens de parenté.) « Ne te laisse pas aller. A toi de jouer, maintenant, amuse-toi. »

Ted a rappelé trois mois plus tard, presque jour pour jour, et réitéré son invitation. J'avais complètement oublié sa promesse et je me suis sentis surprise et flattée qu'il s'en soit souvenu. Mais c'était la première fois depuis dix-sept ans que je sortais avec un homme, et je ne savais presque rien de lui. Je ne regardais pas CNN. Je me tenais au courant des informations par les journaux et la radio nationale. Cela se passait avant les événements de la place Tianan men et la première guerre du Golfe, époque où l'on appelait encore CNN la Chaîne des Nouvelles Nouilles. Je ne connaissais pas non plus le monde de la voile et je ne savais pas que Ted avait gagné la prestigieuse coupe America. Aussi avant de le rencontrer, ai-je voulu en apprendre plus.

Le résultat ne fut pas très encourageant. J'ai lu un article sur lui et appris qu'il buvait probablement beaucoup. J'avais déjà donné. Un ami de ses enfants m'a dit qu'il n'aimait que les jeunes femmes, et que s'il s'intéressait à moi ce n'était que pour compléter son tableau de chasse. Certains points, pourtant, jouaient en sa faveur : son souci de l'environnement, sa vision d'un monde global, son travail en faveur de la paix. Mon frère, le marin de la famille, m'a révélé ses talents de skipper.

« Formidable, sœurette ! Ce type-là est le vrai Captain America ! (contrairement à celui d'*Easy Rider*, où étaient ainsi baptisés et mon frère et sa moto). Ted a gagné la coupe America ! » Stupéfait que je ne le sache pas, il m'a raconté l'épopée de ce petit gars du Sud qui avait débarqué en vieille casquette de mécanicien à Newport, repaire de la haute société où les hommes ne s'habillaient qu'en blazer bleu marine, et comment, alors que personne ne le prenait au sérieux, il les avait tous coiffés au poteau.

« Crois-moi, sœurette, ce type est un héros ! » La voix de Peter devient aiguë quand il s'excite, et c'est contagieux. Mais j'ai dit à mes enfants que je n'allais pas me jeter à l'eau, qu'il s'agissait seulement de m'entraîner à sortir de nouveau : « Cela ne m'engage à rien, faites-moi confiance. »

En fait, j'avais attrapé un mauvais rhume, mais je n'ai pas voulu annuler ce rendez-vous qu'il attendait depuis si longtemps. Quand il a téléphoné pour savoir comment arriver jusque chez moi, je lui ai dit que j'étais malade et que je rentrerais tôt. Ça n'a pas eu l'air de le déranger. Mais j'étais nerveuse. J'ai réuni le clan pour me soutenir : Peter, Nathalie, Vanessa, Troy, Lulu et mon assistante Debi Karolewski.

Je ne me sentais peut-être pas très impliquée dans ce dîner qui ne « m'engageait à rien », mais je voulais faire en sorte que ce ne soit pas Ted qui en déciderait ainsi. Aussi ai-je mis une minijupe de cuir noir, un haut bain de soleil moulant, des bas noirs et des talons aiguilles, noirs eux aussi. Il ne manquait que les clous à cet attirail de dominatrice.

J'étais dans ma chambre, en train de procéder aux dernières

retouches de mon maquillage, quand Ted est arrivé. J'ai entendu Peter ouvrir la porte et Ted a déboulé dans l'entrée, où sa voix puissante a résonné : « Tiens, mon pote du Montana ! » Peter vit dans le Montana et Ted, qui, comme je l'ai appris plus tard, venait d'y acheter un ranch, était ravi d'avoir ça en commun avec lui. Quand je suis descendue, quelques minutes plus tard, il s'est retourné et a poussé un « Ouaoou ! » enroué, en me dévorant des yeux avec une telle impudeur que j'ai eu l'impression qu'il me touchait, et cela m'a plu. Il a crié au revoir à ma famille (ils avaient l'air d'avoir assisté au passage d'une tornade), puis il m'a poussée dehors et il a ouvert la portière arrière d'une berline louée. Il m'a présenté son chauffeur. (Qu'il connaisse le nom de ce dernier était un bon point pour lui.)

« J'ai des amis communistes », a-t-il annoncé dès que nous fûmes assis. Il a prononcé ces mots sur le ton d'un petit garçon qui rapporte de bonnes notes de l'école. « Je suis allé plusieurs fois en Union soviétique pour les Goodwill Games. Je suis très copain avec Gorbatchev et avec Castro. J'ai fait deux séjours à Cuba. Nous allons à la pêche et à la chasse ensemble. »

J'ai ri, il le fallait bien. Je ne savais pas s'il pensait vraiment que j'étais communiste et voulait me dire que ça ne poserait pas de problème ou s'il croyait que ça me plairait. C'était le cas. Pour la seconde fois, en l'espace de quelques minutes, le verbe « plaire » me traversait l'esprit – pas du tout ce à quoi je m'attendais. Mais je n'étais pas au bout de mes surprises.

« Je ne sais pas grand-chose de vous, vous comprenez, alors... ahhh... j'ai demandé à CNN qu'ils m'impriment ce qu'ils avaient sur vous, et j'ai tout lu. Une sacrée pile de papier. Et... ahhh... ensuite je leur ai fait imprimer ce qu'ils avaient sur moi et la pile est trois fois plus haute. » Silence. « La mienne est plus grande que la tienne ! C'est mignon, non ? »

J'étais étonnée – qu'il ait comparé nos dossiers, me le dise et en soit si content... *Mignon*... que pouvais-je faire d'autre que dire oui de la tête en riant et lui répondre que moi non plus je ne savais presque rien de lui et que je m'étais également renseignée, quoique moins sérieusement. Il me déconcertait, j'étais tout étourdie.

« J'ai besoin d'un chauffeur quand je viens à Hollywood, a-t-il expliqué, parce qu'autrement je me perds, et pourtant j'ai été le patron d'une compagnie ici... Vous saviez que j'avais acheté la MGM ?

— Oui, ai-je répondu. Je l'ai lu quelque part.

— Mais je ne l'ai pas gardée longtemps. Ils m'ont vite jeté dehors. Je n'ai même pas eu le temps de me servir du divan installé dans la salle de casting. Heureusement j'ai encore les archives. Je possède trente-cinq pour cent des plus grands films de tous les temps, et je vais les coloriser. Les jeunes d'aujourd'hui ne veulent plus regarder le noir et blanc. Qu'est-ce que vous pensez de la colorisation ?

— Je ne sais pas. Je n'y ai pas réfléchi.

— Scorsese est contre. Mais quoi, les femmes se maquillent, et personne ne s'en inquiète. Je crois que ça va nous amener un nouveau public. » Pendant les brefs instants de silence qui entrecoupaient ses phrases, il semblait m'aspirer du regard. Respirer calmement devenait difficile.

J'avais réservé une table dans un petit restaurant italien aux lumières tamisées, dans un quartier où je savais que nous ne rencontrerions pas de journalistes. Une fois assise, je me suis excusée de ne pas me sentir très en forme, histoire de lui rappeler que je rentrerais tout de suite après le dîner, sur quoi il s'est excusé à son tour pour aller aux toilettes. J'ai évidemment pensé qu'il voulait téléphoner à une starlette qu'il retrouverait plus tard, puisque avec moi c'était râpé.

Dès qu'il est revenu, il s'est lancé dans un long discours sur l'éducation qu'il avait reçue de son père, un sale macho (il a employé ces mots), qui lui avait toujours dit que les femmes, c'était comme les bus, « quand on en rate une on prend la suivante ». Un homme qui buvait beaucoup, avait des tas de maîtresses, rentrait tard le soir et le réveillait pour lui raconter ses derniers exploits.

« Je pensais qu'il fallait que vous sachiez que... ahhh... que d'un point de vue féministe, on pourrait dire que je suis sexiste, vu la façon dont mon père m'a élevé. Mais ma dernière maîtresse, celle avec qui je viens de rompre...

— La blonde, celle qui est pilote ? » l'ai-je interrompu pour m'assurer que je savais de laquelle il parlait.

— Oui, elle, J.J. Elle est... ahhh... féministe et m'a aidé à voir les choses différemment. J'ai même été... ahhh... magna... ahhh... monog... ahhh... magnanime tant que je suis resté avec elle.

— Vous voulez dire monogame, peut-être ? » ai-je demandé en riant cette fois de bon cœur. (*Oh, Seigneur ! Il n'arrive même pas prononcer ce mot !*)

Puis il a récapitulé ses bons côtés, ponctuant toujours ses phrases d'un « ahhh » un peu sourd : il défendait l'écologie et avait fait diffuser sur sa chaîne tous les documentaires de Cousteau, du National Geographic et de la société Audubon.

Il m'a dit que son intérêt pour l'environnement remontait aux heures passées à la campagne quand il était petit. Il avait eu une enfance assez malheureuse, car ils déménageaient continuellement. Il rentrait de l'école et apprenait que son père avait décidé de s'installer ailleurs.

« Je n'ai donc jamais pu garder d'amis et j'ai trouvé une certaine consolation dans la nature. Je passais mon temps dehors, j'observais des choses que les gens ne voient pas. Je faisais attention, et en plus je suis chasseur. Les chasseurs sont les vrais écologistes – ils remarquent avant les autres les changements qui se produisent. Je me suis aperçu, par exemple, qu'il y avait chaque année moins de canards migrateurs qui partaient et revenaient. Est-ce que vous êtes contre la chasse ?

— Non, mais je n'ai jamais chassé.

— Hmmm. Bon, le grand problème, c'est que nous sommes trop nombreux... salement trop nombreux. Il faut que les gens arrêtent de faire des enfants. J'en ai eu cinq, mais à cette époque, je ne savais pas. Excusez-moi, il faut que j'aille vidanger », a-t-il dit en se levant. Il avait déjà été aux toilettes quatre fois. Est-ce qu'il avait du mal à trouver une fille pour la nuit ? « Vidanger » ! C'est cela, oui. Il me prenait pour une idiote.

J'ai certainement dû dire quelque chose pendant le repas. Il m'a certainement posé des questions sur moi (en dehors de ma position vis-à-vis de la chasse), mais je ne me souviens pas de ce qui a pu sortir de ma bouche, seulement de ce qui arrivait dans mes oreilles, de ce flot d'informations irrépressible, comme enfantin.

Quand il s'est rassis, avec un regard involontaire vers mes seins, il m'a demandé : « Est-ce que vous vous êtes... » et s'est interrompu immédiatement, visiblement gêné. « Non, laissez tomber. Je voul... ahhh... Non, rien », a-t-il bégayé, puis il a baissé les yeux vers un point neutre de la table et essayé de prendre une expression à la fois contrite et grave. J'ai compris qu'il avait eu l'intention de me demander si je m'étais fait refaire les seins (et j'ai choisi de ne pas satisfaire sa curiosité). Ce que je ne savais pas, c'est que je venais d'assister à un événement historique, peut-être le seul du genre qu'il me serait donné de voir : Ted Turner avait décidé de ne pas dire ce qui lui était passé par l'esprit. Ne le connaissant pas encore, je ne pouvais apprécier la chose à sa juste valeur et me sentir flattée de l'effort herculéen que cet acte d'autocensure représentait pour lui.

Quand il m'a raccompagnée après le dîner, il m'a demandé : « Est-ce que je peux vous serrer dans mes bras ? » J'ai fait oui de la tête et il m'a tenue contre lui longtemps, tendrement. Puis, quand j'ai ouvert la porte, il a murmuré : « J'en pince pour vous... ahhh... est-ce que je peux vous téléphoner demain ? » J'ai de nouveau hoché la tête et refermé la porte derrière moi. Il avait dit : « J'en pince pour vous. » Et c'était réciproque.

Il a appelé à la première heure. « Je ne vous réveille pas, au moins ?

— Non, je me lève toujours tôt.

— Formidable. Moi aussi. C'est bon signe. Ecoutez, je vous aime vraiment beaucoup. Vous pourriez peut-être venir passer un week-end dans mon ranch du Montana. Qu'est-ce que vous en pensez ?

— Moi aussi je vous aime beaucoup, Ted, et je serais ravie de mieux vous connaître. Mais... je... Pour être honnête, je ne suis pas prête à avoir une aventure. Et si je viens, vous vous attendrez certainement à ce que nous passions la nuit ensemble. Je ne suis pas encore vraiment remise. Donc, c'est non. Je ne viendrai pas. »

Il y a eu un bref silence – le premier vrai silence.

« Bon, d'accord. » Il avait pris une voix de boy-scout. « Nous ne dormirons pas ensemble. J'ai une chambre d'amis. Je... ahhh... je vous promets de ne pas vous toucher. Allez, venez. Vous allez adorer. Votre frère vit dans le Montana, quand même. C'est magnifique là-bas.

— Je sais. J'y suis allée souvent.

— Eh bien alors, venez. Nous nous promènerons, nous regarderons les animaux. Il y a des élans, des cerfs, des aigles et... » Il faisait preuve de tant de persévérance que j'ai fini par céder.

« Bon, d'accord. Mais pas avant juin. Je dois être au festival de Cannes où je présente un film et je suis très occupée avec sa promotion et tout ce qu'elle implique.

— Vraiment ? Bien... Mais c'est dans quinze jours !

— Oui, dans quinze jours, mais je ne peux pas faire mieux. » Il a accepté tristement, et nous avons fixé une date.

Dans l'avion qui m'emmenait vers le Montana, je me demandais à quoi je devais m'attendre. Est-ce qu'il m'enverrait une limousine avec chauffeur ? Est-ce que j'allais me retrouver dans un faux ranch au sol de marbre avec des tas de domestiques ? J'avais tort de m'inquiéter. Il est venu me chercher en jeep et le ranch, où nous sommes enfin arrivés une heure plus tard, était en fait un modeste chalet. Ted, allais-je apprendre, se montrait toujours économe quand il s'agissait de son confort personnel.

Sur la route, je me suis rendu compte qu'il était extrêmement agité. J'ai voulu savoir ce qui se passait. Sa réponse m'est apparue comme une merveilleuse coïncidence, mais il me faut revenir en arrière afin de vous expliquer pourquoi. Dans la foulée de *Mad Max* et *Mad Max 2*, étaient sortis des films qui offraient une vision apocalyptique de l'avenir, et cela m'avait donné envie de trouver une histoire qui irait en sens inverse, montrerait ce qui pourrait se passer si nous évitions l'apocalypse en faisant ce qu'il convenait de faire. « Les gens ont besoin de pouvoir imaginer à quoi ressemblera le monde auquel nous travaillons », avais-je dit à ma nouvelle associée Lois Bonfiglio. J'avais commencé à faire des recherches. Imaginez alors mon étonnement lorsque, quand je lui demandais pourquoi il était si agité, Ted me répondit :

« J'ai un nouveau projet qui m'excite terriblement. Je vais lancer un concours international qui récompensera par une somme d'argent le meilleur scénario donnant une image positive de l'avenir. Je l'appellerai le Turner Tomorrow Award.

— C'est incroyable ! J'ai eu exactement la même idée, Ted, sauf que je pensais en faire un film. » Tout en sachant que j'étais encore dans un état émotionnel fragile, je trouvais cela étonnant. (Deux ans plus tard, le prix Turner a été attribué à *Ishmael*, qui est devenu depuis un film culte. Mais mon projet n'a pas abouti, je me suis retirée du cinéma avant.)

Après avoir roulé une demi-heure sur le chemin plein de nids-de-poule qui traversait la propriété de Ted, nous sommes enfin arrivés devant sa maison. A peine avait-il posé ma valise dans la chambre d'amis (au sous-sol) qu'il m'a demandé de regarder la vidéo d'un discours qu'il avait fait lors d'un dîner de la Ligue nationale pour le droit à l'avortement et dans lequel il défendait la liberté des femmes.

Dès que l'écran s'est éteint, il s'est mis devant moi un genou en terre et a déclamé : « "Aux pieds d'Hannibal / Rome gisait comme une prune mûre / Il avait mis un terme au temps de la conquête / Jusqu'à des jours meilleurs..." J'ai écrit ça quand j'étais au lycée. Balèze, non ? J'étais un as des classiques, à Brown. Vous avez lu Thucydide ? Son *Histoire de la guerre du Péloponnèse* est passionnante, et j'adore Alexandre le Grand. Il était mon héros, jusqu'à ce que je choisisse la paix plutôt que la guerre. Je l'ai remplacé par Gandhi et Martin Luther King... Qu'est-ce que vous en pensez ?

— Très joli », ai-je répondu.

Je suis peut-être descendue seule dans ma chambre du sous-sol ce soir-là, mais j'emportais au lit avec moi les pensées tourbillonnantes dont Ted m'avait abreuvée toute la soirée, comme s'il avait voulu être certain que je n'arriverais pas cette nuit-là à me défaire complètement de sa présence. Ainsi que ces oiseaux mâles que l'on voit dans les documentaires animaliers gonfler leurs plumes, se pavaner et faire la roue, Ted, semblait-il, avait décidé de me conquérir. Cela me plaisait.

Le soleil se levait à peine le lendemain matin qu'il me criait déjà de m'habiller pour que nous puissions manger tout de suite et partir nous promener tôt. « Ça ne vous ennuie pas de préparer le petit déjeuner ?

— Non, bien sûr que non », ai-je répondu, heureuse d'avoir quelque chose à faire au lieu de jouer les spectatrices passives.

Le jour était levé, je découvris que nous nous trouvions au fond d'une longue et étroite vallée entourée de falaises rocheuses. Sixteenmile Creek, le Ruisseau des seize milles, qui l'avait creusée, coulait non loin, plus large que son nom ne pouvait le faire croire. J'ai demandé à Ted comment il avait découvert cet endroit et, une fois à table, il m'a raconté avoir séjourné l'été précédent chez un vieil ami dans le Wyoming.

« J'adore la pêche, m'a-t-il expliqué. Mais jusque-là je n'avais jamais pêché à la mouche, et c'est très amusant, et puis il y avait les paysages... » Bien sûr. Cet homme des plaines du Sud avait enfin trouvé des horizons appropriés à ses idées de grandeur. Avant même de quitter le Wyoming, il avait téléphoné à son agent immobilier et le lendemain matin, pris l'avion pour le Montana où il avait acheté ce que je rebaptiserais plus tard son « premier ranch ».

« Je n'arrivais pas à trouver un nom qui convienne, a continué Ted, mais je pensais que c'était le plus beau que j'aie jamais vu, alors je l'ai appelé comme ça, Bar None Ranch, l'exceptionnel. » Bien que la superficie de sa propriété ait maintenant plus que quadruplé, elle était déjà, avec ses mille deux cents hectares, la plus grande où j'aie jamais été. Lorsque Michael Jackson m'avait dit avoir acheté huit cents hectares à côté de chez moi en Californie, je m'étais offusquée. Comment pouvait-on posséder tant de terres à soi tout seul ? Et voilà que je me retrouvais chez un homme qui avait déjà une île près de Hilton Head, au large de la Caroline du Sud, une ancienne plantation de riz dans ce même Etat, une chasse au nord de la Floride et une ferme de quarante hectares à côté d'Atlanta.

Après le petit déjeuner, nous sommes partis en jeep, brinquebalés sur des kilomètres de vieilles routes d'exploitation qui passaient parmi les pins d'une montagne à l'autre, dans un paysage à couper le souffle. Les élans et les cerfs étaient au rendez-vous. Un ours noir et un aigle à tête blanche se montrèrent, comme répondant à l'appel de Ted. A un moment, il s'est penché par la portière pour me montrer un oiseau qui volait très haut au-dessus de nous. « Vous le voyez ? a-t-il demandé. C'est une buse rouilleuse. » Puis ce fut une buse à queue rouge. Je n'ai jamais compris comment on pouvait reconnaître un oiseau à sa forme dessinée dans le ciel. J'étais impressionnée.

« Comment le savez-vous ? ai-je demandé.

— C'est le mouvement de leurs ailes qui permet de les reconnaître. Les oiseaux n'ont pas de secret pour moi. Je suis fou d'ornithologie. Saviez-vous que les oiseaux chanteurs sont en voie d'extinction ? Saviez-vous qu'il y avait autrefois tant de pigeons migrateurs que sur leur passage le ciel devenait noir ? Il n'en reste plus aucun. Nous les avons éliminés. Et les écureuils pouvaient voyager d'arbre en arbre de la côte est jusqu'au Mississippi sans jamais toucher terre. Ce qui leur serait maintenant impossible. Les arbres ont disparu. » J'étais fascinée. Je pouvais apprendre beaucoup de choses de cet homme.

« Il faut que je m'arrête une seconde pour vidanger », m'a-t-il dit. Il a laissé le moteur en route, bondi au bord du chemin et pissé, le dos à peine tourné.

En fait Madame Nature s'imposait à Mr Turner à peu près toutes les dix minutes. Après plusieurs arrêts, j'ai éclaté de rire. « En vous voyant aller tout le temps aux toilettes, lors de notre premier rendez-vous, lui ai-je avoué, j'ai pensé que vous tentiez de trouver une fille pour la nuit, mais je sais maintenant que c'était pure paranoïa de ma part.

— Oui. Quand je suis nerveux, j'ai besoin de pisser.

— Et je vous rends nerveux ?

— Oui. Comme je vous l'ai dit, j'en pince pour vous. » Puis soudain il a arrêté la voiture. « Venez, je veux vous montrer quelque chose » a-t-il lancé d'un ton joyeux. Il m'a aidée à descendre et m'a entraînée derrière lui. Nous avons gravi une pente et il m'a montré du doigt une petite grotte creusée à la verticale dans la falaise. J'ai vu, en m'approchant de sa longue ouverture semblable à un sexe de femme, qu'il s'agissait d'une veine de roche pourpre, étincelante.

« Pas mal, hein ? C'est ma mine de cristal. » Il en a cassé un petit morceau et me l'a tendu. « Tenez, a-t-il dit. Un souvenir. » Puis il m'a embrassée et... et je me suis sentie fondre. Ses lèvres chaudes sur les miennes. Ouaou ! Je n'avais pas imaginé une telle fièvre. Nous sommes remontés en voiture et avons roulé en silence. Mon cœur battait à grands coups.

Il s'est avéré que Ted ne connaissait pas très bien le chemin du retour, ce qui n'avait rien d'étonnant tant il y avait de routes qui se croisaient. Nous nous sommes perdus, expérience assez angoissante, dans un endroit pareil. L'idée que l'on ne retrouverait peut-être jamais nos corps m'a traversé l'esprit. Mais c'est la conversation que nous avons eue alors qui m'a laissé le souvenir le plus mémorable de notre promenade... quoique « monologue » serait un terme plus approprié. Tout en parlant, Ted mâchait du tabac dont il crachait le jus dans un verre en plastique. Il m'a demandé de m'asseoir plus près de lui. « Venez là. Je veux vous sentir contre moi. Posez votre main sur mon genou.

— Où avez-vous grandi, Ted ? ai-je voulu savoir.

— D'abord à Cincinnati... En bon petit yankee. J'adorais me balader, attraper des insectes, des papillons. A ce qu'il paraît, la première chose que j'aurais dite, c'est « joli ». J'aimais dessiner, surtout des animaux, des oiseaux et des bateaux. Et j'écrivais des poèmes. Mon père vendait des emplacements publicitaires. C'était un conservateur pur et dur. Il croyait que Roosevelt était communiste.

— Mon père le révérait. Je ne l'ai vu pleurer qu'une fois, quand il est mort.

— Oui, évidemment... Mais nous avons quand même beaucoup de choses en commun. Mon père s'est suicidé quand j'avais un peu plus de vingt ans. Il s'est tiré une balle dans la tête. Votre mère aussi s'est suicidée, non ?

— Oui.

— Vous voyez ? C'est probablement pour ça que nous voulons tant en faire, tous les deux. » Il m'a raconté que son père souffrait de dépression et d'emphysème, qu'il prenait des calmants et avait vendu sans rien dire à personne son affaire en faillite avant de se donner la mort. « Il était celui à qui je voulais prouver de quoi j'étais capable, et il n'a pas été là pour le voir », a-t-il dit tristement. « C'était vraiment quelqu'un. Les femmes l'adoraient et il le leur rendait. Jamais rassasié d'elles. Il pensait qu'un vrai mec doit avoir de nombreuses maîtresses. Et que la mongo... magno...

— Monogamie ? ai-je proposé.

— Oui, c'est ça. Il pensait que c'était bon pour les tantouzes. »
Il continua son récit. A douze ans, quand il était sorti de pension, son père l'avait mis au travail avec des ouvriers qui installaient des panneaux publicitaires sur le bord des routes. Il gagnait cinquante dollars par semaine et en reversait vingt-cinq à ses parents pour sa chambre et sa nourriture. Son père lui avait dit que s'il trouvait mieux, il pouvait vivre ailleurs. Apparemment, Ed Turner était un homme fringant, emphatique, charismatique, buveur, amateur de femmes, maniaco-dépressif et persuadé que ne pas battre un enfant serait le gâter. Judy Nyne, qui avait été mariée à Ted pendant deux ans quand ils étaient jeunes tous les deux, a dit un jour d'Ed Turner : « Il croyait que la grandeur naissait du sentiment d'insécurité. » La tante de Ted m'a raconté que même lorsque ce dernier était tout petit, son père avait l'habitude de passer près de son berceau et de donner une pichenette au bébé. « Pensez-y », a-t-elle ajouté pour que j'accepte Ted comme il était.

En rentrant vers le chalet, le premier jour, Ted a décrit d'un ton parfaitement calme les raclées qu'il avait prises, tout en insistant sur le fait que son père l'aimait et qu'il avait été son meilleur ami. Battu à coups de ceinture et de cintres en métal dépliés, il refusait de pleurer. Sa mère tambourinait contre la porte, suppliait son père d'arrêter. Et un jour ce dernier s'était allongé sur le lit et il avait demandé à Ted de le battre avec son cuir à rasoir.

Mais ce qui me parut encore pire, ce qui me sembla avoir laissé en lui la douleur la plus profonde était arrivé quand il avait cinq ans – moment critique du développement d'un petit garçon – le jour où son père l'avait mis en pension et était parti dans la marine avec sa femme et sa fille.

« Il n'y avait même pas d'herbe dans la cour, dit Ted d'une voix mélancolique. Que des graviers. J'étais tout seul. Je ne trouvais de réconfort qu'auprès de la surveillante. Elle était jeune et jolie. Le soir, elle me prenait sur ses genoux et me berçait. Sans elle je serais mort. Ça doit être pour ça que je ne supporte pas la solitude. J'ai le syndrome de l'abandon. Mais je me soigne. J.J. [son ex qui ne l'était pas tout à fait] m'a donné des livres qui apprennent à supporter la solitude. Elle disait qu'elle se sentait envahie...

— Mais c'était de la maltraitance Ted ! me suis-je exclamée. Quelle tristesse. »

Les larmes me montaient aux yeux. Ça l'a étonné.

— Non, je vous assure. Mon père m'aimait. C'était pour mon bien. Je suis devenu plus fort, a-t-il protesté. Venez, allons faire l'amour. D'accord ? Depuis combien de temps est-ce que ça ne vous est pas arrivé ?

— Six mois, ai-je répondu, en me demandant si cela me donnait le droit de brandir une nouvelle virginité.

— Si vous attendez trop, ça va se refermer », a-t-il dit avec une pointe d'humour qui a rendu la chose plus légère.

J'ai pris ma respiration... J'avais besoin de plonger en moi un instant avant de refaire surface. Etais-je capricieuse ? Prude ? Qu'est-ce que je gagnerais en refusant ? Pourquoi ne pas célébrer mes retrouvailles avec le plaisir en acceptant cette proposition à laquelle je n'aurais peut-être droit qu'une seule fois, m'abandonner à la béatitude ? C'était quand même difficile de rejeter cet homme-enfant qui avait tant besoin de tendresse et d'amour.

« D'accord, ai-je dit quand j'ai enfin pu émerger.

— Youppie ! a-t-il crié en appuyant sur l'accélérateur.

J'aimerais savoir décrire les moments qui ont suivi de façon plus lyrique. J'ai raconté ensuite à mes amies que ça avait été Versailles, ses illuminations et ses grandes eaux. Ted est un amant accompli, merveilleux. J'étais subjuguée (et soulagée de voir que tout marchait toujours). Après un petit somme – Ted est un spécialiste des petits sommes, alors que submergée par les émotions, envahie de pensées qui se bousculent dans ma tête, je n'arrive pas à dormir –, il a voulu m'emmener dans un autre ranch qu'il pensait acheter et qui se trouvait à quelques heures au sud de là où nous étions. « Cinq mille hectares de terre. Nous pourrions y dormir. C'est plus près de l'aéroport. Qu'est-ce que tu en dis ?

— Très bien. Oui. Comme tu veux. » *Comment peut-on vouloir un autre ranch, encore plus grand, quand on possède celui-ci ?* me demandais-je tandis que nous repartions sur le long chemin cahoteux.

Une heure plus tard, nous entrions par l'ouest dans une propriété qui commençait au bord de la Madison River et s'étendait vers l'est sur quarante kilomètres jusqu'à la Gallatin. Cinq cents kilomètres carrés de beauté absolue.

« Qu'est-ce que tu en penses ? J'achète ? J'ai pris une option.

— Non, ai-je répondu. Pourquoi veux-tu avoir deux immenses ranchs ? Bar None ne te suffit pas ? »

Il a réfléchi un instant, et j'ai compris que sa question n'en était pas une. Il s'était déjà décidé. « La pêche est plus facile dans ce coin, a-t-il dit. C'est comme l'école, je commence par le primaire, ici, et ensuite je passe au lycée, à Bar None. Et en plus je veux refaire de ces lieux ce qu'ils étaient avant que l'homme blanc arrive. Des bisons paissaient autrefois sur ces terres jusqu'à ce que nous les éliminions dans le seul but de priver les Indiens de viande et des peaux dont ils s'habillaient. » Bien. Formidable. Etrange. Tom aussi était fasciné par les bisons... et Ted s'intéressait aux Indiens !

A un moment, Ted a sorti une petite carte intitulée « Dix initiatives ».

« Le problème, avec les dix commandements, m'a-t-il expliqué, c'est que les gens d'aujourd'hui n'aiment pas qu'on leur donne des ordres, alors je les ai remplacés par des initiatives.

— Tu as récrit les dix commandements ?

— Oui. Comme Moïse ne pouvait rien savoir de la crise environnementale, des dangers de la guerre nucléaire et de la surpopulation, j'ai réactualisé ses préceptes. Regarde. Balèze, non ? »

J'ai baissé les yeux vers la liste : « Je promets de prendre soin de la planète Terre et de tout ce qui y vit... de traiter les êtres humains, quels qu'ils soient, dignement, respectueusement, amicalement... de ne pas avoir plus d'un ou deux enfants... de soutenir les plus défavorisés, de les aider à devenir autosuffisants... Je rejette l'usage de la force, en particulier de la force militaire, et soutiens l'arbitrage des Nations unies en matière de désaccords internationaux... » Intéressant, ai-je pensé.

« Qu'est-ce que tu fais de ces cartes ? » ai-je demandé. L'organisatrice que j'étais devenue voulait savoir s'il pensait vraiment pouvoir changer le monde avec des mots.

— Je les distribue. Je les lis dans mes discours. J'ai souvent pris la parole en public, l'année dernière, et devant toutes sortes de gens. Il arrive que ce soit dans le cadre de mon travail, mais ce que je préfère, c'est aller sur les campus. En ce moment j'essaye de battre le record de conférences de Bob Hope auprès des doctorants. »

Turner était intarissable. La timidité dont j'ai toujours fait preuve quand je suis avec des gens que je ne connais pas très bien, me mettait en général mal à l'aise. J'avais peur de ne pas savoir remplir les silences. Avec Ted, le problème ne se posait pas, il n'y avait pratiquement pas de silences. Ce flot intarissable de pensées me stupéfiait.

« Je crois que tu es faite pour moi, a-t-il déclaré soudain. Nous avons les mêmes sujets d'inquiétude, nous accomplissons tous les deux beaucoup de choses, nous appartenons toi et moi au monde du spectacle, et tu as besoin de quelqu'un qui réussit aussi bien que toi – et je réussis mieux, ce qui est parfait. Tes deux derniers films n'étaient vraiment pas terribles, soyons honnêtes. » Ce flot de paroles m'étourdissait et l'absence totale d'autocensure dont Ted faisait preuve m'interloquait. « En fait, a-t-il continué, il n'y a qu'un mauvais point pour toi... ton âge. » Ouaou ! Et moi qui avais l'impression d'être encore pas mal. *Est-ce qu'il y a des choses que ce type est capable de ne pas dire ?*

« Bon, parle-moi de ta vie d'avant », a-t-il soudain demandé. Je me suis lancée, avec l'impression d'être prosaïque et ennuyeuse, mais je lui ai raconté ma famille, mes enfants, les tournages.

« Je n'aurais jamais accepté ça, m'a-t-il interrompue. Je serais devenu fou si je t'avais vu jouer une scène d'amour avec un autre. Et je ne t'aurais pas laissée partir trois mois d'affilée. Ça a dû être un enfer, pour ce pauvre Tom. » Long silence, puis : « Pour que ça marche, entre nous, tu devras renoncer à ta carrière. » *Ce type est fou ! Est-ce qu'il ne sait pas que les choses prennent du temps ?*

« Dis-moi, tu connais une chanson qui s'appelle Ballerina[1] ? Celle de la danseuse qui perd l'homme qu'elle aime parce qu'elle ne veut pas abandonner son métier ? » Et sans me laisser répondre, il a commencé à chanter :

> « Tu disais que l'amour pouvait attendre
> Que tu voulais la gloire
> C'est ton problème,

1. Chanson de Nat King Cole (*NdT*).

La vie nous donne des leçons.
Et l'amour est mort, ballerine, l'amour est mort,
Alors continue de danser, tu ne peux pas regarder en arrière
Danse, danse encore, danse toujours...
Danse, ballerine, danse. »

« Ce n'est pas ça que tu veux, quand même ? » Puis, abruptement : « Mais non, je sais... tu ne renonceras pas... pas avant d'avoir eu un oscar.

— J'en ai déjà eu deux, Ted, ai-je dit. Un pour *Klute*, et un autre pour *Retour*.

— Ah bon, vraiment ?

Et vlan ! Je me sentais mieux.

Quand nous sommes arrivés devant la maison du futur ex-propriétaire, le soleil se couchait entouré d'une auréole de lumière rouge violet bordée d'orange sur fond de ciel bleu sombre. Pendant que je préparais le dîner, Ted tournoyait autour de moi comme un derviche, récitant ses poèmes (toujours un genou en terre, toujours en pentamètres iambiques, comme mon premier petit ami Goey) et m'expliquant combien il était difficile, avec toutes les propriétés qu'il avait, l'entretien du linge et des vêtements ainsi que les voyages que cela représentait, de ne pas avoir d'épouse pour l'aider. « Prends une bonne », lui ai-je répondu en riant, amusée par les paroles que ce vaurien proférait sans réfléchir et sans aucune honte.

Cette nuit-là, nous avons dormi dans le même lit et je lui en ai dit plus sur ma vie sexuelle que je ne l'aurais dû. Je lui ai même parlé des fantasmes de mon enfance, sujet très douloureux pour moi mais qui pour lui... eh bien qui le convainquirent d'avoir trouvé en moi celle qu'il cherchait. Quiconque avait imaginé et fait ce genre de choses était, enfin vous voyez ce que je veux dire...

Le lit a des fonctions différentes selon des individus. Pour certains il est un lieu de démonstration, pour d'autres un champ de bataille ou bien un terrain de jeu. Pendant des années j'y ai joué la comédie, et j'ai compris que j'avais besoin de bien connaître ceux avec qui je m'y retrouvais, afin d'y éprouver plus qu'un simple plaisir physique. Pour moi, le sexe était lié à l'anonymat absolu ou à une profonde connexion spirituelle.

Je dormais encore quand une voix s'est élevée à côté de moi : « Gore Vidal écrit un film pour ma boîte de production. » J'ai mis un moment à émerger et comprendre que je ne rêvais pas, qu'on était le matin et qu'il commençait la journée par cette annonce glorieuse.

« Est-ce que tu démarres toujours sur les chapeaux de roue ? ai-je lancé d'une voix vaseuse.

— J'aime beaucoup Gore Vidal, a-t-il dit.

— Moi aussi, ai-je répondu. Une chouette est tombée un jour dans son assiette, alors qu'il dînait chez moi, à Rome.

— Quoi ? a-t-il demandé, soudain attentif.

— Non rien. » Il était trop tôt et j'avais trop sommeil pour lui expliquer.

Après le petit déjeuner, Ted a sorti un calendrier de son attaché-case – ou plus exactement une immense feuille de papier sur laquelle apparaissait, lorsqu'on la dépliait, l'année entière, mois après mois : vision linéaire que j'avais beaucoup de mal à suivre car elle était à l'opposé de l'image circulaire que je me suis toujours faite du temps.

« Nous allons tout de suite bloquer les jours où nous pourrons nous retrouver cet été, d'accord ? Tu as un calendrier ?

— Non, mais ça va aller. » J'ai rapidement passé en revue dans mon esprit l'arc de cercle, juillet, août, septembre... sans rien trouver. « Je n'ai pas beaucoup de projets », ai-je dit.

Avant que nous en discutions plus longtemps, Ted avait noté mon nom face à un ou deux week-ends chaque mois. Nous devions nous revoir trois semaines plus tard chez lui, à Big Sur, dans l'une de ses nombreuses maisons, face au Pacifique, au-dessus de Pfeiffer Beach.

« Tout cela va un peu trop vite, Ted. Tu ne crois pas que nous pourrions réfléchir avant de fixer des dates ? » Je ne le connaissais pas. Je ne savais pas qu'il avait besoin de savoir longtemps à l'avance avec qui il serait à chaque instant de sa vie afin de ne pas se retrouver seul, Dieu l'en préserve, ne serait-ce qu'une nuit. En regardant par-dessus son épaule, j'ai vu que chaque jour, ou presque, était rempli.

Lorsqu'il m'a déposée à l'aéroport de Bozeman, j'étais rompue, épuisée par cette overdose de stimuli. Si le show stupéfiant (j'avais, je vous le jure, l'impression d'avoir été emportée impuissante par un spectacle de sons et lumières shakespearien retransmis en 3-D et en stéréo) qui m'avait été offert pendant la trentaine d'heures qui venaient de s'écouler avait pour but de me retourner comme une chaussette, c'était réussi. J'étais complètement retournée, la tête à l'envers, le corps écorché, les nerfs à vif. Et pour couronner le tout, il m'a laissée là deux heures à l'avance. Il devait foncer prendre son jet privé qui l'attendait dans un autre aéroport, et s'envoler vers Atlanta où il devait assister au cinquantième anniversaire d'*Autant en emporte le vent* (dont il possédait les droits) – avec une autre de ses petites amies qui avait loué une robe Scarlett O'Hara pour l'occasion. Il serait bien sûr (qui en aurait douté ?) en Rhett Butler. Il ne voulait pas prendre de retard. Et nous en sommes restés là. C'était moche. Le grand jeu et plouf. A la suivante. Alors je me suis dit, bon, je me suis bien amusée. Ce type est complètement étonnant, et il me plaît, il n'y a pas de doute là-dessus. Mais j'ai dû lui paraître ennuyeuse à mourir. Je n'ai rien dit d'intéressant.

Une fois rentrée, je suis allée voir ma psy, et j'ai fait des exercices de respiration. Je sentais le danger, et je ne voulais pas avoir encore une fois le cœur brisé. J'ai fini par lui écrire en le remerciant du week-end et en lui disant qu'il était un trésor national méritant, qu'on prenne soin de lui et qu'on le protège, que j'avais passé des heures merveilleuses dans son ranch, mais que je n'avais pas aimé la façon dont il m'avait larguée à l'aéroport et que je n'étais pas certaine de pouvoir être avec lui aux dates prévues. Il y avait entre nous une alchimie puissante, et j'étais fascinée par sa franchise, cette façon qu'il avait de tout déballer, mais je devais avoir peur, en tombant amoureuse de lui, de devenir trop vulnérable. Alors je me suis laissé séduire par un Italien qui avait dix-sept ans de moins que moi et avec qui je me sentais comme une jeune fille.

J'ai téléphoné à Ted pour lui dire que j'avais rencontré quelqu'un et que je n'irais pas à Big Sur.

« Oh non ! » J'ai dû éloigner l'appareil de mon oreille. « Je savais que je n'aurais pas dû rester si longtemps sans te voir. C'était exactement ce que je craignais. Bon sang ! Oh, allez, viens... juste un week-end. Ça ne peut pas finir comme ça. Ça vient à peine de commencer. Donne-moi ma chance.

— Je ne peux pas, Ted. Je suis désolée, mais il y a quelqu'un d'autre.

— Bon, alors j'arrive. Je veux que tu me le dises en face. Je serai là dans trois jours. Réserve une table dans ce restaurant où nous sommes allés la première fois. » Trois jours plus tard, quand le serveur lui a demandé ce qu'il voulait commander, Ted a répondu : « Apportez-moi un calice, je le boirai jusqu'à la lie. » Etonnant : malgré la tragédie qu'il disait vivre, il avait encore la force de faire de l'humour. Mais il s'est mis ensuite à me raconter ses malheurs. La fois où il avait appris en rentrant du lycée que sa petite amie Nancy, l'amour de sa vie, était tombée amoureuse d'un autre. Il avait enjambé le rebord d'une fenêtre en haut d'un hôtel et envisagé de se suicider. Puis il s'était souvenu de ce que disait son père : « Les femmes, c'est comme les bus, quand on en rate une, on prend la suivante », et il avait renoncé à son projet. En se promettant de ne plus jamais s'exposer à une telle souffrance. (Des ombres planaient, celle de Vadim, de mon père, de Tom. Hmm.)

Je me suis enfoncée dans mon siège et j'ai tenté de déchiffrer ce qui se passait dans la tête de cet homme étrange. Essayait-il de se convaincre que je n'étais qu'un bus parmi les autres ? Etait-il vraiment touché ? Je ne savais pas encore qu'avec Ted il n'y a rien à comprendre, rien d'autre à voir que ce qu'il montre. Qu'il suffit d'écouter attentivement. Tout était là, que ça vous plaise ou non. Mis à nu (involontairement).

Je lui ai dit que j'avais besoin d'intimité et que je pensais pouvoir en avoir avec mon ami italien. « C'est ce qui m'a toujours manqué. Je veux connaître ça au moins une fois dans ma vie, et je ne crois pas que ce soit vraiment ton truc. »

Trois mois plus tard, je suis allée voir mon frère et sa femme Becky, et j'ai pris une semaine de cours de pêche à la mouche à Bozeman. J'avais réservé ces séances début mai, un mois avant de rencontrer Ted. Et dit à Johnny Carson, qui m'avait invitée dans son émission au début du printemps, que tous les hommes qui avaient compté pour moi avaient pratiqué la pêche – à la ligne, à la traîne, tout sauf la pêche à la mouche, et que j'allais m'y mettre, comme ça je serais prête pour le suivant.

Ted découvrit que les leçons se déroulaient dans l'ancienne gare transformée en hôtel à vingt minutes de son ranch (Le Flying D, le grand, celui sur lequel il avait pris une option en juin), et il débarqua là-bas un jour, nerveux et bavard, pour me proposer de passer « l'examen » final sur le Cherry Creek qui traversait ses terres et de rester dîner. Le jour de l'examen, Ted m'attendait et il a insisté pour me conduire à la rivière, tandis que le professeur de pêche nous suivrait en camion. Une fois de plus, son humour l'a emporté : « Je prends la pilule d'intimité, m'a-t-il dit, ça devrait aller. » Et plus tard : « Ça suffit comme ça, avec les jeunes. Et les droits des vieux, alors ? » Puis, plus calme : « Ce serait dommage que nous attendions d'avoir quatre-vingts ans pour être enfin ensemble. »

Le dîner fut tendu. L'amie Scarlett O'Hara était là avec lui et Ted n'a fait aucun effort pour cacher l'intérêt qu'il me portait. Je n'imagine même pas à quel point elle a dû sentir que trois-c'est-un-de-trop. Mon frère, toujours présent quand j'ai besoin de soutien, nous avait rejoints. Lorsque nous sommes repartis, j'ai entendu Ted crier : « Je prendrai des leçons d'italien », et : « Je vais grandir, je mesurerai un mètre quatre-vingt-quinze ! » (la taille de l'Italien). Séduction totale. Mais je suis bêtement monogame, et je n'ai pas donné suite.

CHAPITRE VINGT-TROIS

TED

Tout ce que je sais, c'est que j'obtiens ce que je veux.
Peut-être parce que je le veux plus que les autres.

Ted TURNER.

« ... Voyons voir
ce que je suis à l'intérieur
quand je me glisse
derrière les barreaux de ma cage thoracique.
Voyons voir
ce que je suis au-dehors,
quand je fais, fabrique
complote
ma nouvelle géographie. »

Imtiaz DHARKER,
« Honour Killing ».

« L'étalon italien est parti », disait la carte postale. Sans un mot de plus. Fidèle supporter de Ted et accro de CNN, ma belle-sœur Becky avait décidé que dès que je serais libre, elle le lui ferait savoir sans m'en avertir. Si bien que lorsque Ted appela un matin, j'en fus surprise.

« Salut, j'ai appris que tu avais rompu avec l'Italien. Tu veux venir passer à Big Sur ce week-end qui n'a jamais eu lieu ?

— Tu es incroyable, Ted ! » ai-je répondu, impressionnée une fois de plus par sa persévérance.

Il est venu me chercher à l'aéroport de Santa Monica dans son jet. J'étais émue de le revoir. Sa beauté et sa candeur me bouleversèrent. Après le décollage, il m'a demandé si je faisais partie du club des mille cinq cents mètres.

« Qu'est-ce que c'est ?

— Un truc pour parler des gens qui ont déjà fait l'amour dans un avion – en plein ciel, à mille cinq cents mètres d'altitude.

— Non, ça ne m'est jamais arrivé », ai-je répondu. Et je me suis sentie un peu vieux jeu.

« Ça te dirait ? » a-t-il proposé avec une exubérance assez enfantine, et avant que j'aie eu le temps de m'enquérir des problèmes de logistique, un lit à deux places a remplacé une rangée de fauteuils.

« Ouais ! La récré ! » a-t-il lancé d'un ton joyeux.

C'est ainsi que j'ai fini par faire partie du club.

Nous quittâmes l'aéroport de Monterey dans une jeep identique à celle qu'il avait dans le Montana et Ted m'expliqua en chemin qu'il vivait une gentille histoire avec une femme d'Atlanta et qu'il avait besoin de savoir si je m'engageais à devenir sa petite amie, car il ne voulait pas lâcher la proie pour l'ombre.

« Mais comment veux-tu que je te réponde ? Il faudrait que nous nous connaissions mieux. Laissons-nous porter par les événements, voyons comment ça se passe. » Ce n'était pas l'engagement définitif qu'il attendait, mais « se laisser porter par les événements » est resté sa devise pendant les deux années suivantes.

Sa maison de Big Sur est petite, et toute en verre, ou presque. Construite sur une crête étroite qui surplombe le bleu azur du Pacifique, elle donne d'un côté vers Pfeiffer Beach et de l'autre vers la longue ligne brisée de la côte sud. Une vue qui me rappelait le début des années soixante, époque où j'allais souvent au Big Sur Hot Spring Lodge, qui n'était pas encore le célèbre Esalen Institute, centre de l'association pour le « potentiel humain ». Vanessa y avait même vécu et travaillé quelque temps. Big Sur est un lieu intense, un lieu de frontières. Les frottements produisent de l'énergie, ils transforment mystérieusement les molécules de l'air et ceux qui vivent là où ces frottements se produisent sont emportés par le mouvement. Mary Catherine Bateson écrit que c'est aux frontières où les disciplines se rencontrent que la pensée est la plus riche : « Quand les lignes se brouillent, il devient plus facile d'imaginer que le monde pourrait être différent. » Peut-être est-ce pour cette raison que certaines personnes préfèrent se retrouver dans de tels endroits. Au large de Big Sur, les courants tièdes du Pacifique convergent vers les eaux froides de l'Arctique et cette confluence, combinée à la topographie sauvage de la côte, crée de violents affrontements. Ted ne pouvait qu'aimer Big Sur, évidemment – il est homme à vivre sur les frontières. Courageux, impétueux, extrême.

La maison était entourée d'un jardin en terrasses, sauvage et touffu, comme je les aime. Contre un mur était construit un spa en bois d'où l'on pouvait contempler la vue tout à loisir.

« Pas mal, hein ? a-t-il dit en me faisant faire le tour du propriétaire. Le plus bel endroit de Big Sur, et c'est à Ted Turner que ça appartient. » Je découvrais que Ted était, comme dit la romancière Pearl Cleage, le genre d'homme « qui vous offre des moments de perfection mais vous empêche d'en profiter parce qu'il vous rappelle immédiatement que l'instant est parfait ». J'ai failli lui lancer : « J'ai vu mieux. Il y a en haut du Limekiln Creek un endroit encore plus beau que ça. » Mais je me suis retenue. J'ai regardé la mer et dit que j'avais toujours aimé Big Sur, mais quand il a répondu : « Eh bien tant mieux », je me suis rendu compte que ça ne l'intéressait pas vraiment. J'ai frissonné à l'idée qu'être avec lui signifierait divorcer de mon passé.

Pendant le dîner, j'ai remarqué que mes mots glissaient une fois de plus comme de l'eau sur une toile cirée, sans jamais pénétrer la surface de la conversation. Cette vague indifférence à tout ce qui n'était pas lui me donnait l'impression de ne pas exister. « Ça ne marchera jamais, Ted, lui ai-je dit le lendemain. Tu veux m'obliger à m'engager. Mais il y a quelque chose qui ne va pas, je le sens, et je ne veux pas que tu fiches en l'air pour moi cette autre relation. Je crois que je ferais mieux de rentrer. »

Au cours des mois suivants, je suis sortie avec d'autres hommes. Il y a eu un promoteur immobilier de Laguna Beach. Je me suis endormie pendant notre rendez-vous. Un médecin de Bervely Hills m'a emmenée dîner plusieurs fois, mais quand il m'a raconté qu'il était allé en Afrique du Sud avec Frank Sinatra et s'était rendu compte que le vrai leader non-violent n'était pas Mandela mais le chef zoulou Mangosuthu Buthelasi, j'ai arrêté de le voir. Ted appelait assez régulièrement, et quelque chose me titillait intérieurement, me soufflant que j'avais gâché ma seule chance d'avoir la relation que je cherchais et que c'était moi qui avais des problèmes, pas Ted.

Il était drôle, vif, compliqué, intelligent. Contrairement au bon docteur de Berverly Hills, il avait conscience de l'importance du rôle qu'avait joué Nelson Mandela dans son pays. Nous nous intéressions tous deux aux problèmes d'environnement et de paix, et nous voulions tous deux *rendre le monde meilleur*. L'alchimie fonctionnait parfaitement. Il était un merveilleux amant. *Pourquoi est-ce que ça ne te suffit pas ?* Je ne savais pas très bien... je sentais simplement que quelque chose n'allait pas. Pourtant j'étais malheureuse, j'avais l'impression que ma lâcheté (ma peur de l'intimité, ma peur de souffrir), m'avait peut-être fait passer à côté de ce qui aurait pu être l'amour de ma vie.

Puis, mon amie la chanteuse Bonnie Raitt m'a téléphoné pour m'annoncer qu'elle faisait la première partie du concert annuel des Greatful Dead à Oakland le 31 décembre et m'y inviter. Comme il le faisait toujours, Bill Graham, l'organisateur de cet événement désormais traditionnel, descendit lentement du toit du stade habillé en poulet. En chemises de batik et colliers de perles, les fans des Grateful Dead planaient. Je me sentais vieille et hors du coup. Mais Bonnie avait l'air heureuse, plus apaisée, plus équilibrée que je ne l'avais jamais vue. Nous étions amies intimes depuis des années et je savais que ses relations avec les hommes lui avaient toujours posé de sérieux problèmes. Elle était maintenant avec l'acteur Michael O'Keefe et tout semblait merveilleux. Quelque part, son bonheur me donna du courage. Je me suis dit, bon sang, si elle, elle y arrive, alors, peut-être que moi aussi, je le peux, et le lendemain même, le 1er janvier 1990, j'ai appelé Ted et je lui ai demandé s'il voulait bien essayer encore une fois. Et comme toujours il m'a étonnée, non seulement parce qu'il a accepté, mais par son enthousiasme. Il était toujours si gentil. Comment ne pas penser que mes doutes n'étaient pas l'expression de mes propres démons ?

Nous avons alors commencé ce que nous appelions « vraiment sortir ensemble », expression que je trouvais charmante pour des gens de plus de cinquante ans. Vanessa était partie à l'université mais Troy était encore au lycée. M'en aller de chez moi trop longtemps me mettait mal à l'aise, aussi restais-je à Santa Monica quand Ted partait pour Atlanta, bien qu'il ne m'eût pas caché y retrouver la femme dont il m'avait déjà parlé (ou d'autres). Ça ne me plaisait pas. Ça me mettait mal à l'aise, mais je n'étais pas prête à lui poser d'ultimatum. Je voulais continuer à me laisser porter par les événements, voir comment les choses se passeraient.

A cette époque, nous parlions pendant des heures au téléphone. Souvent, il disait : « J'ai besoin de Fonda-mour ». Il avait du mal à croire qu'aucun homme n'avait jamais joué ainsi avec mon nom. Il m'expliquait qu'il se sentait rétrécir lorsqu'il était loin de moi, et au début, je le pris comme un compliment. Mais j'ai compris plus tard qu'il avait surtout peur d'être seul. Malheureusement, Ted ne sait pas trouver en lui-même son bien-être (un trait de caractère que nous partagions alors). Il le cherche au-dehors : auprès d'une femme, dans un applaudissement, dans la réussite et dans les bonnes actions. Il m'a fallu plusieurs années pour commencer à voir les conséquences profondes que cela aurait sur moi et sur notre relation. Mais j'étais tombée folle amoureuse de lui – et je le suis encore à bien des égards – et je voulais m'accrocher, essayer de rendre meilleure la vie de cet homme-enfant qui était juste assez différent de mon père pour que j'aie envie de me glisser sous sa peau et de mieux le connaître.

Malgré ses bizarreries, Ted m'entraînait dans une ronde enivrante. Voilà un homme qui partageait mon désir de rendre le monde meilleur mais qui était capable de s'extraire de ces préoccupations et de s'occuper avec autant de talent et d'attention de ce que seul le corps peut communiquer. Le mental et le physique enfin réconciliés ! La boutique magique. Sexe, romantisme, rire, valeurs communes, passion intellectuelle, présence, érotisme, amitié, j'avais l'impression de trouver chez lui tout ce que je cherchais. Et, dans mon entourage, tout le monde l'aimait : Debi, mon assistante, Lois, Paula, Troy, Nathalie, Lulu, Vanessa – quoique qu'avec elle les choses ne fussent pas si simples. Elle considérait que je renonçais de nouveau à moi-même pour un homme et ça l'exaspérait.

La première fois qu'il m'a invitée à Atlanta, Ted est venu me chercher à l'aéroport dans sa modeste Ford Taurus et m'a directement conduite au CNN Center. Impressionnant. J'ai pénétré dans la cour intérieure au plafond de verre, regardé l'immeuble de quatorze étages qui s'élevait tout autour, les noms de CNN et de Turner inscrits partout, les drapeaux des pays du monde entier, y compris celui des Nations unies, symboles du réseau global que Tom voulait créer. *Et c'est mon amoureux qui a fait tout ça !* Il m'a appris alors que c'était là qu'il vivait lorsqu'il était à Atlanta (ce qu'il faisait le plus rarement possible). Après avoir quitté sa seconde femme, il avait dormi pendant des années dans son bureau sur un lit pliant, jusqu'à ce que sa maîtresse en ait assez. Alors il avait cassé le plafond de quelques pièces de rangement, au quatorzième étage, et installé un petit duplex (de soixante-cinq mètres carrés) que l'on atteignait en escaladant à ses risques et périls un étroit escalier métallique hélicoïdal. Pendant les dix années que Tom et moi avons passées ensemble, cet appartement nous a servi de base, faisant de moi la seule femme au monde obligée de traverser les bureaux d'un service de marketing pour entrer et sortir de chez elle.

A la façon dont il me présenta à tout le monde, je compris que le fait d'être un homme important ne l'empêchait pas de se montrer fier comme un enfant de m'avoir à son bras. C'était nouveau pour moi. Mais tout était nouveau, ou presque. Je n'avais jamais vécu avec un homme d'affaires, et encore moins un homme riche à ce point. Ce qui ne l'empêchait pas d'être au fond de lui un rebelle, et d'adhérer à un système de valeurs dans lequel l'argent ne passait pas avant tout. Ted sait manier l'argent, mais ce n'est pas ce qui l'intéresse. Il est aussi un iconoclaste plein d'humour, un profane impoli et apolitique qui rêve de changer le monde. Il me mettait sur un piédestal, avait de toute évidence besoin de moi et ne craignait pas de le montrer. Il était, à bien des égards, tout simplement irrésistible.

J'ai fait la connaissance de ses associés, dont beaucoup étaient avec lui depuis le début. Ils m'ont dit qu'ils n'avaient jamais vu Ted aussi heureux, et qu'il était beaucoup plus facile de travailler avec lui qu'avant. Connaissant l'histoire de son père et le voyant enchaîner des relations incertaines, ceux qui l'aimaient profondément, et ils étaient nombreux, s'étaient, ces derniers temps, beaucoup inquiétés pour lui. Ils accueillirent donc à bras ouverts « celle qui arrivait à la rescousse ». Un ami avec qui il faisait de la voile déclara : « Eh bien, il semble que le capitaine soit enfin entre de bonnes mains. » De tous ceux qui l'entouraient, seule Dee Wood, sa secrétaire de direction, mit un bémol à l'enthousiasme général : « Ted est un sale macho, Jane, et il le sera toujours. » Elle a ri, et j'ai préféré croire qu'elle plaisantait – plus ou moins. Puis j'ai enfermé cette idée au fond de moi.

La véritable adoration que Ted semblait avoir pour moi me faisait me sentir quelqu'un de bien. *Quelqu'un de bien.* Il faut que je m'arrête là-dessus un instant. Il me disait si souvent, et avec une telle générosité, qu'il m'aimait, qu'il me trouvait intelligente et belle et que j'étais la femme de sa vie, que mon manque d'estime de moi s'effritait peu à peu : *Ted Turner pense que je suis formidable, intelligente et belle, et il n'est pas idiot.* Et ce qu'il y a d'émouvant dans tout cela, c'est qu'en même temps Ted se disait : *Ouaou, si Jane Fonda m'aime, c'est que je ne suis pas totalement nul.* Cela peut paraître difficile à croire, mais nous avions tous les deux des égos très fragiles et nous pouvions nous donner plus de force l'un à l'autre.

Pourtant, j'avais par moments l'impression de tomber dans un trou noir. Cela a duré plus d'un an. J'apprenais à mieux écouter mon corps, à faire attention à ce que je ressentais, et ça n'allait pas tout à fait bien. J'étais certaine de son amour, et soudain il y avait quelque chose dans ce qu'il disait ou dans la façon dont il agissait qui me faisait comprendre qu'il n'avait pas replié ses antennes, que j'étais peut-être là pour toujours, mais pas toute seule. Nous en avons beaucoup parlé. Il m'a dit : « Nous regardons la même toile. Mais pas dans le même sens. » Et il m'a assuré que mes craintes n'étaient pas fondées. Le problème, pensait-il, était que j'avais peur de l'intimité. *Vrai.* Pourquoi autrement aurais-je choisi avant lui des hommes qui n'étaient pas capables de vivre une relation intime ? J'étais, je devais me le rappeler, la fille de mes parents : deux personnes qui n'avaient pas su trouver l'harmonie.

Peut-être croyez-vous que par *intimité* j'entends relation sexuelle. Permettez-moi alors de clarifier le sens que j'accorde à ce mot. Le sexe peut être quelque chose d'intime, mais pas forcément. Il peut parfois se limiter au plaisir physique. J'utilise le mot *intimité* pour exprimer l'accord qui existe entre des êtres qui, malgré les défauts évidents de chacun, ouvrent totalement leur cœur à l'autre. Cela les rend vulnérables, aussi faut-il avoir vraiment confiance. Et s'aimer soi-même. Si vous ne vous aimez pas, vous ne pouvez pas vous révéler.

A quatre occasions, au moins, j'ai dit à Ted avoir l'impression qu'il n'était pas vraiment là pour moi, et que je devais le quitter. Et chaque fois, il a été visiblement si malheureux que j'ai accepté de rester. « Jane, m'a-t-il dit un soir, j'ai besoin de savoir que je peux compter sur toi. Tu ne peux pas continuer à me menacer de partir, ça ne marchera jamais si tu le fais. »

Et soudain... *Vlan !* L'idée que je pouvais tout gâcher en m'imaginant des choses qui n'existaient pas m'a bouleversée. Pourquoi est-ce que je ne m'autorise pas à être heureuse ? me suis-je demandé. C'est tellement plus facile de m'accrocher à mes vieux fantômes, à mes vieilles blessures et mes anciens griefs, de gratter mes croûtes et de les laisser se reformer. C'est rassurant, parce que c'est ce que je connais, alors que ce bonheur m'est étranger. Je ne peux pas compter sur lui, il est bien trop changeant.

Mais Jane, ma vieille, tu n'es pas en train de répéter une scène que tu pourras ensuite mieux jouer. Non, tu n'es qu'à quelques années du dernier acte de ta vie. Chaque jour compte. Tu dois saisir la chance qui t'es donnée de faire la paix avec tes fantômes, quelle qu'elle soit. Ils ne sont pas de ton côté, ils te gardent prisonnière, inutiles depuis trop longtemps. Ils ne te réchaufferont pas dans la nuit froide du Montana. L'humour, l'amour et la compréhension de ton nouveau compagnon les tiendront en échec. Il le fera pour toi, et tu en feras de même pour lui.

« Qu'est-ce que tu attends de notre relation ? » m'a un jour demandé Ted. Qu'il me pose cette question m'a beaucoup touchée, et je savais qu'il me fallait réfléchir, prendre mon temps pour lui répondre. Ted est un négociateur, et quelle que fût ma réponse, je serais liée à ce que j'allais dire comme par contrat.

« Donne-moi vingt-quatre heures », lui ai-je demandé.

Et je me suis plongée dans mes pensées. Qu'est-ce que je veux vraiment ? La confiance. Le bonheur. L'amour. Être prise en considération. Approuvée. Je m'étais aperçue que lorsque ces choses-là me manquent, lorsque j'ai peur ou que je fais quelque chose que je ne veux pas faire, ma respiration devient superficielle, mes muscles se tendent, je ne me sens pas bien.

« Ce que j'attends de notre relation, lui ai-je dit le lendemain soir, c'est qu'elle me fasse me sentir bien.

— Parfait ! Moi aussi, je veux me sentir bien. Viens, nous allons nous y employer tout de suite. Youppie c'est la récré !

— Non Ted, l'ai-je interrompu, en riant de sa réaction, à laquelle j'aurais dû m'attendre. Ce n'est pas de ça que je parle. Quand je dit bien, ça signifie en sécurité : vue, entendue, totalement aimée.

— Ah bon... d'accord. C'est parfait. J'ai compris. Et c'est aussi ce que je veux. »

Alors seulement, après plus d'un an, je lui ai dit que j'avais besoin qu'il devienne monogame. Il a accepté.

Quand j'ai rencontré Ted, j'avais déjà décidé d'arrêter de jouer et de produire des films pour des tas de raisons, et une fois que nous avons été ensemble, c'est devenu définitif. Ted s'était à de nombreuses reprises largement exprimé à ce sujet. J'étais persuadée que ma carrière (et les longues absences qu'elle entraînait) avait nui à mon précédent mariage, et je ne voulais pas que cela m'arrive encore. Mais ce que j'ai ressenti face à cette nouvelle vie n'a pas été facile. Je travaillais depuis l'âge de vingt-deux ans. J'étais une actrice, cela faisait partie de mon identité, même si je ne m'en suis rendu compte qu'en arrêtant. Cela n'avait rien à voir avec l'argent. J'en avais assez pour payer mes factures, m'habiller, subvenir aux besoins de mes enfants, ce que j'ai toujours fait pendant que j'étais avec Ted. Garder mon indépendance financière était fondamental. Que je continue de dépenser mon propre argent créait, me disais-je, un semblant d'équilibre entre nous, enlevait à

Ted tout pouvoir absolu. Mais renoncer à l'exutoire de la création et me retrouver dans l'orbite de Ted était terriblement angoissant.

Si Vanessa, qui n'évite jamais la confrontation, a tout de suite exprimé la colère que provoquait en elle la façon dont je me coulais dans le moule qui m'était proposé, Troy m'a simplement dit un jour où il était venu nous rendre visite : « Je ne veux pas d'une mère qui ne travaille pas », ce qui, je crois, signifiait : « Je ne veux pas d'une mère qui soit uniquement la "femme de quelqu'un". » Tous deux savaient qu'une partie de moi serait étouffée. Lulu a tout de suite pris le parti de Ted. Il représentait la figure paternelle qui lui avait manqué. Nathalie paraissait trouver que Ted me rendait heureuse, et pour elle ça suffisait. Mais je ne veux pas minimiser l'impact qu'a eu sur Vanessa et Troy ma décision de me consacrer complètement à Ted. Ils m'ont vu quitter notre maison, laisser derrière moi l'actrice, la productrice, la femme d'affaires et la militante politique pour les paillettes de la vie des médias au bras d'un ancien républicain qui avait soutenu Goldwater. Mais ce n'était pas comme si ils avaient été eux, à la maison. Troy allait entrer à l'Université du Colorado. Vanessa était en dernière année à Brown et avait pris une année sabbatique pour aider à construire une école dans un village du Nicaragua et travailler avec son père au Zaïre. Nathalie faisait une belle carrière d'assistante de réalisation. Et Lulu étudiait à l'Université de Boston.

Une fois de plus, je semblais être devenue une autre à cause d'un homme. Mais derrière les apparences, je sentais une certaine continuité. J'avais la sensation de pouvoir atteindre avec Ted la profonde et véritable harmonie qui m'avait tant manqué. Ted n'était pas intimidé par moi. Je l'aimais. J'aimais son odeur, sa peau, son enjouement, sa vision du monde, sa transparence – et je savais que j'étais enfin prête à travailler sur moi afin de dépasser ma peur de l'intimité. Je voulais que ça marche et j'étais prête à mettre en sommeil une part de moi-même (mes liens avec le cinéma) pour en laisser une autre (mon cœur) se réveiller enfin. Et j'avais raison, bien que l'histoire n'ait pas fini comme je l'espérais.

La peur que j'éprouvais face à ce que j'appelle l'intimité n'était pas encore vaincue, aussi n'ai-je pas pu voir que Ted n'était pas capable d'être vraiment là lorsque nous étions ensemble. Tant que je n'ai pas été guérie, je n'ai même pas remarqué ce manque de présence, et j'ai tant appris de lui que je ne regrette pas de m'être jetée corps et âme dans cette aventure. Il y eut pourtant des jours où j'avais l'impression de commettre une erreur énorme, où je sentais que je risquais de perdre mes enfants et tout ce qui faisait ma vie.

Je vendis néanmoins la maison de Santa Monica ainsi que le ranch de Laurel Springs, fis mes valises, éparpillai mes meubles dans les différentes propriétés de Ted et partis m'installer dans le Sud.

Je n'y étais jamais restée assez longtemps pour bien connaître cette région, et je fus immédiatement frappée par l'attitude amicale de ceux qui la peuplaient. Dans aucun de mes voyages je n'avais été accueillie de façon si chaleureuse. « Soyez la bienvenue, me disaient-ils, nous sommes vraiment heureux de votre présence parmi nous. » Je savais, bien sûr, que le conservatisme politique régnait. Et parmi les relations de Ted, certains ne furent pas ravis de me voir arriver. Surtout quand Ted disait : « Jane avait raison pour le Viêtnam. Je me suis trompé. » Il passait dans mon camp.

J'ai dû faire des efforts d'adaptation. Le Sud m'a obligée à rétrograder, à ralentir et à faire attention. C'était une culture très différente, avec une part d'obséquiosité qui m'était totalement étrangère.

Dans l'Ouest, mes amies étaient féministes. Les relations qu'elles avaient avec leurs compagnons étaient égalitaires – elles partageaient avec eux l'éducation des enfants, les tâches ménagères et la cuisine, travaillaient à l'extérieur et avaient leurs propres opinions politiques. J'ai donc été étonnée par ce que j'ai pris tout d'abord pour de la soumission et par l'importance que de nombreuses femmes du Sud accordaient aux traditions et à la terre. (Ce qui n'est pas le cas de la plupart des Noires que j'y ai rencontrées, peut-être parce qu'elles savent très jeunes qu'elles devront se débrouiller seules.) Lorsque je les ai mieux connues, cependant, ces Blanches se sont révélées bien plus fortes qu'elles ne semblaient l'être au premier abord, et j'ai beaucoup réfléchi ensuite à ce qui donne cette fausse impression d'elles.

Alors que le nord des Etats-Unis s'est vite industrialisé, le Sud est longtemps resté agricole : les familles vivaient sur leurs fermes ou leurs plantations, formant un monde basé sur la propriété, celle de la terre mais aussi d'êtres humains. En faisant des Noirs une marchandise, l'esclavage permettait aux Blancs d'asseoir leur pouvoir économique et social. Cela rendait plus acceptable, et plus normale, la domination basée non plus sur la couleur de la peau mais sur le sexe qui régnait au sein de la famille patriarcale. Vivre dans des communautés rurales où il était difficile, pour les femmes, de découvrir d'autres modes de fonctionnement et où celles qui se rebellaient ne pouvaient trouver aucun refuge n'arrangeait pas les choses. Et l'Eglise était au centre de la vie sociale, imposant elle aussi des normes, une hiérarchie. Ce contexte historico-social me permettait de mieux comprendre le manque de révolte de mes amies du Sud.

L'importance de la religion était une chose à laquelle je n'étais pas habituée. En Californie, seuls mes amis juifs suivaient régulièrement leur culte. Que ce soit des gens connus, comme le Président Jimmy Carter, sa femme Rosalynn ou l'ambassadeur Andy Young, ou de simples relations de Ted que je fréquentais régulièrement, les gens que je voyais, et apprenais à aimer, étaient maintenant tous des chrétiens pratiquants, intelligents, progressistes, drôles et ouverts.

J'avais toujours eu l'impression d'être « conduite », surveillée d'en haut, mais sans jamais croire en Dieu, et la foi profonde de mes nouveaux amis me fascinait. *Serait-il possible*, me demandais-je, *qu'il s'agisse de la même chose ?* Et je les interrogeais, dès que je le pouvais, sur leurs sentiments religieux.

Je n'avais jamais, depuis mon enfance dans le Connecticut, été confrontée de façon aussi évidente aux problèmes raciaux, et je serais pourtant encore aujourd'hui incapable de dire si le racisme est ou non véritablement plus fort dans le Sud que dans le reste des Etats-Unis. Peut-être est-ce tout simplement que l'on n'ose pas ailleurs l'afficher aussi ouvertement. Grâce à Lulu (qui a la peau sombre), j'avais compris depuis longtemps la façon dont les Noirs du pays entier ont intériorisé les différences définies par le racisme sudiste. Et quand on lui a demandé ce qu'elle pensait de la vie à Atlanta (où elle s'est installée quelques années après moi), elle a répondu : « Je me suis plus sentie ici rejetée par les *Noirs*, en particulier ceux qui ont la peau claire, que je ne l'ai jamais été par les Blancs du Nord. »

Les cinq enfants de Ted prenaient une place importante dans mon nouvel univers. Jennie, la petite dernière, allait à l'université de Georgie. Venait ensuite Beauregard (Beau), qui était en deuxième année à Citadel, en Caroline du Sud. Puis Rhett, qu'il avait eu avec sa seconde femme Janie Smith et était cameraman de CNN à Tokyo. Teddy, son premier fils, né de son mariage avec Judy Nye, qui travaillait pour une chaîne du câble consacrée à la musique country. Et enfin Laura, l'aînée, qui dirigeait sa propre boutique de mode dans le quartier chic de Buckhead, à Atlanta, et sortait avec un homme répondant au prénom merveilleusement sudiste de Rutherford – Rutherford Seydel II – qu'elle allait bientôt épouser. J'ai eu le bonheur d'arriver dans la vie de Ted juste à temps pour assister à la remise des diplômes de deux de ses enfants, les voir tous se marier, devenir à leur tour parents et adultes.

Comme leur père, ils ont survécu à des enfances compliquées, et j'ai appris à les aimer et à admirer la façon dont ils s'en sont sortis et dont ils ont mûri.

Grâce à Susan, qui avait tant compté pour moi lorsque j'étais adolescente, je savais comment me comporter vis-à-vis de mes beaux-enfants, et j'ai tout de suite compris que je pouvais aider Ted à se rapprocher d'eux. Ils adorent leur père et croient aux mêmes valeurs que lui.

Ted accepte les différences. Il sait tendre la main, y compris à ceux avec qui il est en désaccord. « On n'attrape pas les mouches avec du vinaigre », me disait-il toujours. Je l'ai regardé vivre ce qu'il prêchait et j'ai vu les transformations que son attitude provoquait chez ses interlocuteurs. Je me suis liée d'amitié avec des républicains conservateurs et des chrétiens que je n'aurais autrement jamais pris le temps de connaître. Ce qui m'aurait empêchée de découvrir l'humanité que nous partageons tous malgré les apparences.

J'aime apprendre et relever des défis, et la nouvelle vie que j'avais choisie m'en offrait de nombreuses occasions. Merveilleux amant, intelligent et plein d'humour, Ted m'offrait une vie paradisiaque. Lorsque nous étions ensemble, surtout au début, nous passions notre temps à monter à cheval, à pêcher, et à marcher dans la nature. Il avait alors cinq propriétés en dehors d'Atlanta. On aurait pu croire qu'il remplissait un puzzle. D'abord le haut et les coins : de son île en face de la Caroline du Sud à Big Sur en passant par le Montana, au nord. Trois ans plus tard, il commença à remplir la partie centrale – deux autres ranches dans le Montana, trois dans les Dans Hills du Nebraska, deux dans le Dakota du Sud, et trois au Nouveau-Mexique, dont un s'étendait sur une chaîne entière de montagnes, le Fra Cristobal, juste à l'est de l'Elephant Butte Reservoir. Avec ses deux cent quarante mille hectares, Vermejo Park Ranch, qui allait de la frontière nord du Nouveau-Mexique près de Raton au Colorado, était la plus grande propriété privée des Etats-Unis, presque aussi vaste que Rhode Island (qui s'étend des montagnes rocheuses aux grandes plaines). Il a aussi deux fabuleuses propriétés en Patagonie et une en Terre de Feu, qui font en tout presque six cent quatre-vingt-dix mille hectares.

Quand il a commencé à élever des bisons, Ted a voulu agrandir son troupeau à des fins commerciales. Tant qu'ils ne seraient pas cotés sur le marchés, ces animaux, qui avaient failli disparaître de la surface du globe, ne constitueraient qu'une espèce rare et exotique. Mais pour cela il faut de la terre, et il en acheta. Au dernier recensement, son troupeau comptait trente-sept mille têtes, dix pour cent du nombre de bisons vivant actuellement sur le territoire américain.

C'est le Flying D, le ranch du Montana que je lui avais dit de ne pas acheter, qui fait office de quartier général. Un après-midi, Ted m'a bandé les yeux, m'a emmenée dans les collines, a enlevé le foulard et dit : « Voici où nous allons construire notre maison », en me montrant du doigt une vallée au fond de laquelle courait un ruisseau. « Je vais faire un lac là, en bas, dans lequel se reflèteront les sommets des Spanish Peaks. Ce sera notre Maison du lac. » Et c'est exactement ce qu'il fit. Il s'occupa du lac, et moi de la maison. Je voulais que nous en ayons au moins une qui me ressemble, et où personne d'autre n'aurait déjà fait l'amour avec lui.

Nous allions pratiquement tous les jours nous promener à cheval dans les collines verdoyantes du Flying D, à travers les forêts de trembles, parmi les troupeaux qui rassemblaient jusqu'à une centaine de cerfs. J'avais fait venir de Laurel Springs mes trois chevaux : deux arabes et un palomino. J'aime monter les chevaux arabes, il ont le sang chaud, du cœur, du nerf et de l'endurance, comme Ted. Je me sens en accord profond avec eux.

Et nous pêchions à la mouche. C'est un sport difficile à pratiquer. Malgré la semaine de cours que j'avais pris à l'école d'Orvis, je finissais souvent par m'effondrer désespérée sur la rive. Mais comme Ted passait une moyenne de cent jours par an à lancer la ligne, il fallait que j'y arrive.

La pêche à la mouche est une rude école d'humilité. Chaque fois que je pensais avoir fait des progrès, Ted achetait un nouveau ranch où coulaient des eaux plus rapides et plus violentes dans lesquelles nageaient des poissons plus gros et plus malins. Mais cela m'a permis de comprendre pourquoi ce sport était si important pour lui : à cause de l'intense concentration et du silence qu'il requiert. Si vous n'avez pas vraiment envie d'être là, ou si vous pensez à autre chose, vous avez peu de chance d'attraper quoi que ce soit. Parce qu'il ne sait pas bien gérer son stress et qu'il est dur d'oreille, la pêche à la mouche agit sur Ted comme un baume apaisant. Elle exige que vous soyez en harmonie totale avec la nature, attentif aux insectes qui volent (ou non) au-dessus de l'eau, à la position du soleil, à l'ombre que vous projetez. Puis il y a le monde sous-marin, où vous devez essayer de pénétrer.

Et tout cela se fait dans une grande sensualité. « C'est comme si les cellules de votre moelle osseuse – et en particulier celles qui sont situées dans la zone de vos coudes – avaient d'infimes mais longs orgasmes et vous le faisaient savoir dans un chuchotement qui remonte toute la chaîne neuronale », explique Howell Raines dans *Fly Fishing Through the Midlife Crisis*. Rien d'étonnant à ce que Ted aime tant ce sport !

En l'espace de quelques années, Ted a acheté dans le Montana quatre ranches situés à deux heures de voiture les uns des autres et dans chacun d'entre eux, pêcher était différent. En été il nous arrivait souvent de prendre le petit déjeuner et faire une partie de pêche matinale dans l'un, puis de rouler deux heures pour aller déjeuner et pêcher l'après-midi dans un autre, et repartir dîner et pêcher le soir dans un troisième. Mon amie Karen Averitt, qui avait dirigé un studio du Workout en Californie puis mon centre de thalassothérapie de Laurel Springs (et avait ensuite épousé Jim, un musicien qui s'occupait du ranch), était venue, quand je l'en avait suppliée, s'installer avec sa famille dans le Montana où elle avais pris en charge la cuisine et l'entretien des maisons de Ted. Pendant ces longs mois d'été, je m'émerveillais de la voir remplir et vider les glacières, les charger dans le camion, et avoir les trois repas prêts quand il fallait où il fallait. Et ça continue comme ça. Lorsque Ted et moi nous nous sommes séparés, Karen m'a dit : « Jane tu sais combien j'ai d'affection pour toi, mais c'est Ted qui a le plus besoin de moi. » Sans rire.

Et si vous mangez un jour dans un des Montana Grill de Ted (ce que je vous recommande), vous trouverez sur le menu des plats que Karen a inventés, comme le « chili de bison Flying D de Karen ».

Ma vie avec Ted m'a laissé des souvenirs précieux. Celui, par exemple, de nos départs à la chasse au canard en barque avec nos chiens à l'aube, en Caroline du Sud. Nous passions devant la rizerie et les cabanes en ruine des esclaves des anciennes plantations, attendions dans le poste d'affût que le soleil se lève, écoutions les chiens claquer des dents – de froid et d'impatience –, les bruits de la forêt qui s'éveillait derrière nous à la vie, regardions des nappes de brouillard traîner dans les grands pins et les reflets rose pâle et mauves de l'aurore sur les eaux des marais. Je me souviens aussi, quand nous chassions la caille dans les bois d'Avalon, de la lumière qui étincelait sur les gouttes de rosée accrochées aux toiles d'araignée, les transformant en tiares dorées, des papillons jaune vif qui battaient des ailes dans l'air velouté et se posaient brièvement sur les tiges des lespédèzes. Ted ramait lentement sur le canal Tai Tai, au milieu des marécages de Hope Plantation, où l'eau saumâtre était si sombre et immobile que sur mes photos, je ne pouvais distinguer la réalité de son reflet. Il m'apprenait que la trace orange que nous venions de voir dans le ciel était un tangara vermillon, me disait où nichait le couple de pygargues à tête blanche (il semblait y en avoir un sur chacune de ses propriétés).

C'était comme si toutes ces créatures avaient su que ces terres appartenaient à quelqu'un qui les aimait et décidé de venir y vivre. Un couple de grues du Canada avait construit son nid sur l'île que Ted avait créée au milieu du lac, devant notre maison du Flying D Ranch. Un matin, un cri aigu nous a réveillé et Ted s'est dressé sur son séant en s'exclamant : « C'est la grue. L'œuf a éclos. » Il avait raison. Et je l'aimais de savoir toutes ces choses. Il connaissait les animaux, et surtout les oiseaux. Dans toutes les régions où nous nous arrêtions, il pouvait dire le nom de n'importe quel volatile en plein ciel, m'expliquer ses comportements d'accouplement et de nidification. Il était moins fort sur les fleurs sauvages, aussi ai-je voulu devenir experte en la matière. J'ai passé la première année où nous avons vécu ensemble les yeux baissés vers le sol ou plongée dans des livres de botanique, cueillant, séchant, et identifiant toutes les plantes que je ramassais. Trois ans plus tard, j'en avais des centaines dans mon herbier, dont quelques-unes très rares, et lorsque nous traversions à cheval ces paysages constamment changeants, j'étais heureuse de pouvoir dire leurs noms à Ted. J'avais trouvé une activité personnelle dans le contexte de sa vie.

Je me suis aussi lancée dans la photo. Voulant me sentir en accord profond avec les terres que nous arpentions, j'ai essayé d'en capturer les caractères particuliers et de rassembler ces clichés dans des albums intitulés *Homes Sweet Homes* que j'offrais à Ted et à chacun de ses enfants. Mais ses propriétés se sont multipliées et mes albums aussi, faisant de mon hobby un véritable labeur.

Mes projets personnels entraînaient toujours des frictions entre nous. Ted se sentait abandonné, disait que ce n'était pour moi qu'une façon d'éviter toute véritable intimité (ce qui n'était pas totalement faux) et me traitait d'accro au boulot – alors que j'avais simplement besoin de trouver un exutoire dans ces activités et pensais, comme l'a dit un jour Mark Twain, que « la véritable tâche de l'homme est le jeu et non le travail ». Ted avait besoin de moi, je m'efforçais de l'accepter et ralentissais à regret. Mais je n'ai jamais complètement abandonné. J'avais déjà (sans le savoir et sans qu'il le sache) renoncé à bien plus important. Par exemple à ce que j'avais à dire.

Ted est la seule personne que je connaisse qui ait eu plus à s'excuser que moi : il a demandé pardon aux chrétiens, aux catholiques, aux juifs, aux Afro-Américains, aux ligues anti-IVG et au pape. Il offense les gens au nom de la justice. Il ne peut pas s'en empêcher ; comme un enfant, il se laisse entraîner par ses élans. Si quelque chose lui passe par la tête, vous pouvez être presque certain de l'entendre le dire.

Il devait, par exemple, participer un jour à une importante réunion du Club national de la presse à Washington. Les représentants de la Time Warner au conseil d'administration de la Turner voulaient l'empêcher d'ajouter à son empire une grande chaîne de télévision par câble qu'il avait l'intention d'acheter, ce qui, pensait-il, allait l'empêcher de rivaliser à armes égales avec d'autres grandes compagnies telles que Disney, Viacom ou la News Corp de Rupert Murdoch. Mais il était en même temps en négociation pour fusionner avec la Time Warner. Au moindre faux pas, tout s'écroulerait. Je n'en ai pas dormi de la nuit. Lui si. Comme d'habitude, il n'avait rien préparé, ni pris la moindre note. Mais comme son héros Alexandre le Grand, à la veille de la bataille, il dormait toujours bien.

Quand arriva le moment de son intervention, les journalistes qui s'entassaient dans le hall avaient conscience de l'importance des enjeux. Imaginez donc leur surprise (et la mienne) lorsque, en plein milieu de son discours, Ted déclara : « On enlève leur clitoris à des millions de femmes quand elles sont petites, afin de les empêcher d'avoir du plaisir... Entre cinquante et quatre-vingts pour cent des Egyptiennes sont ainsi mutilées... C'est une pratique barbare... Et la Time Warner cherche à m'exciser à mon tour. » Des rires ont fusé dans la salle. Mais les gens étaient pour la plupart trop abasourdis pour réagir. Quelques personnes se sont retournées vers moi. Je me suis faite toute petite dans mon fauteuil. *Eh ! Arrêtez ! je vous promets que ce n'est pas moi qui ai eu cette idée.*

Des années plus tard, Ted apporta une contribution jamais égalée de un milliard de dollars à la Fondation des Nations unies qui allait financer de nombreuses actions contre l'excision. Une chose est certaine, cet homme ne se contente pas de mots, il sait aussi mettre la main au porte-monnaie.

Notre vie publique tournait en grande partie autour des matchs joués par les Atlanta Braves. A l'automne 1991, juste avant que nous nous marions, ils participèrent pour la première fois au championnat du monde de base-ball. Je ne me souviens pas avoir jamais atteint un tel niveau d'adrénaline et de superstition. Si j'avais un pansement sur l'index pendant un match où les Braves gagnaient, je faisais en sorte qu'il y soit aussi pendant le suivant. Sous-vêtements et boucles d'oreilles suivaient le même rituel. Sans parler des casquettes. J'ai commencé à collectionner celles que les gens me donnaient à chaque match gagné, et le jour de 1995 où l'équipe a remporté le championnat du monde, je portais mon manteau porte-bonheur en bison noir et blanc. Ted avait accompli beaucoup de choses pour mériter la célébrité dont il jouissait, mais aucune n'aurait pu faire de lui le héros populaire qu'il est devenu en soutenant les Braves et en offrant la victoire à sa ville.

Pendant la première année que nous avons passée ensemble, nous avons non seulement voyagé à travers le pays pour suivre les matchs de base-ball, mais dans le monde entier, en URSS, en Europe, en Asie et en Grèce, partout où les obligations de Ted nous entraînaient. J'avais déjà été dans plusieurs de ces endroits, mais y arriver à son bras était une expérience nouvelle. A quelques rares exceptions près, les projecteurs se dirigeaient toujours sur lui. C'était lui qui faisait les discours, était fêté et encensé, et bien que les gens de CNN aient dit que j'étais la première femme de sa vie à prendre la parole, je n'étais là que pour le soutenir. Je me sentais parfois invisible et cela me frustrait, en particulier lorsqu'il parlait de quelque chose qui nous importait à tous deux sans s'y être préparé, et – à mon avis – ratait complètement son discours.

De temps à autre, pourtant, les places s'inversaient, comme le jour où nous avons rencontré Mikhail Gorbatchev au Kremlin. Pendant la demi-heure qu'a duré notre entretien, c'est à moi que le président russe s'est le plus souvent adressé. Et quand nous sommes repartis, Ted m'a glissé à l'oreille : « C'est une situation très inhabituelle, pour moi, tu sais.

— Pas facile, hein ? ai-je répondu. Je connais. Je me suis plutôt sentie à la traîne, ces derniers temps, et moi non plus je n'en ai pas l'habitude. Je suis d'accord pour accepter cette place, mais pour toi ça doit être dur. »

Nous arrivions alors heureusement à mieux exprimer ce que nous ressentions et, au lieu de bouder ou de faire comme si de rien n'était, Ted a régalé ensuite ses auditeurs en leur racontant comment il avait passé vingt-huit minutes à contempler le dos de Gorbatchev.

J'apprenais quelque chose d'important : les problèmes que l'on affronte et que l'on essaye de régler consolident ce qu'ils auraient dû briser. Ça marche de la même façon que la musculation. Lorsque vous soulevez des poids, vous provoquez de minuscules déchirures dans le tissu musculaire qui, quand elles se cicatrisent (en vingt-quatre heures), renforcent ce tissu. Pourtant, je restais en grande partie la proie de mon sentiment d'insécurité. Ma vieille peur de pas être à la hauteur continuait de me faire penser que si Ted m'avait mieux connue, il n'aurait pu m'aimer. J'étais donc prête à renoncer à ce que j'étais pour rester avec lui.

Pendant les réceptions d'affaires, je me tenais silencieuse à ses côtés, écoutais des hommes qui occupaient les plus hauts postes du pouvoir raconter que les choses allaient beaucoup mieux au Brésil, ou dans tel ou tel pays en voie de développement où ils venaient d'aller, et je me disais : n'ont-ils pas vu les favelas ? Pas vu les bidonvilles ? Les gens ne voient que ce qu'ils ont besoin et envie de voir. J'ai compris alors que ceux qui orientent la politique mondiale, qui procèdent aux ajustements structurels et rationalisent les conflits ne peuvent se permettre de regarder les conséquences de leurs choix, car elles pourraient ébranler la conviction qu'ils ont de faire ce qu'il faut. Les filles de bar, les enfants qui se prostituent pour nourrir leurs familles, les femmes qui gagnent un dollar par jour dans les usines de sous-traitance américaines du Mexique, les gangs de jeunes poussés au désespoir, les ramasseurs d'ordures, les fermiers exilés – toutes ces réalités brutales échappent au radar du dogme libéral, aux économistes et spécialistes des questions sociales qui boivent leur champagne à petites gorgées et se vantent du formidable boulot qu'ils ont accompli en Amérique centrale ou du Sud, ou n'importe où ailleurs.

Si ce n'avait pas été pour Ted, je n'aurais jamais assisté à ces réunions. Elles me faisaient mal au ventre. Mais parce que ses affaires y étaient en jeu, je n'aurais jamais pu dire : « Mais tu ne vois pas que des gens souffrent à cause de la politique que tu soutiens ? » Quand nous en revenions, je lui parlais souvent de mon malaise, mais il esquivait généralement toute discussion. Ted pense, comme Horatio Alger[1], que n'importe qui peut s'en sortir à condition de s'en donner le mal (ce qui permet de rendre coupables ceux qui ne s'en sortent pas). Il lui est, je crois, trop douloureux d'envisager que ceux pour qui l'ascenseur social américain fonctionne encore ne sont que des exceptions. Les inégalités sont trop profondes, trop évidentes.

Tandis que nous parcourions le monde, j'ai pris conscience de l'importance historique de ce que Ted avait réalisé, de la façon dont la diffusion d'informations vingt-quatre heures sur vingt-quatre avait fait de la planète le village global annoncé par Marshall McLuhan et radicalement transformé le journalisme – plutôt remarquable, pour un homme qui n'aimait pas regarder les nouvelles parce que ça le déprimait. J'ai appris que toutes les grandes compagnies s'étaient demandé si une chaîne exclusivement consacrée aux informations pourrait marcher. Et que toutes, après avoir étudié le problème, avaient répondu par la négative. Comme d'habitude Ted a plongé, sans étude de marché, sans sondage, ne se fiant qu'à son instinct.

J'étais stupéfaite de voir que, lorsqu'une forte tête d'Atlanta – un révolté romantique qui avait une vision du monde – fit de la télévision un média démocratique et plein d'enseignements, les Américains, qui avaient tant critiqué la passivité à laquelle elle les entraînait, eurent du mal à l'accepter. Nous avons oublié les débuts de CNN. Peut-être le public trouvait-il plus facile d'avoir des informations prédigérées, dont toutes les épines avaient été enlevées. Peut-être ces nouvelles brutes obligeaient-elles les gens à faire un effort trop important.

Cela ressemble étrangement à ce à quoi j'ai assisté en Europe de l'Est lorsque j'y suis allée en 1990 après la chute du mur de Berlin et la révolution de velours tchécoslovaque. Sous le système

1. Horatio Alger : écrivain issu d'une famille très pauvre qui connut la fortune en publiant dans les années 1870 à 1890 des récits racontant les aventures de jeunes héros citadins qui parvenaient à gravir les échelons de l'échelle sociale, réalisant ainsi le « rêve américain » (*NDT*).

communiste, tout était décidé pour tout le monde par le gouvernement et par les institutions étatiques, et lorsque la démocratie devint possible, les forçant à participer et à choisir, ces peuples eurent du mal à s'adapter. Je me souviens d'un parolier qui m'avait dit, lorsque je l'avais rencontré à Prague : « J'ai passé ma vie à écrire des choses pour des gens qui avaient appris à lire entre les lignes. Maintenant que nous pouvons nous exprimer clairement, je ne suis pas certain de savoir le faire. »

Lorsque, baptisée Tempête du désert, la première guerre du Golfe commença, en 1991, les rêves de paix qu'avait faits Ted furent ébranlés. Il tomba malade. Comme beaucoup d'Américains, nous avions tous deux espéré que la fin de la guerre froide entraînerait une réduction considérable de notre budget militaire et libèrerait des fonds permettant de répondre aux besoins intérieurs du pays. Ce fut une triste période. Mais observer les réactions de Ted face à l'adversité était en même temps passionnant.

Tom Johnson, ancien rédacteur en chef du *Los Angeles Times*, venait de prendre la présidence de CNN. Deux jours après sa nomination, il a appelé au Flying D. Trois personnes lui avaient téléphoné ce matin-là – le président George H. Bush, le chef d'état-major Colin Powell et le porte-parole de la Maison Blanche Marlin Fitzwater – pour lui demander de donner l'ordre aux journalistes de CNN de quitter « immédiatement » Bagdad. On pouvait en conclure, continua Tom, que l'opération Tempête du désert allait être lancée. D'après ce qu'il savait, Bernard Shaw, John Holliman et Peter Arnett étaient en danger et il fallait selon lui les faire sortir d'Irak. Il s'en expliqua, pourtant Ted répondit : « Que ceux qui veulent partir s'en aillent, Tom. Mais je n'obligerai personne à le faire. » Puis il se mit à crier : « N'insiste pas, je ne changerai pas d'avis. Comprends-moi. Je prends l'entière responsabilité de cette décision. Et s'il leur arrive quelque chose, c'est moi qui aurais leur mort sur la conscience, pas toi. » Ted et Tom ont résisté aux pressions de Washington, mais si Peter Arnett n'avait pas choisi de rester à Bagdad, l'autre (et véritable) visage de cette guerre ne nous aurait jamais été montré. Cela représentait une révolution totale du rôle de la télévision dans les conflits militaires et ce fut pour CNN un moment décisif.

Cela me donna une idée des qualités dont Ted fait preuve face à l'adversité. A l'aise, confiant, il sait mesurer les risques et les prendre au bon moment. Ce n'est pas qu'il n'ait pas peur. Etre courageux c'est connaître la peur et savoir la maîtriser. Pendant toutes ces années où j'ai vécu avec lui, j'ai de nombreuses fois vu Ted rassembler ses forces, peser le pour et le contre puis prendre la bonne décision. Il a souvent frôlé les limites. Navigué au plus près. Je n'ai jamais été avec lui dans ses courses à la voile, mais je sais que dès qu'il prenait la barre, il essayait de trouver comment aller un tout petit peu plus vite, un tout petit peu plus près du vent, que ses concurrents soient ou non à des heures (ou même des jours) derrière lui.

« Espère que tout ira bien et prépare-toi au pire » pourrait être la devise de Ted. C'est ce qui lui aurait permis d'être un grand général. Ses troupes l'auraient suivi dans n'importe quelle bataille, comme ses coéquipiers le faisaient en mer, sachant qu'il ne prendrait aucun risque inutile. Que tout aurait été pensé, pesé, et qu'il n'aurait jamais demandé aux autres de faire quelque chose que lui-même n'aurait pas fait. Je crois que sa culture classique, sa connaissance des grandes batailles, et les courses à la voile lui ont donné une pensée claire et stratégique. Ted a skippé de grands bateaux. Cela change tout. Plus le voilier est grand, plus il faut réfléchir, savoir construire une équipe gagnante, donner à ses hommes de la puissance, imaginer tout ce qui peut arriver et se préparer à chaque éventualité.

Quand sa société a fusionné avec Time Warner, en 1995, Ted a commencé à vivre pour lui-même. Il s'était déjà engagé sur ce chemin, mais il consacra désormais beaucoup plus de temps et d'énergie à ses bisons, à ses terres et à l'action caritative, voulant éviter que son avenir se réduise à celui de Turner Broadcasting System, au cas où son nouveau patron, Gerald Levin, décide de l'en exclure. Lorsque ses pires craintes se matérialisèrent, il était prêt. Il avait déjà mis en place ce qui lui permettrait de devenir l'éleveur, le philanthrope et le restaurateur qu'il rêvait d'être. Le Ted's Montana Grill, dont la viande de bison constitue l'attraction principale, donne tout un éventail de nouvelles opportunités à ses talents de chef d'entreprise.

Mais je n'ai jamais imaginé que la devise de Ted « Espère que tout ira bien et prépare-toi au pire » s'appliquerait un jour à notre relation. C'est pourtant ce qui arriva plus tard. Sept ans plus tard exactement.

CHAPITRE VINGT-QUATRE

UNE VOCATION

Là où nous avons cru aller vers le monde, nous allons au contraire parvenir au centre de notre propre vie. Et là où nous avons cru être seul, nous serons avec le monde entier.

Joseph CAMPBELL,
Hero with a Thousand Faces.

Quel qu'il soit, un chemin dans lequel on s'engage vraiment mène à tous les autres. Et vous découvrirez alors que ce qui se dirige vers l'intérieur se dirige aussi vers l'extérieur. Que le centre est partout.

Robin MORGAN,
The Burning Time.

Un jour j'ai voulu devenir membre actif de la fondation Turner, et j'ai découvert ma vocation.

Nous vivions ensemble depuis peu, quand Ted avait créé cette fondation familiale vouée à la protection de l'environnement et à la limitation des naissances : l'accroissement de la population d'une petite planète aux ressources limitées est dangereuse pour la nature et pour l'espèce humaine qui en dépend.

Je comprenais parfaitement les préoccupations d'ordre écologique, mais la question démographique me paraissait moins claire – tout au moins en ce qui concernait les moyens d'y remédier, alors que les raisons que nous avions de nous en préoccuper me semblaient évidentes. Dès qu'il en parlait en public (et en privé), Ted répétait que la surpopulation représentait le problème fondamental de notre époque. Il énonçait des chiffres : huit cent quarante millions d'êtres humains ne mangent jamais à leur faim ; deux milliards de gens souffrent de malnutrition chronique ; un milliard de personnes tentent de vivre avec moins d'un dollar par jour et un autre milliard avec moins de deux dollars par jour ; plus de deux milliards d'individus manquent d'hygiène élémentaire et la moitié d'entre eux n'a accès ni à l'eau potable, ni à un logement décent, ni aux soins médicaux. Tel était son mantra.

Chaque fois que je me suis attaquée à un fait de société, la presse m'a qualifiée d'hystérique. « Jamais contente », titrait le magazine *Life* à mon sujet. Alors que Ted était simplement considéré comme un homme « passionné ». Il l'était, et il l'est toujours, et c'est cette flamme qui m'a donné envie de réfléchir aux différents moyens que l'on pouvait mettre en œuvre pour enrayer la surpopulation. Je me suis vite rendu compte que la question était plus complexe et plus controversée que je ne l'avais pensé. Il y avait des gens pour qui le problème n'était pas le nombre d'habitants de la planète mais l'inégale répartition de ses richesses. D'autres croyaient que les avancées technologiques compenseraient la croissance démographique. Il y en avait aussi qui s'inquiétaient d'un monde où les gens de couleur domineraient les Blancs ou enfin qui ne considéraient que l'aspect environnemental des choses et défendaient les quotas. Et puis il y avait les féministes, pour qui la surpopulation était fondamentalement liée à la question du genre, ce qui ajoutait à ma confusion. Pour être honnête, je considérais encore au fond de moi cette distinction homme/femme comme anecdotique. J'allais bientôt changer d'avis.

On me demanda en 1994 d'être ambassadrice bénévole auprès de la Fondation des Nations unies pour la population et de participer à la Conférence sur la population et le développement qui devait se dérouler au Caire. Pour ce nouveau défi, je me replongeais dans la recherche. J'avais été au Sommet de la Terre de Rio de Janeiro avec Ted, mais je n'avais jamais encore participé à une conférence des Nations unies. Je m'étais aperçue en arrivant à Rio que les femmes avaient été reléguées sur le front de mer, où les organisations non gouvernementales tenaient un Forum populaire à l'écart de l'événement officiel (où était fait le « vrai travail »). Apparemment, elles étaient considérées comme une ONG : « groupe d'intérêts spécifiques », et il n'y avait pas de place pour elles autour de la table. Pourtant les femmes ne constituent ni une faction ni une question secondaire à laquelle on répond lorsque tout est déjà réglé, je l'ai compris dans l'année qui a suivi. Elles sont au cœur du problème. Elles représentent plus de la moitié de l'humanité et ce qu'on appelle les « droits de l'homme » sont aussi les leurs. Tout ce qui sera fait – contre la pauvreté, pour la paix, pour le développement durable, pour la santé – sans tenir compte d'elles est voué à l'échec.

Bella Abzug était avec nous à Rio, du côté de la plage. Leader extraordinaire, elle nous avait poussées à analyser la façon dont les Nations unies fonctionnaient, à découvrir leurs failles institutionnelles et à les élargir, afin que la prochaine fois les femmes puissent s'y glisser, car elles y étaient autant chez elles que les hommes.

L'occasion nous en fut donnée par la Conférence du Caire, où devaient se définir les stratégies qui permettraient de stabiliser la croissance démographique et de nous engager dans le développement durable. Ces conférences ont lieu tous les dix ans. La précédente avait mis au point des plans d'action généralement établis par des hommes, et concernant avant tout la contraception (ou son interdiction – puisque à l'époque, comme aujourd'hui, l'idéologie l'emportait sur les faits) et les quotas. Cette fois ce serait différent.

Bill Clinton présidait l'événement. Bella Abzug ne faisait plus partie du forum des ONG, mais de la délégation officielle, avec l'ancien sénateur du Colorado Tim Wirth (actuellement président de la fondation des Nations unies créée par Ted) et d'autres représentants des Etats-Unis profondément concernés par la question. Cette fois les femmes étaient autour de la table et décidaient de l'avenir. Pour elles, le problème de la surpopulation ne pouvait se traiter simplement en termes de démographie ou de santé publique. Elles travaillaient en première ligne, connaissaient le terrain (ce qui est souvent leur cas). Elles connaissaient mieux que personne les effets de l'accroissement démographique et savaient comment les enrayer.

Venues du monde entier, magnifiques et fières dans leurs grandes robes de couleur, tuniques ou saris, elles se pressaient dans les couloirs. Elles étaient bouddhistes, catholiques, hindouistes, musulmanes, avaient la peau noire, brune, jaune ou blanche. C'était la première fois que j'allais seule dans une de ces réunions internationales, et je me sentais en même temps surexcitée et très intimidée.

Je passai d'atelier en atelier, écoutai les conférenciers, et compris ce qui m'avait échappé jusque-là : la question du genre n'était pas l'anecdotique débat féministe que j'avais cru. Tout tournait autour d'elle. Et elle constituait le cadre conceptuel de la conférence tout entière. Voilà, pour l'essentiel, ce que j'ai découvert : pour éradiquer la pauvreté, stabiliser le taux de croissance démographique et instaurer le développement durable, il faut – et tout le monde doit le faire, la Banque mondiale, le Fond monétaire international, l'Agence pour le développement, toutes les institutions gouvernementales et non gouvernementales – considérer la situation à travers le prisme du genre. Votre plan va-t-il aider les femmes et les petites filles ? Va-t-il leur faciliter la vie ? Leur donner des possibilités nouvelles ? Vos ajustements structurels ne vont-ils pas les empêcher d'obtenir les crédits dont elles ont besoin pour monter une entreprise ? Le barrage que vous envisagez de construire ne va-t-il pas leur interdire l'accès à l'eau ? Car partout dans ce que l'on appelle les pays en voie de développement, ou du Sud, ce sont les femmes et les petites filles qui sèment les graines, retournent la terre, moissonnent les récoltes, vont chercher l'eau, font cuire les aliments, s'occupent de la basse-cour, portent les enfants, soignent les malades, trouvent l'argent des frais de scolarité et dépensent chaque sou économisé pour améliorer le bien-être de leur famille. Elles ont déjà atteint, et parfois dépassé, les limites de ce que peut faire un être humain. Quand leur situation s'aggrave, tout empire. Quand on facilite leur vie, et celle de leur famille – par l'éducation, des revenus, une communauté stable, et des soins médicaux –, les choses s'arrangent.

Pour réduire le taux de croissance démographique, il faut, certes, donner accès à la contraception, mais en ayant conscience des problèmes de culture qu'elle pose, sans esprit de jugement et en laissant aux femmes la possibilité de choisir entre différentes méthodes. Et même cela ne suffit pas. Dans certains pays, celles qui utilisent la contraception risquent d'être battues par leur conjoint. Dans certaines cultures, une femme doit avoir le plus d'enfants possible pour être reconnue ou parce que ce sont eux qui l'aideront à survivre. Aussi, lorsque l'on veut vraiment enrayer l'accroissement démographique, il faut avant tout *éduquer les filles*. Celles qui sont allées à l'école se marient plus tard, veulent des familles moins nombreuses, se laissent moins dominer, peuvent argumenter en faveur de la contraception et espacer les naissances. Et il faut aider les femmes, même les plus jeunes, à monter des entreprises, à toucher des salaires, à avoir accès aux ressources financières, à être reconnues comme citoyennes à part entière et à s'engager dans la citoyenneté. Ce qui est très positif sur le plan non seulement individuel mais aussi général. Le mariage et la maternité ne sont plus les seuls buts de celles à qui profitent de telles actions.

La conférence mettait l'accent sur l'activité sexuelle et les grossesses des adolescentes. Les jeunes filles sont au centre de toute action visant à enrayer la croissance démographique. Plus une femme a des enfants tôt, plus elle en aura et plus les générations seront resserrées. Ce sujet m'intéressait d'autant plus que la Georgie est l'Etat des Etats-Unis qui a le taux de maternités précoces le plus élevé.

Si l'on veut enrayer ce phénomène, il faut changer la façon dont les choses se passent, ce qui n'est jamais facile. Les cliniques du planning familial ferment souvent leurs portes aux adolescentes, de façon plus ou moins officielle. Elles ont des horaires qui ne conviennent pas à cette tranche d'âge, leurs prestations coûtent cher, et elles observent une absence totale de confidentialité imposée par l'administration centrale ou régionale. Les jeunes filles ont besoin de temps pour se sentir en confiance. Elles se posent beaucoup de questions sur ce qu'elles ressentent et sur le bien-fondé de leurs relations. Il faut savoir les écouter longtemps, attentivement, chercher à les comprendre. Le premier gynécologue que j'avais vu m'avait aidée, et je ne sais pas à quoi ma vie aurait ressemblé si ce n'avait pas été le cas. Une jeune fille qui se sent jugée ou que l'on ne sait pas rassurer avant un examen gynécologique peut s'en aller et ne pas revenir.

Soudain, la devise des conservateurs, « Il suffit de dire non » semblait trop simple. Ce n'était pas le « non » qui était trop simple, mais le « il suffit de », je l'ai compris alors. Car le « il suffit de » ignore la complexité des raisons qui enlèvent à beaucoup de filles, et même de femmes, toute possibilité de véritable choix face à l'acte sexuel (viols, sévices subis pendant l'enfance, manque d'estime de soi ou problèmes économiques). Le « il suffit de » laisse croire que c'est facile. Il manque de nuances.

Cette conférence ne m'a pas seulement permis de découvrir les diverses stratégies à mettre en œuvre pour réduire le taux de croissance démographique. J'ai commencé à comprendre que mes propres expériences – la façon dont je me laissais faire par les hommes quand il s'agissait de *leur* plaisir, ou d'être reconnue, acceptée – étaient universelles. Si moi, je suis aussi vulnérable, prête à céder, apeurée, comment une femme pauvre – qui n'a ni statut social, ni indépendance financière, ni éducation, ni appui juridique ni connaissance de ses droits les plus élémentaires – peut-elle se redresser et dire : « Désolée, mais je ne veux plus d'enfants et je vais prendre la pilule » ?

Puis est arrivé ce qui m'a permis de voir comment on pouvait allier la pratique à la théorie, redonner de l'espoir aux jeunes filles et faire diminuer le nombre de maternités précoces. Alors que j'étais au Caire, on m'a emmenée dans la communauté copte des Zabalins de Mokattam, des miséreux qui vivent en bas d'une carrière et ramassent les poubelles. Mon beau-fils Rhett et Peter Bahouth, directeur exécutif de la Fondation Turner, étaient venus avec moi. On voulait nous montrer les résultats d'une action en faveur de l'éducation, du travail des femmes et de la limitation des naissances menée par le gouvernement égyptien, plusieurs ONG et la Banque mondiale. Nous sommes passés en arrivant devant des wagons remplis de détritus sur lesquels étaient assis de très jeunes enfants. Au centre de la carrière, il y avait une fosse grande comme la moitié d'un terrain de football et d'environ vingt mètres de profondeur, remplie de déchets et d'excréments de cochon en décomposition. Lorsque la portière s'ouvrit, nous fûmes assaillis par une puanteur plus forte, plus insupportable que tout ce qu'on peut imaginer. Je me suis forcée à descendre de la voiture, en respirant par la bouche pour ne pas vomir. Je n'arrivais pas à croire que des gens puissent passer leur vie dans cet air vicié.

Sœur Marie Assaad, religieuse catholique qui dirige le Comité pour la santé et le développement de Mokattam, nous entraîna au milieu des « maisons », des structures sombres, sans portes, au sol de terre battue où s'entassaient souvent de hautes piles de détritus. « On ne voit pas l'arrière des logements, nous dit-elle, mais c'est là que les gens élèvent leurs cochons. Ils leur donnent à manger des détritus et ramassent leurs excréments pour les jeter dans la fosse où se forme le compost vendu ensuite comme engrais. »

Des enfants, surtout les plus âgées des filles, triaient les poubelles, enlevaient ce qui ne se décomposerait pas et mettaient de côté ce qui était en papier et serait recyclé. Sœur Marie Assaad nous expliqua qu'à cette heure de la journée, certains garçons étaient à l'école mais que tant que le projet dont on nous avait parlé n'avait pas été mis en place, aucune fille n'y était jamais allée. « Les parents n'ont aucune raison d'investir dans leur éducation », nous dit-elle. Comme leurs mères avant elles, les filles servaient le reste de la communauté : triaient les détritus, s'occupaient de leurs frères et sœurs, préparaient à manger. Bien qu'en grande partie responsables de l'état de santé des différents membres de la famille, elles ne pouvaient pas lire les ordonnances des médecins et n'osaient pas aborder certains sujets avec ces derniers (en général des hommes).

Dès qu'elles atteignaient la puberté, les filles étaient mariées, souvent avant l'âge minimum fixé par la loi égyptienne (seize ans). Et souvent aussi à quelqu'un qu'elles n'avaient pas choisi, ou beaucoup plus âgé qu'elles, et qui pouvait avoir des relations multiples, donc les exposer au risque du sida. Une fois mariées, elles s'installaient dans la maison de leur époux et devenaient la servante de leur belle-mère et de toutes leurs aînées.

Les filles se mariaient, quittaient le foyer de leurs parents et, souvent à peine pubères, tombaient enceintes. Les garçons se mariaient et ramenaient chez eux leur épouse (de la main-d'œuvre supplémentaire). Voilà pourquoi les parents n'investissaient que dans l'éducation des fils. Et voilà comment le cercle vicieux que produisait la discrimination sexuelle apportait, génération après génération, une surpopulation croissante et des conditions sanitaires de plus en plus mauvaises.

Pourtant les choses changeaient, lentement, mais elles changeaient. Il y avait une petite école, construite au bord de la fosse. Des filles y étudiaient à côté des garçons. Sœur Marie Assaad nous expliqua que pour faire céder la résistance des parents, les organisateurs du projet avaient élargi leur approche en faisant coïncider enseignement et travail salarié. Elle nous entraîna alors vers un bâtiment construit en dur sur le flanc de la colline. Nous y trouvâmes des salles remplies de métiers à tisser, de machines à coudre et de presses à papier. Comparativement à ce que nous avions vu jusque-là, tout y était très propre. Des filles fabriquaient des carnets et des cartes avec le papier recyclé. D'autres faisaient des tapis avec des bouts de tissu récupérés. Plus loin, assises autour d'une table, elles triaient par couleur des chutes de textiles que leur donnaient les boutiques du Caire. Elles les découpaient en carrés, en triangles ou en rectangles, appliquant ce qu'elles avaient appris à l'école – géométrie, arithmétique – pour créer de magnifiques patchworks. Et pendant qu'elles travaillaient, on leur parlait d'hygiène, de reproduction, de contraception et des dangers sanitaires des mariages précoces et des maternités rapprochées. Certaines d'entre elles recevaient une formation leur permettant de travailler comme assistante sanitaire.

Sœur Marie Assaad nous dit qu'une fille sur six suivait ce programme et gagnait ainsi à peu près, à l'époque, dix-sept dollars par mois. Qu'une aussi petite somme puisse profondément transformer le cours des choses semble difficile à croire, mais c'est pourtant ce qui se passait. Ces filles avaient atteint un but, en tant qu'individu, et elles en étaient récompensées. L'idée qu'elles se faisaient d'elles-mêmes avait changé. Elles arrivaient maintenant à se dire : « Je suis quelqu'un. » Elles savaient lire. Elles étaient payées. Elles pouvaient peut-être – mais seulement peut-être – briser le cycle de la servitude et du malheur.

Les parents commençaient à les regarder d'un autre œil. Puisqu'elles gagnaient ensuite de l'argent, les envoyer à l'école devenait intéressant. Instruites, elles représentaient un capital. Et les mères, s'identifiant à leurs filles, en éprouvaient de la fierté.

Parce qu'elles savaient lire et se sentaient désormais plus à l'aise dans les espaces publics où elles pouvaient aller se renseigner, se faire soigner et parler avec des médecins, elles combattaient mieux les problèmes de santé de leurs familles. Enfin, celles qui repoussaient l'âge de leur mariage touchaient une bourse qui leur permettait de s'opposer à leurs parents. Si elles attendaient dix-huit ans et se mariaient par libre choix, elles recevaient cinq cents livres égyptiennes (quatre-vingts dollars).

L'exemple de Mokattam démontrait en termes profondément humains que lorsque l'on transformait, dans les pays pauvres, la vie des filles en leur donnant accès à l'enseignement et à la possibilité de gagner un salaire et de participer à la vie publique, on gagnait sur deux fronts : on développait le capital humain tout en améliorant les problèmes sanitaires de la maternité et en ralentissant la croissance démographique. Aider les filles à repousser l'âge de leur mariage, et donc celui auquel elles accouchent pour la première fois, diminue le nombre total d'enfants qu'elles mettent au monde.

La Conférence du Caire marqua un nouveau tournant dans ma vie. Je suis rentrée à Atlanta décidée à mettre en œuvre ce que je venais d'apprendre.

Quand Ted était pris par ses affaires et qu'il ne voyait donc pas d'inconvénient à ce que je m'absente, je partais avec Peter Bahouth rencontrer dans différentes régions de Georgie des travailleurs sociaux afin d'analyser ce qui se passait chez nous. Bien que beaucoup moins graves, les problèmes de nos jeunes adolescentes ressemblaient à ceux des filles de Mokattam : seule leur sexualité semblait leur donner quelque valeur, et leur avenir était trop sombre pour les empêcher de tomber enceintes et de quitter l'école. C'était un monde où de nombreux enfants subissaient des sévices sexuels, où la violence domestique atteignait un niveau élevé et où il était difficile de trouver du travail.

Je n'oublierai jamais ce jour où, alors que je visitais la maternité d'un petit hôpital de comté à côté d'Albany, on m'a emmenée dans la salle de travail où une gamine de quatorze ans allait mettre au monde son deuxième enfant. Avant de me faire entrer, l'infirmière m'a raconté que la future mère vivait dans une cahute sans eau courante. En espérant qu'elle ne lirait aucun jugement dans les miens, j'ai regardé ses yeux sombres, sans expression, qui me fixaient. Je voudrais l'avoir embrassée. Elle avait besoin que quelqu'un la prenne dans ses bras et l'y garde pendant vingt ans. Je me suis demandé si quelqu'un l'avait jamais prise dans ses bras, en dehors des rapports sexuels. Que pouvait vouloir dire pour une fille comme elle le slogan « Il suffit de dire non » ? J'ai lu à peu près à la même époque cette phrase de Marian Wright Edelman, qui a créé et préside la Fondation pour la défense des enfants : « L'espoir est le meilleur contraceptif. » Et j'ai compris alors que l'expérience des quinze années du camp de Laurel Springs, et ce que ma fille Lulu m'avait raconté, me permettait maintenant de savoir ce dont les jeunes ont besoin pour grandir de façon saine et productive. La Conférence du Caire avait donné un cadre théorique à cette connaissance pratique.

Je crois que nous avons formé avec Ted un duo qui aura marqué la lutte contre la surpopulation. Nous nous complétions parfaitement. *Nous avons fait avancer les choses.* Lui, par une vision globale, passionnée et contagieuse, son argent et sa générosité. Moi par une réflexion plus précise, née du terrain, sur les raisons, communes à différentes cultures, pour lesquelles les femmes mettent au monde tant d'enfants. Ces deux points de vue sont nécessaires, mais il est maintenant prouvé que, tant que l'on ne s'attaquera pas à la situation particulière de la moitié de l'humanité que représentent les femmes, et que l'on ne cherchera pas à les comprendre, à les respecter et à mettre à leur portée une assistance de qualité, aucune contraception, quelle qu'elle soit, ne changera rien.

L'année suivante, en 1995, j'ai fondé, avec l'aide et le soutien de la famille Turner et de sa Fondation, la Campagne de prévention contre les grossesses précoces en Georgie. Laura Turner Seydel a su collecter avec maestria les fonds dont nous avions besoin, entraînant derrière elle tous les autres Turner. Bien sûr, nos moyens d'action ont évolué, mais ce que j'ai appris à la Conférence du Caire reste au centre de notre travail : c'est à l'individu femme tout entier qu'il faut s'adresser et redonner espoir, et ne plus mettre seulement en œuvre des stratégies ne concernant que ses organes reproductifs.

La Campagne de prévention contre les grossesses précoces

fonctionne maintenant en Georgie depuis dix ans, période au cours de laquelle nous avons appris à sonder de plus en plus profondément les raisons qui poussent des adolescentes à avoir des enfants alors qu'elles ne sont pas encore *elles-mêmes.* De toutes petites choses – être bercée, tenue dans des bras, regardée – peuvent donner la force nécessaire pour se remettre de sévices inavouables ou du manque d'affection. Je sais, grâce à Lulu et à Leni, que celles dont on s'est ainsi occupé ont plus de chances de pouvoir éviter une maternité précoce. C'est pour cela que la Campagne de prévention contre les grossesses précoces en Georgie enseigne aussi aux jeunes mères et aux futures mères à s'occuper de leur bébé. Pour briser le cycle. Mon expérience personnelle m'a montré que de tels gestes ne viennent pas toujours naturellement, mais qu'on peut les apprendre.

Les sévices sexuels subis dans l'enfance pèsent lourdement sur l'avenir. C'est pourquoi la Campagne de prévention contre les grossesses précoces en Georgie et le Centre Jane Fonda de l'Ecole de médecine de l'université d'Emory, qui a ouvert en 2001, travaillent avec des médecins et infirmières urgentistes, des pédiatres, des juges pour enfants et des experts en psychiatrie à former de nouveaux travailleurs sociaux capables de repérer les abus sexuels et d'y apporter les soins requis. Selon les statistiques, une Américaine sur quatre en a été victime. Quarante pour cent de celles qui ont leur premier rapport avant l'âge de quinze ans disent y avoir été forcées. Et celles qui ont subi cette épreuve se lancent souvent plus jeunes dans une vie sexuelle active et ont des enfants avant dix-huit ans. Une étude a même établi que cinquante à soixante-quinze pour cent des adolescentes qui se retrouvent enceintes ont été victimes d'abus sexuel.

Ces sévices dépassent la violence physique : ils constituent une forme de lavage de cerveau. Ils envoient toujours le même message : tu ne vaux rien en dehors de ton sexe, ton corps ne t'appartient pas, dire non ne signifie rien. La victime est alors atteinte de ce qu'Oprah Winfrey, qui l'a elle-même été, appelle la « maladie de plaire ». L'abus sexuel prive les filles de tout ce qui leur permet de se protéger de la grossesse, des MST et du sida. Après avoir découvert ce qui était arrivé à ma mère, j'ai pu la comprendre, lui pardonner – et avoir envie d'aider les autres à guérir. Et si j'aime si passionnément le travail que je fais maintenant, c'est évidemment parce que toute ma vie a tourné autour de ces questions.

CHAPITRE VINGT-CINQ

ASPIRATIONS

L'infidélité est comme l'extérieur d'une peau de fruit.
Sèche et amère parce que tournée vers le dehors
et loin du centre.
La fidélité est comme l'intérieur de la peau,
humide et douce. Mais la peau des fruits finit
dans le feu. L'intérieur proprement dit est au-delà du doux
ou de l'amer. Il est source de délice.

RUMI.

J'aspirais à la « source de délice » qu'évoque le poète Rumi, et qui pour moi ne pouvait exister que sous forme de liens intimes et de communication spirituelle. Un état que Ted et moi avons réussi à atteindre à certains moments (je me rappelle chaque fois où cela est arrivé, le regard profond qu'il plongeait dans le mien, et la sensation de véritable connexion que j'éprouvais alors), et quand c'est arrivé, il a parfois eu peur, je le jure. Comme si cette communion (contrairement à la satisfaction des besoins) devait être évitée. Nous avons pourtant aussi parfois fait l'amour les yeux rivés, et ne formant plus qu'un. Nous avons parfois ri ensemble à en tomber par terre, comme le jour où, écroulés devant l'escalier digne de *Autant en emporte le vent* de sa plantation d'Avalon, nous avons dû rejoindre notre lit à quatre pattes.

Nous nous sommes mariés au bout de deux ans, en 1991 à

Avalon, le jour de mon cinquante-quatrième anniversaire et du solstice d'hiver. Troy m'a conduite jusqu'à mon époux, et Vanessa était ma demoiselle d'honneur.

Une semaine plus tard, Ted était élu homme de l'année par le magazine *Times*.

Un mois plus tard, je découvris qu'il couchait avec une autre femme.

La vie m'a appris que les hommes – tout au moins ceux par qui je suis attirée – fonctionnent sur le mode du *Fornicato ergo sum* – je fornique donc je suis – mais comme nous faisions merveilleusement l'amour, que je m'absentais rarement plus de quelques heures et qu'il m'aimait, c'était certain, je ne comprenais pas.

Je l'appris tout à fait par hasard. Assise dans la voiture devant l'immeuble de CNN, j'attendais Ted pour partir à l'aéroport. Quand j'ai vu une femme se diriger vers le parking. Je l'avais aperçue de dos, lorsqu'elle était entrée dans l'hôtel deux heures plus tôt. Cette fois, elle était de face et je l'ai reconnue, mais quand je l'ai appelée, elle s'est bêtement cachée derrière un pilier. J'ai su. Je l'ai su avec mes tripes. J'ai appelé le bureau de Ted sur le téléphone de la voiture et quand son assistante Dee Wood m'a répondu, je lui ai tout de suite dit : « Il s'est fait un petit extra de midi, hein ? » (C'était les termes qu'il employait lui-même pour ses infidélités du déjeuner). Elle a bafouillé, nié (et probablement pensé : Dis donc, Fonda, je t'avais avertie, non ?), puis elle m'a annoncé que Ted venait de descendre me rejoindre.

Je suis restée là, mon cœur battait à coups redoublés, mon cerveau implosait. Quand il s'est assis au volant, Ted était livide. Je me suis mise à lui frapper la tête et les épaules avec le téléphone de la voiture. En même temps, une part de moi-même se disait que je n'avais jamais vu personne faire ça dans un film et que ça pourrait donner une scène formidable. (Est-ce qu'il n'y a que les acteurs pour avoir ce genre de pensées dans un moment pareil ?) Puis je lui ai vidé ma bouteille d'eau sur la tête et, pleurant et tremblant de tout mon corps, j'ai dit : « J'espère que c'était un bon coup, parce qu'avec moi, il n'y en aura plus. Je pars. » Frapper quelqu'un n'est pas dans mes habitudes. Mais je me suis rendu compte que je n'avais jamais suffisamment aimé personne pour exprimer une telle rage ; « Mais pourquoi est-ce que tu as fait ça ?

lui ai-je demandé. Est-ce que ça n'était pas merveilleux, entre nous ? »

Il s'est arrêté à un feu rouge, a mis sa tête dans ses mains. « Si. Si. Je t'aime follement et j'adore faire l'amour avec toi. Je crois que... c'est comme un tic » – il a vraiment employé ce mot –, « quelque chose dont j'ai pris l'habitude. J'ai toujours eu besoin d'une roue de secours au cas où entre nous ça n'irait plus. » *Espère le meilleur et prépare-toi au pire.*

« En tout cas, tu as fait exactement ce qu'il fallait pour que ça n'aille plus. Tu vas te retrouver avec ta roue de secours. J'espère que tu seras heureux. »

Ce soir-là, j'ai pris l'avion pour Los Angeles, je me suis réfugiée dans le calme de l'hôtel Bel-Air. Je m'y suis terrée pendant quinze jours. Personne ne savait où me trouver, sauf Leni, avec qui j'avais monté le Workout et qui était devenue mon amie. Lorsque nous étions en Californie, Leni entraînait Ted. Je pensais qu'avec le bon sens qu'elle avait, et parce qu'elle le connaissait, elle était la mieux placée pour m'aider à traverser cette crise. Et je ne me trompais pas. Elle venait me voir tous les jours, s'asseyait sur le lit, me donnait des bonbons au café (« Tiens, ça réconforte ») et me tenait la main pendant que je pleurais et me confiais à elle.

Ted se doutait que Leni saurait où j'étais et il l'appelait sans arrêt, la suppliant de me convaincre que tout pouvait recommencer. Je ne voulais rien savoir. Puis un jour, Leni m'a dit : « Réfléchis, Jane. Si tu ne lui donnes pas une seconde chance, tu le rencontreras peut-être dans quelque temps, heureux, au bras d'une autre femme, et tu te demanderas si tu as bien fait. Il veut vraiment que tu reviennes. Il dit qu'il ferait n'importe quoi pour ça. »

J'ai téléphoné à ma psy, qui était maintenant à la retraite, et elle m'a recommandé les thérapeutes qui l'avaient formée, Beverly Kitaen Morse et Jack Rosenberg, spécialistes des problèmes de couple. J'ai tout de suite fixé une date avec eux et demandé à Leni de dire à Ted que je l'attendrais chez elle le jour où nous devions les voir.

Il a pris l'avion le lendemain et il est entré dans le salon de Leni, a mis un genou à terre et s'est traîné vers moi (ce qui ne signifiait pas grand-chose car il le faisait chaque fois qu'il devait s'excuser et posait ensuite ses lèvres sur le bout de ma chaussure, la tête dans les mains).

« Oh, pour l'amour de Dieu, Ted, relève-toi, lui ai-je dit. Tu as l'air ridicule, et je sais que ça ne veut rien dire. La moitié de tes associés t'ont déjà vu prendre cette posture. » Puis je lui ai annoncé que je voulais bien lui redonner une chance, mais à trois conditions : qu'il ne me trompe plus jamais, qu'il ne revoit jamais cette femme et qu'il vienne avec moi consulter les conseillers conjugaux chez qui j'avais pris rendez-vous. Il a tout accepté. Le lendemain nous avons passé avec Jack et Beverly six longues heures qui ont changé notre vie. Et, au cours des huit années qui ont suivi, nous sommes retournés les voir chaque fois que nous revenions à Los Angeles. *Arrange-moi ça.*

Pendant sept ans (Ah ! le chiffre sept), Ted a tenu sa promesse et n'a plus jamais trahi ma confiance, n'a jamais été repris par son « tic » (jusqu'aux derniers mois que nous avons passés ensemble, quand il a commencé à sentir que notre mariage était fichu et qu'il a alors cherché une nouvelle « roue de secours »). Il a même dit un jour à quelqu'un qui le complimentait de quelque chose qu'il avait fait : « Vous êtes trop monogame !

— Tu veux dire magnanime, Ted ? suis-je intervenue.

— Oui, oui, a-t-il répondu fièrement. J'ai toujours confondu ces deux mots. Mais avant, c'était monogame que je n'arrivais pas à prononcer, par manque de pratique. Et aujourd'hui, au contraire c'est ce mot-là qui me vient à la bouche. Mignon, hein ? »

Avant cette première crise, chaque fois qu'une femme particulièrement séduisante passait par là, je sentais Ted s'écarter de moi, comme emporté par un puissant courant. Je me disais que la testostérone envahissait son lobe frontal, annihilant toute pensée. Après notre séparation de quinze jours, je jure que je sentais au contraire à chaque fois ses antennes se rétracter. Avec les années, nous avons découvert différentes façons de dénouer les tensions. Nous avons cherché à mieux communiquer et découvert l'importance des échanges muets. Nous passions de longs moments allongés ensemble sans rien dire, peau contre peau, et sans chercher à atteindre quoi que ce soit. Je me suis rendu compte que Ted détestait être mis devant le fait accompli aussi ai-je essayé de lui éviter ce genre de situation. Mais c'était malheureusement plus facile à dire qu'à faire. Lui demander son avis et discuter avec lui ne me posait pas de problème tant qu'il s'agissait de choses relativement peu importantes – déplacer un tableau, changer l'heure d'un repas, acheter une nouvelle selle. Mais lorsque j'ai eu plus tard à prendre des décisions cruciales – par rapport à la religion, ou à Vanessa, auprès de qui je voulais être quand elle a accouché –, je me suis simplement organisée pour faire ce que je sentais devoir faire. Les autres hommes de ma vie n'avaient jamais pris en compte ce dont j'avais besoin, ou ce que je ressentais, et j'avais peur, en m'ouvrant à lui, d'être à nouveau niée – ou de perdre son amour. (Il s'avéra que mes craintes étaient fondées.) Les rares fois où cela arriva ont joué un rôle très négatif dans notre histoire.

Si l'infidélité de Ted nous conduisit ensemble chez les conseillers conjugaux, je voulais aussi travailler à mes problèmes personnels. Je sentais que notre relation, aussi difficile fût-elle pour moi à bien des égards, m'offrait une chance de guérison, et parce que je voulais à tout prix que ça marche, j'étais prête à me faire soigner. Ted ne l'était pas. Mais étant donné l'éducation qu'il a reçue, il est déjà extraordinaire qu'il ait accepté tout ce qu'il accepté.

Les vieux fantômes que nous abritons (nous en abritons tous, non ?) refont surface au sein de nos couples lorsque nous sommes confrontés à un choix important. Et soit nous nous installons dans la distance et l'instabilité, soit nous apprenons à vivre avec ces fantômes. Il y a des gens qui y arrivent seuls. D'autres, comme moi, ont besoin de professionnels qui les aident à recoller les morceaux.

Je crois que dès l'instant où j'ai rencontré Ted, j'ai su intuitivement que cet homme était celui à qui je pourrais enfin ouvrir complètement mon cœur. Je pensais que tous les éléments étaient réunis pour l'amour profond et fusionnel que je n'avais jamais connu. C'est évidemment pour cette raison que je l'ai d'abord fui. Je craignais de devenir trop vulnérable, d'être blessée, écrasée. Puis j'ai voulu de toutes mes forces oublier ma peur, et que notre couple soit l'union de deux individus authentiques liés par une affection mutuelle, capables de communiquer, de s'affirmer et de respecter l'autre – et j'imaginais que c'était ce qu'il voulait lui aussi. C'était quand même tout le temps lui qui parlait d'intimité et qui me reprochait de tout faire pour y échapper. Il ne m'est jamais venu à l'esprit qu'il... qu'il était lui aussi tellement effrayé qu'il n'y arriverait jamais.

Notre courte séparation fut une bénédiction, car elle me conduisit à Beverly Morse, qui se révéla être exactement le guide dont j'avais besoin pour la dernière partie de mon voyage vers... comment appeler ça ? La complétude ? La plénitude ? L'authenticité ? L'entièreté ? J'avais vécu trop longtemps enfermée dans ma tête. Il m'était maintenant essentiel de retrouver mon corps – que j'avais quitté depuis mon adolescence –, de me réincarner. J'ai découvert qu'il y a différents niveaux d'incarnation, et l'amour de Ted m'a sûrement entraînée un peu plus loin dans cette direction. Mais la méthode de Beverly, qui me faisait faire des exercices et travailler ma respiration – c'est ce que nous appelons la « thérapie somatique » – m'a permis d'accéder à des strates plus profondes. Avec les années, son aide et beaucoup d'efforts de ma part, j'ai réussi à prendre confiance. J'ai pu pardonner à ma mère et donc me pardonner à moi-même mes erreurs ; j'ai compris que j'avais fait ce que je pouvais, exactement comme ma mère l'avait fait ; je n'étais plus une femme incapable de donner suffisamment d'amour. J'apprenais à m'aimer. Premiers pas titubants. Un commencement.

Lorsque je repense aux dix années que j'ai passées avec Ted, je suis étonnée d'avoir été la plupart du temps aussi heureuse, de m'être sentie de plus en plus forte, plus sûre de moi. C'était dû en partie au travail que je faisais sur moi-même mais aussi au rôle positif et fondamental que j'avais conscience de jouer dans la vie de Ted. Pourtant, lorsque je refermais sur nous les portes de l'intimité, je refusais toujours d'écouter les signaux que m'envoyait mon corps. Ce dernier avait beau me dire le mal que me faisaient non seulement la façon dont Ted se comportait parfois mais aussi ce que j'acceptais, même à contrecœur, de faire pour lui plaire, je ne voulais pas l'entendre. Je buvais pour m'anesthésier et refouler mes sentiments, afin que Ted se sente bien. Je satisfaisais ses besoins (quelquefois même sans qu'il me le demande) par peur de ne plus être aimée. Je croyais être sortie de la « maladie de plaire » en quittant Vadim. Et de nouveau lorsque je m'étais séparée de Tom, je m'étais dit : « Plus jamais ça. » Mais cette façon que j'avais de me trahir faisait tellement partie de mon fonctionnement que je répétais toujours le même schéma et que je me débrouillais pour ne rien remarquer ou me convaincre que les problèmes disparaîtraient d'eux-mêmes. D'autre part j'avais avec Ted une vie passionnante, et la dénégation n'en était que plus facile.

J'ai fait de mon mieux pour comprendre et me plier au besoin qu'il avait de remplir le vide à grands renforts de voyages, d'activités ou d'organisation. Je n'étais pas non plus du genre à rester jour après jour toute la journée vautrée à la maison. Nous avions autant d'énergie l'un que l'autre. J'ai adoré aller et venir avec lui d'une propriété à l'autre et être dans le secret des événements qui se déroulaient autour de nous. Je savais qu'ensemble nous pouvions faire bouger les choses. Je souriais toujours quand je l'entendais pousser la porte. Il y avait encore entre nous des moments de ravissement et de fusion. Mais la rigidité de nos emplois du temps et nos déplacements constants me rongeaient.

A peine étions-nous arrivés dans un des ranches du Nebraska, par exemple, que nous en repartions deux jours plus tard. Chaque fois que nous passions une nouvelle porte, Ted m'embrassait et me souhaitait la bienvenue, un rituel que je trouvais charmant. Et Dieu sait le mal que je me donnais pour que nous nous sentions chez nous dans chacun de ces endroits. Pourtant, je n'avais nulle part l'impression d'être chez moi. Vingt maisons et pas de chez soi – bizarre... Lorsque la vendeuse me demandait si je voulais des paquets cadeau pour les deux douzaines de culottes que je venais d'acheter, j'éclatais de rire. Elles m'étaient toutes destinées, une dans chaque maison.

Nous prenions le même plaisir à passer d'un extrême à l'autre, des jeans pleins de boue et des bottes d'égoutier le matin aux smokings et robes longues le soir, avec retour à la case départ dès le lendemain. Mais ces allées et venues ne nous laissaient le temps de prendre racine nulle part, or c'est une chose qui m'a toujours manqué. Ni celui de faire ce qui comptait le plus pour moi, lire, mettre au point la Campagne de prévention contre les grossesses précoces en Georgie, ou, plus important encore, retrouver mes enfants. Si je voulais les voir, je devais leur demander de venir là où nous serions à telle ou telle date. Je ressentais douloureusement leur déception, d'autant plus douloureusement que je savais qu'ils avaient raison de penser que je me perdais moi-même et que je les perdais, pour sauver mon mariage. J'aurais aimé que Ted me comprenne et agisse en conséquence. Et il essayait – mais seulement lorsque mes besoins ne s'opposaient pas aux siens. Et j'avais beau savoir ce que j'aurais dû faire, je n'en avais pas le courage. Je n'étais pas prête à mettre mon couple en danger pour me retrouver en phase avec moi-même.

Avez-vous déjà remarqué que nous affrontons continuellement les mêmes problèmes, jusqu'au jour où nous finissons par atteindre un point de non-retour ? Les leçons de la vie apparaissent régulièrement à l'horizon, de plus en plus proches, jusqu'à ce que nous soyons enfin capables de les comprendre. *Com-prendre*. Prendre avec soi, en soi. Un mot important car tant que je n'ai pas intégré ces leçons, tant que je ne les ai pas absorbées, que je ne les ai pas laissées se fondre en moi, elles n'ont pas « pris ». Elles sont restées des idées incapables de me faire changer de comportement.

Nous étions ensemble depuis huit ans, mariés depuis six ans et continuions non seulement de ne pas remettre en question certains comportements qui détruisaient notre couple, mais de les considérer comme sacro-saints, indéracinables. Lorsque le ressentiment m'envahissait, et que je me renfermais sur moi-même, Ted se décomposait et hurlait à l'abandon. J'avais appris à ne pas discuter, à me taire et à le laisser crier. C'était sa soupape de sécurité. Pourtant, sur l'échelle de un à dix où Ted évaluait tout, il donnait six à notre vie... en d'autres termes, il y trouvait plus d'avantages que d'inconvénients.

Et comme si tout cela n'était pas déjà assez compliqué, je me découvrais des aspirations spirituelles, que je devais garder pour moi car mon mari éprouvait une profonde hostilité envers tout ce qui relevait de la métaphysique. La question de Dieu m'intéressait de plus en plus. Qu'était-il ? Ce qui me semblait m'avoir toujours « conduite » ? Un jour, en Georgie du Sud, un chrétien intégriste m'a demandé si j'avais été sauvée par le baptême. Sa démarche ne me semblait pas amicale et, sentant son hostilité, j'ai préféré ne pas trop m'engager. Je lui ai parlé de spiritualité. Mais sa question est restée gravée en moi.

Je suis allée voir mon ami Andrew Young, leader du mouvement des droits civiques et ancien ambassadeur des Nations unies et je lui ai demandé s'il pensait que je devais être sauvée.

« Inutile, m'a-t-il répondu. C'est déjà fait. » Et il m'a expliqué qu'en grec, le mot « sauvé » signifiait « rester entier ».

J'ai ensuite posé cette question à mon amie Nancy McGuirk. Mariée à un cadre supérieur de Turner Broadcasting, elle a passé d'innombrables soirées de réception cachée dans un coin à parler de religion. Presbytérienne, elle enseigne la Bible une fois par semaine à une centaine de femmes.

« Eh bien voilà, m'a-t-elle répondu. Tout ce que je peux te dire, c'est ce que être sauvée m'a apporté. Ça m'a conduite à l'étape suivante. » Evidemment, pour la fana du passe-à-l'étape-suivante que j'étais, c'était presque irrésistible. Je savais parfaitement que Ted me désapprouverait. Les chrétiens font partie de ceux à qui il a présenté ses excuses après avoir dit que le christianisme était une religion de perdants. Je n'étais pas encore prête à le défier.

L'année de mes cinquante-neuf ans, j'ai participé au rassemblement annuel des bisons d'un des ranches de Ted au Nouveau-Mexique. Ce fut une expérience impressionnante : des milliers de bêtes formaient devant nous une ligne qui disparaissait derrière la mesa, réapparaissait des kilomètres plus loin, traversait la vallée et remontait la pente vers une autre mesa. Le bison se déplace en silence, il ne meugle pas comme les bovins, ne laisse entendre que le battement doux de ses sabots et le bruit à peine audible de sa respiration profonde, légèrement ronflante. Je montais Geronimo, un cheval indien noir et blanc, et je suis convaincue que les bisons doivent avoir gardé dans leur mémoire collective le souvenir de ces animaux que les anciens habitants de ce pays utilisaient souvent pour leurs expéditions de chasse : j'en voyais régulièrement un se détacher du centre du troupeau et me foncer dessus. Alors autour de moi de vieux cow-boys comme Emmett et Emory, deux jumeaux de soixante-dix ans, montés sur des bêtes à simple robe brune, riaient aux éclats en me criant de ne pas tant m'approcher.

A la fin de la journée, je repartais à l'arrière d'un pick-up en compagnie de quatre ou cinq hommes, buvais une bière, m'installais entre de vieux pneus pour ne pas être trop brinqueballée sur les trente kilomètres de routes défoncées qui nous ramenaient à la base, m'enfonçais contre des balles de foin et contemplais le ciel, profondément heureuse. Vous savez, ce sentiment que l'on éprouve lorsque l'on est exactement là où on veut être. Je me suis rappelée mon rôle de cow-boy dans *Le Cavalier électrique* et la question que j'avais posée un jour à mon frère Peter quand nous étions petits : « A ton avis, qui est-ce qui rabattrait mieux le buffle, Sue Sally ou moi ? » La boucle était bouclée, je retrouvais mes vieilles amours, mais cette fois ce n'était ni du cinéma ni de l'imagination.

J'ai pris conscience que j'allais bientôt avoir soixante ans. C'est là que le concept d'un troisième acte s'est imposé à moi dans un sursaut qui n'était pas dû à un cahot de la route. *Oh mon Dieu ! C'est quand même quelque chose. Comment vais-je affronter ça ? Il faut que je réfléchisse à ce que ma vie a été jusqu'à maintenant afin de savoir ce qu'il me faudra faire de ce qui m'attend.*

Comme je l'ai écrit dans la préface de ce livre, « Connais ton ennemi » est une de mes devises préférées. Affronter tête baissée les choses qui m'effrayent et me familiariser avec elles. Voilà pourquoi, sachant que la soixantaine serait une étape difficile à passer, j'ai voulu réaliser une courte vidéo autobiographique, travail qui me permettrait de dégager les sujets autour desquels ma vie avait tourné. J'avais tout ce qu'il me fallait : mon père, adepte du home movie, m'avait laissé plus de photos et de bobines de super huit que je n'en avais besoin ; et pour tout ce qui concernait ma vie publique, il y avait les archives – interviews, films et coupures de presse. Ces matériaux bruts me permettraient de faire revivre les instants oubliés de ma jeunesse. Il me restait à déchiffrer les indices, à reconnaître les schémas – et à avoir le courage d'y mettre des mots.

C'était surtout pour moi et Vanessa que je voulais mener à bien ce projet, mais aussi pour Troy, Lulu, Nathalie et les filles de Ted, Laura et Jennie. J'avais l'impression qu'en affrontant le troisième acte de cette manière, à condition de le faire correctement, je pourrais être d'une certaine utilité à mes amis, et en particulier à mes amies femmes. J'allais donc donner une grande fête pour mes soixante ans et offrir la vidéo à tous mes invités.

Comme Vanessa avait déjà tourné et monté des documentaires, je lui ai demandé de m'aider. Sa réponse, bien qu'incisive, a tout de suite dégagé un des thèmes centraux que j'aurais à traiter. Elle m'a dit : « Tu pourrais aussi bien prendre un caméléon et lui faire traverser l'écran. » Aïe aïe aïe. Excellent résumé : j'ai endossé tant de personnalités différentes qu'on peut s'interroger. Qui est-elle dans tout ça ? Et y a-t-il vraiment quelque chose derrière tout ça ? comme se le demandait Dorothy Parker à propos d'Oakland. Lorsque je regardais des photos de moi et les classais par « mari », je ne pouvais m'empêcher de penser que c'était peut-être vrai – que j'étais peut-être devenue avec chaque homme ce qu'il voulait que je sois, « symbole sexuel », « militante de l'opposition », « grande dame marchant au bras d'un magnat des médias ». Vanessa avait énoncé l'une des questions fondamentales : n'étais-je qu'un caméléon, et si c'était le cas, comment se faisait-il qu'une femme apparemment forte puisse si totalement et si souvent se perdre elle-même ? *Mais est-ce que réellement je m'étais perdue ?* J'espérais aussi qu'explorer mon passé allait m'aider à vivre les trente prochaines années de façon à avoir le moins de regrets possible quand la fin arrivera. Je m'étais fait cette promesse en regardant mon père mourir presque vingt ans plus tôt.

Au cours de l'été 1996, alors que je me plongeais dans mon passé, une structure est apparue petit à petit. Mais pour que ce schéma, qui se dessinait à peine, prenne sens, j'ai dû me concentrer sur ce que j'avais ressenti à chaque étape du voyage : sur les genoux de la maman de Sue Sally lorsqu'elle m'avait grondée parce que je disais des gros mots ; sur le dos de Pancho quand Pedro avait essayé de lui grimper dessus ; le jour où Susan m'avait parlé de la mort de Maman ; celui où Sydney Pollack m'avait demandé ce que je pensais du scénario d'*On achève bien les chevaux*.

Je savais qu'en visionnant les quarante-neuf films dans lesquels j'avais déjà joué, et en relisant de vieilles interviews (beaucoup d'entre elles avaient été découpées et collées dans des albums), je retrouverais celle que j'avais été et comprendrais en quoi j'avais changé. J'ai souvent tressailli à ma table, souvent regardé derrière moi pour m'assurer que personne d'autre ne regardait. Et vous pouvez me croire, j'aurais souvent préféré que mes paroles disparaissent dans l'ombre, plutôt que de les retrouver sur de vieux journaux ou bien sûr les écrans.

Ce travail ne pouvait s'accomplir que de façon sporadique. Je devais, pour le faire, trouver des poches d'air dans la frénésie de ma vie avec Ted. Je m'en suis surtout occupée au printemps et en été, quand nous étions dans le Montana, mais ce ne fut jamais évident. Chaque fois que mes activités personnelles (qui, il faut le dire ici, me permettaient de garder la tête hors de l'eau) m'écartaient de Ted, il souffrait du syndrome de l'abandon. Aussi, pour travailler sur le « scénario » de ma vie, ai-je souvent dû faire appel à des artifices. Nous partions ensemble à la rivière, puis nous nous séparions pour pêcher. Mais au lieu d'entrer dans l'eau, j'allais m'installer sous un arbre et lire, écrire ou réfléchir. Je glissais quelquefois mon portable dans la poche arrière de ma veste et j'écrivais jusqu'à ce que la batterie soit vide. Puis je pêchais comme une folle afin d'avoir quelque chose à raconter quand je retrouverais Ted. Parfois aussi, je faisais semblant de ne pas me sentir bien et j'envoyais Ted et ses invités pêcher ou chasser pendant que je travaillais.

Inconsciemment, en choisissant de préparer mon soixantième anniversaire de cette façon, je me préparais à m'accueillir moi-même – repartir de zéro.

ACTE TROIS

LE COMMENCEMENT

Nous ne cesserons pas notre exploration
Et le terme de notre quête
Sera d'arriver là d'où nous étions partis
Et de savoir le lieu pour la première fois.

T.S. ELIOT,
« Little Gidding, » *Quatre quatuors.*

Au bout de toute route, c'est toujours soi-même que l'on retrouve.

S.N. BEHRMAN.

CHAPITRE UN

SOIXANTE ANS

On nous dit « aime ton prochain comme toi-même », je crois que s'aimer soi-même signifie considérer les différentes personnes que nous avons été au cours de notre vie avec la même compassion et la même attention que nous le ferions pour n'importe qui d'autre. Et si se comporter ainsi est inconvenant, tant pis pour les convenances.

Frederick BUECHNER,
Telling Secrets.

Ceux qui sont tenus en esclavage doivent d'abord briser silence. Ensuite, seulement, tout adviendra.

Robin MORGAN,
Demon Lover · The Roots of Terrorism.

Le 21 décembre 1997, le rideau s'est levé sur mon troisième acte. Ted m'a organisé un merveilleux anniversaire. Vanessa a conçu les cartons d'invitation. Il s'agissait d'un dépliant en accordéon. Derrière une première page illustrée d'un panneau de signalisation jaune où étaient inscrits les mots WORK IN PROGRESS, défilait une série de photos de moi à diverses étapes de ma vie qui se terminait sur ces mots : « à suivre... » Nos amis et tous les membres de nos familles respectives sont venus – trois cents personnes –, réunion probablement la plus hétéroclite qui ait jamais eu lieu à Atlanta.

Il est pratiquement impossible pour Ted de garder un secret. Pourtant, s'il avait cherché à piquer ma curiosité en me disant qu'il m'offrirait un « cadeau pour donner », il avait réussi à ne pas en dévoiler la nature. A un moment de la soirée, il a pris la parole et raconté que je lui avais souvent dit trouver excellente l'idée qu'il avait eue de créer la Fondation Turner, car elle lui permettait de voir ses enfants au moins tous les trimestres.

« Aussi, pour tes soixante ans, Jane, je t'offre ta propre fondation, dotée de dix millions de dollars. »

J'ai cru avoir mal entendu. Il m'a demandé de venir sur l'estrade et quand je me suis levée, mes genoux m'ont lâchée. Si je n'avais pas pu me rattraper au fauteuil roulant de Max Clecland, vétéran du Viêtnam qui avait subi une triple amputation et était maintenant sénateur de Georgie, je serais sûrement tombée. J'ai réussi à monter jusqu'à Ted, je l'ai pris dans mes bras, je l'ai embrassé et j'ai dit : « Il m'avait bien parlé d'un "cadeau pour donner"... mais Seigneur, jamais je n'aurais imaginé ça. »

Avec l'aide de mon ami le monteur Nick Boxer, j'avais terminé ma vidéo. Elle durait vingt minutes. Nous l'avons passée plus tard dans la soirée. Et bien que les gens se soient montrés intéressés, et parfois même émus, surtout les femmes, lorsque je la regarde maintenant, elle me semble seulement effleurer la surface des choses. C'est une esquisse tracée à grands traits, par manque de moyens. Faire ce petit film avait été très important pour moi, mais il ne pouvait avoir autant d'impact sur ceux qui le regardaient. Et l'effet salvateur que ce travail a eu ne s'est révélé que lorsque le troisième acte a commencé, et il a pris des formes que je n'avais pas nécessairement eu l'intention de provoquer.

Vers la fin, sur des images de ma vie avec Ted, j'expliquais en voix off que j'avais décidé huit ans plus tôt de quitter la Californie pour lui car je voulais relever le défi de l'intimité. Je disais combien cela m'effrayait. Comment m'était revenu le souvenir de Katharine Hepburn me disant qu'il fallait apprendre à se maîtriser pour ne pas manquer de trempe. « Puis j'ai compris quelque chose, continuai-je. Je me trouvais face à mon destin, je devais affronter ma peur de la véritable intimité que je n'avais encore jamais connue, d'une union durable, vraie, intense. Je savais que si je n'accomplissais pas cet acte de foi, je regretterais de ne pas avoir au moins essayé et que cela deviendrait le grand "si seulement" de ma vie. »

J'avais soixante ans, je travaillais depuis quelques années avec acharnement à ce que l'entente profonde devienne réalité. Cet effort portait ses fruits. Je commençais à comprendre ce à quoi notre couple pourrait ressembler si nous étions vraiment là l'un pour l'autre. Travailler à cette vidéo m'avait permis de voir qu'il y avait « quelque chose derrière tout ça ». Quelque chose en moi. J'y avais découvert des lignes continues, comme des ponts suspendus au-dessus de canyons, sautant d'une rive de la transformation à l'autre. Le fil d'Ariane étant le courage dont je pouvais généralement faire preuve *sauf* dans ma vie privée.

Je me souviens m'être sentie, pendant les semaines suivantes, plus *moi* que je ne l'avais jamais été, un être à part entière, qui se tenait aux côtés de Ted sans chercher à se mêler à cet autre être qu'il était, lui. J'étais prête. Mais je savais que rien ne pourrait arriver si Ted n'acceptait pas de changer la façon dont il envisageait notre relation. Malheureusement, il a toujours eu tendance à aimer les choses telles qu'elles sont, et j'avais beau retrouver une certaine estime de moi, je n'étais pas encore prête à me découvrir, à demander ce que je voulais – même après avoir compris que nous ne pourrions jamais atteindre autrement la véritable entente. *J'avais toujours l'impression de devoir faire ce qui lui plaisait à mes dépens*. Du fait de notre éducation, nous avons tous intériorisé le pouvoir subtil des rôles sexués et leur inégalité intrinsèque.

J'envoyais à Ted des messages discrets, de plus en plus souvent, et quand c'était en vain, je m'abrutissais d'alcool jusqu'à ce que ma colère disparaisse. S'il avait fait attention, il aurait réussi à deviner sous la surface lisse la femme qui se taisait, comme on voit apparaître une truite qui sort de derrière un rocher pour remonter vers l'oxygène. Mais Ted n'est pas un observateur très attentif, surtout si ce qu'il y a à trouver risque de troubler son eau. Et moi je n'avais pas la volonté de sauter hors de l'eau. Eternellement complice. Une voix me murmurait : *Tu ne peux pas continuer comme ça, Jane*, tandis qu'une autre (très puissante) chuchotait en même temps : *Peut-être vaut-il mieux ne pas faire tanguer trop violemment la barque. Ça va plutôt bien. C'est une belle vie, avec un homme formidable.*

Par respect pour Ted et ses enfants, je n'entrerais pas dans les détails de ce qui ne marchait pas entre nous. Très honnêtement, ce n'est pas nécessaire, et je vous ai déjà donné un aperçu des questions qui se posaient. En revanche, ce dont je *peux* vous parler (et qui a une portée universelle), c'est de mon attitude, de la façon dont je restais malgré tout paralysée dès que prendre la parole me semblait pouvoir mettre notre couple en danger. Et je *peux* aussi vous expliquer qu'il m'a fallu deux ans pour trouver le courage de le faire. Je n'avais pas craint d'aller au Nord-Viêtnam quand il s'agissait de lutter contre la guerre, de risquer ma vie, d'être rejetée par le public, de m'opposer à notre gouvernement lorsque je pensais qu'il avait tort, mais dans mon couple, je ne savais toujours pas élever la voix. *Et je ne dépendais même pas de lui financièrement !*

Nos déplacements incessants me pesaient de plus en plus. Je savais maintenant que ce qui avait semblé relativement facile et amusant au début, serait sans fin, que nous bougerions sans arrêt, comme des oiseaux migrateurs, faisant nos valises sans jamais les défaire complètement. Il n'y eut tout d'abord qu'une seule propriété en Argentine, où nous allions nous reposer et pêcher pendant une dizaine de jours alors que l'hiver régnait sur l'Amérique du Nord. Puis Ted en acheta deux autres et désormais nous passâmes là-bas aussi d'une maison à l'autre continuellement.

Je commençais à me sentir coupable de ne pas avoir envie d'aller pêcher tous les jours ou de ne pas aimer que chaque heure de ma journée soit ainsi programmée. J'aurais voulu parfois ne rien faire... lire, réfléchir. J'aurais voulu montrer à Ted le chemin dans lequel je m'étais engagée, et l'inviter à venir s'y promener avec moi, mais cela exigeait que l'on ralentisse, afin de retrouver ce que Marion Woodman appelle la « vitesse de l'âme ». Mais pour ceux qui ont l'habitude de s'agiter perpétuellement, retrouver la vitesse de l'âme équivaut à mourir. Quincy Jones a très bien décrit ce phénomène dans son autobiographie, *Quincy* :

« J'ai compris que depuis ma petite enfance j'avais toujours couru, mais que chaque fois je me heurtais à moi-même, venant d'une direction opposée, et que mon autre moi ne savait pas non plus où il allait. Je courais parce qu'il n'y avait rien derrière moi pour me soutenir. Je courais parce que je croyais qu'il n'y avait rien d'autre à faire, que l'immobilisme, c'était la mort. »

Je pensais que ce problème concernait surtout les hommes. Jusqu'à ce que je lise *Miss America by Day*, de Marilyn Van Derbur, ancienne Miss America. Violée par son père de huit à quinze ans, elle décrit de façon très émouvante la façon dont ceux qui ont été, enfants, victimes de sévices (abus sexuels, violence physique ou psychologique), doivent continuellement rester occupés et bouger afin d'éviter de sentir ce qui pourrait autrement remonter de leur passé. Ted voyageait pour échapper aux démons qui le poursuivaient. Je le comprenais, mais j'avais conscience que, loin de l'approfondissement dont je rêvais, notre vie n'était qu'une répétition perpétuelle d'activités organisées. Et depuis que le rideau s'était levé sur mon troisième acte, je voulais arrêter de *faire* afin de pouvoir *être* – ralentir et m'ouvrir. Ted ne le pouvait pas. Je crois en fait qu'il avait peur.

J'ai plongé dans la désolation silencieuse, disparu la plupart du temps dans le sommeil. Ted, étais-je en train de découvrir, pensait que pour trouver la véritable intimité, il suffisait de dire tout ce qu'on pensait à l'autre, ce qui, étant donné qu'il disait tout à tout le monde, était plutôt étrange. Et *écouter* ce que l'autre avait à dire ? Pas question. Je m'apercevais qu'avoir une conversation avec Ted était presque impossible, il n'écoutait que si je parlais de quelque chose qui le concernait directement. Il n'y avait tout simplement pas de place dans son cerveau pour les mots des autres. Et je le savais depuis longtemps, suffisamment de signaux d'alarme avaient clignoté au bord de notre route.

Le temps fuyait. Les couleurs passaient. La membrane translucide se reconstituait. Je me retrouvais de plus en plus souvent envahie par le ressentiment et je ne pouvais m'en ouvrir qu'auprès de mes plus proches amies. Je me disais : je ne veux plus vivre en surface, horizontalement, passer au-dessus des choses, c'est de verticalité dont j'ai besoin. Se déplacer à une telle vitesse ne laisse pas de temps à consacrer au domaine spirituel, au mystère, à l'existentiel.

Je lui demandais : « Qui es-tu Ted ? Qui es-tu vraiment, loin du succès, des applaudissements, des clameurs de la foule ? » Je tentais de m'expliquer en me servant de mon propre exemple : « Je fus cette actrice couronnée par des oscars, mais cela concernait seulement ce que je *faisais*, pas ce que je *suis*. Si j'avais *été* cela, il m'aurait été bien trop douloureux d'abandonner cette vie. » J'essayais de lui dire qui je pensais être : une femme arrivée au troisième acte qui voulait être vraie, entière, approfondir les choses et incarner l'âme qu'elle sentait flotter autour d'elle, attendant qu'on l'invite à entrer.

J'aime Ted et je l'aimerai toujours, et je savais que ce n'était pas par manque d'intelligence qu'il ne comprenait pas. Quoique si, d'une certaine manière : il s'agissait d'un manque d'intelligence affective dû aux traumatismes de son enfance.

Peut-être aurais-je pu supporter les déplacements constants, si il n'y avait pas eu ce qui, par ailleurs, me blessait tant. Si j'avais eu plus de temps pour moi. Et plus de temps à passer avec mes amies, mes enfants, ou au sein de mon organisation. Peut-être aurais-je été alors, quand je retrouvais Ted, dans un état d'esprit qui m'aurait permis de mieux accepter non seulement son agitation perpétuelle, mais le filet qu'il tend autour de lui. Car, dès que personne n'est là pour le regarder, il a peur de ne plus exister.

Puis quelque chose d'assez inattendu bouleversa ce paysage instable : le ravissement dans lequel me plongea l'idée d'être bientôt grand-mère. Lorsque Vanessa m'annonça qu'elle était enceinte, je sus que je devrais être à ses côtés, autant que je le pourrais. Ted avait toujours fait beaucoup d'efforts pour que nous nous rapprochions l'une de l'autre, l'invitant à voyager avec nous et lui offrant de mettre en œuvre ses talents en matière d'agriculture biologique dans sa plantation d'Avalon. Mais lorsque je lui dis qu'elle allait avoir un bébé et que je voulais passer le plus de temps possible avec elle, il entra dans une rage folle. Il devait sentir que mon attention se détournerait de lui un moment, je le compris, mais la violence de sa réaction me troubla.

Quand a approché la date prévue pour la naissance du bébé, j'ai annoncé à Ted que je voulais être avec eux pendant au moins dix jours. Bien qu'ayant alors fini par surmonter sa colère, il n'était pas content de me voir partir. Mais je devais être auprès de ma fille, la question ne se posait même pas. Et finalement Ted nous a fait la surprise de nous rejoindre le jour où est né mon petit-fils.

Vanessa avait voulu accoucher à la maison, dans la ferme de Ted à côté d'Atlanta, assistée d'une sage-femme. Lorsque nos enfants deviennent adultes, nous sommes censés le savoir, mais il est toujours impressionnant de voir qu'ils le sont devenus plus que nous. J'étais admirative devant la décision de Vanessa et la façon dont elle s'était organisée, avait trouvé la sage-femme (accoucher chez soi n'est pas interdit en Georgie) et prévu toutes les éventualités. Elle me passa des livres sur le sujet, nous regardâmes des vidéos prises chez des femmes qui avaient choisi elles aussi ce type d'accouchement ; je pris tristement conscience d'avoir, comme beaucoup d'autres, abandonné aux médecins tous mes droits sur cette expérience transformatrice par excellence. C'est ce que j'avais fait quand Vanessa était née, et pourtant, elle, elle savait comment prendre les choses en main – ce qui ne signifie pas que toutes les femmes doivent accoucher chez elles, mais qu'elles doivent pouvoir choisir librement, en connaissance de cause, où et comment elles veulent mettre leur enfant au monde. En cas de besoin, elle était inscrite dans un hôpital et nous nous étions entraînées à faire le trajet qui nous en séparait. Elle avait soigneusement mis au point un « projet de naissance », liste que la future mère remet aux médecins et aux infirmières établissant ce qu'elle accepte ou non qu'on leur fasse, à elle et à son bébé. Elle tenait absolument à ce que son bébé vienne au monde de façon naturelle, et interdisait qu'on le lui enlève ou qu'on le nourrisse au biberon.

Je suis restée quatre jours avec Vanessa et Malcolm. J'éprouvais de la fierté devant le courage dont ma fille avait fait preuve, et je lui étais reconnaissante de l'expérience que je vivais à ses côtés, en m'occupant de son bébé. Assise des heures dans un fauteuil à bascule pendant qu'elle dormait, Malcolm contre moi, je chantais les berceuses que j'avais apprises pour Vanessa trente ans plus tôt. Une douce brise de mai soulevait les housses des meubles de la véranda et, tout en contemplant les cornouillers et les azalées en fleurs devant le lac sur lequel deux cygnes paradaient, je me disais que jamais la vie ne pourrait être meilleure. Personne ne m'avait préparée aux sentiments qui m'ont envahie quand j'ai pris dans mes bras l'enfant de Vanessa. Je me suis retrouvée béante, comme jamais cela ne m'était arrivée. Malcolm m'a permis de trouver la combinaison du coffre-fort où mon cœur avait été si longtemps enfermé. Des vagues m'emportaient, me purifiaient, me roulaient vers une sorte d'intimité si intense que jamais je ne reviendrais là d'où je venais. Peut-être Ted avait-il su qu'il en serait ainsi et peut-être était-ce ce qui l'avait tant contrarié lorsqu'il avait appris que j'allais devenir grand-mère.

A la naissance de Malcolm, le phénix qui attendait depuis dix ans s'est élevé de ses cendres : avec lui je suis née une nouvelle fois. Je savais maintenant qu'il me fallait trouver le courage de demander à Ted ce dont j'avais besoin pour continuer de vivre avec lui. A l'époque, cela me semblait énorme et difficile, mais a posteriori, je me rends compte que c'était tout à fait raisonnable, banal même. Je savais que si je ne parlais pas, je finirais ma vie en femme mariée, certes, mais pleine de rêves inassouvis et de regrets – exactement ce que je m'étais juré de ne pas faire. Mentir n'arrange aucune histoire d'amour, et soutenir l'autre est aussi nécessaire au couple que prendre soin de l'environnement l'est à la planète.

Puis, un jour où les affaires de Ted nous avaient conduits à Los Angeles, je suis allée voir ma psy. « A toi de choisir Jane, m'a-t-elle dit. Tu aimes les défis, en voici un. Relève-le. Fais preuve de courage, quels que soient les risques. Demande à Ted de t'accompagner sur le chemin que tu as pris. »

J'avais parfaitement conscience d'avoir vécu plus longtemps qu'il ne me restait à vivre et qu'il fallait me réveiller. Peut-être Ted avait-il envie lui aussi de prendre une nouvelle voie, mais sans savoir comment. *Peut-être suis-je supposée le faire... pour nous deux. Et je l'aime suffisamment pour essayer.*

C'était le mois de juin, dans le Montana. Nous nous étions levés tôt. Le soleil pointait à peine derrière les sommets des Spanish Peaks, mais l'air déjà brûlant tremblait sur les champs endormis, annonçant une journée étouffante. Il m'avait fallu deux ans pour trouver le courage de faire ce que j'allais faire.

Nous avons pris nos affaires de pêche et alors que nous roulions sur la route cahoteuse vers son coin favori de Cherry Creek, je me suis lancée : « J'ai peur, Ted. J'ai l'impression que je ne sens plus rien. Il faut que ça change, j'en ai besoin. Autrement je ne crois pas que j'arriverais à être à la hauteur de ce que tu me demandes. » Et j'ai énuméré tout ce que je croyais nécessaire que nous tentions. Je ne me souviens pas de ce qu'il a répondu, seulement des vibrations discordantes et confuses qui ont envahi la voiture. Il était en colère, ça au moins, je m'en suis rendu compte.

Lorsque nous sommes arrivés à la rivière, il a dit : « Allons pêcher, nous parlerons plus tard. »

Comme d'habitude, nous sommes partis chacun de notre côté mais j'avais beau essayer de me concentrer sur les poissons, mon cœur tambourinait. Oh ! mon Dieu, pensais-je. Et s'il refuse ? Pendant presque neuf ans, j'ai, pour lui plaire, caché au fond de moi une part fondamentale de mon être et maintenant je la lui montre. Et si... Non, ce serait trop horrible. Pendant un instant, j'ai imaginé notre couple plonger, comme ma mouche disparaissait, emportée par le courant.

Dès que nous sommes repartis, j'ai su que les choses n'allaient pas se passer comme je l'avais espéré. Il n'avait pas retrouvé son calme. La colère bouillait toujours en lui, le déchirait, et je n'avais aucune prise pour l'apaiser, lui expliquer ce que je ressentais profondément. J'aurais dû m'y attendre. Comme cela arrive souvent à ceux qui n'osent pas dire les choses, j'avais tout mis d'un seul coup sur le tapis, et c'était trop pour lui. Une fois au ranch, il s'est tapé la tête et les poings contre les murs. J'étais abasourdie, mais je l'ai regardé faire avec un certain détachement. *Il fallait que j'agisse, et cette fois je ne vais pas « arranger » ça en me rétractant.* Ce matin-là, je m'étais dégagée du joug qui m'avait asservie pratiquement toute ma vie. Je ne pouvais pas faire marche arrière. Je regardais Ted avec détachement, mais en même temps j'avais la sensation de tomber en chute libre, de traverser ce vide que les acteurs connaissent au moment où ils entrent dans la peau d'un nouveau personnage. Mais il s'agissait de *ma vie*, le chemin n'était pas balisé.

Au cours des mois suivants, j'ai essayé de faire comprendre mon point de vue à Ted. Mais quelque chose s'était bloqué, il était enfermé derrière le mur de ses émotions et ne pouvait m'entendre. Je n'en revenais pas. Je savais qu'il m'aimait et qu'être avec moi comptait plus pour lui que les choses que je lui avais demandé d'essayer de changer. *D'essayer* ! Je n'avais rien exigé, pas un seul « jamais plus ». Et pourtant notre vie semblait s'écrouler sous mes yeux. *Est-il possible que son identité masculine soit si inextricablement liée à son système de vie qu'il préfère me perdre mais que rien ne change ?*

Un autre facteur déstabilisant entrait en jeu, lui faisant penser que j'avais perdu la tête. Il avait appris que je m'étais convertie. Si l'on se souvient que Ted détestait être mis devant le fait accompli, le coup était énorme

Quelques mois plus tôt, mon amie Nancy McGuirk m'avait fait « franchir le pas ». Je n'en avais pas parlé à Ted avant, car je savais qu'il ne comprendrait pas. Parallèlement à la vie frénétique que nous menions ensemble, j'en avais une autre, plus intérieure, qui répondait à mes aspirations personnelles. J'avais l'habitude d'agir ainsi.

Je savais aussi que si je discutais avec lui de mon besoin de spiritualité, il me demanderait de choisir entre lui et la religion, ou me forcerait simplement à renoncer. Or ce que je vivais dans ce domaine était trop nouveau pour moi, me mettait trop à vif. D'autre part, ce n'était pas pour rien qu'il avait dirigé les débats entre étudiants à l'université. Jamais je n'aurais pu résister à ses violentes attaques contre le christianisme, d'autant que j'étais d'accord avec lui sur de nombreux points. *Est-ce que tu ne sais pas que le christianisme, comme l'islam, le judaïsme ou l'hindouisme dit que les femmes sont inférieures aux hommes ? Et qu'est-ce que tu penses du mythe du jardin d'Eden ? De la femme créée, parce qu'il manquait quelque chose, à partir de la côte d'Adam, pour le servir ? Et à cause de qui ils furent chassés du paradis ? Et les sorcières brûlées ? Les croisades ? L'inquisition ?* Son discours était prêt. Il connaissait la bible beaucoup mieux que moi, l'avait lue deux fois en entier, avait été « sauvé » sept fois (dont une par le Révérend Billy Graham). Il avait même, quand il était jeune, envisagé la prêtrise, avant que sa sœur ne meure du lupus dans une longue et horrible agonie et qu'alors il se détourne de Dieu.

Je sais maintenant que ne pas le lui dire fut de ma part profondément injuste. Mais je me sentais perdue et vide. Il fallait que je me remplisse. J'ai appelé ça la foi chrétienne, parce que c'est ma culture. Je me suis mise à prier tous les jours, à voix haute, agenouillée, bref, j'étais accro au pouvoir du Mystère par lequel je me sentais « conduite » depuis dix ans. Je n'apprenais pas à connaître Dieu, apprendre implique une opération intellectuelle. Je faisais l'expérience de Sa présence, une lucidité mentale située au-delà de la conscience.

Il ne me fallut cependant pas longtemps pour me heurter à une certaine orthodoxie fondamentaliste et patriarcale que je trouvais difficile à accepter. J'en reparlerai dans le prochain chapitre. Mais j'ai découvert que refuser le dogme ne signifie pas perdre la foi.

La rage et le stress qui se sont emparés de Ted pendant les six mois qui ont suivi l'ont presque anéanti. Marilyn Van Derbur m'a donné un aperçu de ce genre de fonctionnement en décrivant dans *Miss America by Day* l'effet des traumatismes subis pendant son enfance : « J'avais le cerveau littéralement électrifié, mon niveau de stress faisait exploser toute échelle de un à dix et approchait plutôt les cinquante. Si quelqu'un m'humiliait, il m'était impossible de gérer ce surcroît d'angoisse, et je devenais folle. » Il y avait eu trop de violence, d'instabilité, de peur dans la jeunesse de Ted. Tous ceux qui le connaissent savent qu'il réagit au stress de façon presque aussi terrible que s'il était atteint de troubles post-traumatiques. En voulant changer les termes de notre relation et en me convertissant à la religion, j'avais touché son point faible. Ce double camouflet avait déclenché en lui une rage incontrôlable.

Ted répétait qu'il n'était pas normal de vouloir changer à soixante ans passés. Je lui répondais que je croyais dangereux de ne pas le faire. Si j'étais devenue plus forte qu'avant, ce n'était pas son cas, et il avait pris ce que je lui avais dit comme une gifle qu'il ne pouvait pas se permettre de laisser passer. Peut-être était-il trop investi dans l'idée qu'il s'était faite de moi : une femme qui n'exprimait ses aspirations que si elles ne le menaçaient pas et qui ne placerait jamais un autre amour – celui qu'elle pouvait éprouver pour elle-même, ses enfants, ses petits-enfants, ses amis ou le Christ – plus haut ou même aussi haut que celui qu'elle éprouvait pour lui.

Je m'étais lancée pleine d'espoir. Je savais qu'après un certain âge, lorsque le taux de testostérone diminue, d'autres hommes aussi brillants que lui et ayant aussi bien réussi changeaient, ralentissaient, ouvraient leur cœur et n'avaient plus autant besoin d'être performants. J'avais l'impression qu'il m'aimait assez pour au moins *essayer*. Il a d'ailleurs à un moment dit qu'il le ferait. Pendant des mois, je fus au paradis. Je ne voulais plus m'oublier ; je voulais que le plaisir sexuel naisse d'une qualité de relation – regards et âmes soudés – où tout n'était pas toujours prévu à l'avance pour que ça se passe bien. Ted se satisfaisait d'une sexualité performative. Ce que je craignais le plus – retrouver ma voix et perdre mon homme – arrivait. Je n'avais pas imaginé que l'histoire se finirait comme ça. Nous ne voyons que ce que nous avons besoin de voir en l'autre, et lorsque les besoins changent, nous essayons de voir autre chose. Les problèmes arrivent lorsque ce que nous voulons et ce que nous voyons ne correspond pas à ce que l'autre veut et à ce qu'il voit. Cela ne veut pas dire qu'il a tort. Mais simplement qu'il a envie d'autre chose. Mon bonheur fut de courte durée car Ted dépérissait, et je le voyais. De toute évidence il ne pourrait pas (ou ne voulait pas) poursuivre le voyage avec moi. Nous avons décidé de nous séparer.

J'ai découvert ensuite qu'au moment même où il me disait qu'il allait essayer de vivre différemment, Ted en est revenu à son vieil adage : « Espère que tout ira bien et prépare-toi au pire. » Pendant la dernière année que nous avons passée ensemble, il s'est cherché une autre femme. C'est pour cela qu'il allait si mal : il souffrait de ses mensonges. Lorsque nous nous sommes quittés, trois jours après être entrés dans le troisième millénaire, il m'a déposée en avion à Atlanta. Tandis que je repartais en voiture chez Vanessa, une autre femme, sous le hangar, montait dans son jet privé. La place était toute chaude.

CHAPITRE DEUX

AVANCER

Cela commence avec la prise de conscience qu'un travail,
une étape de la vie ou une relation a pris fin
et qu'il faut l'accepter.
Il faut croire en l'avenir, savoir que toute porte de sortie
donne sur quelque chose, et que nous avançons plus
que nous ne nous en allons.

Ellen GOODMAN.

J'avais soixante-deux ans, j'étais seule, je vivais chez ma fille. Mais je ne me sentais pas du tout comme onze ans plus tôt, quand j'avais quitté Tom. Je ne me sentais pas seule, car je ne l'étais pas. J'étais avec moi, pour la première fois, et fière de ne pas avoir capitulé devant la peur. Qu'est-ce que ça pouvait faire qu'il m'ait fallu tant de temps ? Le principal était d'y être arrivée.

Je suis restée quinze jours seule avec Roxy, mon golden retriever. Vanessa était allée à Paris avec Malcolm, maintenant âgé de huit mois, voir Vadim qui se battait depuis trois ans contre un cancer. Devant l'inquiétude et le chagrin de ma fille, j'étais heureuse que ma nouvelle situation me permette d'être à sa disposition dès qu'elle aurait besoin de moi.

Nous n'étions, ni Roxy ni moi, habitués à un tel calme. La voix tonitruante de Ted et sa constante agitation faisaient place à un silence assourdissant. J'avais voulu la tranquillité. Je l'avais. Mes amis se demandaient si j'allais souffrir de « luxurium tremens » (nom donné par le chanteur James Taylor à ce qui peut se passer lorsqu'une vie de luxe s'interrompt brutalement). Non. Je trouvais la transition plutôt drôle. J'étais passée d'un royaume composé de vingt-six grands duchés entre lesquels je voyageais en jet privé à une petite chambre d'amis sans armoire dans une modeste maison d'un quartier charmant mais pas vraiment chic d'Atlanta.

Plus que la colère, c'était une sensation de perte qui m'envahissait – non pas de notre relation, mais de ce que j'avais espéré qu'elle deviendrait. La colère est arrivée plus tard, quand, par bribes déchirantes, j'ai découvert que Ted m'avait cherché une remplaçante au moment où je me réjouissais de ce que je croyais être de sa part une acceptation de la monogamie. Je lui ai écrit pendant environ un mois des lettres pleines de rage et de douleur. Heureusement, je ne les ai jamais envoyées. (Le temps et la réflexion apaisent. Mieux vaut ne pas laisser derrière soi les preuves d'un moment de folie.)

Vanessa et Malcolm sont rentrés à Atlanta. Dans la paisible petite maison de ma fille, nous parlions ensemble de pères et de maris, de mariage et de divorce. Mais quand il est devenu certain que Vadim n'avait plus beaucoup de temps à vivre, elle est vite repartie, tandis que je restais à Atlanta avec Malcolm. Je me sentais reliée à ce petit garçon comme je ne l'avais jamais été à personne. Il m'apprenait à aimer. Je m'allongeais sur le lit et il s'endormait en travers de moi (sa position favorite), son nez dans mon oreille droite, ses orteils dans mon oreille gauche, et je ressentais une complétude absolue. Plus grand, Malcolm prit l'habitude de me tenir le visage à deux mains en disant : « J'taim, G'andmè. »

Ce fut une période très difficile pour Vanessa. Non seulement son père, qu'elle adorait, était en train de mourir, mais elle se retrouvait pour la première fois loin de son fils. Elle l'avait toujours nourri au sein, mais quand je le lui ramenai à Paris, la précieuse source s'était tarie. Je suis restée en France un moment, parce que je voulais voir Vadim une dernière fois, et pour aider Vanessa. Elle passait ses journées auprès de son père, se relayant à son chevet avec Hélène, la sœur de Vadim, et accueillant ses proches, ses amis, ses ex-femmes et leurs compagnons qui venaient le voir. Je m'étais séparée de Ted juste à temps pour être cette fois totalement disponible quand Vanessa en avait besoin, et retrouver cette famille qui était devenue la mienne par mon premier mariage.

Je me suis souvenue d'une chose que Katharine Hepburn m'avait dite pendant le tournage de *La Maison du lac* : « Ne t'y trompe pas, Jane, ce sont les femmes qui choisissent leurs hommes et non l'inverse. » Si c'est vrai (et j'aimerais que cela le soit), alors, au bout du compte, je crois les avoir bien choisis ; j'ai appris et grandi avec Vadim, Tom et Ted (quelquefois grâce à eux, quelquefois malgré eux) et je leur en suis reconnaissante. Il faut dire aussi que, loin de ne constituer qu'un échec, chacun de mes divorces, aussi douloureux qu'il ait été sur le moment, m'a permis d'avancer, m'a donné la possibilité de me redéfinir – d'une façon presque semblable à ce qui se passe pour une plante que l'on rempote quand ses racines manquent de place.

J'aurais aimé, évidemment, ne me marier qu'une fois, avec un homme capable de se redéfinir lui aussi en cours de route, ce qui nous aurait permis d'accomplir tout le voyage ensemble, mais se redéfinir est généralement très difficile pour les hommes, car le système patriarcal fait qu'ils n'en ont pas besoin. Etant donné ce que mes parents ont vécu, puis le chemin que j'ai pris, un long compagnonnage n'était pas mon destin. Je me console en me disant que si je devais encore choisir, ce serait pour moins longtemps.

Pendant les différentes périodes de transition que j'ai traversées, des gens et des livres ont souvent surgi comme des miracles, m'ont enseigné ce que j'avais besoin d'apprendre. Au cours des derniers mois de ma vie avec Ted, alors que je luttais pour donner un sens à mon imminente séparation d'avec un homme que j'aimais, j'ai lu *In a Different Voice* de la psychologue féministe Carol Gilligan. Elle explique dès les premières pages que les femmes « sentent souvent qu'il est dangereux de dire ou même de savoir ce qu'elles veulent ou ce qu'elles pensent – car cela contrarie les autres et porte en soi la menace d'un abandon... » *Exactement ce que j'avais connu.* Gilligan décrit ensuite les conséquences néfastes de ce sentiment : « Justifier ce processus psychologique (celui par lequel on se réduit soi-même au silence) au nom de l'amour ou du lien, c'est exactement comme justifier la violence et la profanation au nom de la morale. »

Si j'avais été un personnage de bande dessinée, vous auriez pu alors lire dans les phylactères au-dessus de ma tête : « Oh ! mon Dieu ! », « Maintenant je comprends », « Ah ! c'est pour ça ! ». Je m'aperçus que les problèmes que j'avais affrontés dans mon mariage n'étaient pas exclusivement les miens, mais également ceux d'autres femmes. Et ils étaient suffisamment importants pour qu'une psychologue comme Gilligan (et bien d'autres auteurs que j'ai lus ensuite) les étudie. D'autres ouvrages avaient marqué mon parcours – *The Village of Ben Suc* ou *L'Autobiographie de Malcolm X*, pour ne citer qu'eux –, mais celui-ci traitait de ce que moi, j'avais vécu. J'étais comme quelqu'un qui y voit mal et qui met des lunettes correctrices pour la première fois (ou qui enlève soudain les vieilles lunettes déformantes du système patriarcal). Le monde entier m'apparaissait sous un jour différent – qui éclairait et me permettait de comprendre non seulement bien des événements de ma vie, mais aussi de celle de ma mère. Je ne sais pas si une autre que moi pourrait réagir de façon aussi viscérale à cette lecture, mais en ce qui me concernait, c'était le bon moment. J'étais prête. Je n'aurais pas, avant, pu accepter tout ce qu'implique ce qu'écrit Gilligan. Je me serais plus inquiétée de ne pas faire chavirer le bateau de Ted que de barrer le mien.

« Lorsque les femmes, dit-elle à la deuxième page de son livre, ne parlent pas ou plus exactement se dissocient de ce qu'elles ont à dire, cela peut correspondre à un choix délibéré ou involontaire, conscient ou somatisé par le rétrécissement du passage qui relie la voix au souffle et au son ; ce rétrécissement maintient la voix haut perchée et la rend incapable de porter en elle les profondeurs de l'âme humaine... »

Cette phrase m'a atteinte de plein fouet, avec une telle force qu'un cri m'a échappé au souvenir de mes jeunes années d'actrice – celles d'*Un Dimanche à New York*, de *Chaque mercredi* ou de *La Tête à l'envers* – et du filet de voix aiguë que j'avais alors. Seule dans la maison de Vanessa, j'ai regardé tous mes films par ordre chronologique et put suivre à la trace mon évolution par celle de ma voix : plus je devenais moi-même, plus ma voix se posait. Cela a commencé avec *Klute*, qui correspond à l'époque où je me suis dite féministe pour la première fois, et qui m'a valu mon premier oscar. Je jouais mieux qu'avant et ma voix se faisait plus profonde, car je commençais à réintégrer mon corps.

Le changement peut venir du dedans mais aussi de l'extérieur. Le téléphone a sonné tard un soir, début de 2002, alors que Vanessa était encore à Paris. C'était Paula Weinstein, qui m'appelait de Californie. Richard et Lili Fini Zanuck, qui produisaient cette année-là le show des Academy Awards, voulaient que j'y participe en tant que présentatrice.

« Je ne peux pas, Paula, ai-je dit. Je ne suis plus dans la profession.

— Aucune importance, a répondu ma meilleure amie, qui semble ne pas réussir à se rappeler qu'elle n'est plus mon agent. Ça te fera du bien. »

J'ai essayé d'argumenter, mais elle n'a rien voulu savoir. J'ai fini par plier. « Bon, d'accord. J'irai. J'ai une très jolie robe que j'ai achetée il y a quatre ans et qui me va encore.

— Pas question ! a hurlé Paula. Vera Wang va en créer une spécialement pour toi, et Sally Hersshberger te coiffera. Un point c'est tout. On ne discute pas. »

C'est quand même bien d'avoir des amis obstinés.

Comme l'a dit la psychologue Marion Woodman : « Quand on change de coiffure, cela signifie généralement que l'on est en train de changer de mode de pensée. » Grâce à Paula, j'ai eu une nouvelle coupe de cheveux assortie à mes nouvelles idées.

Au cours de ces premiers mois de solitude, a eu lieu un autre événement, riche de conséquences. Mon amie Pat Mitchell m'a demandé d'interpréter une partie des *Monologues du vagin* d'Eve Ensler. J'avais rencontré Pat quand elle était présidente de CNN Productions and Time Inc. (Elle venait d'être nommée à la tête de PBS.)

Je n'avais pas joué depuis onze ans et pas très envie de recommencer, mais j'ai demandé à Pat de m'envoyer la pièce. J'ai lu une page du monologue qu'elles me destinaient (intitulé « Con ») et rappelé Pat.

« Ce n'est pas possible, lui ai-je dit. J'ai suffisamment de problèmes comme ça. Jane "Pro-Hanoi" en train de dire le mot "con" sur une scène d'Atlanta, ça ferait un peu trop, non ? Je crois qu'il vaut mieux oublier ça. » Mais comme d'habitude, Pat ne s'est pas laissée décourager – non qu'elle ait insisté pour que j'accepte le rôle, mais elle tenait à ce que je rencontre Eve Ensler. Cette dernière était à New York où elle jouait elle-même sa pièce et Pat a tenu à ce que j'y assiste afin de m'en faire une idée par moi-même. « Crois-moi, Jane. Il faut que tu y ailles. »

Alors j'y suis allée.

Je ne savais pas du tout à quoi m'attendre. Mais alors que j'écoutais Eve dire les monologues qu'elle avait écrits d'après des interviews pendant lesquelles elle avait fait parler des femmes de leur vagin, j'ai senti que quelque chose se passait en moi. Je ne me souviens pas avoir ri si fort ou autant pleuré au théâtre, mais, probablement pendant que je riais, ma conscience féministe a quitté mes pensées pour siéger à l'intérieur de mon corps – où elle vit depuis.

Jusque-là j'avais été féministe en ce sens que j'interprétais au cinéma des rôles qui reposaient sur la question du genre, lisais tout ce qui s'y rapportait, soutenais les femmes et les aidais à rester en forme. Seulement tout était dans la tête. Je croyais que mon cœur – et mon corps – suivait le mouvement, mais ce n'était pas vrai. En tout cas pas totalement. Je n'y arrivais pas. J'avais trop peur. Cela voulait dire que je devais faire autre chose de ma *vie*. Autant sauter sans filet d'une falaise.

Les fans de *Ailleurs et demain*, le chef-d'œuvre de science-fiction qu'a écrit Robert Heinlein, savent ce que signifie le mot *grok* : c'est une compréhension si complète d'un phénomène, et à tous les niveaux – spirituel, intellectuel, corporel, psychique – que l'on finit pas ne faire qu'un avec ce phénomène, et par se fondre en lui. Ce que j'ai vécu quand j'ai vu *Les Monologues du vagin* ne peut se décrire qu'en terme de féminisme « grokant ».

J'ai aimé Eve Ensler dès le premier soir et elle compte toujours beaucoup pour moi. Battue et violée par son père pendant des années, elle est une force de la nature, quelqu'un qui, grâce à un travail acharné, s'est élevée, lumineuse et pure, au-dessus des flammes de l'injustice et de la douleur, et son désir de voir cesser un jour les violences contre les femmes est contagieux. Elle s'est servie de sa pièce pour lancer une campagne mondiale et son organisation V-Day : Until the Violence Stops a réuni plus de vingt-six millions de dollars, plus que la totalité de ce que le gouvernement américain a dépensé pour enrayer cette pandémie. Je fais partie du Conseil de l'association et je suis souvent allée à l'étranger avec Eve pour l'aider à mettre en place un mouvement de lutte international contre les violences faites aux femmes.

En dehors de la présentation des oscars et de la soirée de révélation que fut pour moi le spectacle des *Monologues du vagin*, ma vie débrayait, trouvait la vitesse de l'âme, exactement comme je l'avais rêvé. La maison de ma fille était le ventre où j'étais enceinte de moi-même, où j'entrais dans ce que le docteur Susan Blumenthal m'a décrit comme « l'enfance d'un second âge adulte ». J'avais une sensation de justesse, comme lorsque l'on réceptionne une balle de tennis dans la zone de frappe idéale. Cela se faisait à petits pas qui s'additionnaient les uns aux autres, et que je n'aurais peut-être pas remarqués si je n'y avais pas fait autant attention, si je ne m'étais pas concentrée sur ce qui se passait. Je sais aussi que sans homme (et sans peur d'être sans homme), mais entourée d'amies chaleureuses, courageuses et disponibles, je pus enlever mes œillères et commencer à voir, ce qui m'entraîna à repenser des problèmes de base que jusque-là je ne pouvais discerner – par exemple le fait que les femmes ne mènent pas leur vie sur les mêmes critères que les hommes : elles écoutent leur cœur, essayent de refléter l'humanité de l'autre.

Ne croyez pas que j'étais tout à fait consciente de ce qui m'arrivait. C'était comme une lente descente au centre de mon être. Mes relations avec les gens ont commencé à changer. Je n'agissais plus de façon réactionnelle (ce qui est très étonnant, quand on a eu toute sa vie ce mode de fonctionnement), j'étais détachée et pourtant affectivement plus ouverte qu'avant. L'espace qui s'étendait entre moi et mes interlocuteurs semblait rempli d'une nouvelle énergie vibrant d'autant plus intensément que je me sentais connectée aux autres femmes. « Avant », en allant à une fête, je me serais demandé : *Est-ce qu'ils vont m'aimer ? Est-ce que je suis assez jolie ? Assez intéressante ?* Maintenant, quand j'arrivais dans une réception, je me disais : *Est-ce que j'ai vraiment envie d'être ici ? Y a-t-il quelqu'un avec qui je veuille communiquer ?*

Au bout d'un mois ou deux, Vanessa m'a fait comprendre qu'il était temps de songer à m'installer ailleurs. Je n'avais plus de maison, j'avais vendu la mienne afin de faire ma vie avec Ted. Dès que j'avais compris que nous allions nous séparer, je m'étais demandé où je voulais vivre. Et il ne m'avait pas fallu plus de trois secondes pour savoir que c'était à Atlanta. Cette certitude avait été si soudaine que je n'en revenais pas moi-même. (Beaucoup de mes amis de New York et de Californie ont eux aussi trouvé ce choix étrange.) Mais un moment vient où l'on a besoin de prendre racine. Pourquoi pas à Atlanta ? J'avais soixante-deux ans. Vanessa, Malcolm et Lulu vivaient maintenant tous dans cette ville ; je m'étais fait de bons amis en Georgie ; j'étais très impliquée dans le travail que la Campagne de prévention contre les grossesses précoces accomplissait dans les écoles et auprès des jeunes parents, et je ressentais le besoin d'y participer de façon plus personnelle. J'en avais assez de bouger. Et j'aimais le caractère tchékovien que la nature prenait dans le Sud, la lenteur, le plaisir de la conversation pour la conversation, la convivialité et l'humour, les plaisanteries que l'on se repasse de génération en génération et que l'on savoure toujours comme pour la première fois, l'acceptation des particularités de chacun. Et où d'autre traite-t-on la pluie d'étrangleuse de grenouille, où dit-on, quand on est déprimé, que l'on se sent plus mal qu'une cane enceinte ?

Mais il y a autre chose qui contribue à mon amour pour le Sud. J'ai presque toujours vécu dans des villes côtières sophistiquées et relativement privilégiées, comme New York ou Los Angeles. J'avais pris conscience des critiques émises contre le caractère élitiste de ces endroits totalement coupés du reste de l'Amérique. De même qu'il m'avait fallu aller en France pour comprendre les Etats-Unis, j'ai eu besoin d'être en Georgie pour m'apercevoir que ces critiques étaient au moins en partie vraies. Et j'ai aussi compris une chose qui excite la vieille militante que je suis : ce que vous pouvez faire changer dans le Sud peut l'être partout ailleurs. La réalité y est plus présente – le monde n'est pas magnifié comme à Hollywood, et vous n'êtes pas, comme là-bas, au-dessus de la mêlée. L'Histoire se rappelle à vous, probablement parce que la guerre civile a ensanglanté les sols et l'âme de cette terre d'une manière qui ne pourra jamais être effacée ni totalement comprise par les habitants du Nord ou de la côte Ouest.

J'ai donc commencé une nouvelle vie en solo, sudiste au cheveux courts, ne sachant pas très bien où cette route moins empruntée me conduirait, mais certaine d'avoir fait le bon choix.

CHAPITRE TROIS

QUITTER LA MAISON DE MON PÈRE

O c'est lui, l'animal qui n'existe pas.
Eux n'en savaient rien, n'importe – sa démarche,
son maintien, son encolure, et la lumière
aussi du calme regard –, ils l'ont aimé.
Il n'était pas, non. Mais parce qu'ils l'aimaient,
il y eut un animal pur. Dans l'espace,
réservé et clair, qu'ils lui laissaient toujours,
tout à l'aise il levait la tête et sans presque
besoin d'être. Ils le nourrissaient non de grain,
mais de possibilité, d'elle seule,
qu'il soit. Et l'animal en prit tant de force
qu'une corne à son front jaillit. Unicorne.
D'une jeune vierge il s'approcha, tout blanc
et fut en son miroir d'argent et en elle.

Rainer Maria RILKE, extrait des *Sonnets à Orphée*, II, 4.

J'ai toute ma vie été la fille de mon père, piégée dans une tragédie grecque, comme Athena qui sortit toute faite de la tête de Zeus – obéissante, disciplinée. Dès l'enfance, j'ai appris que pour être aimée, il fallait être parfaite. Pendant mon adolescence, mon sentiment d'imperfection s'est cristallisé sur mon apparence extérieure, et j'ai abandonné mon pauvre corps si loyal pour ne plus vivre que dans ma tête. Que vous soyez homme ou femme, la dualité corps et cœur d'un côté, esprit de l'autre, vous empêche toujours de vous réaliser en tant qu'être humain complet. Elle laisse votre âme sans demeure. Dans la maison des Pères, il n'y a pas de place pour l'âme.

Je n'utilise pas ici le mot « père » dans son sens biologique mais métaphorique. Lorsque je parle de la maison des Pères, c'est de celle des patriarches – celle où je n'existais qu'à travers le regard des hommes, en me conformant à ce qu'ils voulaient à un niveau profond et invisible (tout en donnant l'impression que cela restait superficiel et apparent) et, ce faisant, en livrant une part de moi-même à un monde qui sépare la tête du cœur, rend l'empathie (pour soi-même et les autres) impossible et fait des hommes et des femmes, des garçons et des filles, des êtres moins humains qu'ils ne le sont naturellement.

Ne vous méprenez pas – j'aime les hommes. Si je ne suis pas devenue féministe plus tôt, c'est entre autres parce que je croyais à tort que cela m'obligerait à les attaquer. En fait, mieux je comprenais la nature de la maison des Pères, plus j'aimais les hommes, car cela me permettait de voir comment ses cloisons empoisonnées les déshumanisent eux aussi.

Le voyage parcouru depuis la maison des Pères a été un long avènement. Je ne savais pas, lorsque j'ai commencé à écrire ce livre il y a maintenant presque cinq ans, que j'arriverai où j'en suis, ni exactement où j'espérais me rendre.

De nombreux réajustements ont eu lieu et continueront d'avoir lieu jusqu'à ce que mon esprit incarné, unicorne du poème de Rilke, arrive à se manifester. En l'absence de perfection, le voyage a dû commencer comme chez le poète dans « l'espace réservé et clair » que l'amour laisse toujours – l'amour de soi. Celui qui m'a permis de m'accepter et de penser pouvoir aller au-delà de la femme désincarnée, définie par les hommes, d'arriver à une foi si forte en « la possibilité » d'être que l'unicorne – mon esprit incarné – « tout à l'aise... levait la tête et sans presque besoin d'être ». Les expériences transformatrices que nous vivons sont parfois tellement insaisissables que seule la métaphore nous permet d'en capturer l'essence.

Deux accessoires peu poétiques m'encombraient encore lorsque j'ai entamé la troisième partie de mon voyage : mes seins siliconés. Il est difficile se glisser hors de la maison des Pères avec des implants mammaires. Peu après m'être séparée de Ted, j'ai ressenti un besoin impérieux de me les faire enlever. Ces faux appendices me rappelaient la triste erreur d'une femme égarée.

Plusieurs médecins – des hommes – m'affirmèrent que l'on ne pouvait pas revenir en arrière, jusqu'à ce qu'une de mes amies, qui l'avait fait, m'adresse à une chirurgienne. Cette dernière m'expliqua qu'il arrive souvent que des femmes d'un certain âge – qui ont trouvé leur moi authentique et n'ont plus besoin de se définir par leur apparence – demandent cette opération.

Lorsqu'il me vit pour la première fois sans mes implants, Troy s'exclama : « Oh Maman ! Tu as retrouvé tes proportions normales ! » C'était vrai, et à bien des égards.

La psychologue Marion Woodman dit que le corps est le « calice de l'Esprit » et que s'il n'y a pas d'Esprit, on risque de vouloir le remplir à coups d'addictions. J'avais arrêté de me goinfrer et de vomir après quarante ans, mais sans vraiment guérir. Comme un alcoolique qui ne boit plus mais reste un alcoolique. J'ai maintenant l'impression d'avoir trouvé la nourriture spirituelle qui apaise ce qui a toujours été une faim spirituelle, et de ne plus être du tout boulimique. Et j'ai arrêté de boire. Comme ceci est mon troisième acte, s'il y a bien une chose dont je suis certaine, c'est de vouloir le vivre en pleine conscience – remplacer les spiritueux par l'Esprit.

Peut-être vous demandez-vous comment je peux dire avoir quitté les structures hiérarchiques et patriarcales de la maison des Pères si ce ne fut que pour mieux me retourner et me glisser dans la structure hiérarchique et patriarcale du christianisme. C'est une question que je me suis moi-même posée.

Toujours prête à me donner à fond à ce que j'entreprends, lorsque je me suis lancée dans cette partie de mon voyage – celle qui concerne l'âme – je me suis impliquée dans ce que j'ai trouvé. Mais tandis que je suivais consciencieusement mes cours hebdomadaires de religion, je sentis ma piété diminuer et j'eus peur. Comment retrouver ce qui avait d'abord été une intense expérience personnelle ? J'ai rencontré des gens extraordinaires, enthousiasmants, qui vivaient de façon ouverte leur foi chrétienne.

Pourtant d'autres me montrèrent du doigt et me demandèrent : « Comment avez-vous pu prendre la parole dans une manifestation en faveur de l'avortement libre ? ». Ils exigeaient de savoir quelle était ma position sur telle ou telle question. Lorsque je parlais à un journaliste du mal que j'avais à croire que tous les non-chrétiens puissent aller en enfer, il me répondit : « Ah ah ! Vous êtes une universaliste, alors ? » Tiens, c'était une bonne idée. Tant de sang a été versé et tant de persécutions perpétrées à travers les siècles au nom de la religion, que nous pourrions peut-être maintenant nous montrer tolérants, non ? Prétendre que seul le chemin indiqué par le Christ peut nous sauver, me semblait de l'impérialisme. *Peut-être n'est-ce pas la maison spirituelle que je cherche.*

Pour moi, la religion n'est pas une affaire de dogmes et de traditions. Elle doit être une expérience spirituelle, et il m'est impossible de vivre cette expérience dans la mesure où je ne peux accepter la façon dont le judéo-christianisme place l'homme au centre de la création et donne à la femme (Eve, tirée de la côte d'Adam) un rôle secondaire et accessoire. Pas plus que je ne peux accepter que le poids de la faute originelle repose entièrement sur les femmes, affirmation qui est la source des éternels soupçons dont nous faisons l'objet et de la misogynie. (Le meilleur autocollant placé à l'arrière d'une voiture que j'aie jamais vu disait : EVE FUT CONDAMNÉE À TORT !) Les femmes étaient tout sauf secondaires pour le Christ auquel je crois. La façon dont il les acceptait, les amitiés qu'il nouait avec elles étaient vraiment révolutionnaires en ce temps où la domination masculine avait banni les déesses anciennes et déconnecté la religion de la nature. Si les femmes se sont engagées derrière le Christ avec tant d'ardeur, c'est parce qu'elles se sentaient particulièrement concernées par ses paroles d'amour, de compassion et d'égalité.

Les communautés hors la loi des premiers chrétiens qui s'installèrent dans le désert afin de vénérer le Christ en secret comprenaient plus de femmes que d'hommes, presque le double. Dans l'Empire romain, des femmes organisèrent des réunions clandestines, prêchèrent, baptisèrent et donnèrent la communion.

L'histoire des premiers chrétiens – ceux de l'Evangile selon Thomas, de l'Evangile secret de Marc ou du Livre secret de Jean –, qui se considéraient plus comme à la recherche d'une vérité que comme des croyants, qui pensaient que l'expérience du divin était plus importante que la foi, me touche et m'inspire. Selon eux, Jésus disait que chaque individu avait en lui la possibilité d'*incarner* Dieu (l'incarnation, encore). Peut-être est-ce en partie pour cette raison que ces enseignements furent interdits et exclus du dogme après le quatrième siècle : ils rendaient inutiles les prêtres et la hiérarchie épiscopale. En effaçant ces premières interprétations des mythes fondateurs de la civilisation judéo-chrétienne, les patriarches (c'est-à-dire les évêques) provoquèrent une scission fatale entre le physique et le mental. L'Esprit et la matière. C'est la pierre de touche du patriarcat, de la maison des Pères. J'ai vécu cette dualité aux côtés de mon père (biologique) puis de mes trois maris. Elle est plus évidente chez les hommes (ce qui provoque sa puissance toxique puisque ce sont généralement les hommes qui dirigent le monde), mais elle existe aussi, plus ou moins nette, chez les femmes, comme mon histoire le montre. Si notre civilisation ne s'était pas construite sur la dévaluation, la peur et le dénigrement des femmes, les hommes n'auraient pas séparé ce qui se passe dans leur tête de ce qui se passe dans leur cœur et ne se seraient pas tant éloignés de leurs sentiments, qui sont supposés être le domaine privilégié des femmes.

Je ne suis qu'au début de ce voyage de l'âme, mais depuis que j'ai découvert les enseignements des premiers chrétiens et que j'ai rejoint une communauté de féministes chrétiennes, la piété me revient.

Les blessures laissées ouvertes par le regret deviennent parfois un terrain fertile où germent les graines de la reconstitution. J'aurais aimé être une meilleure mère et ne pas avoir attendu si longtemps avant de me sentir une être complet. Les gens me demandent souvent pourquoi j'ai choisi de travailler sur le problème des grossesses précoces, de la sexualité des adolescents et des jeunes parents. C'est parce qu'en s'attaquant à ce problème, on peut peut-être éviter aux jeunes d'avoir à attendre aussi longtemps que moi pour devenir eux-mêmes et pour se respecter.

Lorsque je veux mieux comprendre ce qu'il faut faire afin que les enfants soient résilients et sains, et éviter les grossesses précoces, je peux m'appuyer sur mes recherches, mes voyages, mes entretiens avec des parents et des jeunes du monde entier. Mais je peux aussi repenser à ce qui s'est passé ou à ce qui ne s'est pas passé quand j'étais petite, ou quand mes enfants l'étaient. Les parents – et en particulier la mère (ou la figure maternelle), surtout dans les premières années où le cerveau se développe – jouent un rôle fondamental. Et si une maman, pour une raison quelconque (dépression, addiction, violence) ne peut pas offrir à son enfant la présence dont il a besoin, il faut alors faire appel à un autre adulte aimant, nourricier, qui créera le lien nécessaire. Les pères, s'ils sont attentifs et tendres, peuvent participer à la formation de la résilience. En offrant la sécurité d'un amour non sexuel, un père peut éviter à sa fille de chercher ce réconfort au mauvais endroit. Un fils peut être vacciné contre les effets toxiques du système patriarcal si son père (ou tout autre mâle solide et affectueux) lui donne une image d'homme chaleureux et expansif. Que ce soit pour les filles ou les garçons, il vaut mieux ne pas avoir de père que d'avoir un père rigide, nocif.

Parents, grands-parents, tantes, oncles, voisins, professeurs, prêtres ou entraîneurs sportifs, nous sommes tous responsables. Nous devons, par notre exemple, nous débarrasser de la « perfection » et aider les filles à se respecter, qu'elles correspondent ou non aux normes esthétiques qui prévalent dans la société. Parler avec elles de sentiments, de relations et de sexualité. Et surtout, les écouter, et les *entendre*.

Si j'ai, dans ce livre, plus parlé des filles et des femmes c'est parce que... eh bien parce que j'ai fait partie autrefois des premières et que je fais maintenant partie des secondes. Mais mon travail actuel m'a permis de constater que ce qui entraînait des problèmes dans la vie des filles en entraînait aussi dans celle des garçons, quoique sous des formes différentes, et à un âge plus jeune ; j'ai des raisons très personnelles de vouloir aussi comprendre ce qui se passe pour eux : un frère, un fils, un petit-fils et (depuis peu) une petite-fille à qui je souhaite de rencontrer un jour un compagnon plein d'empathie. Je sais que le manque d'empathie est inhérent à la culture patriarcale – et c'est une des raisons pour lesquelles j'ouvre mon cœur aux hommes.

Carol Gilligan a trois fils et elle a mené des recherches intensives sur le développement des garçons. Elle a démontré que, tandis que les filles perdent leur relation à elles-mêmes au début de l'adolescence (comme ce fut mon cas), pour les garçons cela se passe entre cinq et sept ans, à peu près quand ils entrent à l'école primaire. Ils se renferment alors souvent sur eux-mêmes, semblent en proie au stress (sont déprimés, ont des difficultés d'apprentissage ou des troubles du langage) et deviennent intenables. Il y en a, bien entendu, qui échappent à ces difficultés. Il semblerait qu'un environnement familial et scolaire chaleureux et aimant, mais structuré, agisse comme un vaccin contre les stéréotypes de genre.

Confrontés au monde qui les entoure, les petits garçons intériorisent les messages qui leur disent ce qu'il faut faire pour être un « homme ». Cela passe quelquefois directement par l'intermédiaire de leur père, qui les traite de « mauviette » à la première occasion. Ou de leur mère, qui ne peut pas, ou ne veut pas, respecter les véritables sentiments de leurs enfants. Notre culture, qui arrache les fils à leurs mères – « Hou, le petit garçon à sa maman ! » –, joue aussi son rôle. Ainsi que les professeurs et les médias, par l'image qu'ils donnent de la « masculinité ». Il peut aussi y avoir des traumatismes spécifiques, comme celui que Ted connut quand il fut envoyé en pension à l'âge de cinq ans. Pensez aux hommes que vous connaissez. Combien d'entre eux sont étrangement coupés de leurs émotions ? Ce n'est pas uniquement une question de « les garçons sont comme ci, les filles comme ça ». Cela dépasse de loin les différences neurochimiques qui existent entre hommes et femmes. Et cela nous touche tous. Je crois que c'est parce que la peur de « ne pas être un homme » est si profondément inscrite en eux que plusieurs présidents des Etats-Unis ont refusé de retirer nos troupes du Viêtnam. Ils ne voulaient pas être traités de mauviettes. Combien de vies ont-elles été perdues parce que nos dirigeants avaient besoin de prouver qu'ils étaient des hommes ? (Et ce sont généralement les pauvres qui sont sacrifiés sur l'autel de la virilité inquiète de ceux qui nous gouvernent.)

Pour leur propre bien, et pour celui de la planète entière, les hommes devraient se joindre aux femmes et quitter avec elles la maison des Pères.

ÉPILOGUE

Ça n'arrive pas d'un coup, expliqua le cheval. Il faut du temps pour devenir réel. C'est pour cette raison que ça n'arrive pas souvent à ceux qui se cassent facilement ou qu'il faut conserver avec soin. Généralement, quand tu finis par être réel, il te manque déjà beaucoup de poils, tes yeux sont tombés, tes articulations ne tiennent plus et tu es tout usé. Mais c'est sans importance parce que, quand tu es réel, tu ne peux pas être laid, sauf pour ceux qui ne comprennent pas.

Margery WILLIAMS,
Le Lapin de velours.

Je suis toujours, et heureusement, en pleine transformation. Il me reste une partie du troisième acte pour vivre la conscience éveillée, être là le plus pleinement possible pour mes enfants et mes petits-enfants, et contribuer autant que je le peux à la guérison de la planète. Si j'arrive à accomplir tout cela, je mourrai reconnaissante et sans regrets. Nous verrons bien.

Dans trois ans j'en aurai soixante-dix – ce qui m'en laisse encore un peu plus de vingt, si j'ai de la chance. J'ai travaillé dur pour arriver là où j'en suis, et je peux affirmer que c'est la façon dont j'ai entamé mon troisième acte qui a fait toute la différence, car elle m'a forcée – jour après jour – à être à la hauteur, à me rappeler qu'il ne s'agissait pas d'une répétition et que je m'étais promis de faire ce qu'il fallait pour ne pas avoir de regrets. Lorsque vous savez ce que vous voulez, les choses changent.

Petit à petit, j'ai appris à aimer et à respecter mon corps. Je l'ai peut-être trahi, mais lui ne m'a jamais trahie. Peut-être faut-il, dans notre culture occidentale, avoir un certain âge pour que cela arrive : avoir vécu assez longtemps pour aimer ces hanches qui ont abrité vos enfants, ces épaules qui ont porté tant de fardeaux, ces jambes qui vous ont emmenée où il fallait aller.

J'ai connu des échecs. Ceux que je n'ai pas affrontés ne m'ont rien appris. Ceux auxquels j'ai longuement réfléchi m'ont fait faire d'infinis bonds en avant. Les échecs sont ce par quoi nous accouchons de nous-mêmes. Il faut aussi prendre des risques pour devenir réel.

En 2004, après m'être retirée du cinéma pendant quinze ans, j'ai accepté un rôle dans *Sa mère ou moi*. Je l'ai fait pour deux raisons. Parce que j'avais besoin d'argent pour assurer l'avenir de l'organisation que j'avais montée en Georgie et payer les professionnels qui y travaillent. Mais aussi parce que je savais être devenue tout à fait différente de la femme que j'étais quinze ans plus tôt – à la fois plus légère et plus solide – et que je voulais voir si cela changerait quelque chose dans ma façon de jouer. Et la réponse fut oui. Confiante, je me sentais maintenant capable de m'amuser, ce qui ne m'était jamais arrivé. Au moment où j'écris, je n'ai pas encore vu le film, mais ce fut une expérience joyeuse, tant au niveau de mon travail d'actrice que des relations nouées avec le reste de l'équipe. D'autant plus joyeuse que mon amie Paula Weinstein faisait partie des producteurs et que le tournage eut lieu à Los Angeles, ce qui permit à Troy de venir me rejoindre souvent sur le plateau et de me donner des trucs d'acteur qui m'ont beaucoup aidée.

Vanessa est sortie diplômée de Brown University il y a maintenant longtemps, puis elle a poursuivi des études d'anglais et d'écriture à la New York University et de cinéma à la Tisch School of the Arts. Elle est une excellente documentariste, auteur de deux films, *Fire in Our House*, qu'elle a fait avec Rory Kennedy (le plus jeune des enfants d'Ethel et Robert), qui traite de l'efficacité des échanges de seringues dans la lutte contre le sida, et *The Quilts of Gee's Bend*. Elle m'a donné une petite-fille, Viva, belle et lumineuse comme un rêve. Je regarde émerveillée l'attention, l'intelligence et l'amour sans condition dont fait preuve

Vanessa envers Malcolm et Viva. Elle est devenue une femme douée de discernement, capable de défendre ses valeurs, et qui désire faire ce qu'il faut pour *arranger les choses*. Elle est mon Jiminy Cricket, qui a encore des tas de choses à m'apprendre. Lorsque je lui ai demandé de me parler de son travail, elle m'a dit être « une araignée qui tisse la toile de la vie, tend des fils entre les choses – le militantisme, les associations, leur financement – afin de créer un tout plus soutenable, plus cohérent ». Elle a lancé à Atlanta un cours sur l'environnement destiné aux enfants d'âge préscolaire et pouvant être repris partout dans le pays. Elle joint l'acte à la parole.

Troy a suivi les cours de l'Académie américaine d'art dramatique. Il est devenu un excellent acteur, qui fait des choix courageux, et possède un registre qui lui est personnel. J'ai eu le bonheur inouï d'avancer à son bras sur le tapis rouge lorsqu'il a été nominé au Globe d'or pour le rôle principal qu'il a tenu dans la formidable série *Soldier's Girl*. Puis un jour, à mon grand plaisir, quelqu'un est passé devant moi sans me remarquer et lui a demandé un autographe. Mais au-delà du comédien de talent, il est surtout une âme profonde et belle, un militant politique qui lutte contre la violence des jeunes, et en particulier contre la prolifération des gangs. Quand Eve Ensler m'a demandé de lui dire en quoi le monde serait différent s'il n'y avait plus de violence à l'encontre des femmes, je lui ai répondu : « Il y aurait plus d'hommes comme mon fils. »

Lulu vit à Atlanta où elle a créé la Fondation des garçons perdus qui donne des bourses d'études à de jeunes Soudanais ayant fui la guerre civile. Elle est aussi directrice de l'Atlanta Thrashers Foundation et de son développement communautaire. Elle est devenue une jeune femme sûre d'elle et douée d'une insatiable curiosité intellectuelle.

Nathalie a quitté le cinéma, passé avec mention un diplôme d'anthropologie culturelle et vit dans le Maine où elle a ouvert un refuge pour femmes battues.

Grâce à la générosité de Ted, nous continuons tous les cinq à travailler avec notre fondation familiale, chacun dans son domaine.

Ted et moi sommes maintenant amis. Nous nous voyons régulièrement. Ses enfants vont bien. Beau suit les projets de protection de la nature de son père. Ted possède un chantier naval à Charleston, en Caroline du Sud. Rhett est documentariste et photographe. Jennie s'occupe d'enfants et de chevaux dans le Kentucky. Ils ont tous la fibre écologique et philanthropique. Laura participe au conseil d'administration de nombreuses organisations environnementales, elle est une progressiste de choc. Leurs enfants m'appellent Grand-Mère.

Je suis aussi amie avec Tom et sa femme, l'actrice et chanteuse Barbara Williams. Leur fils Liam, qui a cinq ans, est l'oncle de Malcolm et le frère de Troy. La famille peut prendre toutes sortes de formes.

Quant à moi, je me sens tirée en avant sur un chemin dessiné par ce que mon féminisme et ma foi m'ont appris. Je ne sais pas où mène ce chemin, mais je sais que je consacrerai désormais mon énergie à faire tout ce que je peux pour rendre le monde meilleur.

Nous sommes sur une planète qui rétrécit, se congestionne, a de moins en moins de ressources et plus aucune vaste étendue à conquérir. La globalisation crée peut-être un monde unifié, mais si nous voulons que ce monde soit juste, acceptable et pacifique, nous devons prendre conscience de ce que cela exige.

Seuls l'internationalisme, le multilatéralisme, l'humilité et la compassion peuvent répondre aux réalités de notre époque. Mais de telles approches sont considérées comme « efféminées » par les hommes qui dirigent actuellement notre pays. Si le Christ revenait aujourd'hui, serait-il considéré par ces gens comme « efféminé » ? – *Ah ces disciples qui accordent tant d'importance au pardon et cette douteuse identification aux femmes et aux pauvres !*

Il y a beaucoup de travail à faire. Mais la nuit la plus longue et la plus sombre – celle du solstice d'hiver, de mon anniversaire – est, dans l'hémisphère Sud, le solstice d'été, le jour le plus long, le plus lumineux de l'année. Tout dépend de là où l'on se place.

Et, de mon point de vue, nous assistons au paroxysme final, aux derniers dangereux sursauts du vieux et désormais injustifiable système patriarcal. Je crois qu'un glissement tectonique a lieu. Je ne sais pas si vous avez jamais été au Parc de Yellowstone. C'est un des endroits du monde où la croûte terrestre est la plus mince, et l'activité thermique la plus proche de la surface (le célèbre geyser Old Faithful n'en est que la preuve la plus spectaculaire). En vous promenant, à pied ou en voiture, au milieu de ces forêts et de ces prairies, vous voyez la vapeur s'élever, des mares de boue chaude bouillonner où le sol s'est ouvert. J'en ai vu l'équivalent humain partout dans le monde – des hommes et des femmes qui veulent transformer le bouillonnement en éruption. J'en fais partie.

J'ouvre tout grand mon cœur et mes bras – prête à accueillir le changement, où qu'il nous mène. Je suis pleine, riche de souvenirs et de leçons apprises. Il y a les papillons de ma mère, ravissants et condamnés, les dernières larmes silencieuses de mon père. Ma famille biologique, celle que j'ai choisie, les hommes que j'ai aimés et mes fidèles amies. Mais aussi Susan et Sue Sally, et le défi suggestif de miss Hepburn : « Ceux qui n'apprennent pas à se maîtriser manquent toujours de trempe. » L'espoir qui éclairait les yeux de l'écolière vietnamienne dans l'abri au bord de la route bombardée, la souffrance qui envahissait ceux des vétérans. Des filles en robe propre qui fabriquent des carnets avec les papiers d'une décharge. Tous les personnages que j'ai joués à l'écran ou sur scène, et tous les rôles que j'ai endossés dans ma vie personnelle. Les arbres que j'ai plantés, les animaux que j'ai aimés. Le sexe, quand il fut, comme cela arriva parfois, une fête fabuleuse. Les conversations et les livres – y compris celui-ci – qui ont changé ma vie. Les enseignements de la douleur. La colère qui guérit et ébranle le silence. Le courage, quand on tombe, de se relever et de recommencer, encore et encore. Les instants inoubliables d'épiphanie, de grâce.

Chaque ride de ma peau, chaque cicatrice de mon cœur est maintenant mienne. J'assume toute imperfection comme ma part de cette humanité fragile et défectueuse qui est la nôtre.

Toutes ces histoires, ces gens, ces métamorphoses résident maintenant en moi, chantent leur présence et leur utilité.

Au fond de mon âme, de mon cerveau, de mon cœur, de mon sang, ils sont revenus vivre en moi.

Comme enfin je l'ai fait.

À PROPOS DE L'AUTEUR

Jane Fonda est née à New York en 1937. Elève de l'Emma Willard School de Troy, dans l'Etat de New York et de l'Université Vassar College, elle a étudié ensuite l'art dramatique avec le célèbre Lee Strasberg de l'Actors Studio, dont elle devenu membre. Ses prestations théâtrales et cinématographiques lui ont valu de nombreuses récompenses, dont deux oscars de la meilleur actrice – pour *Klute* (1971) et *Coming Home* (*Retour*, 1978) – et un Emmy Award – pour *The Dollmaker* (1984). Elle a également obtenu de nombreux succès en tant que productrice, dont *Le Syndrome chinois* (productrice exécutive), *Comment se débarrasser de son patron*, *La Maison du lac* et *Le Lendemain du crime.*

Avec sa vidéo *Jane Fonda's Workout*, qui reste la vidéo la mieux vendue de tous les temps, Jane Fonda a révolutionné en 1982 l'industrie du fitness. Elle a continué dans cette voie et produit vingt-trois autres vidéos, treize cassettes audio et cinq best-sellers consacrés aux exercices physiques.

Elle se consacre maintenant à ses activités de militante philanthrope dans des domaines tels que la prévention des grossesses d'adolescentes, les problèmes de santé liés à la sexualité des jeunes et la dénonciation des stéréotypes de genre (ou d'identité sexuelle) qui empêchent la résilience et détruisent les individus. Elle a fondé en 1995 la Georgia Campaign for Adolescent Pregnancy Prevention (G-CAPP,), qu'elle préside. Elle a ouvert en 2002, au sein de médecine de l'université d'Emory, le Jane Fonda Center for Adolescent Reproductive Health. Elle vit à Atlanta.

FILMOGRAPHIE

2005 *Sa mère ou moi (Monster-in-Law)*
1990 *Stanley & Iris*
1989 *Old Gringo*
1986 *Le lendemain du crime (The Morning After)*
1985 *Agnes de Dieu (Agnes of God)*
1984 *The Dollmaker (téléfilm)*
1981 *La Maison du lac (On Golden Pond)*
1981 *Une Femme d'affaires (Rollover)*
1980 *Comment se débarrasser de son patron (Nive to Five)*
1979 *Le Cavalier électrique (The Electric Horseman)*
1979 *Le Syndrome chinois (The China Syndrome)*
1978 *Le Souffle de la tempête (Comes a Horseman)*
1978 *Retour (Coming Home)*
1978 *California Hotel (California Suite)*
1977 *Julia*
1977 *Touche pas à mon gazon (Fun with Dick and Jane)*
1976 *L'Oiseau bleu (The Blue Bird)*
1974 *Introduction to the Ennemy (documentaire)*
1973 *La Maison de poupée (A Doll House)*
1972 *Steelyard Blues*
1972 *Tout va bien*
1972 *F.T.A. (documentaire)*
1971 *Klute*
1969 *On achève bien les chevaux (They Shoot Horses, Don't They)*
1968 *Histoires extraordinaires*
1968 *Barbarella*
1967 *Pieds nus dans le parc (Barefoot in the Park)*
1967 *Que vienne la nuit (Hurry Sundown)*
1966 *La Curée*
1966 *Chaque mercredi (Any Wednesday)*
1966 *La Poursuite impitoyable (The Chase)*
1965 *Cat Ballou*
1964 *La Ronde*
1964 *Les Félins*
1963 *Un dimanche à New York (Sunday in New York)*
1963 *In the Cool of the Day*
1962 *Les Liaisons coupables (The Chapman Report)*
1962 *La Rue chaude (Walk on the Wide Side)*
1962 *L'Ecole des jeunes mariés (Period of Adjustment)*
1960 *La Tête à l'envers (Tall Story)*

REMERCIEMENTS

Je dois beaucoup à mon éditrice, Kate Medina. Elle m'a expliqué avec une grande délicatesse que moins on en faisait et mieux c'était. Pleine de talent et de tact, elle m'a donné l'impression que c'était moi qui avais eu l'idée de tous les « effets de contour » de ce livre

Je serais éternellement reconnaissante à Robin Morgan, « ange à ma table », sœur attentive qui m'a permis de dormir la nuit.

Je veux rendre hommage à mes enfants : Vanessa, ma conscience, mon honnêteté ; Troy, mon âme, ma lumière ; Lulu et Nathalie qui m'ont poussée à aller chercher dans les profondeurs cachées l'amour qu'il y avait eu entre chacun de mes maris et moi.

Merci à Laura Turner Seydel, Teddy Turner, Rhett Turner, Beau Turner et Jennie Turner Garlington pour leurs justes critiques ; et à Tom Hayden et Ted Turner qui ont revu les chapitres ayant trait à ma vie avec eux.

Merci à mes documentalistes Susan McCormack, Frankie Jones et Sarah Shoenfeld, qui ont accompli ici un travail exemplaire.

Merci au gang des éditions Random House : Gina Centrello, Denis Ambrose, Benjamin Dreyer, Richard Elman, Lisa Feuer, Laura Goldin, Margaret Gorenstein, Carole Lowenstein, Elisabeth McGuire, Timothy Mennel, Gene Mydlowski, Tom Perry, Danielle Posen, Carol Poticny, Robin Rolewicz, Allison Saltzman, Carol Schneider, Sona Vogel and Veronica Windholz. Votre soutien fut fondamental.

Que soient remerciés pour leur participation généreuse, leurs encouragements et leurs conseils tous ceux qui suivent : Joe Bangert, Hannah Bergen, Susan Blanchard, docteur Susan Blumenthal, Fred Branfman, Thoa Branfman, Judith Bruce, Leni Cazden, Laura Clark, Ken Cloke, Cyndi Fonda Dabney, John Dean, Donald Duncan, Diana Dunn, John Echohawk, Dan Ellsberg, Tod Ensign, Peter Fonda, Shirlee Fonda, Roger Friedman, Lois Gibbs, Bruce Gilbert, Carol Gilligan, Jim Gilligan, Jerry Hellman, Mary Hershberger, David Hilliard, David Hodges, docteur Marion Howard, Al Hubbard, Henry Jaglom, Maria Cooper Janis, Tom Johnson, Berverly Kitaen-Morse, Carol Kurtz-Nichol, Julie Lafond, Valérie Lalonde, Robin Laughlin, Laurel Lyle, John McAuliffe, LaNada Means, Edison Miller, Gordon Miller, Pat Mitchell, Bob Mulholland, Karen Nussbaum, Francine Parker, Dolly Parton, Dick Perrin, Hélène Plemiannikov, Bonnie Raitt, Terry Real, Sil Reynolds, Stephen Rivers, Rich Roland, Catherine Schneider, Olga Seham, Jim Skelly, Gloria Steinem, Lily Tomlin, Mike Uhl, Vania Vadim, Jon Voight, Leonard Weinglass, Paula Weinstein, Jay Westbrooke, Corinne Whitaker, Helen Williams, Marion Woodman et monsieur l'ambassadeur Andrew Young.

Si la vie a continué pour moi à s'écouler tranquillement ces cinq dernières années, je le dois à l'assistance inestimable de Steven Bennett. Cindy Imlay m'a constamment aidée pendant tout ce temps. Carole et Tommy Mitchell, enfin, m'ont apporté un soutien essentiel.

Avec tout mon amour et ma gratitude à tous.

INDEX

CRÉDITS

Mes sincères remerciements vont à :

Bloodaxe Books : pour « Honour Killing », *I Speak for the Devil*, de Imitiaz Dharker (Bloodaxe Books, 2001). Cité avec l'autorisation de l'éditeur.

Charles Darling : pour « The Magician's Assistant » de Charles Darling, reproduit avec l'autorisation du Professeur Charles Darling, Capital Community College, Hartford, Connecticut.

Egmont Books Ltd : pour *The Velveteen Rabbit.* Copyright © 1922 The Estate of Margery Williams. Publié par Egmont Books Ltd, Londres, et cité avec leur autorisation.

Kokomo Music : pour « Nick of Time », écrit par Bonnie Raitt, copyright © Kokomo Music. Tous droits réservés. Protégé par copyright international. Cité avec leur autorisation.

Majorsongs, Co. and Harrison Music : pour « Ballerina », de Carl Sigman et Bob Russell. Publié par Majorsongs, Co. (ASCAP)/Géré par Bug Music Inc, (BMI). Publié par Harrison Music. Tous droits réservés. Cité avec leur autorisation.

Methuen : pour « On Leaving the Theatre », d'Edward Bond, cité avec l'autorisation de l'éditeur, Methuen and Casarotto Ramsay & Associates Ltd.

Robin Morgan : pour l'extrait de *The Burning Time* de Robin Morgan et l'e-mail de Robin Morgan, cités avec l'autorisation de Robin Morgan.

New Directions Publishing Corporation : pour « Relearning the Alphabet » de Denise Levertov, extrait des *Poems : 1968-1972*, copyright © 1970 Denise Levertov Goodman, copyright © 1987 Denise Levertov. Cité avec l'autorisation de New Directions Publishing Corp., Pollingter Ltd. et le détenteur des droits.

Penguin Group (USA) Inc. : pour *Fonda : My Life* de Henri Fonda et Howard Teichmann, copyright © 1981 Howard Teichmann et Orion Productions, Inc. Cité avec l'autorisation de Dutton Signet branche de Penguin Group (USA) Inc.

Catherine Steiner-Adair : pour *Full of Ourselves : Advancing Girl Power, Health and Leadership* de Catherme Steiner-Adair EdD et Lisa Sjostrom EdM (N.Y. ; Teachers College Press, 2005). Cité avec l'autorisation de Catherine Steiner-Adair.

Warner Brothers Publications U.S. Inc. : pour *For What It's Worth*, paroles et musique de Stephen Stills. Copyright © 1966 (renouvelé) Cotillon Music Inc., Ten East Music, Springalo Toones et Richie Furay Music. Tous droits gérés par Warner-Tamerlane Publishing Corp. Tous droits réservés. Reproduit avec l'autorisation de Warner Brothers Publications U.S. Inc., Miami, Floride.

TABLE

ACTE TROIS
LE COMMENCEMENT

Composé et mise en page par Nord Compo
à Villeneuve-d'Ascq

Achevé d'imprimer en septembre 2005
sur presse Cameron
par ***Bussière***
à Saint-Amand-Montrond (Cher)